Gedichte und Interpretationen 4

Gedichte und Interpretationen

Band 1 Renaissance und Barock
Band 2 Aufklärung und Sturm und Drang
Band 3 Klassik und Romantik
Band 4 Vom Biedermeier zum Bürgerlichen Realismus
Band 5 Vom Naturalismus bis zur Jahrhundertmitte
Band 6 Gegenwart

Philipp Reclam jun. Stuttgart

Gedichte und Interpretationen

Band 4

Vom Biedermeier zum Bürgerlichen Realismus

Herausgegeben von
Günter Häntzschel

Philipp Reclam jun. Stuttgart

Universal-Bibliothek Nr. 7893 [5]

Gesamtherstellung: Reclam, Ditzingen. Printed in Germany 1984
ISBN 3-15-007893-8

Inhalt

Günter Häntzschel

Einleitung

Beim Studium der Briefwechsel, Autobiographien, Lebenserinnerungen, literarhistorischen und theoretischen Aufsätze des 19. Jahrhunderts ist immer wieder zu bemerken, daß die lyrischen Autoren dieser Zeit nicht in erster Linie Originalität um jeden Preis beanspruchen, sondern sich bereitwillig auch den Traditionen der vorangegangenen Epochen stellen. Im Vertrauen auf den allgemeinen Konsensus literarischer Möglichkeiten fühlen sie sich diesen Traditionen dankbar verbunden; andererseits kann das bereits Geleistete zur Resignation führen, das Erbe zur Last werden und ein Epigonenbewußtsein entstehen lassen. In seinem Alter hatte schon Goethe dieses Phänomen gesehen: »Wenn eine gewisse Epoche hindurch in einer Sprache viel geschrieben und in derselben von vorzüglichen Talenten der lebendig vorhandene Kreis menschlicher Gefühle und Schicksale durchgearbeitet worden, so ist der Zeitgehalt erschöpft und die Sprache zugleich, so daß jedes mäßige Talent sich der vorliegenden Ausdrücke als gegebener Phrasen mit Bequemlichkeit bedienen kann.«[1] Diese Einsicht wurde vielfach im 19. Jahrhundert wieder aufgegriffen. Grillparzer stellt fest: »Glanzperioden haben [...] für die nächste Zukunft etwas Gefährliches. Nazionen von Geschmack und gesundem Urteil sind von der Vortrefflichkeit des Vorhergegangenen so durchdrungen, daß sie in der genauen Nachahmung das einzige Heil sehen und so allgemach in leeren Formalismus geraten.«[2] Paul Heyse teilt in seinen *Jugenderinnerungen und Bekenntnissen* die Erfahrung mit: »Wo sich das Bedürf-

1 Johann Wolfgang Goethe, *Deutsche Sprache*, in: *Goethes Werke*, hrsg. im Auftr. der Großherzogin Sophie von Sachsen, Abt. 1, Bd. 41,1, Weimar 1904. S. 109–117, hier S. 113.

2 Franz Grillparzer, *Zur Literaturgeschichte*, in: F. G.: *Sämtliche Werke*, hrsg. von August Sauer und Reinhold Backmann, Bd. 14, Wien 1925, S. 156–170, hier S. 161.

nis nach einem farbigeren Wort, phantasievolleren Ausdruck einstellte, war sofort ein geflügeltes Wort, ein Zitat aus den Werken unserer großen Dichter bei der Hand, das den Sprechenden oder Schreibenden der Mühe überhob, sich zu eigener sprachschöpferischer Tätigkeit aufzuschwingen.«[3] Selbst Autoren, die von der Qualität ihrer lyrischen Werke überzeugt sind und damit in der Öffentlichkeit nicht zurückhalten, geben doch häufig zu, im Grunde nur Epigonen zu sein.

Unter dem Eindruck solcher Zeugnisse, die sich seit der Jahrhundertmitte häufen, und in der Vorstellung von literarischen Blütezeiten, auf die naturgemäß Epochen des Verfalls folgen, neigte die Literaturwissenschaft lange Zeit dazu, die Lyriker des 19. Jahrhunderts an den Leistungen der Klassik und Romantik zu messen. Bei solcher Beurteilung wurden die Verfasser der massenhaft fabrizierten Anthologie- und Goldschnitt-Lyrik der Gründerzeit in ihrer Mediokrität erkannt; aber auch den Lyrikern der ersten Hälfte des 19. Jahrhunderts gestand man nur bescheidene Verdienste zu. Platen galt trotz vereinzelter ›Rettungen‹ als epigonaler Klassizist; Heine als der Verfasser des *Buchs der Lieder* schnitt schlecht ab, weil man ihn mit Goethe verglich; Mörike geriet in einseitiger Perspektive unter die Spätromantiker; bei Lenau hob man nur die wenigen symbolischen und romantiknahen Gedichte hervor, obwohl diese nicht das Zentrum seines lyrischen Œuvres ausmachen; unter ähnlichen Aspekten wurde die Lyrik der Droste bewertet; auch das politische Konzept der Vormärz-Autoren vertrug sich schlecht mit den Idealen ›reiner‹ Lyrik.

Erst die neuere Forschung hat hier differenziertere Einsichten vermittelt. Untersuchungen zur Literatur der ersten Hälfte des 19. Jahrhunderts[4] haben nachgewiesen, daß diese

3 Paul Heyse, *Jugenderinnerungen und Bekenntnisse*, Bd. 2, Stuttgart/Berlin ⁵1912, S. 47.

4 Insbesondere Friedrich Sengle, *Biedermeierzeit. Deutsche Literatur im Spannungsfeld zwischen Restauration und Revolution 1815–1848*, 3 Bde., Stuttgart 1971, 1972, 1980.

Periode, in der das Phänomen der Restauration sich bis in die für die Dichtung wesentlichen Bereiche verfolgen läßt, »in erster Linie auf die normative, vorindividualistische Kultur zu beziehen [ist], nicht nur auf die Klassik und Romantik.«[5] Die Lyrik, die in dieser Zeit, sowohl bei den konservativen wie bei den liberalen und oppositionellen Autoren, eine Hauptgattung bildet, in gleicher Weise privaten wie öffentlichen Themen der Zeit offen und daher von gesamtgesellschaftlicher Bedeutung, kann gerade nicht durch Epigonalität gekennzeichnet werden. Zwar werden auch die lyrischen Konzepte der Klassik und Romantik weitergeführt, sie bilden aber nur Orientierungsfelder unter anderen. Die Lyrik dieser Zeit schließt vielmehr im Rückgriff auf die überindividuellen Ordnungen des 17. und 18. Jahrhunderts und infolge der politischen Restauration sowie durch das Weiterleben des christlich-dualistischen Welthintergrunds überall ältere Traditionen mit ein und erneuert sie produktiv. Erlebnishafte Ich-Aussprache und symbolische Gestaltung, überhaupt die Subjektivität ist meist durchsetzt mit Reflexion, didaktischer Ausdeutung, ironischer Brechung. Bezeichnend dafür ist die in vielen lyrischen Realisationen anzutreffende zweigliedrige Struktur, die mehr oder weniger offene Beziehung zwischen bildlichem und gedanklichem Bereich, die es ermöglicht, subjektive Inhalte durch objektive Bezüge zu relativieren, Individuelles stets in einen weiter reichenden Zusammenhang zu bringen. Nicht unbedingt durch Originalität, wohl aber durch originelle Kombination von Altem mit Neuem, von Abstraktem mit Konkretem, von Idealismus mit Detailrealismus entwickelt sich die Lyrik in der Restaurationsepoche auch stilistisch zu einem fruchtbaren Experimentierfeld. Die lyrische Produktion zeichnet sich aus durch Vielseitigkeit und Komplexität, sie verfügt über ein reichhaltiges Formenarsenal ebenso wie über sprachliche Raffinements und neue Inhalte.

5 Friedrich Sengle, *Voraussetzungen und Erscheinungsformen der deutschen Restaurationsliteratur.* In: F. S.: *Arbeiten zur deutschen Literatur 1750–1850.* Stuttgart 1965, S. 144.

Eine erste Gruppe von Beiträgen im vorliegenden Band umfaßt Gedichte von Biedermeier-Autoren und Realisten, soweit deren Lyrik vor 1848 liegt. Die Interpretationen eines Ghasels und eines an der Form des Trioletts orientierten Gedichts von Platens zeigen, wie sehr die Beziehung Platens zur Goethe- und Romantiktradition den Blick verstellt hat für die Leistung eines Lyrikers, der mit Petrarca, Tasso, Ariost, Camões wetteifern wollte und damit zum beachteten Vorbild des Ästhetizismus der Jahrhundertwende wurde. Rückerts bekanntes Gedicht *Chidher* kann als Beispiel der in dieser Epoche viel verwendeten parabelhaften Reflexionspoesie oder Gedankenlyrik gelten. Der Chamisso-Beitrag dokumentiert, wie sich hinter einer vermeintlich einfachen, leicht verständlichen Diktion ein komplexer und elliptischer Text verbirgt, der Reflexionen über die poetische Kreativität des Autors einbezieht. An einem beim ersten Lesen ebenso schlicht erscheinenden Gedicht aus dem *Buch der Lieder* kann deutlich werden, wie Heine hier eine Liebeskonzeption neu belebt, die historisch hinter den klassisch-romantischen Individualismus zurückgeht, die ihre aktuelle soziale Bedeutung aber aus der zunehmenden Kollektivierung der bürgerlichen Gesellschaft der Restaurationsepoche bezieht. Mit seinem Gedicht *Im Frühling* variiert Mörike auf artifizielle Weise die konventionelle Frühlingspoesie und macht sie zum Ausdrucksträger sensibler Unruhe; sein in Hexametern verfaßtes *Weinberg*-Gedicht deutet einen von Brockes vorgegebenen Inhalt so um, daß es auf symbolistisches Dichten vorausweist. In Grillparzers *Entsagung* erkennen wir einen mit rhetorischen Mitteln der Barocktradition evozierten spezifischen Ausdruck der Biedermeierzeit: Resignation und Verzicht, vom Persönlichen auf Allgemeingültiges übertragen. Hebbel verwendet Gedanken der Philosophen Schubert, Feuerbach und Schelling in seinem Gedicht *An den Tod*. Greller, unerbittlicher treten in Lenaus Text Weltschmerz und Hoffnungslosigkeit hervor. Die Spannung zwischen individuellem Zweifel an der Transzendenz und dem Glauben-Wollen vermittelt das *Sylvester*-Gedicht aus dem *Geistlichen Jahr* der Droste, in dem erlebnishafte Ich-Aussprache mit traditionsgebundenen Diktionen geistlicher Lyrik zusammentreffen, deren Niederschlag auch in ihrer Naturlyrik wiederbegegnet, für die hier repräsentativ *Im Grase* ausgewählt wurde. Ein anderes Naturgedicht, Kellers *Sommernacht*, zeigt die artifizielle Entwicklung von breiter allegorischer Ausdeutung zu symbolischer Verknappung mit ambivalenter Bedeutung.

Eine zweite Gruppe unseres Bandes repräsentiert die politische Lyrik der Restaurationsepoche. Obwohl die jungdeutschen Schriftsteller als zeitgemäße politisch-literarische Ausdrucksform Publizistik und Erzählprosa in den Mittelpunkt stellen, bleibt in den dreißiger Jahren die Lyrik als Möglichkeit engagierter Zeit- und Gesellschaftskritik am Leben.[6] Die politischen Ereignisse der französischen Julirevolution von 1830, der Polenaufstand im selben und folgenden Jahr[7] sowie das Hambacher Fest von 1832 bieten innerhalb des allgemein als bedrückend empfundenen Zustands des Metternichschen Systems konkrete Anlässe zu einer liberalen und demokratischen Lyrikproduktion. Welch zentrale Rolle die Lyrik im literarischen Leben und im Bewußtsein der Öffentlichkeit in der Restaurationsepoche spielt, geht aus der Tatsache hervor, daß trotz der jungdeutschen Bemühungen um die Prosa die Vormärz-Autoren zu Beginn der vierziger Jahre – ausgelöst vor allem durch die Rheinkrise und den Regierungsantritt Friedrich Wilhelms IV. in Preußen – ihre politischen Wünsche, Hoffnungen und Ziele vornehmlich in lyrischer Form artikulieren. Die Jahre von 1840 bis zum Scheitern der Revolution von 1848 bilden den Höhepunkt des politischen Zeitgedichts. Die Lyrik erweist

6 Vgl. Horst Denkler, *Zwischen Julirevolution (1830) und Märzrevolution (1848/49)*, in: *Geschichte der politischen Lyrik in Deutschland*, hrsg. von Walter Hinderer, Stuttgart 1978, S. 179–209; Hans-Georg Werner, *Geschichte des politischen Gedichts in Deutschland von 1815 bis 1840*, Berlin [Ost] 1969; Hanns-Peter Reisner, *Literatur unter der Zensur. Die politische Lyrik des Vormärz*, Stuttgart 1975.

7 Vgl. *Polenlieder*. Eine Anthologie, hrsg. von Gerard Koziełek, Stuttgart 1982.

sich als eine Hauptgattung der politischen Publizistik. Die Beziehungen zwischen Autoren und ihrem Publikum sind außerordentlich intensiv; die staatspolitischen Obrigkeiten erkennen in der zeitkritischen Lyrik eine Gefahr ersten Ranges und reagieren mit entsprechenden Zensurmaßnahmen oder Ausweisungen unliebsamer Autoren; entsprechend steigt das Selbstbewußtsein der politischen Lyriker, die sich als Führer und Propheten verstehen und in dieser Funktion auch ernstgenommen werden.
Der erste Beitrag, Robert E. Prutz' Gedicht *Rechtfertigung*, kann als Einführung in den Problemkreis gelten. Er dokumentiert – wie herausgearbeitet wird – das Bemühen des Verfassers, die Politisierung der Lyrik auch theoretisch zu legitimieren. Daß dies im Medium des Gedichts geschieht, beweist noch einmal den hohen Stellenwert der lyrischen Gattung. Die Konfrontation des poetologischen Gedichts mit Prutz' Prosaabhandlung über *Die politische Poesie. Ihre Berechtigung und Zukunft* zeigt jedoch auch die Problematik der politischen Lyrik, ihre Grenzen und Gefahren. Während Prutz in seinem Essay differenziert und umfassend über die Möglichkeiten und Erweiterungen der politischen Poesie reflektiert, läßt sich diese komplizierte Argumentation nicht in das appellative, auf Emotionen bedachte Gedicht übertragen: Der Autor ist zu rhetorischem Pathos, zur Verwendung einprägsamer und daher oft undifferenzierter Formeln, tradierter Metaphorik gezwungen, Mittel, die zwar augenblicklich wirksam sein können, bei intensiver Lektüre aber an Plausibilität einbüßen, unglaubwürdig werden und leicht dazu führen, daß die Realität aus den Augen verloren wird. Solcher »Realitätsverlust im rhetorischen Zeitgedicht des Vormärz« – der Interpret des Herwegh-Gedichts stellt ihn als Quintessenz heraus – ist eine Gefahr, die fast allen politischen Lyrikern dieser Epoche erwächst. Die Zeitgedichte sollen kommunikativ, eingängig, eindringlich wirken; sie verallgemeinern daher leicht, vereinfachen die behandelten Themenkomplexe, abstrahieren die konkreten Fakten, sind in traditioneller Bildlichkeit und konventio-

nellen Formen abgefaßt und entgehen nicht immer der Phrase.
Die Interpretationen machen jedoch deutlich, wie solche Schwächen von den einzelnen Autoren jeweils unterschiedlich umgangen werden, Schwächen, die überdies mehr den heutigen Lesern in die Augen stechen als den zeitgenössischen, da damals die Rhetorik noch Autorität besaß, ein ungebrochenes »Vertrauen in die Überzeugungskraft von Wort, Argument und Rede« herrschte.[8] Eine Möglichkeit ist die Indirektheit der Aussage. Wenn Anastasius Grün gegen die verhängnisvolle Verbindung von Thron und Altar und andere Auswüchse der Metternichschen Regierung opponiert, geschieht das nicht expressis verbis, sondern implizit, indem vertraute Naturbilder zu aktuellen politischen Anspielungen umgedeutet werden. Eine weitere Möglichkeit zeigt Heines *Tannhäuser*-Gedicht, das aus der Spannung zwischen überlieferten und gegenwartsbezogenen Motiven, zwischen archaischer und moderner Diktion lebt. Der Beitrag zu Hoffmann von Fallersleben stellt heraus, wie *Das Lied der Deutschen*, das nach der Reichsgründung von 1871 als Verklärung des Bestehenden galt, ursprünglich progressive, demokratische und republikanische Intentionen verkündete. In ironischer Brechung gestaltet Dingelstedt eine Kontrafaktur bekannter Hymnen und patriotischer Lieder aus den Befreiungskriegen. In einer satirischen Parodie der verbreiteten Schneider-Spottlieder reflektiert Weerth die Auswirkungen der industriellen Revolution für die Handwerker. Freiligrath versinnbildlicht in der aktualisierten Staatsschiff-Allegorie die schwelenden Konflikte zwischen Proletariat und Feudalklasse. Die ironisch-satirische Beschreibung des nachmärzlichen Deutschland gewinnt Überzeugungskraft, indem Heine seine persönlichen Leiden mit der Zeitkrankheit verbindet.
Im Vergleich zur Lyrik der ersten Hälfte des Jahrhunderts fällt die Nachmärz- und Gründerzeit-Lyrik deutlich ab.

8 Denkler (Anm. 6) S. 181.

Vielbenutzte und schon verbrauchte Bilder und Motive kehren klischeeartig wieder, Stereotypen herrschen vor; wir begegnen einer Themen- und Formen-Verengung; ihrem nach rückwärts gewandten Charakter entsprechend erfolgt in den Texten kaum noch eine Auseinandersetzung mit den bewegenden Zeitproblemen, weitgehend sind politische Fragen ausgeklammert; statt Kritik und Irritation werden in formaler Glätte sentimentale Stimmungshaftigkeit, Erbauliches und Besänftigendes heraufbeschworen; Aufklärung und Appell weichen verklärender Harmonie und privater Idylle. Dieser Wandel wurde teilweise schon von den Zeitgenossen registriert. Paul Heyse stellt z. B. 1882 fest: »Wir haben heutzutage noch Lyrik in Deutschland (mehr als genug!), aber keine Lyriker mehr. Statt der lyrischen Charakterköpfe, deren lyrische Physiognomie das Interessanteste ist, hat sich eine gewisse zunftmäßige Liederfabrication zur Geltung gebracht, die nach fertigen Schablonen ihren krausen Singsang unter die Leute bringt und freilich spurlos vergehen wird zugleich mit anderen Modekrankheiten in Tracht und Geräth, mit denen eine erfindungslose Zeit sich über ihre eigene Armut betrügt.«[9]
Es reicht jedoch nicht aus, die Qualitätsminderung allein durch Epigonentum plausibel machen zu wollen. Sie erklärt sich vielmehr wesentlich daraus, daß nach den Ereignissen der gescheiterten Revolution von 1848 mit der nun erstarkenden Ideologie von Arbeit und Fortschritt im Zuge der Industrialisierung und Kapitalisierung die schöne Literatur und damit vor allem die Lyrik nur noch eine periphere Rolle behaupten kann. Ihre ernsthafte und intensive Rezeption ist abgebrochen, seitdem das öffentliche Interesse in verstärktem Maße wirtschaftlichen und politischen Fragen gilt.[10]

9 Paul Heyse, in: Julius Grosse: *Gedichte*. Neue durchges. und verm. Auswahl mit einer Zuschrift von Paul Heyse, Berlin 1882, S. IX.
10 Vgl. Reinhard Wittmann, *Das literarische Leben 1848 bis 1880*, in: *Realismus und Gründerzeit. Manifeste und Dokumente zur deutschen Literatur 1848–1880*, hrsg. von Max Bucher, Werner Hahl, Georg Jäger, Reinhard Wittmann, Bd. 1, Stuttgart 1976. S. 161–241, 253–257.

Der umfassende und tiefgreifende soziale Wandel des 19. Jahrhunderts bleibt für die Produktion und Rezeption der Lyrik nicht ohne Folgen. Aus zeitgenössischen Belegen geht hervor: Je moderner, das heißt, je ungewohnter, neuartiger, orientierungsloser, unübersehbarer die öffentlichen und beruflichen Lebenssituationen werden, desto stärker entwickelt sich als notwendiges Gegengewicht das Verlangen nach traditionellen Werten, vertrauten Orientierungen, überschaubaren und einfachen Mustern in Privatsphäre, Familie und Häuslichkeit. Dort nimmt auch die Lyrik ihren Platz ein, die nun verstärkt für den Teil der Rezipienten konzipiert wird, der von Studium, Beruf und Öffentlichkeit ausgeschlossen ist und daher in der traditionellen Sphäre verbleibt: für Mädchen und Frauen. Solche Rezeptionsverengung, die durch Verleger- und Buchhandelsstrategien intensiviert wird, begünstigt die oben beschriebene triviale Lyrik.[11] Auffallend ziehen sich die ›großen‹ Autoren aus der Lyrikproduktion zurück. Während bei Platen, Lenau, Mörike, Heine, der Droste und anderen die Lyrik eine Hauptgattung ist, widmen sich ihr die Autoren des Realismus – mit Ausnahme von Storm – vor allem nur in der Jugend intensiv, oder lyrische Gedichte machen eher Randzonen ihres Schaffens aus. Manche Realisten schreiben gar keine oder fast keine Lyrik wie Stifter und Raabe, weil dieses Feld von mittleren und kleinen Talenten und vielen Dilettanten bestellt wird.

Die dritte Gruppe bringt einige Proben dieser gründerzeitlichen oder schon vorher entstandenen, aber in den Gründerjahren in Anthologien und Prachtausgaben, in Kommersbüchern oder auch in Vertonungen verbreiteten trivialen Lyrik, die damals von großen Teilen des Publikums hochgewertet wurde. Scheffels *Wanderlied* ist ein typisches Beispiel jener verharmlosenden Beschwichtigungspoesie, die alles Beunruhigende ausklammert und mit stereotypen Themen

11 Vgl. Günter Häntzschel, *Lyrik und Lyrik-Markt in der zweiten Hälfte des 19. Jahrhunderts. Fortschrittsbericht und Projektskizzierung*, in: *Internationales Archiv für Sozialgeschichte der deutschen Literatur* 7 (1982) S. 199–246.

und ebensolchen sprachlich-stilistischen Mitteln eine vorindustrielle Landschaftsszenerie gestaltet. Bodenstedts Text aus seiner populären Liedersammlung *Mirza Schaffy* zeigt, wie die einst exklusive orientalisierende Lyrik jetzt mit geläufigen Formeln und Versatzstücken so eingedeutscht ist, daß ähnlich wie bei den Übersetzungen des Münchener Dichterkreises das Fremde mit dem Vertraut-Heimischen austauschbar erscheint. Das Gedicht *Die reinen Frauen* von Rodenberg bietet einen Beleg für die zeitspezifischen Vorstellungen vom Unterschied der Geschlechter, legitimiert durch die höhere Wahrheit der Poesie. Damit wird zugleich deutlich, daß man die Frauen für ihre Ausgeschlossenheit vom öffentlichen Leben durch ideale Überhöhung entschädigt. *Die welke Rose* von Jordan ist eines der zahllosen privaten idyllisch-sentimentalen Genrebilder, in deren Ausmalung sich die Lyrik der Zeit erschöpft, sofern sie nicht nach 1870 Krieg und Patriotismus verherrlicht.[12] Einen Vorklang auf diese kurzfristig erfolgreiche Spielart der politischen Lyrik stellt Geibels rhetorisch-emphatisches Herrscherlob *An König Wilhelm* dar.

Die Beiträge der letzten Gruppe dokumentieren unterschiedliche Versuche und Möglichkeiten, die Unverbindlichkeit der konformen Massenlyrik, die meist nur noch dekorative Funktion erfüllte und von der literarischen Kritik nicht mehr ernstgenommen wurde, zu überwinden, neue, eigenständige Konzepte zu entwickeln, der Lyrik wieder Wahrheitsgehalt zu geben. Wenn Storm mit seiner Poesie Allgemeingültigkeit im persönlichen Erleben erzielen will, kann er von heutiger Sicht aus zwar als Goethe-Epigone eingestuft werden; da der Wahrheitsgehalt seiner Lyrik – wie *Tiefe Schatten* zeigt – jedoch viel intensiver ist als in den Durchschnittsgedichten seiner Umgebung, wirkt er durch Rückgriff auf die Möglichkeiten des Erlebnisgedichts und durch dessen Erneuerung durchaus auch innovativ. Eben-

12 Vgl. Hasko Zimmer, *Auf dem Altar des Vaterlandes. Religion und Patriotismus in der deutschen Kriegslyrik des 19. Jahrhunderts*, Frankfurt a. M. 1971.

falls gegen die verbreitete populäre Lyrik der Zeit konzipiert Wilhelm Busch seine wirklichkeitsnahen Genreszenen, deren epigrammatische Wendungen soziale und moralische Mißstände der Zeit in salopper und daher desillusionierender Weise bloßstellen. An drei Beispielen von Conrad Ferdinand Meyer, einem Genrebild, einem Rollengedicht und einer Ballade, deren Ursprünge bis in die sechziger Jahre zurückgehen, wird deutlich, wie der Autor konventionelle Gattungen, Themen und Motive aus der Tradition des 19. Jahrhunderts originell und neuartig umprägt. Kritik an den Äußerlichkeiten des literarischen Lebens und authentische Erfahrungen der eigenen Dichterexistenz subsumiert Liliencron in seinem Gedicht, das zugleich auf neue, unverbrauchte Themen und sprachliche Mittel programmatisch hinweist. Und ebenfalls ganz bewußt gegen die Konventionen zeitgenössischer Lyrik ist Fontanes *Arm oder reich* geschrieben, ein Gedicht, das auf bisher ungewohnte Art Humor mit Zeitkritik verbindet, die Möglichkeit zeigt, das Alltägliche als neues Thema in die Lyrik aufzunehmen, Ehrlichkeit gegen verlogene Gefühle einzusetzen.
Heute gehören Storm, Busch, Conrad Ferdinand Meyer, Liliencron, Fontane mit zu den bekannten Autoren der zweiten Hälfte des 19. Jahrhunderts, manche von ihnen weisen auf spätere lyrische Richtungen voraus, auf den Symbolismus, Naturalismus, auf Impressionismus und Neue Sachlichkeit; in ihrer eigenen Zeit hatten sie eben wegen der innovativen Momente als Lyriker nur wenig Erfolg, während die gründerzeitliche Lyrik sich allgemeiner Beliebtheit erfreute. Dieses zeit- und gesellschaftsspezifischen Charakters wegen sollten auch Beispiele davon in dieser Dokumentation nicht fehlen, denn erst auf dem Hintergrund des Zeitüblichen wird man zu einer gerechten Einschätzung der bis heute gültigen Gedichte gelangen. Dazu möchten die Beiträge dieses Bandes anregen.

August von Platen

Es liegt an eines Menschen Schmerz, an eines Menschen Wunde nichts,
Es kehrt an das, was Kranke quält, sich ewig der Gesunde nichts,
Und wäre nicht das Leben kurz, das stets der Mensch vom Menschen erbt,
So gäb's Beklagenswerteres auf diesem weiten Runde nichts.
Einförmig stellt Natur sich her, doch tausendförmig ist ihr Tod,
Es fragt die Welt nach meinem Ziel, nach deiner letzten Stunde nichts.
Und wer sich willig nicht ergibt dem ehrnen Lose, das ihm dräut,
Der zürnt in's Grab sich rettungslos und fühlt in dessen Schlunde nichts.
Dies wissen Alle, doch vergißt es Jeder gerne jeden Tag.
So komme denn, in diesem Sinn, hinfort aus meinem Munde nichts!
Vergeßt, daß euch die Welt betrügt, und daß ihr Wunsch nur Wünsche zeugt,
Laßt eurer Liebe nichts entgehn, entschlüpfen eurer Kunde nichts!
Es hoffe Jeder, daß die Zeit ihm gebe, was sie Keinem gab,
Denn Jeder sucht ein All zu sein und Jeder ist im Grunde nichts.

Abdruck nach: August Graf von Platens sämtliche Werke in zwölf Bänden. Hist.-krit. Ausg. Hrsg. von Max Koch und Erich Petzet. Bd. 3: Gedichte. T. 2: Ghaselen. Sonette. Hrsg. von Max Koch. Leipzig: Max Hesse, 1909. S. 127.
Erstdruck: Neue Ghaselen von August Graf von Platen. Gedruckt mit Junge'schen Schriften. Erlangen: [Carl Heyder,] 1823.

Walter Schmitz

Rhetorik des Nihilismus. Zu August von Platens Ghasel *Es liegt an eines Menschen Schmerz, an eines Menschen Wunde nichts*

I

Nicht Herder, dessen *Zerstreuten Blättern* von 1792 Platen die erste Bekanntschaft mit Namen und Form des Ghasels verdankt (vgl. *Tagebücher*, Bd. 1, S. 749, 762 zum Jahre 1817), sondern Goethe setzt die Maßstäbe, zu denen sich der junge Dichter bekennt. Ein *Prolog an Goethe* mußte 1824 freilich gesondert erscheinen, weil sich 1822, drei Jahre nach der Veröffentlichung von Goethes *West-östlichem Divan* in »Hafisens Tönen« (VII,126), kein Verleger für eine treue Übersetzung der Ghaselen des Hafis, eingeleitet von jenen Zeilen, gefunden hatte. Und der Gedichtzyklus Goethes selbst hat so wenig Leser angezogen, daß noch »bei Beginn des vorigen Weltkrieges« – wie Ernst Beutler 1948 anmerkte (S. XII) – »die Divanexemplare der ersten Cottaischen Ausgabe unverkauft in den deutschen Buchhandlungen lagen«. Die westöstliche Dichtung in Deutschland beginnt jedenfalls als ein esoterisches Unterfangen am Rande der literarischen Bildung der Nation.

Platen freilich hatte sich schon anfangs in seiner Erlanger Studienzeit mit dem »›Divan‹ de Goethe« (*Tagebücher*, Bd. 2, S. 330) befaßt, sich im folgenden Jahr 1820 entschlossen, Persisch zu lernen, meisterte diese Sprache schon bald und war nach abermals einem Jahr zu eigenen Versuchen in der orientalischen Dichtart fähig. Im April 1821 wird seine erste Sammlung von 30 Ghaselen gedruckt, im gleichen Jahr bilden weitere eine eigene Abteilung in den *Lyrischen Blättern*; 1822 gibt Platen mit dem *Spiegel des Hafis* die originalgetreue westliche Replik eines persischen Diwans, schließlich 1823, als Höhepunkt und Abschluß, ehe sich der Dichter den Formen der Renaissance und des klassischen Altertums zuwendet, die *Neuen Ghaselen*, aus denen unser Beispiel, das berühmte ›Nichts-Ghasel‹, ein Lieblingsgedicht Thomas Manns, stammt. Seine dichterischen Versuche legte Platen aber stets, wie selbstverständlich, Goethe vor.

Doch erst zu den *Neuen Ghaselen* wurde in der Zeitschrift *Kunst und Altertum* eine von Goethe veranlaßte, von Eckermann verfaßte Besprechung veröffentlicht, während Weimar sonst, trotz mancher Beweise des Wohlwollens, auf Distanz hielt. Tatsächlich stand August von Platen, obschon er sich selbst darüber täuschte, von Anfang an jenseits der Weimarer »Kunstperiode«. So hatte sich der Dichter des *West-östlichen Divan* »im Sittlichen und Ästhetischen Verständlichkeit zur ersten Pflicht gemacht [...] und nur von weitem auf dasjenige [hingedeutet], wo der Orientale durch Künstlichkeit und Künstelei zu gefallen strebt« (S. 150). Die *Nachbildung* bescheidet sich:

In deine Reimart hoff' ich mich zu finden,
Das Wiederholen soll mir auch gefallen,
Erst werd ich Sinn, sodann auch Worte finden;
Zum zweitenmal soll mir kein Klang erschallen,
Er müßte denn besondern Sinn begründen,
Wie du's vermagst, Begünstigter vor allen! (S. 22.)

»Begünstigt« ist Hafis aber allein deshalb, weil die Leitform der persischen Lyrik, eben das Ghasel, schon von der inneren Form der persischen Sprache gefördert wird, während im Deutschen ein ähnlicher Sinn durch die Vorschriften jener Poetik gestört, vielleicht gar zerstört würde. Das Ghasel besteht ja aus einer frei gewählten Anzahl, sieben in unserem Beispiel, sogenannter ›Beits‹ (wörtl. ›Zelt‹ oder ›Haus‹), ein Langvers, ursprünglich in zwei Halbverse gebrochen, deren jedem das Deutsche eine eigene Zeile und damit eine gewisse Selbständigkeit einräumt, und diese Beits sind durch einen einzigen, im ganzen Gedicht wiederkehrenden Reim verbunden, der auch die ersten beiden ›Halbverse‹ zum ›Königsbeit‹ aneinanderschließt. »Denn da die lyrische Poesie überhaupt in unzählige Bilder und Empfindungen auseinanderflattert, so finden jene Völker für gut, ihr äußerlich die strengste Fessel anzulegen« (VII,132). Vollends zum eigentümlichen Zwang wird diese Reimart durch den ›Radif‹, ein Wort oder eine Wortgruppe, welche dem Reim als ‹Überreim‹ angehängt und jeweils buchstäblich wiederholt wird – ein »Kunststück«, das, wenn man den obligaten patriotischen Topoi des Dichterselbstlobs trauen dürfte, »den Persern eigentümlich und nicht bei den Arabern vorhanden« gewesen sei (Rückert/Pertsch, S. 166); Platens ›Nichts-Ghasel‹ gehört zu der Gruppe der Überreim-Ghaselen. Nun erlaubt aber das Persische, daß Flexionsendungen den Reim tragen, während Stammsilbenakzent und eher analytischer Sprachbau im Deutschen gebieterisch jene vollwichtigen Reimworte fordern, welche dann den »tiefsinnigen Gedanken« in die Gefahr bringen, »der Knecht eines launischen Reimes« zu werden (Gustav Schwab). So hat Goethe, dem Sinn zuliebe, die Worte nur zweimal der Form des Ghasels bequemen wollen, während Platen »diesen oder jenen poetischen Gedanken in die eigentümlichen Formen des Orients einzukleiden [versucht], die uns durch Neigung, Studium, Gemütsstimmung natürlich geworden sind« (XI,144). Ist hier die Form, so war der Sinn dort das übersprachliche, verbindende Prinzip der Poesie gewesen, und dennoch war Platen in den Gegensatz zu Goethe geraten, indem er in der von jenem gewiesenen Richtung fortschritt; wenn nämlich Regeln und Vorschriften nur Ausdruck einer inneren Form sein dürfen, wie Goethe erklärt hat, dann verwirklicht allein die ursprüngliche Form den »poetischen Gedanken« und prägt ihn »natürlich« aus und bereichert so den heimischen Kulturkreis. Jenes stolze Motto, das Platen seiner letzten selbständigen Ghaselensammlung vorangestellt hatte:

Der Orient ist abgetan,
Nun seht die Form als unser an.

rechtfertigte keinesfalls den Vorwurf kalten Virtuosentums, der in der Rezeptionsgeschichte Platens früh formuliert – von Goethe, von Gustav Schwab –, weit verbreitet – durch Heines und Immermanns Polemik – und noch von Platens Verehrern – im Münchner Dichterkreis, im Georgekreis, und sogar von Thomas Mann – übernommen wurde.

II

Der ›Gedanke‹ und der ›Sinn‹ unseres Ghasels sind weder im Osten noch im Westen fremd. ›Nihilismus‹ hatte Friedrich Heinrich Jacobi eine der großen Tendenzen des Zeitalters, in dem Recht und Anmaßung des Subjekts entdeckt waren, getauft und damit unscharf und eben deshalb treffend jene Einheit des Verschiedenen bezeichnet, die Faszination wie das Grauen vor einer leeren, gottlosen Welt, vor einem Raum ungehemmter Freiheit des Menschenlebens wie auch der menschlichen Nichtigkeit im Tode. Literatur und Philosophie haben diese nach-christliche Conditio humana nicht geschaffen, aber sie haben manchen Ersatz des Verlorenen vorgeschlagen und sie jedenfalls benannt – ob sich die harmonische Stille des frühen Klassizismus in die stille Trauer über den Tod des Schönen wandelt wie in Schillers *Nänie*, ob sich die empfindsame Kirchhofschwärmerei der Gray und Young bei Jean Paul in Visionen des Entsetzens verkehrt, ob Schellings Spätphilosophie sich unter die Signatur der ›Schwermut‹ stellt, ob schließlich Platen aus Fichtes Schrift *Die Bestimmung des Menschen* irrtümlich das »streng bewiesene Resultat« entnehmen will, »daß all unser Wissen nichts sei und die ganze Welt aus nichts Wirklichem, sondern aus lauter leeren, wechselnden, vorüberstehenden Bildern bestehe« (*Tagebücher*, Bd. 1, S. 642). Wir haben uns hier auf Beispiele aus Platens Lektüre beschränkt; die ganze Spannweite des frühen ›Nihilismus‹, die Vielzahl seiner literatur-, religions- und philosophiegeschichtlichen, sozialen und politischen Ursachen und seiner Ausprägungen, ist damit kaum angedeutet. So erübrigte es sich, derartige Anwandlungen orientalischer Dichtung kritisch zu entschuldigen, wozu Herder sich verpflichtet geglaubt hatte, und die Neigung des Hafis, »über die traumartige Vergänglichkeit irdischer Dinge die traurigsten Betrachtungen« anzustellen, wird in Goethes *Noten und Abhandlungen* gerechtfertigt mit dem »überraschenden Wechsel von Sieg zu Knechtschaft, jenen endlosen politischen Umwälzungen und jener Unsicherheit aller Lebensordnungen« (Goethe, *Divan*, S. 178), wie sie während der napoleonischen Ära der Leser des *Buch des Timur* am eigenen Leibe erfahren hatte. Der Form des Hafis, dem Ghasel, vertraute Platen aktuelle Gedanken an, ohne dem Vorbild des Hafis untreu zu werden.

Die formalen Elemente waren passend gewählt. Der achthebige jambische Vers, der meist mit einer zusätzlich beschwerten Silbe und damit einem Spondeus anhebt, die stumpfe Kadenz, der Rhythmus, der sich jeweils in der zweiten Zeile des Beits beschleunigt, unterstützt von der typischen »Nachtragsstruktur« der »Platenschen Periode« (Jirát, S. 144) – Metrik, Rhythmus und Syntax drängen auf einen Endpunkt hin, der freilich enttäuscht: »nichts«. Mit sicherem Gespür für die grammatischen Möglichkeiten des Deutschen, das ja Wortverneinung und Satzverneinung nicht scharf trennt, verwendet Platen hier die substantivierte Negationspartikel; das Substantiv trägt einen Inhalt, die Negationspartikel verneint ihn; so verspricht die Grammatik des Verses, was die Semantik zuletzt radikal verweigert. Das ›Nichts‹ wird zum einzigen Inhalt. Im Kontrast der wechselnden Reimworte mit dem starren Überreim wird der wechselhaften Vielfalt der Erscheinungen das immer gleiche Urteil gesprochen. Die eigentümliche Monotonie des Ghasels soll sonst das freie Spiel der »unzähligen Bilder und Empfindungen« bändigen; ein letztlich willkürliches, ästhetisches Gesetz wird von dieser Form einem »tanzenden Kosmos« von Schönheitsmotiven auferlegt. Im ›Nichts-Ghasel‹ ist diese polare Balance zerbrochen, und die einförmige Leere herrscht absolut, da der vernichtende Spruch keineswegs der Schönheit und dem Leben, sondern jenen düsteren Vorzeichen des Todes gilt, gegen die sich wenigstens die Verzweiflung aufbäumen müßte. So mag man unser Ghasel als die vollendete Negation des Gattungstypus deuten – statt eines anakreontischen Preislieds auf Liebe, Wein und Schönheit: die »Litanei des Nihilismus« (Link, S. 25).

III

In der wissenschaftlichen Fachliteratur läßt man gerne die vollkommene Schönheit des Gedichts »der Sinnlosigkeit den Sinn« zurückgeben (Fest; ebenso Schirnding, dagegen Weiss), und sicher versuchte Platen selbst manchmal, das Dasein als ästhetisches Phänomen zu rechtfertigen (vgl. Kluncker, S. 66 ff.); der Ästhetizismus der Jahrhundertwende hat ihn deshalb zum Vorbild gekürt. Übersehen wurde dabei, daß er in seinem ›nihilistischen‹ Ghasel Bekanntes vorträgt.
Die Arbeit mit Bekanntem gehört zum rhetorischen Alltag. Der Redner soll nicht originell, sondern gebildet sein, um für seine Behauptung die traditionell beglaubigten Belege leicht aufzufinden und gekonnt darzubieten. Platen gliedert sein Ghasel in vier durch Satzzeichen markierte Abschnitte; die ersten drei umfassen je vier, der letzte zwei Zeilen; der einleitende und der zweite Abschnitt zerfallen nochmals in zwei kleinere, gleichlange Einheiten. Die greifen zunächst die beiden topischen Ursachen der nihilistischen Verzweiflung heraus – den Schmerz (1, 2) und den Tod (3, 4); obschon sie das Geschick der ganzen Menschheit sind, besiegeln Schmerz und Tod die Vereinzelung und die Einsamkeit jedes Menschen. Der zweite Abschnitt begründet die Behauptung des ersten und erläutert sie; als Fundstelle hätten die Briefe Werthers dienen können, wo die Problematik des einsamen Subjekts längst formuliert war: Sobald des »gepriesenen Halbgotts« (Goethe, *Leiden*, S. 109) »hei-

lige belebende Kraft«, die »Welten« um ihn »schuf« (S. 100), erlischt, verwandelt sich »der Schauplatz des unendlichen Lebens in den Abgrund des ewig offenen Grabs«: »Himmel und Erde und ihre webenden Kräfte um mich her: ich sehe nichts als ein ewig verschlingendes, ewig wiederkäuendes Ungeheuer« (S. 60). Man muß nicht Schopenhauers Popularität vordatieren, um die Struktur von Platens ›Nihilismus‹ zu begreifen – es genügt, sich an seine Lektüre zu halten. Stimmung und Gedanken sind bereits den jugendlich unbeholfenen Versuchen vertraut, und noch der Schluß des meisterhaften Sonettes *O süßer Tod ...* schockiert mit dem emphatischen Programmwort der Wertherzeit (III,204): »Denn jedes Herz zerhackt zuletzt ein Spaten.«
Die Vanitas-Formel und jener Topos, wonach dem Menschen das Beste sei, nicht geboren zu werden, das Zweitbeste aber, früh zu sterben (vgl. Tschersig, S. 142, und Rölleke), werden durch Platens Lektüre bestätigt und in seinen Gedichten variiert. So vermochte er auch Schellings Philosophie des gespaltenen Gottes einzuordnen: »Ein Geschlecht kommt«, heißt es in dessen nachgelassenem Aufsatz *Über die Natur der Philosophie als Wissenschaft*, »das andere geht, alles arbeitet, um sich aufzureiben und zu zerstören, und es kommt doch nichts Neues« – allenfalls mag im »Wissen« die »ewige Weisheit« »sich noch suchen und finden« (Schelling, S. 18). Platen, der in Erlangen die in jenem Nachlaßmanuskript ausgewertete Vorlesung besuchte und schon seit Ende 1820 in Schellings Kreis willkommen war, notierte in seiner Kollegnachschrift: »Die Hemmung der Freiheit existiert wirklich, sie spricht sich aus in der Wiederholung der Gebilde der Natur, der regelmäßige Lauf der Gestirne deutet auf ein stillstehendes Ganzes, welches durch seine Bewegung den inneren Tod zu verbergen sucht. Die ewige Weisheit flüchtet sich in das Gemüt des Menschen, als des einzigen in der Schöpfung, in welchem sie ewig fortschreitet« (*Tagebücher*, Bd. 2, S. 445). Unser Gedicht verschärft dies anscheinend und läßt dem einzelnen nur die Wahl zwischen hilfloser Resignation (7) und nutzlosem Aufbegeh-

ren (8); die Illusion desjenigen, der auf die todbringende Zeit sein Leben baut (13), wird zuletzt (14) mit der bündigen Formel eines ›enttäuschten Pantheismus‹ verworfen: »Denn Jeder sucht ein All zu sein und Jeder ist im Grunde nichts.« Wie immer man auch die These von Walter Weiss, wonach der ›Nihilismus‹ der Restaurationszeit die Inverse des goethezeitlichen Pantheismus sei, beurteilen mag – jede der beiden Weltanschauungen verkürzt Platen hier auf einen sentenziösen Glaubenssatz, und der koordinierte Widerspruch bindet die parallel gebauten Antithesen zusammen und gibt dem Nihilismus recht; pantheistisches Denken aber hat Platen keineswegs erst spät und oberflächlich von Schelling übernommen (vgl. Schlösser, S. 212 u. ö., Unger, S. 101). Sein Gedicht nennt und ordnet vielmehr bekannte Thesen, um ihre Anerkennung durchzusetzen. Gerade dieser Überzeugungsabsicht bietet die Rhetorik die Gliederung in Redeteile an. Den ersten Abschnitt, das ›exordium‹, gestaltet Platen als ›propositio‹, die thesenhaft sein Thema einführt, jene Formel von der Eitelkeit der Welt und den schwierigeren, gestuften, paradoxen Topos vom wünschenswerten Tod; darauf folgt eine zweiteilige ›argumentatio‹, zunächst die stützenden Behauptungen (5–8) als ›probatio‹, die aus einem Enthymem, der Schlußfolgerung aus einem selbstverständlichen Vordersatz (5, 6), und aus einem ›exemplum‹, einem hier recht abstrakten, doch markanten Einzelfall (7, 8), besteht; – dann die ›refutatio‹, die Widerlegung gegnerischer Auffassungen; – schließlich zieht die ›peroratio‹ die Summe aus dem Vorangegangenen, kurz und treffend. Gattungsästhetisch weist unser Ghasel, der Notwendigkeit rhetorischer Gliederung gehorchend, auf die seit Ende 1822 in Platens Werk für drei Jahre vorherrschende Form des Shakespearesonetts hin, das aus drei Quartetten und einer zweizeiligen Schlußpointe besteht. Das rhetorische Gerüst wird mit rhetorischen Figuren ausgeschmückt. Nicht bedeutsam ist dabei, welche Figuren Platen im einzelnen verwendet – ob nun die Periphrase (4), den antithetischen Parallelismus (5), den Archaismus (7: »dräut«), Paronomasie (11), Chiasmus (12) oder eine von ihm geschätzte, »selbständige Einlage« (10: »in diesem Sinn«) –, was allein zählt, ist die prinzipielle Bindung des ›ornatus› an den Überredungszweck; außerdem melden gerade diese Figuren, ihre Art und ihre Häufung, einen Anspruch auf die schwierigste Stilart an, das Genus sublime, die pathetisch-erhabene, gewichtigen Gegenständen vorbehaltene Redeweise.

IV

Die ›refutatio‹ (9–12) unterstreicht den Anspruch des Redners. – Wir kommen nochmals auf den ›Nihilismus‹ zurück. Dessen übliche Gedankenfigur ist einfach und leicht zu begreifen; es handelt sich um ein säkularisiertes Paradox der Mystik. Zwischen dem vielfältigen Leben und dem einen Urgrund allen Seins – Gott / dem Nichts – besteht scheinbar ein Widerspruch, tatsächlich aber die völlige Identität; der ›Nihilismus‹ erblickt die Vielfalt des Lebendigen nur als Maske des einen Nichts. Dem entspricht der paradoxe Topos (s. o.), welcher (bes. 4, 5) den Inhalt des Ghasels strukturiert, und dem entspricht die Form des Überreimghasels selbst (s. o.); auch die zitierte Kollegnachschrift Platens reiht sich hier an, obgleich dort eine Position der Freiheit definiert wird, welche ein subtiler Wechsel der Betrachtungsperspektiven in unserem Gedicht ebenso plausibel macht. Richtet sich das Augenmerk anfangs auf den typisierten einzelnen (1: ›ein Mensch‹), so folgen sentenziöse Verallgemeinerungen, bis sich der Blickwinkel allmählich wieder verengt, das vereinzelte Glied jener gleichförmigen Menge, zu der sich der Sprecher selbst zählen muß (6: Parallelismus »mein« – »dein«), erfaßt und zuletzt den besonderen Fall; so werden übrigens auch die Einschnitte zwischen den Redeteilen überspielt. Jener Wechsel entfaltet stetig die Facetten der Vereinzelung, die Einsamkeit für sich und die Verlorenheit in dem »stets wiederkehrenden Cirkel der allgemeinen Erscheinungen« (Schelling, S. 18). Ab dem

neunten Vers werden »jeder« und »alle« Leitworte, und im vierzehnten verrät eine Homonymie endlich das Ziel, die Schranken zwischen einzelnem und Allheit aufzuheben; es bleibt jedoch bei der nihilistischen Gedankenfigur, definitiv in dem koordinierten Widerspruch ausgedrückt: »alle« meint keineswegs die beseelte Einheit (»All«), sondern eine Ansammlung verblendeter einzelner, hinter der, als einigendes Prinzip, allein die Vernichtung wartet (»im Grunde nichts«). Eine neuerliche Änderung der Sprechhaltung in der ›refutatio‹ fiel jedoch nicht unter diesen Grundsatz. Platen hat die stilistische Grundfigur der ironischen Lobrede, vielleicht aus des Erasmus *Lob der Torheit* (vgl. bes. S. 68), übernommen, um die beiden Trostmittel, die seiner Zeit geläufig sind, anzupreisen: die ›Liebe‹ und die ›Wissenschaft‹ (12: »Kunde«). Solche Ratschläge hatte Erasmus der Torheit in den Mund gelegt; Platens ironische ›simulatio‹ heißt den Selbstbetrug der Volksmenge, in der jeder einzelne töricht ist, gut und stellt als einzigen Vertreter des Allgemeingültigen, der Weisheit statt der Wissenschaft, plötzlich das sprechende Ich vor (vgl. aber 6); so wird durch die raffinierte Fügung der Pronomina jene Auffassung Schellings abgebildet und verschärft, da jetzt die ewige Weisheit sich bloß noch zum Dichter flüchten kann.
Zweifellos enthüllen sich dem Kenner einige Schlüsselworte unseres Gedichts als feste, persönliche Metaphern: »Wunde« (1) und das »ehrne Los« (7) für Schmerz und Fesselung als das Wesen der Liebe, für das Wesen der Dichtung aber der ›Kampf‹ (8). Und man möchte fast ein verschlüsseltes Bekenntnis des homosexuellen Dichters entziffern, zumal niemand bestreiten kann, daß die Isolation des homoerotisch Veranlagten einmal biographischer Anlaß für die Einsamkeitsgefühle und den weltschmerzlichen Nihilismus in Platens früher Lyrik war. Platen hat sich wohl gerade deshalb bald jede ›Erlebnislyrik‹ versagt und sein Dichtertum im Schema derjenigen Tradition gedeutet, auf die uns des Erasmus neulateinisches Büchlein verweist – ganz unabhängig davon, auf welchem Umweg (vielleicht

über Jean Pauls *Vorschule der Ästhetik*, VII. Programm, § 34) es an Platen gelangte; die Antike ist die zeitlose Musterkammer der Rhetorik. Der einsame Dichter interpretiert in der Nachfolge des Horaz (vgl. II,65; über Hafis und Horaz: Goethe, *Divan*, S. 215) seine Einsamkeit als die Auszeichnung des Poeta doctus vor dem Pöbel; der ›vates‹-Komplex (Jirát, S. 14 ff.) in Platens Lyrik schließt sich an die Legitimationsschemata an, die in der humanistischen Dichtungstheorie von der Rhetorik her begründet wurden.
Herausgefordert wurde Platens Reaktion von der Ablösung des früheren Adressaten von Dichtung, einer schmalen, homogenen Bildungsschicht, durch das größere, diffuse Publikum, um das freie Autoren nun am Buchmarkt konkurrierten; diese Umschichtung, selbst vielfach verflochten mit weitreichenden politischen und sozialen Veränderungen, hat die Institutionen der literarischen Öffentlichkeit erzeugt und getragen und so die Professionalisierung der Poesie weiter vorangetrieben – hin zu einer das Publikum bedienenden Zweckästhetik und komplementär dazu zu einer überspitzten Autonomie-Ästhetik, die freiwillig auf Breitenwirkung verzichtete und sich in die Esoterik zurückzog (vgl. Frühwald). Goethe war sich, als er den *West-östlichen Divan* vorlegte, über die Esoterik dieses Unternehmens nicht im klaren und hatte ein breiteres Publikum durch die Kombination von Zyklus und Kommentar erreichen wollen (vgl. S. 149 und 229). Platen legt sich dieses Beispiel abermals einseitig aus; wie er Goethe, weil den die »stumpfe Masse« kränkt, zum »Kaiser« im wahren, geistigen deutschen »Reich« kürt (VII,126 f., vgl. Beutler, S. 449 ff.), so wählt er für sich bewußt und selten klagend die Esoterik, des Exilierten Heimatbrief in jenem »anderen Deutschland«. Herkommen und Erziehung verboten dem adligen Dichter die Literatenkonkurrenz, und aus der häuslichen, klassizistischen Tradition schien die Struktur der Verkennung selbstverständlich und notwendig; nur das Siegel des Nachruhms mußte die geschmähte Öffentlichkeit verleihen. Nachdem die alte, humanistische Dichter- und Gelehrtenkultur, wo

jeder Autor als verständnisvoller Leser zählte, untergegangen war, verwies nun seine unzeitgemäße Dichtungstheorie Platen – genau wie die verachteten »Alltagspoeten« (XI,146) – auf eine Gemeinde-Öffentlichkeit, und die zyklische Form seiner Gedichtsammlung demonstriert nicht nur professionelles Können, sondern beabsichtigt die Stiftung dieser Gemeinde; im *Prolog* zu den *Neuen Ghaselen* erbittet der Dichter das Vertrauen des gleichgesinnten Lesers. Die Variation und wechselseitige Erhellung weniger charakteristischer Themen im Zyklus sollen jene gemeinsame Welt von Autor und Leser bewußt und in der Poesie herstellen, die früher als gesellige Grundlage einer »Gelegenheitdichtung« im Goetheschen Sinn vorausgesetzt werden mußte.

Sammelt rings euch um den Sänger,
Daß er sei bei seines Gleichen.

Platens *Neue Ghaselen* bilden keinen streng komponierten Zyklus; dennoch sind die einzelnen Gedichte aufeinander und auf eine gemeinsame Mitte hin geordnet. Während das Ich anfangs mit der »Liebe« tändelt und in »niedlichen« Ghaselen (*Briefwechsel*, S. 104) aufruft, den flüchtigen Tag zu nutzen, enthüllen die »gehaltvollen« allmählich »Liebe« und »Schönheit« und den »Schmerz« der »Vergänglichkeit« als die Prinzipien alles Schöpferischen in der Natur wie in der Dichtkunst; das leichtsinnige anakreontische Spiel wird aufgehoben in einer der Philosophie Schellings verwandten Weltlehre. Unser Ghasel konzentriert die Leitworte der Vergänglichkeit. Gerade indem es den Sieg der Vernichtung extrem ausmalt, fügt es sich in die Balance des Zyklus, die erst seinen Stellenwert bestimmt. Nicht die Schönheit des Gedichts also schränkt seine Aussage ein, sondern das Pathos jenes ›objektivierten Ich‹, dessen Weltbild nur die *Neuen Ghaselen* insgesamt nachzeichnen; dieser Sprecher in Platens Ghasel verbindet die alte rhetorische Tradition mit den neuen, pathetischen Ausdrucksformen des ›lyrischen Ich‹ gegen Ende des Jahrhunderts.

Zitierte Literatur: ERASMUS von Rotterdam: Ausgewählte Schriften. Hrsg. von Werner Welzig. Bd. 2. Darmstadt 1975. – Joachim FEST: Die hundertste Ghasele. In: Frankfurter Allgemeine Zeitung vom 4. 7. 1981. Auch in: Frankfurter Anthologie. Bd. 6. Gedichte und Interpretationen. Hrsg. von Marcel Reich-Ranicki. Frankfurt a. M. 1982. S. 75–78. – Wolfgang FRÜHWALD: Gedichte in der Isolation. Romantische Lyrik am Übergang von der Autonomie- zur Zweckästhetik. In: Historizität in Sprach- und Literaturwissenschaft. Hrsg. von Walter Müller-Seidel [u. a.]. München 1974. S. 295–311. – Johann Wolfgang GOETHE: West-östlicher Divan. Hrsg. von Ernst Beutler. Wiesbaden 1948. – Johann Wolfgang GOETHE: Die Leiden des jungen Werthers. Stuttgart 1948 [u. ö.]. – Vojtech JIRÁT: Platens Stil. Ein Beitrag zum Stilproblem der nachromantischen Lyrik. Prag 1933. – Karlhans KLUNCKER: Der Dichter und die Dichtung im Werk des Grafen August von Platen. In: Castrum Peregrini 90 (1969) S. 49–83. – Jürgen LINK: Artistische Form und ästhetischer Sinn in Platens Lyrik. München 1971. – August Graf von PLATEN: Sämtliche Werke. [Siehe Textquelle. Zit. mit Band- und Seitenzahl.] – August Graf von PLATEN: Der Briefwechsel. Hrsg. von Paul Bornstein. Bd. 3. München/Leipzig 1921. [Zit. als: *Briefwechsel.*] – August Graf von PLATEN: Die Tagebücher. Hrsg. von Georg von Laubmann und Ludwig von Scheffler. 2 Bde. Stuttgart 1896–1900. [Zit. als: *Tagebücher.*] – Heinz RÖLLEKE: Da wär es besser, nicht geboren! Ein Xenion Goethes und seine Vorformen in der Volks- und Hochliteratur. In: Zeitschrift für deutsches Altertum 103 (1974) S. 62–72. – Friedrich RÜCKERT / W. PERTSCH: Grammatik, Poetik und Rhetorik der Perser. Gotha 1874. – Friedrich Wilhelm Joseph SCHELLING: Werke. Hrsg. von Manfred Schröter. Bd. 5. München 1928. – Albert von SCHIRNDING: Ein Ghasel Platens im Deutschunterricht der Oberstufe. In: Anregung 14 (1968) S. 13–16. – Rudolf SCHLÖSSER: August Graf von Platen. Ein Bild seiner geistigen Entwicklung und seines dichterischen Schaffens. Bd. 1. 1796–1826. München 1910. – Gustav SCHWAB: Gedichte von August Grafen von Platen. In: Literatur-Blatt Nr. 43 vom 27. 5. 1828. S. 169–172. – Hubert TSCHERSIG: Das Gasel in der deutschen Dichtung und das Gasel bei Platen. Leipzig 1907. – Rudolf UNGER: Platen in seinem Verhältnis zu Goethe. Berlin 1903. – Walter WEISS: Enttäuschter Pantheismus. Zur Weltgestaltung der Dichtung in der Restaurationszeit. Dornbirn 1962. [Bes. S. 143–145.]

Weitere Literatur: Karl Otto CONRADY: Lateinische Dichtungstradition und deutsche Lyrik des 17. Jahrhunderts. Bonn 1962. – Hans KUHN: Sind Klassiker unsterblich? Platens Fortleben in den Anthologien. In: Orbis litterarum 22 (1967) S. 101–128. [Bes. S. 113 f.] – Karl PESTALOZZI: Die Entstehung des lyrischen Ich. Studien zum Motiv der Erhebung in der Lyrik. Berlin 1970. – Johannes PFEIFFER: Wege zur Dichtung. Hamburg [2]1953. [S. 19–21]. – Walter REHM: Götterstille und Göttertrauer. Aufsätze zur deutsch-antiken Begegnung. Bern 1951. – Hans-Joachim TEUCHERT: August Graf von Platen in Deutschland. Zur Rezeption eines umstrittenen Autors. Bonn 1980. – Kurt WÖLFEL: Platens »poetische Existenz«. Diss. Würzburg 1951. [Bes. S. 28–31.]

August von Platen

Tristan

Wer die Schönheit angeschaut mit Augen,
Ist dem Tode schon anheimgegeben,
Wird für keinen Dienst auf Erden taugen,
Und doch wird er vor dem Tode beben,
Wer die Schönheit angeschaut mit Augen!

Ewig währt für ihn der Schmerz der Liebe,
Denn ein Tor nur kann auf Erden hoffen,
Zu genügen einem solchen Triebe:
Wen der Pfeil des Schönen je getroffen,
Ewig währt für ihn der Schmerz der Liebe!

Ach, er möchte wie ein Quell versiechen,
Jedem Hauch der Luft ein Gift entsaugen
Und den Tod aus jeder Blume riechen:
Wer die Schönheit angeschaut mit Augen,
Ach, er möchte wie ein Quell versiechen!

Abdruck nach: August Graf von Platens sämtliche Werke in zwölf Bänden. Hist.-krit. Ausg. Hrsg. von Max Koch und Erich Petzet. Bd. 2: Gedichte. T. 1: Balladen und Lieder. Gelegenheits- und Zeitgedichte. Hrsg. von Max Koch. Leipzig: Max Hesse, 1909. S. 94 f.
Entstanden: Januar 1825. [Aus dem Brief an Fugger vom 13. Januar 1825: »Ich schreibe Dir hier ein Lied bei, das aber wahrscheinlich nicht komponierbar sein wird. Es gehört zu einem künftigen Drama, Tristan und Isolde. Ich traue mir wenig lyrisches Talent zu. Meine Sachen sind alle unglaublich schwerfällig.« (*Briefwechsel*, S. 29.)]
Erstdruck: Morgenblatt für gebildete Stände. Nr. 218 vom 12. 9. 1825. [Titel: Aus Tristan und Isolde. – 3 kein Geschäft nach 10 zusätzlich:

Was er wünscht, das ist ihm nie geworden,
Und die Stunden, die das Leben spinnen,
Sind nur Mörder, die gemach ihn morden:
Was er will, das wird er nie gewinnen,
Was er wünscht, das ist ihm nie geworden.]

Weiterer wichtiger Druck: Gedichte von August von Platen. 2., verm. Aufl. Stuttgart/Tübingen: Cotta, 1834. [Ausgabe letzter Hand.]

Jürgen Link

Echobild und Spiegelgesang: Zu Platens *Tristan*

Die Rätsel dieses Gedichts gründen wie die der Platenschen Lyrik überhaupt im Rätsel einer unbekannten Stimme. Wer spricht hier: Tristan? Eine andere mythische Figur über Tristan? Ein lyrisches Ich, das sich hinter dem verallgemeinernden »wer« der ersten und dem »er« der folgenden Verse sorgsam verschanzt hält? Platen selbst?
Betrachtet man bloß die vorliegende definitive Fassung des Gedichts in ihrer definitiven Umgebung (als Nr. 39 des Ersten Buches – *Romanzen und Jugendlieder* – der Ausgabe letzter Hand von 1834), so scheint jedenfalls nicht Tristan selbst, sondern eher eine fremde Stimme über Tristan zu sprechen: Müßte Tristan selbst nicht an irgendeiner Stelle das in der dritten Person objektiv formulierte Gesetz auf seinen eigenen Fall anwenden und sich zum »ich« durchringen? Und doch erfahren wir (vgl. auch Entstehung und Lesarten), daß das Lied ursprünglich als monologischer Bühnen-*Gesang* (s. auch X,372 ff.) für ein Drama »Tristan und Isolde« dienen und aller Wahrscheinlichkeit nach dem Helden selbst in den Mund gelegt werden sollte. Wodurch das Rätsel allerdings eher vergrößert wird: Denn jenes Drama, mit dessen Plan sich der Autor in den Jahren 1825–28, teils noch in Deutschland, teils schon in Italien, bei insgesamt seltenen Anlässen trug, geriet nie über ganz vorläufige Szenenskizzen hinaus. Nur der *Gesang* wurde vollendet – und zwar gleich zu Beginn des ganzen Projekts!
Die Bezeichnung *Gesang* lenkt die Aufmerksamkeit auf das eigenartige *Wie* der rätselhaften Stimme. Nichts wäre dabei verfehlter, als an eine opernhafte Arie oder gar an Wagnersche Stimmenführung zu denken. Ein Vergleich mit Wagners Operntext ist übrigens durchaus aufschlußreich. In dem berühmten Liebesduett des Zweiten Aufzugs begegnet in Tristans Mund ein Abschnitt, der durch das verallgemei-

nernde Relativum »wer« in Verbindung mit der dritten Person deutlich seinen Ursprung aus einer Platen-Reminiszenz verrät: »Wer des Todes Nacht / liebend erschaut, / wem sie ihr tief / Geheimnis vertraut: [...] / In des Tages eitlem Wähnen / bleibt ihm ein ewig Sehnen – / das Sehnen hin / zur heil'gen Nacht, / wo ur-ewig, / einzig wahr / Liebeswonne ihm lacht!« Selbstverständlich ist das Wagnersche »wer« fähig, umgehend in »ich« umzuschlagen: »O sink hernieder, / Nacht der Liebe, / gib Vergessen, / daß ich lebe [...].« Wenn man sich zunächst verdeutlicht, wie repräsentativ die Wagnersche Version mit ihren romantischen freien Rhythmen, mit ihren Novalis und Schopenhauer entlehnten Bildern und Gesten für deutsche Literatur des 19. Jahrhunderts ist – und sich dann erneut dem Text Platens zuwendet, erscheint der womöglich noch fremder, aber nun auch ganz eigenartig im besten Sinne des Wortes. Diese Stimme, von wem immer sie ausgeht und wie immer sie klingt – die Stimme eines Epigonen scheint das nicht zu sein, mag die Literaturgeschichte den Dichter auch noch so oft unter die Epigonen der Klassik (aber was eigentlich erinnert bei diesem Ton an Goethe?) bzw. der Romantik eingereiht haben (als ob es dem romantischen Volksliedton Ferneres gäbe!).

Sicherlich nähern wir uns der Eigenart des Textes, wenn wir zunächst auf die strenge Form in Metrum und Reimstellung verweisen. Echohaft kehren nicht bloß Endreime, sondern darüber hinaus Leitmotive im Versinneren und vor allem ganze Verse wieder. Dreimal erklingt der Eingangsvers wie in der strengen romanischen Form des Trioletts, dessen Grundschema (einstrophig und achtzeilig) Platen hier zu einem Triptychon erweitert hat (weshalb die zusätzliche Strophe fallen mußte). Nichts hat den Blick auf Platen lange Zeit so sehr verstellt wie seine Einordnung in die Tradition Goethes und der deutschen Romantik. Nicht damit wollte er wetteifern, sondern mit Petrarca, Tasso, Ariosto, Camões. Wie das Gedicht *Tristan* und eine Reihe weiterer lyrischer Stücke (vor allem die Venedig-Sonette) beweisen, ist aus Platens hartnäckiger, mühevoller poetischer Laboratoriumsarbeit tatsächlich jener unverkennbare, melancholisch-verhaltene wie gleichzeitig unbeirrbar-fortschreitende, mit seiner Sonorität gleichsam im Dunklen leuchtende neurenaissancistische Ton hervorgegangen, ohne dessen Klang im Ohr weder George noch Hofmannsthal, ja nicht einmal Trakl die Anregungen des französischen Symbolismus ästhetisch gültig hätten ›übersetzen‹ und weiterentwickeln können. Jener Ton, in dessen Progreß-Melancholie die tragische Unvereinbarkeit der drei Ekstasen der Zeit in ganz besonderer Weise repräsentiert ist, wie im folgenden gezeigt werden soll.

Als der achtundzwanzigjährige Platen das *Tristan* überschriebene Lied im Januar 1825 in Nürnberg niederschrieb, befand er sich äußerlich wie innerlich an einem kritischen Wendepunkt seines Lebens. 1796 in der gerade aufgehobenen Duodezresidenz Ansbach als Sohn eines aristokratischen Offiziers und Hofbeamten geboren, hatte der gegen seinen Willen in die bayerische Armee gepreßte und unter der gesellschaftlichen Tabuierung seiner homosexuellen Anlage leidende Dichter sich gegen vielfältige Erfahrungen seelischen Terrors zu seiner poetischen Bestimmung durchringen müssen. Durch seine Mutter von frühester Kindheit an auf die poetische Tradition der Romania hin orientiert, hatte er lange Zeit an seinem Talent gezweifelt, weil der goethezeitliche Mythos von Lyrik als spontanem Ausfließen einer durch individuelle Erlebnisse in Schwingung gesetzten Seele, der seiner Schreibart völlig inadäquat war, selbstverständlich auch ihn beeinflußt hatte. Diese Zweifel waren seit dem Venedig-Aufenthalt im Spätherbst 1824 und der Entstehung der Venedig-Sonette endgültig überwunden. Platen hatte dabei den von der Armee gewährten Urlaub einfach überschritten und wurde nach seiner Rückkehr zur Strafe in Arrest genommen. Kurz vor Antritt dieser Strafe entstand der Gesang *Tristan*. Damals entschied sich der Dichter für eine definitive Befreiung von der Armee und für eine Übersiedlung nach Italien, wo er ganz seiner »poetischen Exi-

stenz« (vgl. Kurt Wölfel) zu leben gedachte. Aber noch hoffte er gleichzeitig auch auf schnelle Anerkennung durch ein deutsches Publikum, für ihn untrennbar verbunden mit homoerotischer Anerkennung und Liebe: Es war eine Hoffnung, die von ihrer Aussichtslosigkeit von vornherein tief überzeugt war.
Platen war unbewußt in das notwendig irreale und inkonsistente blonde Spiegelbild seiner Kindheit verliebt, das er in blonden jungen Männern wiederzufinden suchte. Hinter der Rolle des Tristan verbirgt sich die Tragödie des Narziß: Nicht Isolde ist das Liebesobjekt, sondern *die Schönheit* – und die doppeldeutige Formulierung »der Pfeil des Schönen« lenkt vom Hermaphroditischen hinüber ins Männliche: Dieser Schütze Eros ist Kind und doch kein Kind mehr. Kein Zweifel: Die rätselhafte Stimme ist gleichermaßen die Stimme des realen Platen in seinem realen wie seelischen Gefängnis wie auch die Stimme einer fiktiven Figur, einer theatralischen Rolle. Die Grundstimme selbst bereits ist *echohaft* strukturiert (der Mythos von Echo und Narziß war einer von Platens Lieblingsmythen), die Echostruktur des Textes ist lediglich die Folge davon. Narziß klagt vor dem Spiegel, während die Sonne sinkt und das geliebte Bild stirbt – im Dunkeln klingt nur mehr die Stimme Echos weiter. In der später gestrichenen Strophe (s. Lesarten) hatte es geheißen: »Was er will, das wird er nie gewinnen, / Was er wünscht, das ist ihm nie geworden.« Glaubt man nicht, in diesem »er« jenes »er« des kleinen Lieblings seiner Mutter (Platen war einziges überlebendes Kind aus der zweiten Ehe seines Vaters) nachklingen zu hören, das dem »ich« vorausging, indem es das Spiegelbild identifizierte und so ein Subjekt von Wünschen schuf: »er will! er will nicht«? Die Intensität des Platenschen Tons schöpft ihre Energie aus solchen starken Quellen der frühen Kindheit.
Aber sie *arbeitet* mit dieser Energie und *verarbeitet* sie. Das beginnt im Unbewußten und mündet in die bewußte Kreation: Spiegelbild und Echoklang bilden bei Platen eine so enge Einheit, daß sie wechselweise ersetzbar werden. Das

Bild, das sein Urbild verdoppelt, erlischt (vgl. die Formulierung »wie ein Quell versiechen«), während aber die Echostimme, die ihr Original verdoppelt, weiterklingt: So tritt der Klang für das Bild ein. Niedergeschrieben als Block von Versen, wird die Stimme auch wieder ein Bild im Wortsinn, ist nun Echobild und Spiegelgesang gleichzeitig. Hier liegt der tiefste Ursprung der Platenschen Lyrik, eines *Faszinationstyps* im Wortsinne.

Verarbeitung ist ferner aber auch im strikten Sinne zu verstehen: Der Versblock gilt dem Spiegelbild erst dann als äquivalent, wenn das innere Arrangement der Echoklänge (Metrum, Reime, Leitmotive, Refrains, Strophen) aere perennius optimalisiert ist; daher das langwierige Umarbeiten und Ausfeilen. Darin liegt der fundamentale Unterschied zwischen der Figur Tristan und ihrem Autor. Symptomatisch ist die Streichung der eben erwähnten Strophe, die aus zwei Gründen erfolgte: Erstens war die narzißtische Frustrationsklage dort zu wenig *verarbeitet* formuliert worden, und zweitens forderte die Orientierung am Triolett eine Komposition aus drei und nur drei Strophen.

Betrachten wir nun das Resultat dieser artistischen Arbeit ein wenig genauer: Jede Strophe ist zentral- und spiegelsymmetrisch von zwei identischen Versen eingefaßt wie von zwei Eckpfeilern; gleichzeitig ist auch die Gesamtheit der drei Strophen als Triptychon ebenso zentralsymmetrisch komponiert: Der dominierende »Augen«-Reim der ersten Strophe kehrt in der dritten (diesmal als Nebenreim) wieder. Es handelt sich also um ein kunstvoll verzweigtes und gesteigertes Echospiel, das zugleich eine Spiegelfigur repräsentiert. Hat man die planvolle Anlage der Reim-Konstellation begriffen, so ergibt sich daraus weiter als nächste Erkenntnis, daß Platen nicht etwa achtlos oder aus der Verlegenheit des Epigonen in den trivialen, ja ›kitschigen‹ Reim »Liebe«/»Triebe« der Mittelstrophe verfallen sein kann, sondern daß das ganze Gebilde die bewußt und geradezu experimentell angestrebte Lösung der Aufgabe darstellen soll, ein Gedicht mit dem Reimpaar *Liebe/Triebe*

zu schreiben. Ein im Jahre 1825 nahezu halsbrecherischer Balanceakt ist also angestrebt.
Platen löst die Aufgabe, indem er den ie-Klang des fatalen Reims zum zweiten Element eines tragenden sonoren Komplementärkontrastes macht: Er balanciert ihn gegen -au-aus. In der ersten Strophe herrscht nun der au-Laut (gegen den nicht wiederkehrenden Reim auf -eben gestellt), in der zweiten der ie-Laut (gegen den bloß hier verwendeten Reim auf -offen), während die dritte, kulminierende Strophe -ie- und -au- (beide hier im doppelten Echostadium) wie zu einem glücklichen Paar verbindet. Nur scheinbar allerdings sind die Nebenreim-Zeilen der beiden ersten Strophen lautlich harmlos: Hier klingen die fatalen Laute versteckt im Inneren des Verses, nicht im Reim (zweimal »Tod« und einmal »Tor«: man denkt unwillkürlich an die spätere, aber verwandte Sonorität Hofmannsthals). Der Signifikant *Tod* klingt als Echo beschwert im Zentrum der letzten Strophe – und erst jetzt wird deutlich, daß auch »Dienst« und »Trieb« (ie-Laut) sich im jeweiligen Zentrum der ersten und der zweiten Strophe entsprechen.
Die Disposition der Reime und übrigen Echolaute bildet zusammen mit dem Versmaß und der rhythmischen Differenzierung (beschwerte Verse wie der erste stehen gegen monoton-alternierende mit tonlosem -e- in sämtlichen Senkungen: »Wen der Pfeil des Schönen je getroffen«) das Lautbild-Eidos dieses komplizierten Triolett-Genres. Eidos ist dabei im Sinne von präexistentem Formschema zu verstehen: Platons Höhlengleichnis hebt hervor, daß es auch bei dem Verhältnis von Ideen (Eide) und Realien um Spiegelung (Schatten) geht. Das Lautbild-Eidos wird durch ein (thematisches) Eidos imaginärer Komplexe ergänzt: Es handelt sich dabei um die bereits erwähnten Komplexe der Spiegel-Situation, die allerdings in der Formulierung zu größter Allgemeinheit verflüchtigt oder versteckt erscheinen. Deutlich genug steht dennoch der *Augen*-Komplex (lautlich repräsentiert durch den au-Klang und echohaft verstärkt durch das nachdrückliche »angeschaut mit Augen« sowie

durch die dreimalige wörtliche Wiederholung der ersten Zeile) des Liebessubjekts dem *Schönheits*-Komplex des Liebesobjekts gegenüber. In der zweiten Strophe ist nun doppeldeutig statt von der Schönheit vom »Pfeil des Schönen« die Rede: Es handelt sich gleichermaßen um die Gattung alles Schönen (Eidos) wie um das Bild des schönen Erosknaben, dem – wie sich zeigte – das narzißtische Spiegelbild der Kindheit zugrunde liegt. Dazu paßt auch der Reim »saugen« zu »Augen« (Komplex des Mutterbusens). Und nun die Prägung »versiechen«, in der versiegen (Busen-Komplex) mit dahinsiechen (Motiv von Tristans Siechbett) kontaminiert ist! Wenn der Quell »versiecht«, erlischt das Spiegelbild darin.

Man könnte fragen, warum der Anblick des Schönen denn eigentlich den heftigen Todeswunsch der Schlußstrophe, den Wunsch zu »versiechen«, auslösen müsse? Oberflächlich scheint die Gültigkeit des Gesetzes der beiden Anfangszeilen (Anblick des Schönen bedeutet bereits Tod) nicht einleuchtend; Platen hat also unbewußt den Zusammenhang von Totalitätsphantasma des Spiegelbilds und Zerstückelungsangst (Zerbrechen des Spiegels, Versiegen der Wasserfläche) formuliert, wobei lediglich das Bild der Zerstückelung durch das versöhnlichere und ästhetischere des Versiegens »wie ein Quell« ersetzt ist.

Demnach wäre der ebenfalls vage gelassene »Trieb« eben der, das schöne Bild im Spiegel festzuhalten (auch im Wortsinne: in Liebe) – »auf Erden« eine Unmöglichkeit, wie es später auch *Das Bildnis des Dorian Gray* demonstrieren sollte. Die Tragödie Tristans, aus der bloß ein schneller Tod erlösen kann, läge demnach in einer doppelten Untauglichkeit: sowohl zum »Dienst auf Erden« wie ebenfalls zur Kunst.

Hier nun fallen Widersprüche ins Auge, die jede Gleichsetzung Tristans mit Platen falsifizieren. Tristan ersehnt den Tod als Ausweg aus der Unmöglichkeit, seine narzißtischen Wünsche zu erfüllen. Aber auch dieser Ausweg erscheint ihm versperrt, heißt es doch, die Folter seiner Wünsche währe »ewig«. Dem steht die positive Ewigkeit des Platenschen Gedichts entgegen. Die Poesie transzendiert die Ausweglosigkeit der Wünsche, indem sie den Wunsch nach dem währenden Echobild erfüllt. Selbstverständlich sind damit die erotischen Wünsche nicht wirklich erfüllt, ihr Los war der Tod ihrer Ersetzung durch einen *anderen* Wunsch. In der Melancholie des Tons klingt auch dieser Tod noch weiter.

Thomas Mann, Platen in Eros wie Kunstauffassung teilweise wahlverwandt (Platens Schicksal zählt zu den Inspirationsquellen des *Tod in Venedig*), hat in seiner Gedenkrede den Ansbacher Dichter mit Tristan und Don Quijote identifiziert. Die Grenzen der Tristan-Analogie wurden schon erwähnt; die Analogie mit Don Quijote bezieht sich etwa auf Platens eigensinnige metrische Experimente und seine aufgrund seines frühen Todes im Jahre 1835 unausgeführten berüchtigten Projekte. Vieles daran ist sicherlich zutreffend, doch impliziert der Vergleich eine angenommene Bindung Platens an eine untergehende Epoche, die zu falschen Vorstellungen Anlaß geben kann. Gerade der unselige Konflikt mit Heine schien eine solche Sicht nahezulegen: Steigerte sich Platen durch Heines Gegenangriff auf seine Homosexualität doch unglücklicherweise in seine schon zuvor begonnenen, widerwärtigen antisemitischen Beschimpfungen derart hinein, daß er niemals die Fähigkeit erwarb, im Stil seines Antipoden die seinen eigenen Bestrebungen in vieler Hinsicht verwandte, allerdings mit den Mitteln der Ironie arbeitende Generalabrechnung mit der Romantik und der gesamten goethezeitlichen ›Kunstperiode‹ zu erkennen. Ironie und Narzißmus schließen sich aus. Die von Hans Mayer analysierte wechselseitige Verkennung der Kontrahenten hat bisher häufig den Blick dafür verstellt, daß auch Platen auf seine eigene, aber nicht minder gültige Weise den ästhetischen Horizont der Goethezeit hinter sich gelassen hat. Heine negierte den Volksliedton durch ironische Verfremdungen mittels Konversations- und Zeitungssprache, Platen durch ein Verfahren, das man als *Lautbild-Kompositions-Stil* bezeichnen könnte. Die Lautbilder des Gedichts werden sorgfältig erarbeitet. Und doch handelt es sich dabei auch nicht um l'art pour l'art. Die Lautbild-Komposition folgt nämlich nicht bloß den Korrespondenzen der Klänge, sondern gleichzeitig immer auch der Maßgabe, die narzißtischen Grundsituationen und die damit verbundenen affektbeschwerten imaginären Komplexe (zentriert um den narzißtischen und homosexuellen Eros) zu verarbeiten.

Es sind die solche Verarbeitung speisenden affektiven Energien, die der Textstruktur Akzente von *Pathos* aufprägen. Platen contra Heine: Das heißt jenseits aller tragischen Verkennungen Pathos contra Ironie. Es ist schwierig, aber es lohnt sich, die Einzigartigkeit des Platenschen Pathos, ihre fundamentale Differenz zum hohlen Pathos eines Geibel zu verdeutlichen. Als Beispiel kann die Schlußstrophe des *Tristan*-Gedichts dienen: Die Klimax der drei Anfangszeilen (»wie ein Quell versiechen«; »Jedem Hauch der Luft ein Gift entsaugen«; »den Tod aus jeder Blume riechen«) blickt sozusagen dem hohlen Pathos, ja dem Kitsch wie dem Tod selbst ins Auge, geht das Wagnis einer Wette mit ihm ein. Wenn unsere Intuition uns versichert, die Wette sei gewonnen worden: Mit welchen Argumenten können wir sie unterstützen? Die Antwort heißt: Durch die leicht groteske und sarkastische Färbung des Pathos wurde die Wette gewonnen. Wie im Fall der Ironie, nur auf andere Weise, wird auch hier überzogen. Es geht um die Verzweiflung des Narziß: Da jede ihrer theatralischen Gesten gespiegelt wird, wird jede im Wortsinne auch reflektiert – aber stets erst im wenn auch blitzartig folgenden Nachhinein. Der ausweglose Affekt vergißt und tobt sich aus – und Narziß sieht dem dergestalt tobenden Narziß zu, weiß sich als Urbild und Spiegelbild und dadurch gleichzeitig als eine dritte, überlegene Instanz. Etwas wie ein Augenzwinkern blitzt zuweilen inmitten all des lamentierenden Spektakels auf. Solch komplizierte Dialektik hat Platens Lyrik mit der Zeit bündig zu formulieren gelernt: Der zuweilen aufblitzende sarkastische

Unterton ihres Pathos stellt alles in ein anderes Licht. Vordergründig wird bloß die Sackgasse narzißtischer Affekte auf solche Weise durch ihre artistisch verarbeitete Reproduktion transzendiert – literarhistorisch ist es der Kult einer ganzen Epoche mit der Spontaneität von Affekten. Platens Schreibweise deckt auf, daß all die scheinbar so spontanen ›Gefühlserlebnisse‹ der Goethezeit Spiegelungen, Applikationen von Vor-Bildern (und häufig genug poetischen) waren. Sie deckt das dadurch auf, daß sie mittels ihrer artistischen Formsprache niemals das Spiegelbild wie ein spontan ›erlebtes Wesen der Natur‹ absolut formuliert – stets formuliert sie das Urbild (also die Dopplung) und den Spiegel (das poetische Form-Eidos) mit, unterstreicht beides durch theatralisch überzogene Gesten. In der Übergröße des Gestus ist sozusagen neunzig Prozent Leiden, Pathos – und zehn Prozent selbstverspottender Sarkasmus, getragen wird beides musikalisch, von der Sonorität des Tons reiner Melancholie. Eine zusätzliche Vertonung erübrigt sich dabei, ein Gedicht wie *Tristan* vermag notfalls einer ganzen Oper die Waage zu halten.

Zitierte Literatur: Thomas MANN: Platen – Tristan – Don Quichotte. Ansbach 1931. – Auch in: T. M.: Adel des Geistes. Stockholm 1945. S. 503–517. – August Graf von PLATEN: Sämtliche Werke. [Siehe Textquelle. Zit. mit Band- und Seitenzahl.] – August Graf von PLATEN: Der Briefwechsel. Hrsg. von Paul Bornstein. Bd. 4. München/Leipzig 1931. [Zit. als: *Briefwechsel*.] – Kurt WÖLFEL: Platens »poetische Existenz«. Diss. Würzburg 1951. [Masch.].

Weitere Literatur: Vincent J. GÜNTHER: August Graf von Platen. In: Deutsche Dichter des 19. Jahrhunderts. Hrsg. von Benno von Wiese. Berlin 1969. S. 77–96. – Günter HÄNTZSCHEL: August von Platen. In: Zur Literatur der Restaurationsepoche. Hrsg. von Jost Hermand und Manfred Windfuhr. Stuttgart 1970. S. 108–150. – Heinrich HENEL: Epigonenlyrik. Rückert und Platen. In: Euphorion 55 (1961) S. 260–278. – Heinrich HENEL: Nachwort. In: August von Platen: Gedichte. Stuttgart 1968. S. 154–174. – Johannes KLEIN: Geschichte der deutschen Lyrik von Luther bis zum Ausgang des Zweiten Weltkrieges. Wiesbaden [2]1960. S. 513-524 (August Graf von Platen-Hallermünde). – Jürgen LINK: Artistische Form und ästhetischer Sinn in Platens Lyrik. München 1971. – Jürgen LINK: Nachwort. In: August von Platen: Werke. Bd. 1 (Lyrik). München 1982. S. 965–982. – Jürgen LINK: Heines Antipode. Der Lyriker Platen in neuer Sicht. München 1983. – Fritz REDENBACHER: Platen-Bibliographie. Erlangen 1936. Zweite, bis 1970 fortgeführte

Aufl. Hildesheim / New York 1972. – Friedrich SENGLE: Biedermeierzeit. Deutsche Literatur im Spannungsfeld zwischen Restauration und Revolution 1815–1848. Bd. 3: Die Dichter. Stuttgart 1980. S. 415–467 (August Graf von Platen). – Emil STAIGER: August Graf von Platen. In: Schweizer Monatshefte 45 (1965/66) S. 596–601.

Friedrich Rückert

Chidher

Chidher, der ewig junge, sprach:
Ich fuhr an einer Stadt vorbei,
Ein Mann im Garten Früchte brach;
Ich fragte, seit wann die Stadt hier sey?
Er sprach, und pflückte die Früchte fort:
Die Stadt steht ewig an diesem Ort,
Und wird so stehen ewig fort.

Und aber nach fünfhundert Jahren
Kam ich desselbigen Wegs gefahren.

Da fand ich keine Spur der Stadt;
Ein einsamer Schäfer blies die Schalmei,
Die Heerde weidete Laub und Blatt;
Ich fragte: wielang' ist die Stadt vorbei?
Er sprach, und blies auf dem Rohre fort:
Das eine wächst, wenn das andre dorrt;
Das ist mein ewiger Weideort.

Und aber nach fünfhundert Jahren
Kam ich desselbigen Wegs gefahren.

Da fand ich ein Meer, das Wellen schlug,
Ein Schiffer warf die Netze frei:
Und als er ruhte vom schweren Zug,
Fragt' ich, seit wann das Meer hier sey?
Er sprach, und lachte meinem Wort:
Solang' als schäumen die Wellen dort,
Fischt man und fischt man in diesem Port.

Und aber nach fünfhundert Jahren
Kam ich desselbigen Wegs gefahren.

Da fand ich einen waldigen Raum,
Und einen Mann in der Siedelei,
30 Er fällte mit der Axt den Baum;
Ich fragte, wie alt der Wald hier sey?
Er sprach: Der Wald ist ein ewiger Hort;
Schon ewig wohn' ich an diesem Ort,
Und ewig wachsen die Bäum' hier fort.

35 Und aber nach fünfhundert Jahren
Kam ich desselbigen Wegs gefahren.

Da fand ich eine Stadt, und laut
Erschallte der Markt vom Volksgeschrei.
Ich fragte: Seit wann ist die Stadt erbaut?
40 Wohin ist Wald und Meer und Schalmei?
Sie schrien, und hörten nicht mein Wort:
So gieng es ewig an diesem Ort,
Und wird so gehen ewig fort.

Und aber nach fünfhundert Jahren
45 Will ich desselbigen Weges fahren.

Abdruck nach: Gesammelte Gedichte von Friedrich Rückert. Bd. 1. Erlangen: Carl Heyder, 1834. S. 73 f.
Erstdruck: Friedrich Rückert: Kazwini's Parabel vom Kreislauf der irdischen Dinge. In: Morgenblatt für gebildete Stände. Nr. 35 vom 10. Februar 1824.
Weiterer wichtiger Druck: Friedrich Rückert: Chidher. In: Musenalmanach für das Jahr 1830. Hrsg. von Amadeus Wendt. Leipzig: Weidmann'sche Buchhandlung, 1830. [Endfassung.]

Walter Schmitz

Ewige Wiederkehr des Gleichen. Zu Friedrich Rückerts Gedicht *Chidher*

Friedrich Rückert gehört zu jenen Autoren der Restaurationszeit, die in ihrem Werk eine Vielzahl philologischer wie naturwissenschaftlicher Quellen derart minutiös ausgewertet haben, daß sogar recht nebensächliche Einzelheiten kommentiert werden können – während die ihrem Werk eigentümlichen und für ihre Zeit typischen Themen sich der Quellenforschung entziehen; auch stehen die mannigfachen Abhängigkeiten ganz unverbunden nebeneinander und lassen sich nicht als ebenso viele einzelne charakteristische Züge in das Gesamtbild des Dichters eintragen. So verhält sich in diesem Fall der Ertrag der Quellenforschung anscheinend umgekehrt zur aufgewendeten Mühe.

Die Parabel *Chidher* bietet sich als Beleg für unsere Vermutung an. Die Überschrift des Erstdrucks verweist uns ausdrücklich auf den zu Kazwin in Persien geborenen, 1283 gestorbenen ›Plinius der Orientalen‹: Zacharias Ben Mohammed Kazwini, sonst noch bezeugt als Kadi von Wasit und el-Hilla (in Irak, dem alten Babylonien), ist der Verfasser einer arabisch geschriebenen Kosmographie, des Buches über *Die Wunder der Geschöpfe und die Seltenheiten der bestehenden Dinge* (Hammer-Purgstall), welches aus zwei Teilen besteht, deren erster »eine Schilderung der überirdischen und irdischen Dinge enthält, nämlich einen Abriß der Astronomie, der meteorologischen Erscheinungen und eine Naturgeschichte der drei Reiche bietet, während der zweite die wichtigsten Länder und Städte aufzählt« (Neubaur); am Schluß jener ersten, im Jahre 1263 entstandenen Abteilung nun wird erzählt, wie Chidher vor den König gebracht und von diesem nach dem Wunderbarsten gefragt worden sei, was er je gesehen habe. Chidher, im Erstdruck noch, wie es der türkischen und persischen Aussprache entspricht, »Chiser« genannt, »ist der nie ermüdende Wanderer, der durch Jahrhunderte und Jahrtausende über die Länder und Meere schweift, der Belehrer und Berater frommer Menschen, [. . .] der Unsterbliche« (Vollers, S. 235 f.), eine der »merkwürdigsten Gestalten der Religionsgeschichte« (S. 283) mit weitverbreitetem, aber in Syrien und Babylonien zentriertem Kultus, ein »Erzeugnis des islamischen Synkretismus« (S. 237 f.), der seit den großen Koran-Kommentaren zu Sure 18,59–81, wo mit seinen Eigenschaften, aber ohne seinen Namen ein »frommer Knecht« vorkommt, immer mehr Züge aus den Religionen der verschiedenen östlichen Völker auf sich vereinigte. Das Wichtigste über Chidher mochte Rückert vielleicht aus der Anthologie seines »literarischen Freundes und Beförderers [seiner] morgenländischen Studien« (*Briefe*, S. 379), des Wiener Orientalisten Hammer-Purgstall, erfahren haben, wo sich auch die bekannte Parabel findet (*Rosenöl*, S. 118 f.); zweifellos jedoch lehnt sich sein Gedicht eng an »die Sacysche Chrestomathie« (*Briefe*, S. 323) an, denn dort bietet der dritte Band (Sacy, S. 369–413) »Extraits du livre des merveilles de la nature et des singularités des choses créés, par Mohammed Ben-Mohammed Kazwini, traduits par A. L. Chézy« und in den erläuternden und ergänzenden Anmerkungen (S. 414 bis 499) auch den Abdruck und die französische Übersetzung von Chidhers Erzählung, mit einer Konjektur, die Rückert übernimmt (»ancienne« statt »grande«, vgl. Vers 6: »ewig«); Chézy schickt der Übersetzung eine kurze Einleitung voraus und flicht dabei die gebräuchliche Definition der parabolischen Gattung ein – »eine Gleichnißrede, [. . .] mehr zur Einkleidung und Verhüllung einer Lehre, als zu ihrer Enthüllung« (so Herder, S. 164).

»De là il [Kazwini] passe aux saisons, et termine cette première partie par un récit qui, sous le voile de la fable, renferme une idée très philosophique sur le deplacement des mers, et les changemens succesifs des terres en mers, et des mers en terres, qui arrivent sur la surface du globe. Au lieu d'un laps de cinq cent ans que met Khidr entre ces différen-

tes révolutions, on n'a qu'à supposer un nombre indéfini des siècles; et d'après les preuves que nous fournit l'histoire géologique du globe, son récit ne répugnera pas à la raison; le voici« (Sacy, Bd. 3, S. 417).
Für den erbitterten Streit der Geologen-Schule der Neptunisten gegen die Vulkanisten dürfte man freilich, wenn auch dieselbe Nummer des *Morgenblattes* einen Beitrag über die »grönländischen Meere« fortsetzt, »wenig wahren Nutzen« (Hammer-Purgstall, S. XIII) erhofft haben; doch nach den Befreiungskriegen und nach den Karlsbader Beschlüssen, die 1819 die ›Restauration‹ besiegelten, geriet das naturwissenschaftliche Stichwort »révolutions« geradezu in die erregte öffentliche Debatte darüber, ob die große Revolution von 1789 nur das Werk von Verschwörern oder die Entfesselung dämonischer, gar satanischer Kräfte, oder eben doch der gesetzmäßige Vorgang gewesen sei, wie ihn der aus des Kopernikus Schrift *De revolutionibus orbium coelestium* übernommene Begriff verheißt; ihre Wiederkunft hätte man im letzten Fall wohl zu fürchten, aber doch auch gelassen in das »Gesetz des ewigen Kreislaufes«, wie es auch »für die himmlischen Weltkörper« gilt, einzuordnen (Schlegel, S. 283, ähnlich Schelling in der Quelle für Platens ›Nichts-Ghasel‹). So stellt die Redaktion des *Morgenblattes* dieser Nummer ein Motto von Ludwig Tieck voran:

Was gewesen, kommt auch wieder,
Zukunft ist dereinst vergangen.

Vor dem Traditionshorizont der aufklärerischen Geschichtsphilosophie mit ihrer Hoffnung auf Fortschritt und Erziehung des Menschengeschlechtes einerseits wie andererseits des triadischen Geschichtsdenkens der Romantik, das die künftige Rückkehr in das verlorene Paradies prophezeite, reflektiert eine manchmal beschauliche, oft aber kämpferische und polemische Geschichtsmetaphorik den politischen Zwiespalt der Vormärz- und Restaurationsepoche. Heinrich Heine etwa konfrontierte deshalb zwei verschiedenartige Zeitauffassungen: »Die einen sehen in allen irdischen Dingen nur einen trostlosen Kreislauf; im Leben der Völker wie im Leben der Individuen, in diesem, wie in der organischen Natur überhaupt, sehen sie ein Wachsen, Blühen, Welken und Sterben [...]. ›Es ist nichts Neues unter der Sonne!‹ ist ihr Wahlspruch; und selbst dieser ist nichts Neues, da schon vor zwei Jahrtausenden der König des Morgenlandes ihn hervorgeseufzt [vgl. Prediger Salomo 1,9 f.]. Sie zucken die Achsel über unsere Zivilisation, die doch endlich wieder der Barbarei weichen werde; sie schütteln den Kopf über unsere Freiheitskämpfe, die nur dem Aufkommen neuer Tyrannen förderlich seien; sie lächeln über alle Bestrebungen eines politischen Enthusiasmus, der die Welt besser und glücklicher machen will, und der doch am Ende erkühle und nichts gefruchtet; – in der kleinen Chronik von Hoffnungen, Nöten, Mißgeschicken, Schmerzen und Freuden, Irrtümern und Enttäuschungen, womit der einzelne Mensch sein Leben verbringt, in dieser Menschengeschichte sehen sie auch die Geschichte der Menschheit« (Heine, S. 21).

Neigen die »Weltweisen der historischen Schule« und die »Poeten aus der Wolfgang Goetheschen Kunstperiode«, denen Heine sonst Rückert umstandslos zurechnet (S. 876), nun zu dieser Ansicht, während die andere Partei eine »fortschreitende Vervollkommnung« (Humboldt, S. 571) erwartet, so betont doch solch eine »naturgeschichtliche« Betrachtung (S. 567) jedenfalls ein Gesetz, dem stets die Freiheit des menschlichen Geistes widerstreitet. Ohnedies aber werden die geschichtsphilosophischen Entwürfe, in sich komplex genug und verwirrend in ihrer Konkurrenz, durchkreuzt und getrübt von geläufigen Metaphern, denen ihre Herkunft aus der antiken und christlichen Tradition eigenes Gewicht verleiht. Gleichwie die zyklische Zeit im Naturbild veranschaulicht wird, kann sich die Gegenpartei auf ein lineares, organisches Muster berufen und dessen metaphorische Möglichkeiten nützen: »Die Parallelisierung der Menschheitsgeschichte mit einer Individualentwicklung ist in der deutschen Klassik gängig« (Demandt, S. 68). All-

mählich verdrängt nun die aktuelle, politische Anspielung den umständlichen gedanklichen Entwurf; man bezweckt nicht die philosophische Klärung, sondern das Bekenntnis zu einer Partei oder wenigstens zu einer bekannten Weltanschauung. So hat auch Rückert auf eine erneute gedankliche Auseinandersetzung verzichtet, obschon satirische Seitenhiebe auf Hegel in der *Weisheit des Brahmanen* beweisen, daß ihn das Verhältnis von *Geschichte und Natur* – so der Titel eines späten Gedichtes (*Gedichte*, 1843, S. 640) – durchaus beschäftigte.
Chidhers Parabel ist einfach gebaut. Rückert spricht gar bescheiden von »arabisirender Prosa« (*Briefe*, S. 327). Sie besteht aus fünf Strophen zu je sieben vierhebigen Zeilen, denen zwei Zeilen als Kehrreim angehängt sind; das Grundmetrum ist jambisch, in der vierten Zeile lockert ein Anapäst im zweiten, in der folgenden Zeile im dritten Fuß den Rhythmus auf; das rhythmische Motiv wiederholt sich im Kehrreim, einem drei- und einem vierhebigen Vers mit klingendem Versausgang – der beschwerte Auftakt, die spätere Beschleunigung des Rhythmus, dann der ruhig ausklingende Schluß verleihen dem letzten Vers die Kontur des Definitiven. Statisch wirkt auch die Präsentation des Gehalts. Nur die erste und die letzte Strophe weichen geringfügig von einem starren Schema ab, während die mittleren jeweils gleich einsetzen: »Da fand ich«, in der ersten Zeile die neue Situation beschreiben, darauf, in einer knappen Genreszene, den Gesprächspartner Chidhers einführen; Chidhers stereotype Frage bildet die Mittelachse der Strophen 2–4, und stereotyp wird auch die fünfte Zeile eingeleitet: »Er sprach«; der Rest der Strophe berichtet dann die Antwort, im Kehrreim folgt die immer gleiche Überleitung. Dem strengen Parallelismus im Ganzen entsprechen die Parallelen im einzelnen: der regelmäßige Wechsel der Fragewörter »seit« (Str. 1, 3, 5) und »wie« (Str. 2, 4), die Zeitbestimmungen »ewig« und »fort« als auffällige Leitwörter – andere hat Rückert bewußt vermieden (und in Vers 20 »Fischer«, so der Erstdruck, wegen Vers 25 durch »Schiffer«

ersetzt). Diese zwei nun werden in der ersten Strophe eingeführt und aufeinander bezogen (7); sie drücken beide eine kontinuierliche Dauer des Geschehens aus. In der dritten Strophe fehlen sie und werden durch eine Paraphrase (6 f.) vertreten, in der vierten dagegen kommen sie gegen Strophenende gehäuft vor (5 ff.); so wird die Abweichung und Schlußfolgerung der letzten Strophe vorbereitet.

Vorerst sind ja Form und Inhalt schroff gegeneinander gestellt, und die Leitworttechnik verschärft den Gegensatz. Zwar schien die beharrliche Wiederkehr der gleichen Worte für Beständigkeit und Dauer zunächst eben dieses Dauern und Fortbestehen abzubilden, tatsächlich aber wird die Ewigkeit, indem man sie wechselnden Orten und Zuständen zuspricht, jeweils vernichtet und als unecht und angemaßt bloßgestellt. Unveränderlich ist paradoxerweise allein der Wechsel. Wenn das Gedicht, nachdem es die Vergänglichkeit jeder fraglosen Gegenwart vorführte, in seinen Anfang mündet und abermals die Stadt als Schauplatz nennt, wird diese Paradoxie offenkundig. Das richtige Verständnis des Begriffes ›ewig‹ ist die Wahrheit, um die es in dieser Parabel geht. Deshalb nimmt Chidher hier, an der entscheidenden Stelle, selber Anteil – zunächst mit der betont wiederholten Frage, in der nachdrücklich das von Rückert geschätzte barocke Konklusionsschema in der Mittelachse (4) an die vorigen Ansprüche erinnert; außerdem aber gesteht Chidher selbst dem Treiben der Menschen »Ewigkeit« zu, um sie sofort als hinfällig zu enthüllen in dem nur hier ins Futurische variierten Kehrreim. In fünfhundert Jahren wird auch diese Ewigkeit vorbei sein. Rückerts Quelle hatte auf die Variation des Schlusses verzichtet: »Enfin, y retournant de nouveau, après un pareil laps de temps, j'y retrouvai une ville florissante, plus peuplée et plus riche en beaux bâtimens que celle que j'y avois vue la première fois; et quand je m'informai de son origine à ses habitans, ils me répondirent: Elle se perd dans l'antiquité; nous ignorons depuis quand elle existe, et nos pères étoient à cet égard dans la même ignorance que nous« (Sacy, Bd. 3, S. 419). Auch hier eine gewisse Steigerung (»plus peuplée«), aber das gegenwartskritische »Schreckbild Stadt« (Sengle) hat Rückert allein zu verantworten, und er hat es längst sorgfältig vorbereitet. Denn schon in der ersten Strophe veränderte er fast unmerklich seine Quelle, drängte das städtische Leben in den Hintergrund und ließ die eigentliche Szene in einem »Garten« spielen, der mehr mit den folgenden Schauplätzen gemein hat, mit der idyllischen Schäferszenerie, dem Meer und dem Wald. Chidher besucht – literarisch stilisierte – Naturräume, und die Tätigkeiten, die man dort ausübt, verraten die paradoxe Wiederkehr des Gleichen in der Natur; die Früchte werden, so wie die Bäume, ewig nachwachsen, das Meer wird immer wieder immer andere Fische spenden, und der Schäfer spricht dieses Gesetz des organischen Kreislaufs aus, ohne es zu begreifen: »Das eine wächst, wenn das andere dorrt« (15). Die ›Menschheitsgeschichte‹ wird ausgeklammert zugunsten der schlichten, alltäglichen ›Menschengeschichte‹ (s. o.). Diese Menschen denken verblendet, doch ihr Sein wurzelt in der Ordnung der Natur. Die Städter der Gegenwart aber haben sich der unbewußten, ewigen Wahrheit völlig entfremdet, und ihr endloses Geschrei (Rückert hat den unbestimmten Artikel in der Endfassung zum bestimmten verändert und so das »Geschrei« zum Merkmal des »Volkes« erhoben [38]) übertönt die Worte des weisen Chidher.

Chidher ist Sprecher und Inbegriff des Gedichtes. Die erste Zeile stellt ihn nur flüchtig vor, weil ihn ja eine Eigenschaft hinreichend kennzeichnet: »ewig jung« verbürgt er jene Wahrheit, die seine Parabel behauptet, die Koinzidenz des linearen Lebensalter-Modells mit dem ewigen »Zirkeltanz« der Naturgeschichte (Fichte) – in der Ewigkeit. Esoterisches Spiel, scherzende Mummerei, aber auch eine Verkleidung, die erst das Gespräch mit dem Fremden erlaubte – das alles war Goethes Rollenlyrik im *West-östlichen Divan*. Nun ist der fiktive Sprecher mit allen Insignien der Zuverlässigkeit und Glaubwürdigkeit ausgestattet, tritt Chidher auf als die Verkörperung jener alten, ewig jungen Wahrheit, aus deren

Quell die Poesie sich nährt (vgl. Hammer-Purgstall) – im Einleitungsgedicht *Hegire* hatte Goethe auf Hafisens Dichterweihe durch Chiser angespielt –, duldet der Topos von der ursprünglichen Weisheit des Ostens keinerlei Zweifel mehr in der west-östlichen Dichtung. Chidher präfiguriert so bereits jenen fiktiven weisen Brahmanen, der Rückerts berühmten Zyklus aus Fragmenten verantworten und einer verehrenden Gemeinde mit seinem Verfasser zum Bild des ›Patriarchen von Neuses‹ (Rückerts Alterssitz) verschmelzen wird. Während Platen, der verspätete Klassizist, um die orientalische Form ringt, trägt der Gelehrte Rückert, ebenso einseitig, aber zeitgemäßer Goethe nachfolgend, die »poetischen Gedanken« in »arabisirender Prosa« vor; gehört die pathetische Rede Platens über die Nichtigkeit der Welt in die Vorgeschichte des ›objektiven‹ lyrischen Ich, so verwirklicht Chidhers Rede bereits eine bis in unsere Gegenwart fortwirkende Form der ›Reflexionspoesie‹, welche von den Ästhetikern der Jahrhundertmitte etwas unpassend ›Gedankenlyrik‹ getauft wurde. Beiden aber, Rückert wie Platen, ist die lebendige rhetorische Tradition gemeinsam. Und damit die Wirkungsabsicht. Cottas *Morgenblatt* und Wendts *Musenalmanach* stecken einer gemeinsamen Welt der Gebrauchspoesie und ihrer Leser den Rahmen ab, in dem auch Rükkerts scheinbar isolierte Veröffentlichung beheimatet ist. Zwar begnügt er sich mit der poetischen Mitteilung wissenschaftlicher Funde. Was er aber fand, fügt sich, als ein unbekanntes Argument zum Topos der ewigen Wiederkehr des Alten und als zusätzliche Bestätigung durch das Alter des Argumentes selbst (s. o. Heine), bruchlos der öffentlichen Diskussion ein; die Endfassung des *Chidher* ließ Rückert 1830 erscheinen, im Jahr der zweiten, der Juli-Revolution in Frankreich.

Zitierte Literatur: Alexander DEMANDT: Metaphern für Geschichte. Sprachbilder und Gleichnisse im historisch-politischen Denken. München 1978. – Joseph von HAMMER-PURGSTALL: Rosenöl. Erstes Fläschchen, oder Sagen und Kunden des Morgenlandes aus arabischen, persischen und türkischen Quellen

gesammelt. Erstes Bändchen. Stuttgart/Tübingen 1813. – Heinrich HEINE: Sämtliche Schriften. Hrsg. von Klaus Briegleb. Bd. 3. München 1971. – Johann Gottfried HERDER: Sämmtliche Werke. Hrsg. von Bernhard Suphan. Bd. 16. Berlin 1887. – Wilhelm von HUMBOLDT: Schriften zur Anthropologie und Geschichte. Darmstadt 1960. – Leonhard NEUBAUR: Die Quelle von Rückerts ›Chidher‹. In: Euphorion 2 (1895) S. 363 f. – Friedrich RÜCKERT: Gesammelte Gedichte. Frankfurt a. M. 1843. – Friedrich RÜCKERT: Briefe. Bd. 1. Schweinfurt 1977. [Zit. als: *Briefe.*] – Silvestre de SACY: Chrestomathie arabe, ou, Extraits de diverses écrivains arabes [...]. 3 Bde. Paris 1806. – Friedrich von SCHLEGEL: Kritische Ausgabe seiner Werke. Hrsg. von Ernst Behler. Bd. 13. Paderborn 1964. – Friedrich SENGLE: Wunschbild Land und Schreckbild Stadt. Zu einem zentralen Thema der neueren deutschen Literatur. In: Studium Generale 16 (1963) S. 619–631. – Karl VOLLERS: Chidher. In: Archiv für Religionswissenschaft 12 (1909) S. 234–284.
Weitere Literatur: Robert BOXBERGER: Die Quelle von Rückerts Parabel »Chidher«. In: Archiv für Litteraturgeschichte 5 (1876) S. 274–276. – Heinrich HENEL: Epigonenlyrik: Rückert und Platen. In: Euphorion 55 (1961) S. 260–278. – C. LANG: »Chidher, der ewig junge«. In: Zeitschrift für den deutschen Unterricht 10 (1896) S. 465–470. – Bernhard SCHULZ: Der literarische Unterricht in der Volksschule. Eine Lesekunde in Beispielen. Bd. 2. Düsseldorf 1966. [S. 216–226]. – Almut TODOROW: Gedankenlyrik. Die Entstehung eines Gattungsbegriffs im 19. Jahrhundert. Stuttgart 1980. – Gustav ZART: Der geologische und litterarische Hintergrund in Rückerts Parabel »Chidher«. In: Zeitschrift für den deutschen Unterricht 11 (1897) S. 292–305. – Gustav ZART: Chidher in Sage und Dichtung. Hamburg 1897.

Adelbert von Chamisso

Das Schloß Boncourt

Ich träum' als Kind mich zurücke,
Und schütt'le mein greises Haupt;
Wie sucht ihr mich heim, ihr Bilder,
Die lang' ich vergessen geglaubt?

5 Hoch ragt aus schatt'gen Gehegen
Ein schimmerndes Schloß hervor,
Ich kenne die Türme, die Zinnen,
Die steinerne Brücke, das Tor.

Es schauen vom Wappenschilde
10 Die Löwen so traulich mich an,
Ich grüße die alten Bekannten,
Und eile den Burghof hinan.

Dort liegt die Sphinx am Brunnen,
Dort grünt der Feigenbaum,
15 Dort, hinter diesen Fenstern,
Verträumt' ich den ersten Traum.

Ich tret' in die Burgkapelle
Und suche des Ahnherrn Grab,
Dort ist's, dort hängt vom Pfeiler
20 Das alte Gewaffen herab.

Noch lesen umflort die Augen
Die Züge der Inschrift nicht,
Wie hell durch die bunten Scheiben
Das Licht darüber auch bricht.

25 So stehst du, o Schloß meiner Väter,
Mir treu und fest in dem Sinn,

Und bist von der Erde verschwunden,
  Der Pflug geht über dich hin.

Sei fruchtbar, o teurer Boden,
  Ich segne dich mild und gerührt,
Und segn' ihn zwiefach, wer immer
  Den Pflug nun über dich führt.

Ich aber will auf mich raffen,
  Mein Saitenspiel in der Hand,
Die Weiten der Erde durchschweifen,
  Und singen von Land zu Land.

Abdruck nach: Adelbert von Chamisso: Gedichte. Vierte Auflage. Leipzig: Weidmann'sche Buchhandlung, 1837. S. 75 f. [Ausgabe letzter Hand.]
Erstdruck: Peter Schlemihl's wundersame Geschichte, mitgetheilt von Adelbert von Chamisso. Zweite mit den Liedern und Balladen des Verfassers vermehrte Ausgabe. Mit sechs Kupfern nach George Cruikshank und einem Titelkupfer. Nürnberg: Schrag, 1827. – Faks.-Ausg. München: Winkler, 1982.
Weitere wichtige Drucke: Chamissos Werke. Hrsg. von Hermann Tardel. Kritisch durchges. und erl. Ausg. 3 Bde. Leipzig/Wien: Bibliographisches Institut, [1907–08]. (Meyers Klassiker-Ausgaben.) – Adelbert von Chamisso: Sämtliche Werke in zwei Bänden. Hrsg. von Volker Hoffmann, Textred. von Jost Perfahl. München: Winkler, 1975. – Adelbert von Chamisso: Werke in zwei Bänden. Hrsg. von Werner Feudel und Christel Laufer. Leipzig: Insel, 1981; München: Hanser, 1982.

Volker Hoffmann

Künstlerselbstzeugung durch Metamorphose: Naturpoesie aus den Ruinen der Zivilisation. Zu Adelbert von Chamissos Gedicht *Das Schloß Boncourt*

Das Schloß Boncourt gehört zu den Gedichten, mit denen Chamisso 1827 der Durchbruch als Lyriker gelang. Vorangegangen waren zwei vergebliche Versuche: die Almanach-Dichtung im Berliner Freundeskreis (1803–05) und die zeitkritischen Gedichte der frühen zwanziger Jahre, die Erfahrungen seiner Weltumsegelung (1815–18) verarbeiteten. Erst mit den *Liedern und Balladen* sowie den *Übersetzungen und Nachdichtungen* im Lyrik-Anhang der zweiten Ausgabe von *Peter Schlemihls wundersamer Geschichte* (Mai/Juni 1827) sicherte sich Chamisso einen festen Platz im »deutschen Dichterwald«, den er später mit seinen Terzinenpoemen und Sonetten noch ausbaute. Das Anfang 1827 entstandene Gedicht *Das Schloß Boncourt* steht an hervorgehobener Stelle am Ende der ersten Abteilung *Lieder und Balladen* des *Schlemihl*-Anhangs. Es dürfte eines der bekanntesten Gedichte Chamissos sein – scheinbar einfach gebaut und leicht verständlich. In Wirklichkeit ist es ein komplexer und elliptischer Text, welcher der Interpretation bedarf.

Die metrisch-rhythmische Wirkung des Gedichts beruht auf der Überlagerung von Gleichförmigkeit und Abwechslung auf mehreren Ebenen. Der Grundrhythmus wird durch den alternierenden Wechsel von betonter und unbetonter Silbe bestimmt, drohende Monotonie wird aber durch den Einbau von mindestens einem nicht alternierenden Element (eine betonte, zwei unbetonte Silben) pro Strophe vermieden. Neben der klaren Strophenunterteilung, die nirgendwo eine Verschleifung zwischen den Strophen zuläßt, ist die paarige Zweiteilung jeder Strophe eine weitere regelmäßige Erscheinung. Sie wird durch die typographische Einrückung der zweiten und vierten Zeile jeder Strophe, die regelmäßige,

durch Zeichensetzung markierte Zäsur zwischen Zeile 2 und 3 – zwischen Zeile 1 und 2 bzw. 3 und 4 gibt es dagegen relativ häufig Zeilenverschleifungen – und durch den rhythmisch-syntaktischen Parallelismus gebildet, der darin besteht, daß in der jeweils ersten Zeile der beiden Zeilenpaare (Z. 1 und 3 jeder Strophe) die erste betonte Position meist durch die Tonsilbe des flektierten Verbs besetzt ist. Wie die Strophik durch den strophenübergreifenden Sprechvorgang, so wird die Zweiteilung der Strophen durch das Reimschema gegenbilanziert, das die beiden Strophenhälften durch ein unter sich gegensätzliches Paar von zweisilbigem nichtreimenden Versausgang (jeweils Z. 1 und 3) und einsilbigem reimenden Versausgang (Z. 2 und 4) aneinanderbindet. Isolierung von Teilen, regelmäßiger Wechsel und Paarigkeit, die sich auf syntaktischer Ebene bis zu Paarformeln fortsetzt, dominieren auf der rhythmisch-metrischen Ebene, werden aber schon hier durch Verschleifungen, Unregelmäßigkeiten und Asymmetrien aufgelockert.
Gegenüber der gleichmäßigen Unterteilung in neun Strophen gliedert der Sprechvorgang das Gedicht in drei Teile, die sich wiederum auf zwei Ebenen reduzieren lassen. Der erste und dritte Teil (Str. 1 und Str. 7–9) legen die gegenwärtige Situation (einschließlich naher Zukunftspläne) des Sprechers dar. Der Sprecher ist ein Sänger-Dichter, der greisenhaft ist oder sich wenigstens so fühlt. Er befindet sich in einer traumähnlichen Erinnerungssituation, nicht in einem realen Traum, denn da könnte er nicht gleichzeitig sein Haupt schütteln. Die Erinnerungsbilder drängen sich ihm überraschend und zwanghaft auf, er spricht sie wie belebte Personen an (3), ebenso auch den zentralen Erinnerungsgegenstand, das Schloß seiner Väter (25). Dieses existiert nur noch in der Erinnerungsrealität, nicht mehr aber in der Außenrealität des Sprechers: Es ist von der Erde verschwunden, ohne daß etwas über den Zeitpunkt und die Umstände gesagt wird; die Stelle des Schlosses ist zu Ackerland geworden. Daraus zieht der Sprecher eine doppelte Konsequenz: er bedenkt den neuen Ackerboden, der wiederum wie eine

Person angeredet wird, mit mehrfachen Segenswünschen (29–32) und beschließt, in naher Zukunft für sich allein – ein Anredepartner ist jetzt nicht mehr genannt – von seinem bisherigen, nicht näher bezeichneten Standort aufzubrechen und die ganze Welt mit seiner Liedkunst und seinem Saiteninstrument zu durchwandern (33–36).

Zwischen den ersten und dritten Teil als gegenwärtige Situation des Sprechers ist der zweite Teil (Str. 2–6) als erinnerter Vorgang eingeschoben. Er liegt einerseits zeitlich weit zurück – es handelt sich um lang vergessene Erinnerungsbilder des Sprechers aus seiner Kinderzeit (4) –, andererseits wird der zeitliche Abstand durch die spezifische Art der Erinnerung in Form einer traumhaften Vergegenwärtigung aufgehoben: der erinnerte Vorgang steht im Präsens. Er ist räumlich als Suchgang gestaltet. Das Sprecher-Ich bewegt sich rasch von außen und unten in das höhergelegene Innere eines Schlosses (zuerst Hof, dann Kapelle), das sich durch die Vertrautheit der teilweise wieder personifizierten Erinnerungsdetails und durch das Ziel, das Grab des Ahnen zu suchen, als das väterliche Schloß des Sprechers erweist, noch ehe es in der Sprechgegenwart ausdrücklich als solches bezeichnet wird. Auffallend ist die Raschheit und Zielstrebigkeit des erinnerten Suchgangs: Das Ich betritt, obwohl der erinnerte Vorgang in seine Kindheit fällt, den engeren Lebensbereich seiner Kinderzeit nicht, das suchende Kind bleibt außerhalb der Wohn- und Schlafräume im Burghof (15/16: »Dort, hinter diesen Fenstern, / Verträumt' ich den ersten Traum«) und begibt sich statt dessen auf der Suche nach dem Grab des Ahnherren direkt in die Burgkapelle. Dort findet es das Grab aufgrund der symbolischen Markierung (20: »das alte Gewaffen«), kann aber, zu Tränen gerührt (21: »umflort die Augen«), die Inschrift trotz relativ guter Beleuchtung (helles Licht, das allerdings durch bunte Scheiben gebrochen wird [23/24]) nicht lesen. Noch bevor es dazu in der Lage ist – der Text rechnet ausdrücklich mit einer solchen Möglichkeit (»Noch lesen [...] die Augen

[...] nicht« [21/22]) – bricht der erinnerte Suchgang mit diesem Negativbefund ab.
Weshalb bricht die traumartige Erinnerung an dieser Stelle ab? Weshalb meidet das Kind sein Schlafzimmer und sucht dafür die Ruhestätte des toten Ahnherren? Warum erfahren wir von dem Zeitpunkt und den näheren Umständen des Verschwindens des Stammschlosses nichts, ein für die Sprechergegenwart offensichtlich zentrales Ereignis, das nach der erinnerten Kindheitszeit, aber vor der Sprechgegenwart eingetreten sein muß? Und warum segnet der Sprecher wiederholt den Ackerbau, der an die Stelle des Schloßbaus getreten ist, obwohl man von dem Betroffenen kaum einen einzigen guten Wunsch, eher schon Verfluchung, Androhung von Gericht und Vergeltung erwarten würde? Das Gedicht, das schon auf der Ebene der Wortform mit vielen Silbenauslassungen arbeitet, behandelt wichtige Ereignisse und Räume entweder gar nicht (elliptisch) oder wertet sie wider Erwarten massiv um.
Die Meidung der Kindheitsinnenräume zeigt, daß es sich bei dem traumhaft imaginierten Suchgang weniger um eigene Kindheitserinnerung als um einen Versuch, Totes bzw. nicht mehr Existierendes zu beschwören, handelt. Ziel des Suchgangs ist die Grabstätte des Ahnherrn, der als Toter nur noch zeichenhaft durch die Bestattungsstelle innerhalb des Stammschlosses, durch die ausgestellten Tätigkeitsinsignien und durch die Züge der Grabinschrift, die seine individuellen Gesichtszüge ersetzt haben, gegenwärtig ist. An der Entzifferung dieser Schriftzüge scheitert das Kind wegen starker emotionaler Bewegung. Der Inhalt der Grabinschrift bleibt im dunklen, auch das helle, sonst belebend wirkende Sonnenlicht bringt hier nichts an den Tag bzw. zum Leben. Daß es aber trotz dieses negativen Ergebnisses um die Gestaltung eines Ursprungsmythos geht, zeigt der Vergleich mit den historischen Fakten (Brouillon, S. 302–352). Das Gedicht verlegt die Grabstätte des Ahnherrn Robert Jean de Chamisso, über dessen Heirat mit Émilie de Chérisey Schloß Boncourt in den Besitz der Chamissos kam, von der Kirche

des benachbarten Dorfes Ante (südlich von Sainte Ménehould am Westabhang des Argonnerwaldes, Département Marne) ins Schloß, das keine Kapelle besaß. Das Gedicht verschweigt ferner die Herkunft des Schloßbesitzes aus der Mitgift der ›Ahnfrau‹, die im Grab ihres Mannes ebenfalls beigesetzt ist, und es biegt die Tatsache, daß die Grabinschrift während der Revolutionszeit in einer gewalttätigen ›damnatio memoriae‹ nahezu unleserlich gemacht wurde, in eine momentane Leseunfähigkeit des Kindes um. Mit der Verknüpfung von Grab und Schloß gestaltet das Gedicht einen architektonisch-symbolischen, vaterbestimmten Ursprungsmythos; durch die Verschweigung der Revolutionsereignisse suggeriert es eine Manipulierbarkeit der Vorgänge durch das Kind, die sich später bei der Vernichtung des Schlosses auf der Sprecherebene wiederholt.

Nach dem Scheitern der Schriftentzifferung und dem Abbruch des Erinnerungsvorgangs wird an Stelle des Ahnherrn das Schloß, in dem dieser architektonisch und generativ weiterlebt, Gegenstand des Sprechvorgangs. Analog zum Ahnherrn wird auch das Schloß wie eine begrabene Leiche behandelt. Es wird nämlich zuerst wie eine lebende Person angesprochen und dann unter den Boden gelegt: »Der Pflug geht über dich hin« (28). Über den Zeitpunkt und die näheren Umstände des Verschwindens des Schlosses wird nichts mitgeteilt. Viele zeitgenössische Leser dürften hier aber wenigstens soviel gewußt oder gemutmaßt haben, daß das in der Überschrift genannte Familienschloß der Chamisso-Boncourt in den Revolutionskriegen zerstört wurde. Es wurde allerdings weder geplündert noch gewalttätig zerstört, sondern, nachdem es die Familie im Mai 1792 nach Ausbruch der Koalitionskriege verlassen hatte, zusammen mit dem Grundbesitz und Mobiliar legal konfisziert und zur Versteigerung gebracht. Erst als sich kein Käufer für das Schloß fand, wurde es auf Abbruch verkauft und um 1795 als Baumaterialienquelle für die Umgebung tatsächlich abgebrochen (Brouillon, S. 343–352; Feudel, S. 7 f.). Von diesen Fakten erwähnt der Gedichttext nichts. Für den Sprecher ist

nach einer kühn verharmlosenden »und«-Wendung (27) das Schloß einfach von der Erde verschwunden und in Ackerland verwandelt, fast wie im Zaubermärchen. Wurde bei der Umstilisierung der Inschriftzerstörung noch die emotionale Bewegung des Kindes vorgeschoben, so fällt nun die Umstilisierung der Schloßzerstörung direkt in die Verantwortung des Sprecher-Ichs. Sollte die Verwandlung der Architektur in Ackerland, der zivilisatorischen Kunstleistung in Kultivierung von Naturland, der väterbestimmten Generationenfolge in die der Natur anheimgegebene Saat- und Erntefolge im Interesse des Sprechers liegen, der sich in der letzten Strophe als Sänger-Dichter entpuppt?
Der Verdacht verstärkt sich, wenn man beobachtet, wie der Sprecher in der achten Strophe auf das Verschwinden seines Familienschlosses und die Tatsache, daß an seiner Stelle Ackerbau getrieben wird, reagiert. Während das Kind vor der Grabinschrift des Ahnherrn emotional überwältigt wurde, so daß es nicht mehr reagieren konnte, antwortet der greisenhafte Sprecher des Gedichts auf den Verlust seines Familiensitzes »mild und gerührt« (30), also emotional gemäßigt, mit zwei jeweils nochmals in sich ›zwiefachen‹ Segenswünschen für den neuen Ackerboden und den Pflüger. Sowohl das Segnen wie die Häufung des Segens überrascht. Die Häufung der unerwarteten Segenswünsche ist wohl durch die überkompensatorische Abwehr der gegenteiligen Reaktion zu erklären: Die Flüche, die angesichts des teuer bezahlten Verlustes verständlicher wären, bleiben dem Sprecher im Halse stecken, wie das Chamisso von sich selbst einmal in bezug auf die Restaurationsereignisse brieflich bekennt (an de la Foye, 3. August 1822), und werden in Segen verwandelt. Fluch und Segen sind zwei in der biblischen ›Heimsuchung‹ (vgl. 3) nahe beieinanderliegende Weisen des göttlichen Eingreifens; säkularisiert sind sie – wie die Verwandlung – spektakuläre Versuche, Realität großartig-allmächtig zu bewältigen.
Niemand hat vom Sprecher die Pose des Segnens verlangt. Sie ist eine wenn auch in der Außenrealität machtlose Reak-

tion des Sprechers auf den eben als wunderbare Verwandlung von Schloßbau zu Ackerbau umstilisierten Verlust des Familienschlosses. Sie darf nicht nur text-extern als überkompensatorische Bewältigung des Verlustes im Sinn betont bürgerlicher Emanzipation von adliger Herkunft und Standesvorurteilen verstanden werden, wie sie in vielen anderen Gedichten Chamissos explizit belegt, aber auch für seine bürgerlich-familiäre Existenz nach der Weltreise gut bezeugt ist. Vielmehr ist zu beachten, daß die Segensgeste im Ablauf unseres Gedichtes vom Sprecher-Ich vollzogen wird, kurz bevor es in die Weiten der Erde aufbricht, wobei das Wort ›sich aufraffen‹ wiederum die wunderbare Raschheit des Vorgangs unterstreicht (Adelung). Die Segensgeste ist ebenso wie der Verlust des Schlosses eine Voraussetzung für den Aufbruch des Sprechers als Sänger-Dichter, vergleichbar dem Verlust der Geliebten, die im *Schlemihl* auf der wissenschaftlichen und autobiographischen Ebene und in Eichendorffs berühmtem ›Lied‹ (1813) auf der poetischen Ebene eine analoge Aufbruchreaktion zeitigt:

Ich möcht als Spielmann reisen
Weit in die Welt hinaus,
Und singen meine Weisen,
Und gehn von Haus zu Haus.

Nicht mehr orts- und familiengebunden, macht der Spielmann und Dichter sich solitär auf, mit seinen selbstgemachten Liedern und seinem selbstgespielten Instrument die Welt frei-vagabundierend zu durchziehen. Die Destruktion der eigenen Familienbande, symbolisiert in der künstlichen Schloßarchitektur, und deren als segensreich empfundene Umwandlung in anonyme zyklische Naturprozesse sind die Voraussetzung für die eigene Selbsterhebung als Sänger-Dichter mit einem Werk, das als Lied-Kunst mit untergeordneter Instrumentalbegleitung die Dominanz des ›Natürlichen‹ über das ›Künstliche‹ ausdrückt. Angesichts der Bedrohtheit der männergesteuerten künstlichen Bauleistungen ordnet das Sänger-Ich für seine dichterische Produktion die ›künstliche‹ Instrumentalkunst, die nach Ansicht der Zeit Sache der Männervirtuosen ist, der als ›natürlich‹, als spezifisch weiblich angesehenen Vokalkunst unter, um durch diese Angleichung an das Natursystem mit seinem Werk zu überdauern. Das wiederholt sich auf der Ebene des Autorverhaltens. Der Dichter-Botaniker Chamisso behandelt seine eigenen Lieder wie über die Erde verstreute Pflanzen, die er als ›Naturpoesie‹ zu sammeln, nicht aber selbst zu machen hat (Hoffmann, S. 64–71). Über die Produktion der Lieder spricht ja auch unser Text nicht, der wie alle zwischen 1819 und 1828 entstandenen Gedichte in ein Hausbuch eingeschrieben wurde, das den Rückenaufdruck »Herbarium« trägt.

Chamissos Gedicht *Das Schloß Boncourt* ist wie die erzählende ›Bau-Dichtung‹ der Goethezeit und des Realismus, angefangen von Hoffmanns *Rat Krespel* über viele Geschichten von Stifter und Gotthelfs Erzählung *Die schwarze Spinne* bis zu Kellers *Romeo und Julia auf dem Dorfe*, dichterische Bau- und Grundlagenreflexion. Wie in den Erzählungen versichert sich auch in unserem Gedicht der Sänger-Dichter seiner poetischen Basis in einem vorarchitektonischen naturnäheren Bereich, wo der für die Bauwerke typische männlich-gewalttätige Wechsel von Konstruktion und Destruktion, den die Erzählungen im Gegensatz zu unserem Gedicht explizit behandeln, in naturähnliche metamorphosenhafte oder zyklische Regeneration umgewandelt wird. Wie die genannten Erzählungen ist auch unser Gedicht ein stilisierter Selbstrettungsakt der Poesie vor der Todesverfallenheit lebensgeschichtlicher Prozesse, die sich im Verfall des Hauses Chamisso wie des Hauses Usher (Poe) spiegelt, in Richtung auf frei-schweifende Kreativität, die sich in Anlehnung an tages- und jahreszeitliche Zyklen ständig selbst neugeboren wiederherstellt.

Zitierte Literatur: Johann Christoph ADELUNG: Grammatisch-kritisches Wörterbuch der hochdeutschen Mundarten [...]. Bd. 1. Leipzig ²1793. Sp. 516. – Dörte BROCKHAGEN: Adelbert von Chamisso. In: Literatur in der sozialen

Bewegung. Aufsätze und Forschungsberichte zum 19. Jahrhundert. In Verbindung mit Günter Häntzschel und Georg Jäger hrsg. von Alberto Martino. Tübingen 1977. S. 373–423. – Louis BROUILLON: Les origines d'Adelbert de Chamisso. In: Travaux de l'Académie Nationale de Reims. Bd. 127,1. Reims 1910. S. 287–372. – Werner FEUDEL: Adelbert von Chamisso. Leben und Werk. Leipzig 1971; 2., überarb. Aufl. 1980. – Volker HOFFMANN: »Drücken, Unterdrücken – Drucken«. Zum Neubeginn von Chamissos politischer Lyrik anhand eines erstveröffentlichten Briefes an Uhland. In: Jahrbuch der Deutschen Schillergesellschaft 20 (1976) S. 38–86.

Heinrich Heine

Der arme Peter

1

Der Hans und die Grete tanzen herum,
Und jauchzen vor lauter Freude.
Der Peter steht so still und stumm,
Und ist so blaß wie Kreide.

Der Hans und die Grete sind Bräutgam und Braut,
Und blitzen im Hochzeitsgeschmeide.
Der arme Peter die Nägel kaut
Und geht im Werkeltagskleide.

Der Peter spricht leise vor sich her,
Und schaut betrübet auf beide:
Ach! wenn ich nicht gar zu vernünftig wär,
Ich täte mir was zu leide.

2

»In meiner Brust, da sitzt ein Weh,
Das will die Brust zersprengen;
Und wo ich steh und wo ich geh,
Wills mich von hinnen drängen.

Es treibt mich nach der Liebsten Näh,
Als könnts die Grete heilen;
Doch wenn ich der ins Auge seh,
Muß ich von hinnen eilen.

Ich steig hinauf des Berges Höh,
Dort ist man doch alleine;
Und wenn ich still dort oben steh,
Dann steh ich still und weine.«

3

25 Der arme Peter wankt vorbei,
Gar langsam, leichenblaß und scheu.
Es bleiben fast, wenn sie ihn sehn,
Die Leute auf der Straße stehn.

Die Mädchen flüstern sich ins Ohr:
30 »Der stieg wohl aus dem Grab hervor.«
Ach nein, ihr lieben Jungfräulein,
Der legt sich erst ins Grab hinein.

Er hat verloren seinen Schatz,
Drum ist das Grab der beste Platz,
35 Wo er am besten liegen mag,
Und schlafen bis zum jüngsten Tag.

Abdruck nach: Heinrich Heine: Buch der Lieder. Hamburg: Hoffmann und Campe, [5]1844. S. 52–54.
Erstdruck: Heinrich Heine: Buch der Lieder. Hamburg: Hoffmann und Campe, 1827.
Weiterer wichtiger Druck: Heinrich Heine: Werke. Hist.-krit. Gesamtausg. (Düsseldorfer Ausg.) Hrsg. von Manfred Windfuhr. Bd. 1: Buch der Lieder. T. 1: Text. T. 2: Apparat. Bearb. von Pierre Grappin. Hamburg: Hoffmann & Campe, 1975.

Jochen Zinke

Amors bleierner Pfeil. Zu Heines Romanze *Der arme Peter*

In Heines Gedichten erblicken wir das unheimliche Bild jenes Engels, der von der Gottheit abfiel. Wir sehen hier edle Schönheit, die verzerrt wird durch ein kaltes Hohnlächeln, gebietende Hoheit, die übergeht in trotzigen Hochmuth, und kolossalischen Schmerz, der sich anfangs windig gebährdet, und endlich versteinert in trostloser Zerknirschung. H's Liebe ist nicht ein seliges Hingeben, sondern ein unseliges Verlangen, seine Glut ist ein Höllenfeuer, – sein Amor hat einen Pferdefuß ...

(Rheinisch-Westfälischer Anzeiger, 7. 6. 1822)

Dieser kurze Ausschnitt einer zeitgenössischen Rezension, Verfasser ist möglicherweise Adelbert von Chamisso, demonstriert seismographisch genau die erstaunte, ja erregte Reaktion professioneller Literaturkritik auf Heines früheste Gedichte. Es geht hier um die *Jungen Leiden*, die 1821 in Berlin erschienen waren und dann sechs Jahre später (1827) nach genauester Revision durch den Verfasser den Auftakt zum *Buch der Lieder* bildeten. Diesem Teil der Liedersammlung, die bereits zu Heines Lebzeiten zum populärsten Gedichtbuch Deutschlands aufstieg, entstammt unser Text.

Ausufernde Volkstümlichkeit, aber auch wachsende literarische Kritik bestimmten die Rezeption des *Buchs der Lieder* fast bis an die Wende zum 20. Jahrhundert. Nur eines nicht: Langeweile. Erst unter dem Einfluß vehementer Stilwandlungen der nachrealistischen Dichtung, der beginnenden Herrschaft avantgardistischer Programmliteraturen, erschien Heines Breitenwirkung zunehmend verdächtig. Sein provokatives Insistieren auf dem fast einzigen Thema des *Buchs der Lieder* – verschmähter Liebe – erzeugte Abwehr, ebenso wie die scheinbar zutage liegende Durchsichtigkeit seiner ›Mache‹. Was Heines Zeitgenossen noch zu polemischer Weißglut oder hingebungsvoller Verehrung anfachen konnte, wurde nun als poetisch unergiebig, fade, als langweilig und abgeschmackt empfunden.

Im Grunde hat sich die Interpretationsgeschichte des *Buchs der Lieder* von diesem Einbruch bis heute nicht erholt. Noch 1968 beurteilte Gerhard Storz den vormaligen Ruhm des Werkes als unverständlich und bescheinigte Heine hier eine »bedenkliche Abundanz der lyrischen Produktion«. Erst in jüngerer Zeit deutet sich eine Wende an, wiewohl Friedrich Sengle 1980 vor einer »drohenden Vernachlässigung« des

Textes aufgrund »moderner Geschmacksurteile« warnen zu müssen glaubte. Sengle wie auch andere Interpreten, so etwa Rolf Lüdi, der als erster das *Buch der Lieder* in seiner Gesamtstruktur untersucht hat, betonen, daß es in die Irre führt, wenn dem Einzelgedicht ein zu hoher Rang eingeräumt wird. Von solcher Warte wird tatsächlich schnell ein Standpunkt erreicht, von dem aus eine große Menge der Gedichte des *Buchs der Lieder* als Füllmaterial, als abundante Umgebung einiger weniger geglückter poetischer Höhepunkte erscheint. Die Gegenthese, nämlich die Annahme einer eher konzertanten Organisation des Werkes, einer kalkuliert-prismatischen Entfaltung des Themas, leitete die Auswahl unseres Interpretationsbeispiels. Was lag näher, als den poetischen Roman des *Buchs der Lieder*, die variierte Komposition eines lyrischen Gefühls und einer poetologischen Konzeption, am Mikrokosmos des dreiteiligen *Armen Peter* nachzuerzählen.
Eine kurze Bestandsaufnahme des Textbefundes soll der inhaltlichen Analyse vorausgehen, denn die beim ersten Lesen schlicht wirkenden Verse verdienen genauere Betrachtung. Grundform der Baugestalt der drei Gedichte ist die einfache Liedstrophe, ein vierzeiliges Gebilde, bestens bekannt aus dem Volksgesang, definitorisch aber nicht genau festlegbar, mit großen Lizenzen in Reimbindung und metrischer Füllung. Teil 1 und 2 benutzen den gängigen Kreuzreim abab, wobei offenkundig eine Kohärenz der Klanggestalt angestrebt wird: Die durchgehende Tongleichheit des klingenden (zweisilbigen) Abversreims von Teil 1 findet im reziproken Verfahren in Teil 2 (Tongleichheit des einsilbigen Anversreims: »Weh«/»geh«; »Näh«/»seh«; »Höh«/»steh«) ihre Entsprechung. Um diesen übergreifenden Effekt zu erzielen, nimmt Heine Trübungen des Reims (etwa: »Freude«/»Kreide«) in Kauf, ja es scheint geradezu, daß er seine eher abstrakte Reimkalkulation durch Anleihen an die Freiheit des ›Volkstons‹ abmildert. Teil 3 endlich verwendet das simpelste Bindemittel, den einsilbigen Paarreim, ein offenkundig gewollter Kontrast. Die künstliche

strophenübergreifende Versifizierung der beiden ersten Teile des Gedichts mündet hier in einen marschähnlichen zweischrittigen Takt. Den Sinn des Verfahrens betont die letzte Strophe. Die Reimpaare (»Schatz«/»Platz«; »mag«/»Tag«) werden durch Assonanz überklammert, in ihnen kulminiert der Vokalismus von Teil 3 mit seiner bewußten Dominanz dumpfer O- und A-Laute.
Wird bereits an diesem Blick auf die Reimtechnik deutlich, wie sehr sich hier die Beherrschung konventioneller Mittel mit Raffinesse paart, so kann solcher Eindruck noch erhärtet werden durch eine Untersuchung der metrischen Verhältnisse in unserem Text. Auffälligste Leitmotive in Teil 1 sind die daktylischen Walztakte der Hochzeitsszene (z. B. »Háns und die«, »jaúchzen vor«, »blítzen im«), die zur Akzentuierung der Rede geradezu herausfordern. Einen anderen Sprachgestus dagegen evozieren die Verse 3/4, 7/8 und – besonders – die letzte Strophe von Teil 1. Gerade weil auch in diesen ›statischen‹ Textteilen das fallende daktylisch-trochäische Versmaß des Tanzes durchgehalten wird, erscheint die Diskrepanz von inhaltlicher Aussage und unterlegtem Stampfrhythmus um so deutlicher. So ließe sich etwa Vers 11 durchaus im Dreivierteltakt skandieren (Ach! | wénn ich nicht | gár zu ver|núnftig wär). Ein ›valse macabre‹, der seinen tragischen Sinn erst durch die ironische Verwendung des Metrums erhält.
Teil 2 und 3 sind im Gegensatz zum ausschweifenden Teil 1 ganz eng in ein rhythmisches Schema gepreßt, mit einer Genauigkeit, die bis zur Silbenstecherei geht. Die metrische Kalkulation von Teil 2 beruht dabei ganz auf dem Wechsel von vierhebig steigenden und dreihebig fallenden Taktreihen, die völlig auf die thematische Bewegung, ein resigniertes Kreisen, abgestellt sind; am deutlichsten sichtbar wohl in den Versen 23/24: »Und wénn | ich stíll | dort ó|ben stéh, // Dann | stéh ich | stíll und | wéine.« Teil 3 besteht dagegen durchgehend aus jambischen Viertaktern, die die Klangvision eines feierlichen Leichenzuges erscheinen lassen.
Derart dezidierter Kunstwille, auf Konzentration und Va-

riation der Mittel gezielt, zeigt sich am überzeugendsten in der grammatischen und rhetorischen Struktur unseres Textes. Die ersten sechs Verspaare von Teil 1 verweisen nachdrücklich auf syntaktischen Parallelismus: syndetisch gefügte Hauptsätze einfachster Bauart mit ständig wiederholten koordinierenden Merkmalen. So etwa die leitmotivischen Auftakte (»Der«/»Und«) oder die ritualisierte Nennung der Namen, die als affektsteigernde Figuren dienen. Besonderen Reiz bezieht solch stilisierte Anordnung aus dem Kontrast der Sprach- und Bildebenen. Die Prosawelt des nagelkauenden Peter hebt sich effektvoll vom gesteigerten Gestus der Hochzeitsbilder ab. Im Gegenschnitt entsteht gleichsam eine Vertiefung des Themas, die indirekte Diskussion eines Problems, welche unvermittelt mit der Hinwendung zur wörtlichen Rede Peters in eine ›confessio‹ mündet.
Ganz der Innensicht des Helden – lediglich die Anführungszeichen vermitteln Zitatcharakter – folgt Teil 2. Das spannungsgeladene ›genus abruptum‹ von Teil 1 ist hier aufgelöst in die hyperbolisch genutzten Tropen physikalischer Bewegung. Folgerichtig dominiert der Verbalismus der Aussagen. Das Leitmotiv »gehen«/»stehen« – zusätzlich betont durch Binnen- und Stabreim – zielt auf die ›reduplicatio‹ der Schlußpointe, die semantisch die Todesidee von Teil 1 (inventio) als unerreichbaren Zustand absoluter Erregungslosigkeit paraphrasiert (elocutio).
Die Dreiteilung des Gedichts *Der arme Peter* entspricht ganz der Forderung nach Vollständigkeit. Seine Anordnung folgt dabei dem gängigen Muster temporaler Linearität (Verlust der Geliebten; Flucht in die Natur; Rückkehr), wobei jedoch in einer sich steigernden, zirkularen Methode immer tiefere Schichten gefühlsmäßiger Regression erfaßt werden. So verzichtet Teil 3 nahezu völlig auf demonstrative Kunstgriffe, knüpft jedoch äußerst geschickt beim Topos der verlangsamten Bewegung an. Die Sprache hat nach der dialektischen Abruptheit in Teil 1 und dem pathetischen Sentiment von Teil 2 eine sanftere Affektstufe erreicht. Spannung entsteht dennoch aus dem Übergang der Beschrei-

bung in die Mädchenrede und dem weiteren Wechsel der Perspektive zum resümierenden Kommentar (conclusio) der letzten Strophe.
Mit der Einsicht in seine rhetorische Grundstruktur ist ein Punkt erreicht, der einen ersten Zugriff auf den ›ideologischen‹ Konflikt des Gedichts ermöglicht. Nach den Regeln klassischer Redekunst behandelt Heine hier eine ›quaestio infinita‹, eine per Definition unlösbare Frage, wobei die Aufgabe des Sprechers nicht primär in der unerreichbaren Konfliktlösung, sondern in einer die Passion des Hörers erregenden vollständigen Entfaltung des Problems besteht. Redeschmuck, amplifikatorische Verbreiterung des Themas, tropische Umschreibung der Seelenzustände des Helden dienen zwar auch ›inhaltlicher‹ Aussage, dokumentieren aber viel mehr noch den Sprachwillen des Autors, der zum eigentlichen Antrieb des Gedichts wird.
Wenn wir einigen thematischen Mustern des Gedichts im Kontext des *Buchs der Lieder* nachgehen, wird deutlicher, was gemeint ist. Konzentrieren wir uns auf das Hochzeitsmotiv:

[...]
Im nächtgen Traum hab ich mich selbst geschaut,
In schwarzem Galafrack und seidner Weste,
Manschetten an der Hand, als gings zum Feste,
Und vor mir stand mein Liebchen, süß und traut.

Ich beugte mich und sagte: »Sind Sie Braut?
Ei! ei! so gratulier ich, meine Beste!«
Doch fast die Kehle mir zusammenpreßte
Der langgezogne, vornehm kalte Laut.
(*Traumbilder* III)

Das Milieu der Traumvision ist keineswegs ländlich-kleinbürgerlich. Der unterlegene Liebhaber erscheint in der Konvenienz-Garderobe der besitzenden Klasse. Er steht nicht apathisch neben dem Geschehen wie Peter, sondern muß als Gast den Anstandsregeln huldigen. Eine Variante, die Heine im *Don Ramiro* zu einem makabren Höhepunkt geführt hat:

Don Ramiro, der abgewiesene Nebenbuhler, tötet sich und erscheint als vermummte Leiche auf dem Fest. Er bittet die Braut zu einem gespenstischen Hochzeitstanz. Erst als Donna Clara Gott anruft, verschwindet seine Erscheinung:

[...]
Denn derweil der Tanz begonnen,
War sie nicht vom Sitz gewichen,
Und sie sitzt noch bei dem Bräutgam,
Und der Ritter sorgsam bittet:

»Sprich, was bleichet deine Wangen?
Warum wird dein Aug so dunkel? –«
»Und Ramiro? –––« stottert Clara,
Und Entsetzen lähmt die Zunge.

Doch mit tiefen, ernsten Falten
Furcht sich jetzt des Bräutgams Stirne:
»Herrin, forsch nicht blutge Kunde –
Heute Mittag starb Ramiro.«

Spanisches Zeremoniell, die formale Höflichkeit andalusischen Rittertums bestimmen diesmal die Szenerie. Doch ob im Schauerstil des *Ramiro*, der schwarzen Komik der Traumszene oder im holzschnittartigen Volkskolorit des *Armen Peter*, thematische Verwandtschaft schimmert durch jede Verkleidung. Die extreme Polarität von Liebe und Tod, von verfehltem privaten Glück und dem Zwang gesellschaftlicher Übereinkunft bildet die Konstante. Ihre Varianz beziehen die Texte vordergründig aus der sozialen Kostümierung, deren eigentlich poetologische Bedeutung sich erst im Vergleich lyrischer Töne und oszillierender Sprechweisen offenbart. So bleibt es irritierend schwierig, im Ich des abgewiesenen Liebhabers das Ego Heines entdecken zu wollen. Zwischen beide Schichten hat der Autor nicht nur die Barriere zensierender Verkleidung, sondern vor allem die Schranke virtuoser Sprachbeherrschung gestellt.
Hans Mayer hat einmal erstaunt und bewundernd festge-

stellt, der junge Heine sei ganz ohne Tradition, was er mit absoluter Vorurteilslosigkeit gleichsetzt. Vielleicht schlägt sich in diesem Diktum eine zu frühe Einengung auf inhaltliche Kategorien nieder, denn formengeschichtlich läßt sich die Frage nach der Traditionslosigkeit Heines nicht ohne weiteres bejahen. Der rhetorische Ansatz des Autors, sein geplanter Einsatz überlieferter Mittel, setzt intensive Aneignung voraus. Im *Armen Peter* wird solcher Traditionalismus besonders deutlich an dessen untergründiger Verflechtung mit Volksdichtung. Seine Atmosphäre und Kulisse entlehnt das Gedicht dem gängigen Gemeinschaftslied, schafft auf diese Weise Vertrauen und Erkennen im Leser, verschärft jedoch den populären Grundkonflikt zum Bild auswegloser Einsamkeit, die jede Teilnahme an Gesellschaft ausschließt. Wie Heine dabei introvertierte Denkform und folkloristische Sprachform zur Deckung bringt, zeigt, daß seine Beziehung zur Volkstradition weder den Bahnen romantisierender Pflege noch den Postulaten aufklärerischer Kritik folgt – beides ohnehin eher philologische als sprachschöpferische Haltungen. Heine intendiert dagegen die Individualität eines lyrischen Tons, der populär werden *kann*, weil er eine allgemein verständliche poetische Sprache mit neuen Erfahrungen auflädt. Damit konterkariert ein Text wie *Der arme Peter* de facto die romantische Verklärung von Volksliteratur, etwa den Irrglauben kollektiven, anonymen Schöpfertums. Gewiß hatte bereits die Aufklärung darauf hingewiesen, populäre Literatur könne im Gegensatz zur idealistischen Auffassung durchaus individuell, aggressiv aktuell, sinnlich oder gar gewöhnlich sein, daraus aber den Schluß gezogen, derart vulgäre Dichtung besser aus dem Kanon von Kunst auszustreichen. Unser Text mit seinen ungeschminkten Anknüpfungen ans Banale verschließt sich zwar platter Vulgarität, macht aber Alltagsszenen lyrikfähig, ohne sie didaktischer Verfeinerung zu unterziehen. Auch damit erreicht Heine eine Unmittelbarkeit, die letztlich Voraussetzungen dafür schafft, seinen Texten die Chance der Popularität zu geben.

Manfred Windfuhr hat darauf aufmerksam gemacht, wie eng Heines Liebeskonzeption im *Buch der Lieder* verwandt ist mit dem sogenannten Petrarkismus, einer formelhaften Klagelyrik, die das Desinteresse der angesungenen Frau in immer wechselnden Rollenspielen variiert. Solches Grundmuster ist in Umrissen im *Armen Peter* sichtbar, ebenso unverkennbar aber auch seine Anverwandlung an eine biedermeierliche Welt. Die Fragmente der Kulisse etwa – Tanzplatz, Bergeshöhe, Dorfstraße –, so karg sie auch gegeben sind, erwecken das Genre-Bild eines kleinstädtischen Germanien, ebenso wie die Anrede »Jungfräulein« oder die Märchennamen Hans und Grete. Die fast totale Entkonkretisierung der Lokalität demonstriert, wie konsequent Heine im *Armen Peter* jede Bewegung im Raum in Seelenbewegung verwandelt, und so ist es gerade diese Innerlichkeit selber, die es ermöglicht, als geistigen Ort und als geistige Zeit der Dichtung die deutsche Weltschmerzepoche des frühen 19. Jahrhunderts zu identifizieren. Insofern ist der Hinweis auf petrarkistische Traditionen in erster Linie als Nachweis Heinescher Selbständigkeit zu verstehen. Er belebt eine Liebeskonzeption, die historisch hinter den klassisch-romantischen Individualismus zurückgeht, die ihre aktuelle soziale Bedeutung aber aus der zunehmenden Kollektivierung der bürgerlichen Gesellschaft der Restaurationsepoche bezieht.
Derartige Überlegungen führen zu einem weiteren wichtigen Problemkreis Heinescher Jugendlyrik, nämlich ihrer Beziehung zum Christentum. Der *Arme Peter* setzt ein mit einem Hochzeitsbild, das seiner spirituellen Bedeutung völlig beraubt ist. Tanz, weltliche Lust, demonstrativer Besitz sind die Attribute des Paares, grüblerische Isolation und ketzerische Selbstmordgedanken kennzeichnen den unglücklich Liebenden. Das ländliche Szenario verbirgt eine verschleierte Katastrophe. Auch die Flucht des Helden in die Natur mißlingt. Die Bergeshöhe, biblisches Bild der Gottesnähe und Erhebung des Menschen, aber auch romantische Chiffre des seligen Verschmelzens mit dem Kosmos,

ist nichts als stummer Gipfel ohnmächtiger Verzweiflung. Der Mythos der Grablegung erscheint schließlich als säkularisiertes Bildmaterial, das seiner Botschaft, der Hoffnung, beraubt ist. Dennoch verliert das Gedicht nicht seine ethische Balance. Wenn auch der Rückzug auf die Vernunft sich versagt, spirituelle Tröstung abgewiesen wird, so bezieht der Text seine Rechtfertigung aus der durchgehenden Perspektive des Mitleids. Dieser Humanismus sichert sich nicht ideologisch ab, er ist mit seinem Sinn für extreme menschliche Möglichkeiten tatsächlich ›vorurteilsfrei‹. An dieser Stelle erscheint endlich Heines Individualität im Text.

Dennoch bleibt der *Arme Peter* in seinen tiefen Schichten auch ein Dokument der Abwehr, ein virtuoses Hinweg-Sprechen über einen Grund und Abgrund dichterischer Hervorbringung, der Sexualität:

[...]

Dort vor dem Tor lag eine Sphinx,
Ein Zwitter von Schrecken und Lüsten,
Der Leib und die Tatzen wie ein Löw,
Ein Weib an Haupt und Brüsten.

Ein schönes Weib! Der weiße Blick,
Er sprach von wildem Begehren;
Die stummen Lippen wölbten sich
Und lächelten stilles Gewähren.

Die Nachtigall, sie sang so süß –
Ich konnt nicht widerstehen –
Und als ich küßte das holde Gesicht,
Da wars um mich geschehen.

Lebendig ward das Marmorbild,
Der Stein begann zu ächzen –
Sie trank meiner Küsse lodernde Glut
Mit Dürsten und mit Lechzen.

[...]

Manche Interpreten des *Buchs der Lieder* haben geglaubt, in diesen Versen aus der *Vorrede zur dritten Auflage* so etwas wie ein Programm des Werkes entdecken zu können. Ein vorschnelles Urteil, denn nicht nur das äußere Faktum der Datierung (1839) verweist den Text in den Umkreis der erotischen *Neuen Gedichte* (erschienen 1844). In diesen Versen spricht Heine in elegantester Verkleidung und parabolischer Deutlichkeit von Erotik und Kunst; der Mut solcher Zeilen besteht in dem Wagnis, persönliches Erleben in einer suggestiblen Sprache öffentlich und nachvollziehbar zu machen. Hier hat Heines Poesie ein laszives Eigenleben gewonnen, vor dessen Hintergrund die formelhafte Töne-Rhetorik des *Buchs der Lieder* als überholtes Stadium erscheint. Das verschwiegene Thema des *Armen Peter* findet erst hier adäquaten Ausdruck. Dagegen steht die zwanghafte Regression vieler Kunstfiguren des *Buchs der Lieder*, so auch des »armen« Peter, bei denen sich der Liebesimpuls destruktiv tarnt, etwa in Mordgedanken gegen die eigene Person. Der Weg solcher Figuren führt vom Gefühl zur Kälte, vom Leben ins Grab, vom Organischen zum Anorganischen. Totenähnliche Starre, Abwehr von Erregung ist das Ziel. So gesehen scheitert der Wunsch nach menschlicher Beziehung weniger an einer imaginären Geliebten, die sich ›entzieht‹, sondern vielmehr an der Deformation des ›abgewiesenen‹ Liebhabers, der die selbstzerstörerische Ambivalenz von Liebe und Haß nur in sich austrägt.

In einem Widmungsbrief zum *Buch der Lieder* schreibt Heine 1838 einer Pariser Bekannten: »Dieser Tage habe ich das Vergnügen Ihnen das erwähnte Buch zu übergeben, und Sie werden recht viel zärtliche Verse, überhaupt nur Liebesgedichte darinnen finden. – Ich habe in diesem Leben sehr vielen Göttern gehuldigt, aber nur einen derselben habe ich besungen: es ist der kleine Spitzbubgott mit Pfeil und Bogen.« So kann man einer Dame in koketter Manier seine Gedichte schmackhaft machen. Aber der kleine Spitzbubgott Amor hat in seinem Köcher nicht nur goldene, sondern auch bleierne Pfeile, die beim Getroffenen nicht Liebe, wohl aber Ablehnung und Kälte erzeugen.

Zitierte Literatur: Heinrich HEINE: Werke [Siehe Textquelle.] – Rolf LÜDI: Heinrich Heines Buch der Lieder. Poetische Strategien und deren Bedeutung. Frankfurt a. M. 1979. – Hans MAYER: Die Ausnahme Heine. In: H. M.: Von Lessing bis Thomas Mann. Wandlungen der bürgerlichen Literatur in Deutschland. Pfullingen 1959. S. 273–296. – Friedrich SENGLE: Biedermeierzeit. Deutsche Literatur im Spannungsfeld zwischen Restauration und Revolution 1815–1848. Bd. 3: Die Dichter. Stuttgart 1980. – Gerhard STORZ: Heinrich Heines lyrische Dichtung. Stuttgart 1971. – Manfred WINDFUHR: Heine und der Petrarkismus. Zur Konzeption seiner Liebeslyrik. In: Heinrich Heine. Hrsg. von Helmut Koopmann. Darmstadt 1974.
Weitere Literatur: Urs Wilhelm BELART: Gehalt und Aufbau von Heinrich Heines Gedichtsammlungen. Diss. Bern 1925. Neudruck: Nendeln (Liechtenstein) 1970. – Walter A. BERENDSOHN: Die künstlerische Entwicklung Heines im Buch der Lieder. Stockholm 1970. – Barker FAIRLEY: Heinrich Heine. Eine Interpretation. Stuttgart 1965. – Laura HOFRICHTER: Heinrich Heine. Biographie seiner Dichtung. Göttingen 1966. – Siegbert S. PRAWER: Heine. Buch der Lieder. London 1960. – Jeffrey L. SAMMONS: Heinrich Heine. The Elusive Poet. New Haven / London 1969.

Eduard Mörike

Im Frühling

Hier lieg ich auf dem Frühlingshügel:
Die Wolke wird mein Flügel,
Ein Vogel fliegt mir voraus.
Ach, sag mir, all-einzige Liebe,
5 Wo du bleibst, daß ich bei dir bliebe!
Doch du und die Lüfte, ihr habt kein Haus.

Der Sonnenblume gleich steht mein Gemüte offen,
Sehnend,
Sich dehnend
10 In Lieben und Hoffen.
Frühling, was bist du gewillt?
Wann werd ich gestillt?

Die Wolke seh ich wandeln und den Fluß,
Es dringt der Sonne goldner Kuß
15 Mir tief bis ins Geblüt hinein;
Die Augen, wunderbar berauschet,
Tun, als schliefen sie ein,
Nur noch das Ohr dem Ton der Biene lauschet.

Ich denke dies und denke das,
20 Ich sehne mich, und weiß nicht recht, nach was:
Halb ist es Lust, halb ist es Klage;
Mein Herz, o sage,
Was webst du für Erinnerung
In golden grüner Zweige Dämmerung?
25 – Alte unnennbare Tage!

Abdruck nach: Eduard Mörike: Sämtliche Werke in zwei Bänden. Nach dem Text der Ausgaben letzter Hand unter Berücks. der Erstdrucke und Handschriften. Hrsg. von Jost Perfahl. München: Winkler, [1967–70]. Bd. 1. S. 684 f.

Erstdruck: Morgenblatt für gebildete Stände. Nr. 171 vom 17. 7. 1828.
Weitere wichtige Drucke: Maler Nolten. Novelle in 2 Teilen von Eduard Mörike. T. 2. Stuttgart: Schweizerbart, 1832. – Gedichte von Eduard Mörike. Stuttgart/Tübingen: Cotta, 1838. [G_1.] – 2., verm. Aufl. 1848. [Ersch. 1847; G_2.] – 3., verm. Aufl. 1856. [G_3.] – 4., verm. Aufl. Stuttgart: Göschen, 1867. [G_4; Ausgabe letzter Hand; im Gegensatz zum Erstdruck bilden Str. 3 und 4 eine Einheit.]
[Fast alle diese Drucke differieren, wenn auch nur in Kleinigkeiten (Zeichensetzung, Druckbild).]

Friedrich Strack

Wehmütige Liebeserwartung in Mörikes früher Lyrik. Eine Analyse des Gedichts *Im Frühling*

Vom Dank an den Schöpfergott und von dem Andrang der Schöpfung, die seit dem Mittelalter die Frühlingspoesie kennzeichnen, ist in Mörikes Gedicht kaum etwas geblieben. Der Frühling, der hier Gestalt annimmt, erscheint kärglich, fast kahl. »Wolke« und »Vogel« werden genannt; auch eine »Sonne« ist da und ein »Fluß«; aber sie bleiben ohne Leben und ohne schmückende Attribute. Die »Sonnenblume« ist nur vergleichsweise angeführt – sie steht für das »Gemüt« – und sie gehört auch nicht in den Frühling. Nicht ausgemacht ist indessen, ob die »Biene« wirklich vorhanden ist, deren »Ton« das »Ohr« des Lauschenden – nicht etwa er selbst – sich überläßt. Aber einen Baum scheint es immerhin noch zu geben, denn von der »Dämmerung« »golden grüner Zweige« ist die Rede. Wie er aussieht, ob er blüht oder duftet, wird nicht gesagt. Es bleibt bei der Nennung einiger Frühlingsrelikte. »Frische Nahrung« und »neues Blut« saugt dieses Ich nicht »aus freier Welt« (Goethe, *Auf dem See*, in: *Werke*, Bd. 1, S. 78); und vom Frühling, dem »Geliebten«, wird es »im Morgenglanze« auch nicht ›angeglüht‹, wie das staunende Ich Goethes in

Ganymed (Bd. 2, S. 79). Keine Wiese, keine Blume, kein Blütengeruch, für den Mörike sonst so empfänglich ist, nicht einmal ein Vogellaut drängt dem lyrischen Subjekt sich auf. So wenig eine Schwalbe den Sommer macht, ruft dieses Gebilde den Frühling herauf.

Die scheinbar präzise Ortsbestimmung, mit der das Gedicht anhebt, bleibt abstrakt: »Hier lieg ich auf dem Frühlingshügel«, registriert ein nüchternes Subjekt wie bei einer Bestandsaufnahme. Über die Beschaffenheit des Hügels, seine Lebenspotenz, sagt es nichts. Während Mörike in dem Gedicht *Nachts* von »nimmersatter Kräfte Gärung« spricht und vom ›Wühlen‹ im »Erdenschoß [. . .] der Natur«, bleibt der »Frühlingshügel« im vorliegenden Gedicht ohne jede Bestimmung; ausgenommen die temporale. Er ist ein Begriff ohne Anschauung, allenfalls ein Klangkörper, der Assoziationen auslöst.

Das reflektierende Ich nimmt diesen Hügel auch nicht wahr; es erfährt nur sich selbst *auf* ihm – und wendet sich von ihm ab: »Die Wolke wird mein Flügel, / Ein Vogel fliegt mir voraus.« Es strebt in die Ferne, ohne deshalb aus sich herauszugehen; denn die Wolke wird nicht als konkretes Naturobjekt wahrgenommen, sie ist nur ein Bild für den »Flügel«, der seinerseits als Metapher des Seelenaufschwungs fungiert. Daran ist die Gefährdung des ersehnten Fluges zu ermessen. Eichendorff konnte noch unbekümmert singen: »Und meine Seele spannte / Weit ihre Flügel aus, / Flog durch die stillen Lande, / Als flöge sie nach Haus« (*Mondnacht*). Die »Seele« Mörikes dagegen scheint gar keine Flügel mehr zu besitzen. Sie muß sie von der »Wolke« leihen. Metaphorisch zieht sie die Gegenstände der Natur in ihren subjektiven Horizont. Darüber hinaus: mit *einem* Flügel ist schwerlich zu fliegen. Das Pars pro toto (»mein Flügel«) läßt bereits erkennen, daß der ersehnte Aufschwung kaum mehr gelingen kann. Ein Ikarus-Schicksal kündigt sich an. »Ich tauche mich mit Geist und Sinn / Durch die vertiefte Bläue hin, / Und kann sie nicht erschwingen!«, sagt Mörike in dem Gedicht *Mein Fluß*

(I,693). So hat das himmelstürmende Subjekt keine Wahl: es sinkt zurück. Der vorausfliegende »Vogel« weist nicht etwa den Weg; er fliegt dem Ich davon. Es kann ihm nicht folgen.

Im Gegensatz zur »Seele« Eichendorffs ist das in Mörikes Gedicht sprechende »Gemüt« sich dieser Tatsache voll bewußt. Wie jene sehnt es sich nach der »Liebe«; aber es weiß zugleich: »du und die Lüfte, ihr habt kein Haus.« So tritt es seinen Flug gar nicht erst an. »Fahre zu! Ich mag nicht fragen, / Wo die Fahrt zu Ende geht!«, fordert Eichendorff seinen Genius zur Fahrt ins Blaue heraus (*Frische Fahrt*), die Ungewißheit des Zieles bereits ahnend. Mörikes heimatlose Seele dagegen strebt nicht ins Ungewisse, sie sucht ein »Haus«. Sie will nicht mehr ins Unendliche schweifen, sondern ›bleiben‹. Der romantische Aufschwung wird zugunsten biedermeierlicher Geborgenheit verworfen. Freilich ist auch diese dem gefährdeten Ich versagt, weil die »Liebe«, die es sucht, ihrerseits unbehaust ist. In gleicher Weise betrifft das die »Lüfte«, die im Kontext der »Liebe« auf das göttliche Pneuma deuten. Der »Herr, der Unendliche«, der in Klopstocks *Frühlingsfeier* jene »wunderbaren Lüfte sandte«, entzieht sich jetzt menschlicher Annäherung. Beide – »Liebe« und »Lüfte« – sind für das sich sehnende Ich zwar noch vorhanden; aber sie bleiben unfaßbar. (Vgl. *Lied vom Winde*, I,702.)

»All-einzig« wird die »Liebe« genannt. Das in den frühen Fassungen zu einem einzigen Wort verschmolzene Kompositum löst Mörike später auf, um dessen Einzelbestandteile hervorzuheben. Klarer als in der Frühzeit erscheint die Liebe damit als ›Eines‹ und ›Alles‹. Sie ist – wie bei Hölderlin – das »friedliche Εν και παν der Welt« (Hölderlin, Bd. 3, S. 236). »Eines zu seyn mit Allem, was lebt, in seeliger Selbstvergessenheit wiederzukehren in's All der Natur, das ist der Gipfel der Gedanken und Freuden«, heißt es im *Hyperion* (Hölderlin, Bd. 3, S. 9). – Mörike reiht sich ein in die Tradition des Pantheismus, die ihm von Tübingen her vertraut ist. Aber das ›Eine‹ wird bei ihm noch zum

›Einzigen‹ gesteigert; das deutet auf die Verschärfung seiner Situation. Die »all-einzige Liebe« verspricht keine Erfüllung mehr; und dennoch ist sie nicht einfach zu verwerfen. Ich und Welt gelangen nicht mehr zur harmonischen Verschmelzung. Die Kommunikation mit der Natur bleibt aus: »Laut mit sich selber redend« will der »Geist« der Natur im *Urach*-Gedicht »Sich selbst vernehmend, sich ihm selber zeigen« (I,687), aber nicht mehr mit dem Menschen sprechen. Das Ich, das dort verzweifelt exhibitionistisch der »Wassersäule« die »nackte Brust« darbietet, muß erkennen: »Vergebens! und dein kühles Element / Tropft an mir ab, im Grase zu versinken. / Was ist's, das deine Seele von mir trennt? / Sie flieht, und möcht ich auch in dir ertrinken!« (I,687). Unter diesen Umständen kann das verlangende Subjekt nur resignieren. Die Wendung nach außen ist ihm versagt. Es harrt auf seinem »Frühlingshügel« der Dinge, die kommen.

Aber seine Resignation ist keine bloße Passivität, wie der Beginn der zweiten Strophe erkennen läßt: »Der Sonnenblume gleich steht mein Gemüte offen, / Sehnend, / Sich dehnend / In Lieben und Hoffen.« Der vergebliche Aufschwung in der ersten Strophe wandelt sich in der zweiten zur Erwartungshaltung, zur sensiblen Empfangsbereitschaft. Wie die Geliebte den Bräutigam, will das seiner selbst ungewisse Gemüt die Ankunft des »Frühlings« erwarten. Und es stellt ihm zwei unmißverständliche Fragen: »Was bist du gewillt?« und »Wann werd ich gestillt?« – Aber der Geliebte antwortet nicht. Das bereitwillige »Lieben und Hoffen« der Seele wird nicht erhört. So fehlt ein Glied der Dreierformel nicht zufällig: nämlich das Glauben. Die Seele ahnt, daß sie allein bleiben wird, sie traut ihrem Bräutigam nicht mehr, selbst wenn sie weiterhin hofft. Während die Frage nach dem Bleiben der Liebe in der ersten Strophe wenigstens beantwortet wird – obgleich negativ und vom Subjekt selbst –, gehen die Fragen nach dem Willen des Geliebten und nach der Stillung der Liebenden ins Leere.

Weder das Hinausschweifen der Seele noch ihre Empfangsbereitschaft versprechen Genugtuung.
So kann sich das Ich in der dritten Strophe, die Mörike in der Fassung letzter Hand mit der vierten vereinigt, nur am ›Wandel‹, das heißt am gemessenen Gang von »Wolke« und »Fluß« orientieren. Sie scheinen zu wissen, wohin sie gehen – die eine am Himmel, der andere auf der Erde. Nur das Ich kennt seinen Weg nicht, es bleibt an seinem Ort, auf dem kahlen »Frühlingshügel«, schwankend und ohne Erfüllung. Aber dann wird es doch vom »goldnen Kuß« der Sonne berührt. Der Bewegung in die Ferne folgt abermals die nach innen, wie in den ersten beiden Strophen; jetzt aber auf drei Zeilen zusammengedrängt. Der Sonnenkuß dringt in die Blüte, die »Sonnenblume« des Gemüts, und senkt sich tiefer ins Blut. Beide – Blüte und Blut – sind in dem Wort »Geblüt« verschmolzen, das Mörike aus der Volksliedtradition geläufig war. Aber der Kuß ist noch keine Stillung, wie sie die Seele vom Geliebten, dem »Frühling«, erwartet. Er kommt aus unendlicher Ferne und schenkt allenfalls eine Vorahnung künftiger Vollendung – seine »goldne« Farbe verspricht so etwas. Er gleicht einer momentanen Betörung, die dem Ich keine Ruhe schenkt, sondern es einsamer macht und ganz in sich selbst zurückkehren läßt. Unter der Sonne des Frühlings wächst das hier sprechende Ich paradoxerweise nicht nach außen, sondern nach innen: Die »berauschten« Augen schließen sich, obgleich sie hell wach sind, wie im Gedicht *An einem Wintermorgen, vor Sonnenaufgang* (I,665). Sie trennen die Seele von ihrer Umgebung und überlassen sie ihren dunklen Träumen. Kein »bunter Schwarm von Bildern und Gedanken / [...] Die glänzend sich in diesem Busen baden« (I,665), drängt sich auf. Ein begrenzter, eintöniger Kontakt mit der Außenwelt bleibt nur über das Ohr gewahrt. Die Biene jedoch ist nicht einmal als Lebewesen vorhanden. Nur ihr »Ton« dringt an das Ohr des Sinnenden. Die Organe (Augen und Ohr) verselbständigen sich und geben die Verbindung zur Seele auf, die jetzt ganz bei sich zu sein scheint. So führt die Bewegung des

Gedichtes zunächst nach außen (Str. 1); dann aber – über die Offenheit und Aufnahmebereitschaft des Gemütes (Str. 2) – ins Innere der Seele – durch die Blüte ins Blut (Str. 3) – bis sie das Zentrum, das »Herz«, erreicht (Str. 4). Während die ersten Versgruppen wie Tun und Erwarten aufeinander abgestimmt sind, gehen die folgenden ineinander über. Sie betreffen verschiedene Tiefendimensionen des Ich; aber der Innenraum ist ihnen gemeinsam. Aus diesem Grund dürfte Mörike später die letzten beiden Strophen zusammengefaßt haben.

Das Ich verbleibt weiter in schwankender Ungewißheit: »Ich denke dies und denke das, / Ich sehne mich, und weiß nicht recht, nach was: / Halb ist es Lust, halb ist es Klage«. – Im Erstdruck des *Morgenblattes* lauteten diese Verse: »Mein Herze denkt nun dieß und denket das, / Erinnert sich und weiß nicht recht an was, / Halb ist es Lust, halb ist es Klage«. Zwei Gründe dürften Mörike zu der Änderung veranlaßt haben: dem Herzen sollten ›Denken‹ und ›Erinnern‹ wohl nicht zugemutet werden; beides fällt eher dem intellektuellen Vermögen, dem Ich, zu. Darüber hinaus ist das Herz der Zielpunkt der letzten Strophe und des ganzen Gedichts. Das irritierte Subjekt wandert vom Himmel, an dem es die »Liebe« sucht, über die Erde, auf der es den »Frühling« erwartet, ins Innerste seines Selbst, um endlich Gewißheit zu erlangen. Die Anrede (»o sage«) mußte auf das »Herz« konzentriert werden, so wie vorher die »Liebe« und der »Frühling« nur einmal genannt sind. Die Textänderung, die sich im Blick auf die Handschrift noch kompliziert, gibt aber auch Rätsel auf. Im Erstdruck waren »Lust« und »Klage« eindeutig auf das ›Erinnern‹ – und damit auf Vergangenheit – bezogen. Da das ›Erinnern‹ aber durch das ›Sehnen‹ ersetzt wird, sind die Bezüge schillernd geworden. Nach »Lust« mag man sich sehnen; sie weist auf eine Erwartung, auf Zukünftiges. »Klage« jedoch ist kein Gegenstand der Sehnsucht; es sei denn, man meinte die Klage um ein ehemaliges Glück. Verlorene und kommende Seligkeit, Trauer und Hoffnung, wären dann im Sehnen des Ich miteinander verbunden. Aber beide bleiben hier in der Schwebe. Das Bestimmte dieses Gedichts ist gerade die Unbestimmtheit des Gefühls. Es findet auch in der Tiefe des eigenen Selbst keinen Halt. »Mein Herz« wird zur Vergewisserung unmittelbar angesprochen, wie in den vorausgehenden Strophen die Liebe und der Geliebte angeredet waren. Das Gedicht ist somit durchgängig dialogisch – nicht monologisch (Heydebrand, S. 22) – abgefaßt, obgleich das fragende Ich keine lösende Antwort erwarten darf. Doch gibt das eigene Herz wenigstens eine, während die vorigen Liebhaber schwiegen.

»Alte unnennbare Tage!«, so sagt es – die sentenzhafte, überzählige »Nachschlag«-Zeile (Storz, S. 111) ist als Antwort des Herzens konzipiert –, webe es in die Frühlingsdämmerung. Seine Mitteilung scheitert somit am Abgrund des Unsagbaren. Nicht die »flaumenleichte Zeit der dunkeln Frühe« oder »lichte Feenreiche« werden wachgerufen, wie im *Wintermorgen*-Gedicht (I,665); sondern Träume einer selig-unseligen Vergangenheit, wie die »Klage« vermuten läßt. Das Ich versinkt im Strom der »Erinnerung«, der es überschwemmt. Das rettende »Zauberwort« (I,665), das noch im Banne Eichendorffs stand (*Sprüche, VII*), bleibt aus, so daß der hier Sprechende keine Hoffnung hegen kann, im »Abgrund der Betrachtung« zu »genesen«, wie später im Gedicht *Zu viel* (I,770). »Erinnerung« reicht bei Mörike über schmerzliche Liebeserfahrung (*Peregrina*) hinaus. Sie berührt die »letzten Tiefen der Existenz« (Storz, S. 94) und ist von Todesahnungen überschattet (*An eine Äolsharfe*, I,689). Das »Herz« »webt« sie im *Frühlings*-Gedicht in die »Dämmerung« »golden grüner Zweige«. So bleibt der Frühlings- und der Lebensbaum von Trauer umflort, obgleich sie nicht mehr benannt wird – ein erster Schritt Mörikes über seine frühe, bestürzende Traumgefangenschaft hinaus.

Mit der Webmetapher ist auch die Tätigkeit des Dichters aufgerufen. Das »Herz« wird als Weborgan gedacht, in seiner Bewegung vielleicht sogar als Weberschiffchen. Die Zweige sind dann als Gerüst zu denken, in dessen golden grüne Webstruktur der dunkle Faden der »Erinnerung« eingeflochten wird. Mnemosyne, die Mutter der Musen, und die Parzen sind gemeinsam am Werk. Aber das Gewebe verdichtet sich nicht zu einem heiteren Bild. »*Im* Frühling« meint so gerade nicht, *daß* Frühling sei. Es meint viel eher, daß er nicht zur Entfaltung gelangen kann, weil die Ungestilltheit des Ich und dessen »Klage« alles Wachstum aufzehren. Der kahle »Frühlingshügel« entpuppt sich nicht zuletzt als Grab der »Erinnerung« und als poetischer Mutterschoß, der unter dem »goldnen Kuß« der Sonne sich öffnet, aber nur von dunklen Erinnerungen heimgesucht wird. Das Ich bleibt ausgesetzt zwischen Höhe und Abgrund, ohne in seinem bergenden »Haus« Zuflucht zu finden. Himmel, Hügel und Herz bieten keine sichere Bleibe.

Die formale Gestaltung des Gedichts ist von Renate von Heydebrand (S. 21 ff.) und vor allem von Gerhard Storz (S. 111 ff.) eingehend untersucht worden. Deren metrisch-rhythmischen Analysen ist hier nichts hinzuzufügen, obgleich beide Interpreten zu inhaltlichen Resultaten gelangen, die mit der hier gegebenen Deutung nicht zu vereinbaren sind. Ein Zeichen dafür, daß ein und dieselbe Form Inhalte aufnehmen kann, die durchaus verschieden zu deuten sind. Denn die freie, lockere Behandlung der Versgestalt, der Reim- und der Klangfolgen, die Storz nachweist, verträgt sich vollkommen mit unseren Ergebnissen. Sie unterstreicht die sensible Unruhe des sehnsüchtig schwankenden Ich in diesem Gedicht. Kein streng geregeltes Schema beherrscht Strophe, Vers oder Reim; die angedeutete Sechszeiligkeit der einzelnen Versgruppen hat Mörike in der Fassung letzter Hand aufgehoben, ohne die ursprünglichen Proportionen zu verletzen. Ein alternierender Duktus wird mehr umspielt als durchgehalten, und er wird ständig rhythmisch variiert. Auch die Reimfolge in dem Gedicht wird sehr locker gehandhabt, ohne daß die bindende Funktion der Gleichklänge dadurch gestört würde.

Die Länge der Verszeile wechselt häufig. Man findet Verse von dreizehn, aber auch von zwei Silben, und sie werden –

wie zu Beginn der zweiten Strophe – hart aneinandergerückt. Daran sind die Spannungen zu ermessen, denen das metrisch-rhythmische Gefüge unterliegt. Es zerreißt jedoch nicht. Vollklingende Vokale und Diphthonge, assonantische Laute, Echoreime und umschlingende Reime halten die Zeilen zusammen, die meist parataktisch gebaut sind. Rhythmen- und Klangwechsel sorgen für Beschleunigung und Verzögerung, für Straffung und Lösung. So sind die bedrohlichen Vibrationen dieses empfindlichen Sprachgebildes schließlich doch in einen schwingungsreichen musikalischen Rhythmus eingebettet. – Wie das zerrissene Biedermeiersubjekt im Gehege der Idylle Schutz sucht, werden die Dissonanzen in Mörikes Frühlingsgedicht durch den ruhigen melodischen Sprachton ausgeglichen. Dissonanz und Harmonie widersprechen sich in diesem Falle nicht; sie gehören zum Lebensgefühl des ›Weltschmerzlers‹.

Betrachtet man die Gesamtstruktur des Gedichts *Im Frühling*, so ist die Nähe zu Mörikes Jugendgedichten deutlich spürbar. Romantischer Traumverlorenheit und Gemütstiefe bleibt er verpflichtet. Die Seelenauf- und -abstiege zeugen von dieser Herkunft, ebenso wie im *Wintermorgen, vor Sonnenaufgang* der »Schwarm von Bildern und Gedanken« und das »Zauberwort« auf die Romantik zurückweisen. Aber Mörike erkennt jetzt bereits, daß es mit deren Himmelstürmerei vorbei ist und daß ein gefühlsseliges Hinabtauchen in den Grund der Seele zur unentrinnbaren Gefahr werden kann. So haben sich die Spannungen verschärft. Das Ich sucht eine Zuflucht, findet aber kein »Haus«. Es wird vom Strom wohlig-schmerzvoller Erinnerungen überflutet. Daß es diese aber nicht mehr Wort werden läßt, zeugt abermals von dem Willen, der Traumgebundenheit zu begegnen. Ihr leistet Mörike fortan mit großer Entschiedenheit Widerstand. In der Hinwendung zu den konkreten Dingen der Tageswelt, zu denen er im *Frühlings*-Gedicht noch kein Verhältnis findet, überwindet er seine subjektive Befangenheit. Von einer wirklichen Kontaktnahme mit der Natur kann aber 1828 noch keine Rede sein. Erst später gelingt es Mörike, den »Geist der Natur« in der Betrachtung und Darstellung zu bannen. Sehnsucht und Erinnerung verwandeln sich dann in Kontemplation und Dingandacht, die den einzelnen, kleinen Gegenstand – selten einen größeren Weltausschnitt – wie in einem Stilleben einfangen: einen Baum (*Die schöne Buche*), eine Blume (*Auf eine Christblume*) oder eine Lampe (*Auf eine Lampe*). Freilich weisen diese Objekte über ihre Faktizität hinaus. – Die konkreten, aber isolierten ›Dinge‹, die »der Schönheit Götterstille« atmen, stehen beim späten Mörike im Vordergrund, nicht mehr das »schwankende« Herz, »dem jeder Halt gebricht« (*Nachts*).

Zitierte Literatur: Johann Wolfgang GOETHE: Werke. Hrsg. im Auftr. der Großherzogin Sophie von Sachsen. Abt. 1. Bd. 1 und 2. Weimar 1887. 1888. – Renate von HEYDEBRAND: Eduard Mörikes Gedichtwerk. Beschreibung und Deutung der Formenvielfalt und ihrer Entwicklung. Stuttgart 1972. – Friedrich HÖLDERLIN: Sämtliche Werke. (Große Stuttgarter Ausg.) Hrsg. von Friedrich Beißner. Bd. 2 und 3. Stuttgart 1957. – Eduard MÖRIKE: Sämtliche Werke in zwei Bänden. [Siehe Textquelle. Zit. mit Band- und Seitenzahl.] – Gerhard STORZ: Eduard Mörike. Stuttgart 1967.
Weitere Literatur: Hans-Henrik KRUMMACHER: Zu Mörikes Gedichten. Ausgaben und Überlieferung. In: Jahrbuch der Deutschen Schillergesellschaft (1961) S. 267–341. – Herbert MEYER: Eduard Mörike. 3., verb. und erg. Aufl. Stuttgart 1969. – Friedrich SENGLE: Biedermeierzeit. Deutsche Literatur im Spannungsfeld zwischen Restauration und Revolution 1815–1848. Bd. 3. Stuttgart 1980. – Heinz SCHLAFFER: Lyrik im Realismus. Studien über Raum und Zeit in den Gedichten Mörikes, der Droste und Liliencrons. Bonn ²1973.

Eduard Mörike

Im Weinberg

Droben im Weinberg, unter dem blühenden Kirschbaum saß ich
Heut, einsam in Gedanken vertieft; es ruhte das Neue
Testament halboffen mir zwischen den Fingern im Schoße,
Klein und zierlich gebunden: (es kam vom treuesten Herzen
Ach! du ruhest nun auch, mir unvergessen, im Grabe!)
Lang so saß ich und blickte nicht auf; mit einem da läßt sich
Mir ein Schmetterling nieder aufs Buch, er hebet und senket
Dunkele Flügel mit schillerndem Blau, er dreht sich und wandelt
Hin und her auf dem Rande. Was suchst du, reizender Sylphe?
Lockte die purpurne Decke dich an, der glänzende Goldschnitt?
Sahst du, getäuscht, im Büchlein die herrlichste Wunderblume?
Oder zogen geheim dich himmlische Kräfte hernieder
Des lebendigen Worts? Ich muß so glauben, denn immer
Weilest du noch, wie gebannt, und scheinst wie trunken, ich staune!
Aber von nun an bist du auf alle Tage gesegnet!
Unverletzlich dein Leib, und es altern dir nimmer die Schwingen;
Ja, wohin du künftig die zarten Füße wirst setzen,
Tauet Segen von dir. Jetzt eile hinunter zum Garten,
Welchen das beste der Mädchen besucht am frühesten Morgen,
Eile zur Lilie du – alsbald wird die Knospe sich öffnen
Unter dir; dann küsse sie tief in den Busen: von Stund an
Göttlich befruchtet, atmet sie Geist und himmlisches Leben.

Wenn die Gute nun kommt, vor den hohen Stengel getreten,
Steht sie befangen, entzückt von paradiesischer Nähe,
25 Ahnungsvoll in den Kelch die liebliche Seele versenkend.

Abdruck nach: Eduard Mörike: Sämtliche Werke in zwei Bänden. Nach dem Text der Ausgaben letzter Hand unter Berücks. der Erstdrucke und Handschriften. Hrsg. von Jost Perfahl. München: Winkler, [1967–70]. Bd. 1. S. 754.
Erstdruck: Gedichte von Eduard Mörike. Stuttgart/Tübingen: Cotta, 1838. [G_1; Titel: »An Clara« (Mörikes Schwester). Das Gedicht beginnt mit den ab der 3. Auflage weggelassenen Versen:

Höre das lieblichste Wunder, das ich fürwahr nicht erdichte,
Auch erdichtet wär' es wohl schön, doch sah ich's mit Augen.]

Weitere wichtige Drucke (vgl. S. 83): 1847 [G_2; Titel: »An Schwester Clara«]. – 1856 [G_3]. – 1867 [G_4; Titel: »Im Weinberg«].

Friedrich Strack:

Das religiöse Geheimnis der Natur. Zu Mörikes Gedicht *Im Weinberg*

Wie *Im Frühling* setzt das *Weinberg*-Gedicht mit einer Fixierung der Örtlichkeit ein. Die lokale Beschreibung ist hier präziser geworden. An die Stelle des unbestimmten »Frühlingshügels« tritt der konkrete »Weinberg«; die Jahreszeit ist durch den »blühenden Kirschbaum« eingefangen. So treten die einzelnen Gegenstände klarer ins Blickfeld, obgleich sie distanzierter dargeboten werden: *Im Weinberg* ist präterital abgefaßt, wie viele der späteren Gedichte. Der Autor sucht Abstand vom Erlebnis – das meint auch die Ortsbestimmung »droben« gegenüber dem früheren »hier«. Räumlich und zeitlich will Mörike den Gegenstand entrükken, um das Erlebte betrachtend – nicht fühlend – zu gestalten. Dazu dient das antikisierende Versmaß, das Mö-

rike in seiner Spätzeit immer häufiger verwendet. Im klassischen epischen Vers, dem Hexameter, bändigt er im *Weinberg*-Gedicht die Spannungen, die in den frühen Gedichten das metrische Gefüge beherrschen.
Die Eliminierung biographischer Elemente trägt zur Distanzierung und Verallgemeinerung bei. *An Clara* lautet ursprünglich der Titel. In der zweiten Fassung (1847) schreibt Mörike sogar: *An Schwester Clara.* Die Familienbindung wollte er somit betonen, nicht irgendeine Liebesbeziehung. Wenn er diese Eindeutigkeit später aufgibt, so heißt das zugleich, daß nun auch die Geliebte mit dem »besten der Mädchen« gemeint ist. Ebenso kann das »treueste Herz« nicht mehr mit Luise, Mörikes verstorbener Schwester, in eins gesetzt werden, selbst wenn er von ihr das Geschenk des Neuen Testamentes erhalten haben sollte. Mörike rückt das Gedicht aus der privaten Sphäre heraus, so wie er das Erlebnis stilisiert und erhöht, indem er es »droben im Weinberg« ansiedelt.
Damit wird dem Gedicht zugleich das Idyllische genommen. Während das sprechende Ich in der ersten Fassung »unter dem blühenden Apfelbaum saß [...] auf dem bemoosten Mäuerchen«, rückt Mörike es später mit dem ersten Wort in die Sphäre der Erhabenheit. Das Ereignis, das er beschreibt – obgleich sehr unscheinbar –, ist so ungewöhnlich, daß es den Rahmen idyllischer Geborgenheit sprengt. »Höre das lieblichste Wunder, das ich fürwahr nicht erdichte, / Auch erdichtet wär' es wohl schön, doch sah ich's mit Augen«, lauteten ursprünglich die ersten beiden Verse, die Mörike dann gestrichen hat. Das Außerordentliche, das später in der Ortsbestimmung mitschwingt, wurde so ausdrücklich beglaubigt. Nicht aus biographischen Gründen (Unger, S. 243) hat Mörike diese Versicherung getilgt; denn er scheut sich nicht, Privates in seiner Dichtung beizubehalten, wenn es Allgemeinheitscharakter beanspruchen kann. Er liebt auch Vergleiche, durch welche die Natur an der Kunst gemessen wird. »Die Wahrheit selber wird hier [in der Natur] zum Gedichte, / Mein eigen Bild ein fremd und

hold Gesichte!«, heißt es im *Urach*-Gedicht (I,686); und in *Zu viel* zerfließt die »starre Welt [...] in Liebessegen, / Und schmiegt sich rund zum zärtlichsten Gedichte« (I,770). – In beiden Fällen ist das schöne Kunstgebilde zum Maßstab der Natur geworden. Sie erscheint so vollendet, wie man es nur vom »Gedichte« erwarten kann. In der *Mozart*-Novelle setzt Mörike dann das Kunstgebilde – halb ironisch – unter das Naturprodukt herab: der Tannenwald, den Mozart auf seiner Reise durchstreift, ist jetzt »nicht etwa nur so una finzione di poeti«, er ist »aus dem Erdboden herausgewachsen, von Feuchtigkeit und Wärmelicht der Sonne großgezogen!« Mozart fühlt sich darin »wie in einer Kirche!« (I,568).

Die sakrale Überhöhung des schönen Naturprodukts, die es über das Kunstprodukt hinaushebt, bahnt sich in der frühen Fassung des *Weinberg*-Gedichtes an. Zwar wäre das beschriebene Ereignis, die Begegnung des Schmetterlings mit dem heiligen Buch, »auch erdichtet« »wohl schön«; aber es wäre niemals ein »Wunder«, wie es sich als Naturereignis darbietet. Das *wirklich* gewordene Schöne zählt weit mehr als das fiktive, weil es *faktisch* da ist – in diesem Punkt denkt Mörike fortan wie Kant.

Wenn er dennoch die ersten beiden, für sein Poesieverständnis wichtigen Verse später eliminiert, so hat das einen schlichten Grund: sie gelten nicht für das ganze Gedicht. Lediglich auf das Falterereignis treffen sie zu. Der Auftrag, den das Ich dem Schmetterling erteilt: »Jetzt eile hinunter zum Garten« – mit allen weiteren Implikationen – kann es schwerlich »mit Augen« gesehen haben. Das Geschehen im Garten ist zweifellos »erdichtet«, es fordert die Aufhebung der emphatischen Wahrheitsbezeugung. Aber diese läßt dennoch erkennen, welch große Bedeutung Mörike dem nicht-nur-erdichteten schönen Ereignis oder Naturobjekt beimißt, das er in der »schönen Buche« (I,726) und vor allem in der »Christblume« (I,766) in höchster Vollendung zu finden glaubt (Böschenstein, S. 347 ff.).

Mit einer präteritalen Betrachtung setzt das *Weinberg*-Gedicht in der Endfassung ein. Diese Art der Gestaltung ist von Brockes her vertraut, in dessen »Manier« Mörike selbst ein ironisch-humoristisches Gedicht verfaßt (*Der Spiegel an seinen Besitzer*). Ihm widmet er 1838 ein vertraut-herzliches Distichon (I,756):

Führe mich, Alter, nur immer in deinen geschnörkelten Frühlings-
Garten! noch duftet und taut frisch und gewürzig sein Flor.

Eben diesem »Alten« fühlt Mörike sich verpflichtet, auch wenn er dessen ›Schnörkel‹ mißbilligt. Von Brockes her eröffnet sich allererst eine historische Perspektive zur Interpretation des *Weinberg*-Gedichts.
»Ich sahe mit betrachtendem Gemüthe / Jüngst einen Kirschbaum, welcher blühte«, lauten die ersten beiden Verse des bekannten Gedichtes *Kirschblüthe bey der Nacht*. Denselben Standpunkt wählt Mörike: rückschauend bedenkt er ein besonderes Naturereignis, dem er eine sublime Deutung unterlegt. Wie Brockes das ›Wunder‹ des Blütenweiß hyperbolisch beschreibt, um seine metaphysischen Betrachtungen daran anzuknüpfen, faßt Mörike die Begegnung von Schmetterling und Neuem Testament ins Auge, um sie auf eigene Weise zu deuten. Nicht zufällig dürfte der »blühende Apfelbaum« der Erstfassung durch den »Kirschbaum« ersetzt worden sein, obgleich dabei auch metrische Probleme eine Rolle spielten. Diese hätte ein »Birnbaum« jedoch ebensogut beheben können. –
Mörike orientiert sich aber nicht nur an Brockes' *Kirschblüthen*-Gedicht. *Der weisse Schmetterling* aus dem *Irdischen Vergnügen in Gott* hat ihn ebenso beflügelt. Brockes verfolgt in diesem Gedicht zunächst das Liebesspiel der Schmetterlinge, die mit dem Auf- und Zuklappen ihrer Flügel gleichsam sich Luft zufächeln. Am Beispiel ihrer Metamorphose erläutert er dann die Idee der Unsterblichkeit der Seele.
Eben dieser Gesichtspunkt ist für Mörikes Gedicht entscheidend. Das Neue Testament, das dem »einsam in Gedanken vertieften« Ich »halboffen [. . .] zwischen den Fingern im

Schoße« liegt – wie eine sich öffnende Blüte –, »kam vom treuesten Herzen«, das nunmehr »im Grabe« ruht. Für das Ich bleibt es »unvergessen«; es ist nicht tot, so wenig wie das »Sommervögelchen« in Brockes' Gedicht, »wenn es die morschen Schalen / Des Dattelkerns zertrennt« (hier findet sich die Quelle für jenen seltsamen »Blumenkeim« im Gedicht *Auf eine Christblume* [I,767], für die Schmetterlingspuppe also, die Brockes sehr anschaulich mit einem »Dattelkern« vergleicht).

Allerdings ist die ›Metamorphose‹, die dem »treuesten Herzen« vorbehalten bleibt, von gänzlich anderer Art als bei Brockes: es ersteht nicht in einem jenseitigen Reich – jedenfalls wird davon nichts gesagt; es lebt im Andenken, im Geschenk des heiligen Buches, das »himmlische Kräfte [...] des lebendigen Worts« verbürgt (12 f.). Wie »Sneewittchen« in der *Wald-Idylle* – dort ist es ein Märchenbuch, das der Dichter in Händen hält – ruht »unverwelklich [...] innen die süße Gestalt« (I,752). – So braucht der Schmetterling bei Mörike nicht mehr zum Exempel der Unsterblichkeit zu werden. Er kommt als »Sylphe« (9), als Luftgeist, geflogen, um mit dem Buche, der »herrlichsten Wunderblume«, Hochzeit zu feiern. Im Heben und Senken der »dunkelen Flügel«, die in ihrem »schillernden Blau« der »purpurnen Decke« des Buches korrespondieren, kündigt er – wie bei Brockes – sein Liebesspiel an. Daß die Bewegung der Flügel auch bei Mörike so zu deuten ist, zeigt das zweite *Peregrina*-Gedicht: »Spielender Weise mein Aug auf ihres drückend / Fühlt ich ein Weilchen die langen Wimpern, / Bis der Schlaf sie stellte, / Wie Schmetterlingsgefieder auf und nieder gehn« (I,747). – So ist der »reizende Sylphe« keineswegs ernstlich »getäuscht«; zwar lockten »die purpurne Decke« und der »glänzende Goldschnitt« ihn verführerisch an, also der äußere Schein des Buches. Aber er sah durchaus »im Büchlein die herrlichste Wunderblume« leuchten, ihm winkte eine Geliebte. Der Schein war keine Täuschung, er war Erscheinung innerer Leuchtkraft – die ganze Diskussion um das Gedicht *Auf eine Lampe* wäre von dieser Textstelle her neu aufzurollen. Das ›Locken‹ der »Decke« fordert das ›Sehen‹ heraus, das seinerseits von ›geheimen‹ Kräften angezogen wird. Die vermeintliche Täuschung wird so zum Tausch: »himmlische Kräfte [...] des lebendigen Worts« – so folgert das staunende Ich aus dem fortwährenden Verweilen des Schmetterlings – übertragen sich auf die »zarten Füße« des Falters, so daß er fortan »auf alle Tage gesegnet« ist. Das »lebendige Wort« wird zum Pollenstaub, der an den Gliedern des Tieres haftet und auf andere Blumen übertragen wird. So »tauet Segen« von ihm, wie von den Worten des Messias. Während in Mörikes frühen Gedichten die Naturelemente zur Zeichensprache des Gemütes gehören, ist es jetzt eher umgekehrt: geistig-seelische Ereignisse werden ganz ins Naturgeschehen eingebettet.

Aus der Einsicht in das quasi-mystische Naturwunder der ›geistlichen‹ Pollenübertragung leitet der staunende Dichter schließlich den missionarischen Auftrag ab: »Jetzt eile hinunter zum Garten, [...] alsbald wird die Knospe sich öffnen [...]; dann küsse sie [...]: von Stund an [...] atmet sie [die Lilie] Geist und himmlisches Leben« (18–22). Wie nach einem geheimen, streng geregelten Ritual scheint der Akt der göttlichen Befruchtung sich zu vollziehen. Der Schmetterling wird zum Himmelsboten, der das »lebendige Wort« in Liebestrunkenheit in die reine Blüte, die gerade sich öffnende Lilie, einsenkt und so neues Leben stiftet. Die Annunziation ist mitgedacht, wie das Liliensymbol erkennen läßt und das Bildgedicht *Schlafendes Jesuskind* unterstreicht (I,766).

Der Kreislauf des ewigen Lebens ist damit jedoch nicht vollendet. Wie sich der Dichter hoch oben im Weinberg in das Mysterium der Pollenübertragung vertieft – aus Anlaß der Totenandacht – bedarf es unten, im »Garten«, dem Ort menschlicher Kultivierung, eines Betrachters, der das Wunder der Befruchtung verfolgt. Wie die Blüte dem Schmetterling, korrespondiert »das beste der Mädchen« dem Dichter. Nur sind sich diese beiden im Augenblick fern. Sie verständigen sich über das ›Wunder‹. Wie dieser darüber »staunt«, ist jene »entzückt von paradiesischer Nähe«, wenn sie »ahnungsvoll in den Kelch die liebliche Seele versenkt«. – In der ahnenden Betrachtung schließt sich somit der Kreis des ewigen Lebens, der sich in Metamorphosen und Vorgängen der Befruchtung erfüllt. Er umschließt die Toten und die Lebenden; Geist – Tier – Pflanze – Mensch. Alle Formen des Lebendigen sind in den universellen Heilsprozeß einbegriffen. Aber erst in der liebenden Begegnung der »Guten« mit dem sprechenden Ich würde die ›Ahnung‹ der Unsterblichkeit zur Gewißheit. An der Heiligung des Fruchtbarkeitsaktes gewinnt Mörike seine Idee des ewigen Lebens.

Brockes' religiös-allegorische Deutung der Naturphänomene läßt Mörike damit weit hinter sich. Den »geschnörkelten Frühlingsgarten« mit seinen metaphysischen Ranken stutzt er auf seine Maße zurecht. Während Brockes den Naturvorgang als Heilsgeschehen deutet, zeichnet Mörike das Heilsgeschehen als Naturvorgang. Von diesem her gewinnt er allererst einen überzeugenden Bezug zur Heiligen Schrift. »Ich muß so glauben«, sagt das meditierende Ich im Gedicht. Damit ist nicht gemeint, daß ihm Überzeugung fehlte (Heydebrand, S. 216); im Gegenteil; es glaubt, weil es einen Beweis auf der Hand hat: das Verweilen des Schmetterlings, das bei einer Täuschung nicht fortdauern würde. Das Ich schließt vom Sichtbaren auf das Unsichtbare. »*So*« muß es glauben (13); das heißt nicht nur, daß es die zuvor als Frage formulierte Feststellung glauben muß, sondern weit mehr: daß die Begegnung von Schmetterling und Buch zum Modellfall des Glaubens wird. Am Beispiel der trunkenen Gebanntheit des Falters ist nach Mörike zu ermessen, was Glaube heißt. Aus solcher Gewißheit resultiert erst der priesterliche Auftrag, den das Ich dann dem Schmetterling erteilt.

Brockes hat Mörike den Anlaß gegeben zu seinen »erbaulichen Betrachtungen«. Im Grunde aber kehrt Mörike sie um: nicht Lob des Schöpfers in den Werken der Schöpfung bringen sie zum Ausdruck, sondern den Willen zum Verste-

hen des Schöpfungsprozesses in den sichtbaren Prozessen der Schöpfung. Die Gottesandacht wird zur Naturandacht – das ist die Quintessenz von Mörikes »schwäbischem Ketzertum« (I,816), dessen er sich voll bewußt ist.
Die religiöse Lesart des *Weinberg*-Gedichtes ist noch zu erweitern. Mörike hat nicht nur seine Unsterblichkeitsidee in dem Gebilde vergraben, sondern auch seine Vorstellung vom Abendmahl. Darauf deutet die »Kelch«-Metapher ebenso wie die Lokalisierung des Naturmysteriums »im Weinberg«. Durch die Übertragung des ›geistlichen‹ Pollenstaubes auf die »zarten Füße« des Falters und von diesem auf die »Lilie« wird das »lebendige Wort« Fleisch. Und bei der Versenkung des Mädchens in den »Kelch« werden Leib und Blut Christi ahnend genossen. »Paradiesische Nähe« erfährt die »Gute«. Sie hat Teil an der »Herrlichkeit des Vaters«, die in der Lilienknospe eingeschlossen ist (*Schlafendes Jesuskind*, I,766). Auch die »fünf Purpurtropfen«, die »an das heilige Leiden« gemahnen und der Christblume lediglich zugedacht werden (I,767), kommen hier in Betracht: der Lilie sind sie eigen in Gestalt der dunkelroten Staubgefäße. Sie erinnern an die Wunden und das Blut Christi im »Kelch«, in den die »Gute« sich versenkt. Pietistisch-pansophische Abendmahlsvorstellungen dürften Mörikes Wahl der Bildlichkeit mitbestimmt haben. Sie läßt erkennen, daß er das Sakrament – wie die Unsterblichkeitsidee – nicht mehr von der Schrift, sondern vom Naturprozeß her denkt. Die Blütenstaubübertragung wird ihm zum Muster der Transsubstantiation. Abendmahl und Ehevollzug berühren sich wie im herrnhuterischen Pietismus, wenn auch jetzt mit äußerster Behutsamkeit und mit peinlichem Bedacht auf Reinheit. So hat das Gedicht sogar eine erotische Lesart, wie manche Anspielung zeigt; Stoff für ein weiteres Kapitel in Mörikes virtuoser Beherrschung der »Kunst der Sünde«, die Gerhart von Graevenitz untersucht hat.
Die komplizierte Zeitstruktur des Gedichts bestätigt die Vielschichtigkeit der Bezüge. Während in Mörikes früher

Lyrik die Vergangenheit – in Gestalt der »Erinnerung« – die Gegenwart überflutet und die Perspektive der Zukunft verkümmern läßt, kommen im *Weinberg*-Gedicht alle drei Zeitebenen auf diffizile Weise zur Entfaltung. Präterital setzt das Gedicht ein. »Droben [...] saß ich heut.« Das heißt: gegenwärtig befindet sich das sprechende Subjekt nicht mehr »droben«; aber es ist noch »heute«. Wahrscheinlich ist mittlerweile später Abend geworden, und das Ich sitzt in seinem sicheren Poetenstübchen, eben an diesem Gedicht bosselnd. Darüber geben die Verse zwar keine Auskunft; aber die Zeitverhältnisse klären sich so. – Mit einer Situationsbeschreibung wird das zurückliegende Tagesereignis weiter ausgeführt. Anläßlich der Betrachtung des Testaments kommt dem beschreibenden – nicht dem erlebenden – Ich die Erinnerung: »es kam vom treuesten Herzen [...]«. In der Art einer Erzählerreflexion, die die präteritale Zeitebene durchbricht, verweist diese Bemerkung auf die Gegenwart des Schreibenden. Aus diesem Grund ist sie in Klammern gesetzt. Zugleich aber führt der Inhalt der Reflexion hinter die erzählte Vergangenheit zurück. Die Herkunft des zierlichen Büchleins wird mitgeteilt; und von dem Geber wird gesagt, daß er nicht mehr lebt. Wie im Gedicht *An eine Äolsharfe* drängt so die Vorvergangenheit als Totenandacht in die Gegenwart des Schreibenden herein. Und wie dort die belebenden Winde das Grab des »Knaben« streifen, ehe sie die Harfe zum Klingen bringen, werden hier die schweifenden Erinnerungen im Buch des Lebens versammelt. Aber dann kehrt das schreibende Ich zur Tagesvergangenheit zurück: »Lang so saß ich und blickte nicht auf« (6). Es versenkt sich in seine (zurückliegende) Versunkenheit und taucht dabei in das historische Präsens zurück. »Mit einem da läßt sich [...] ein Schmetterling nieder aufs Buch.« Während der folgenden acht Verse wird die Form der präsentischen Vergangenheit beibehalten – Ausdruck des gebannten Staunens, das ohne Zeitgefühl ist. Die präteritalen Formen, die innerhalb dieses Abschnittes auftauchen

(»lockte«, »sahst«, »zogen«), sind vom Standpunkt der präsentischen Vergangenheit aus gesprochen und beziehen sich auf die Vorvergangenheit des Schmetterlings: auf die Veranlassung, die er hatte, den gegenwärtigen Zustand (d. h. den der präsentischen Vergangenheit) herbeizuführen. Erst mit der Bemerkung »ich staune« (14) scheint das schreibende Ich zu seinem Bewußtsein und zu seiner eigenen Gegenwart zurückzukehren. Es ist nicht klar, ob dieser Ausruf zur präteritalen oder zur realen Gegenwart des meditierenden Verfassers gehört. Wahrscheinlich trifft beides zu. Er staunte und staunt jetzt, beim Überdenken des Ereignisses, noch einmal. Vom folgenden Vers an wendet sich dann die Zeitperspektive, ohne daß man sagen könnte, sie richte sich auf die Zukunft. »Auf alle Tage« ist der Falter »gesegnet«. »Unverletzlich dein Leib«, das Verb fehlt in diesem Falle. Von »altern« kann keine Rede mehr sein. Aber dennoch wird auch die Zukunft von dem schreibenden Ich aus ins Auge gefaßt. Die Häufung der temporalen Adverbien (»künftig«, »jetzt«, »alsbald«, »dann«, »von Stund an«, »nun«) deutet sogar auf die Dringlichkeit des Vollzugs der göttlichen Erfüllung. Die Zeit scheint plötzlich knapp bemessen. Erst in den Schlußversen, »wenn die Gute [...] kommt«, löst sich der Andrang. Über das Präsens (»kommt«) und drei perfektische Partizipien (»getreten«, »befangen«, »entzückt«), die ihrerseits präsentischen Charakter annehmen, läuft die Zeitdimension aus im Partizip Präsens (»versenkend«), dem »absolute Gegenwart« zukommt. Der Vorgang scheint hier »aller zeitlichen Bedingtheit enthoben, sich zu unabsehbarer Dauer« zu öffnen (Unger, S. 249). – Behält man den zentralen, aber nicht genannten Vereinigungspunkt im Blick, von dem aus die verschiedenen Zeitbezüge und -überlagerungen organisiert werden, so zeigt sich, daß das dichtende Ich Tod und Ewigkeit im Lichtkegel seiner Schreibtischlampe zu umfassen sucht.

»Ach! du ruhest nun auch, mir unvergessen, im Grabe!« In

dieser einen Zeile hat Mörike Goethes Gedicht *Über allen Gipfeln ist Ruh* wie eine Glocke angeschlagen und zum Klingen gebracht. Aber die Tonlage hat sich verändert. »Ruhest du auch«, lautet die letzte Zeile bei Goethe (*Werke*, Bd. 1, S. 98). Mörikes Musikalität und Sprachempfindlichkeit hat diesen Vers ins Elegische übertragen. Die Lautfolge (u-u-au) wird bei ihm intensiviert (u-u-u-au), bei sonst gleichem Wortbestand. Das neu hinzugekommene Zeitadverb (»nun«) verweist auf Gegenwart und Einsamkeit, nicht auf zukünftige Nachtruhe, die in Goethes Gedicht Mensch und Natur umgreift. So wird Goethes Abendglocke zur Totenglocke. Unter diesen Umständen klingt auch die vorletzte Zeile des Goetheschen Gedichtes verfremdet mit: »Warte nur, balde« wird zur Todesmahnung, wie in dem angeblich »böhmischen Volksliedchen« *Denk es, o Seele!*, das die *Mozart*-Novelle beschließt (I,621). Die »Geister vom See« »orgeln im Rohr« (I,713), selbst wenn sie im *Weinberg*-Gedicht nicht hervortanzen. Als Todesmahnung stehen die verschwiegenen Verse Goethes hinter dem schreibenden Ich, welches des »treuesten Herzens« sich wehmütig erinnert. »Ein gleiches« – so der Titel von Goethes Gedicht – wird auch ihm widerfahren, auch wenn es gegenwärtig in sicherer Geborgenheit über Unsterblichkeit brüten darf.

Helga Unger hat am *Weinberg*-Gedicht einen zentralen Aspekt beachtet, aber nur zaghaft behandelt: den poetologischen. In der Tat weist das kryptische Gebilde nicht nur auf den Fruchtbarkeitsakt, auf die Idee der Unsterblichkeit und auf das Geheimnis der Transsubstantiation, sondern auch auf den poetischen Schöpfungsprozeß. Versunken in das Buch des »lebendigen Worts« schaut der Dichter selbst in die »herrlichste Wunderblume«. Denn die »halboffenen« Blätter des Buches, die vom ›Kelch‹ der Finger gehalten werden, gleichen ihrerseits einer gerade aufbrechenden Knospe, die im »Schoße« des Dichters ihren Fruchtboden findet. Wie der Schmetterling von der »Wunderblume« wird der poetische Geist des Dichters von dieser ›Blüte‹ »geheim [. . .] hernieder[gezogen]«; seine Vertiefung »in Gedanken«

deutet das an. Auch er scheint im Liebesspiel mit der Blume begriffen, wie sein langes Verweilen in der Versenkung unterstreicht. Darüber hinaus hat Mörike selbst das Flügelspiel des Schmetterlings metaphorisch auf den schöpferischen Akt übertragen. Mozart, der in der bergenden Laube des gräflichen Schlosses in »künstlerischer Geistabwesenheit« die reife Pomeranze pflückt (I,579), zerschneidet sie »langsam«, fast rituell. »Es mochte ihn dabei entfernt ein dunkles Durstgefühl geleitet haben, jedoch begnügten sich die angeregten Sinne mit Einatmung des köstlichen Geruchs. Er starrt minutenlang die beiden innern Flächen an, fügt sie sachte wieder zusammen, ganz sachte, trennt und vereinigt sie wieder« (I,580). – Diese Geste entspricht der Flügelbewegung des Schmetterlings, der ebenfalls nur den zarten Duft der Blüte einsaugt, nicht etwa sein »Durstgefühl« stillt. Der beschriebene Vorgang meint den Akt der Inspiration generell: Vom Duft der »Wunderblume« angezogen, versinkt das Genie in Kontemplation, die im Spiel des Falters und im Auf- und Zuklappen der Fruchthälften bildlich eingefangen ist. Zur Attraktionskraft des poetischen Objekts gehört auch der äußere Schein, der ästhetische. Er ist mit der ›Täuschung‹ gemeint. »Wenn Dichter [...] uns, nach ihrer Art, belügen, / So sei dies Spielwerk ihnen gern verziehen« (*Liebesglück*, I,769). Es ist verzeihlich, weil es Tieferes offenbart und ins Innere hineinlockt. Epiphaniehaft kündigt der poetische Geist sich an: »mit einem da läßt sich / Mir ein Schmetterling nieder aufs Buch«. Er ist nicht einfach da, dieser Falter; er scheint *für* das Ich da zu sein. An ihm findet der sinnende Dichter sein Gegenbild. Nicht die Taube des Heiligen Geistes senkt sich auf ihn herab, obgleich deren Wirkung mit gemeint ist; der antike Seelenvogel bedeutet ihm zweifellos mehr. Das Amor-Psyche-Geschehen darf bei der christlichen und der poetischen Liebesandacht nicht ausgespart werden.

Indem der Dichter sich ins Geheimnis der Fruchbarkeit versenkt und es begreift, wird er zum Künder und Missionar der Heilswahrheit, die sich nicht »droben im Weinberg«, sondern drunten im »Garten« erfüllt. Er ist angewiesen auf ein Gegenüber, das dem »lieblichsten Wunder« verständnisvoll begegnet. Diese Person ist weiblich gedacht. Auch der Kommunikationsakt gleicht einer Liebesbegegnung (*Datura suaveolens*, I,734). Die »Gute« ahnt jedoch nur, sie begreift nicht. Sie bedarf des Gedichtes, das in der stillen Kammer gerade für sie entsteht. Der poetische Schmetterling kommt so mit Hermesflügeln, als Hermeneut der Transsubstantiation, der die göttliche Botschaft des »lebendigen Worts« – eben das Gedicht – übermittelt. Der Verfasser aber sitzt zwischen erinnertem Tag und »frühestem Morgen« in seiner nächtlichen Klause. Er darf sich zu »des Weingotts heiligen Priestern« zählen, »welche von Lande zu Land zogen in heiliger Nacht« (Hölderlin, Bd. 2, S. 94); er erfüllt das Amt, das Hölderlin in *Brot und Wein* den Dichtern »in dürftiger Zeit« zumaß. Und ebendieser Anspruch trifft den geheimen poetischen Auftrag, den Mörike sich erteilt, den er aber unter Selbstzweifeln und Bergen von Bildern verbirgt. Mörike war nicht immer so bescheiden, wie er unter idyllischen, humoristischen und märchenhaften Masken vortäuscht. Seine anspruchsvollen Gedichte zeigen eine andere Gestalt: Bei aller äußeren Schlichtheit verschließen sie ihre poetisch-sakralen Geheimnisse in einem Schrein. Artifiziell sind diese Gebilde selbst dann und gerade wenn sie im Gestus des »ganz einfachen und scheinbar fast improvisierenden Hinsprechens« vorgebracht werden (Krummacher, S. 339). Sie erscheinen wie auratisch verklärte Chiffren einer ›nature morte‹. Ihr kalkuliertes Arrangement weist in die Zukunft symbolistischen Dichtens; doch hält Mörike mit Entschiedenheit am Mimesisprinzip fest: ›schöne‹ Gegenstände bleiben ihm »Gebild des fühlenden« – nicht des kombinierenden – Geistes. Sie verleugnen ihren – natürlichen – »Mutterschoß« ebensowenig wie ihren religiösen Anspruch (*Bilder aus Bebenhausen*, I,833). Doch ist das ›irdische Vergnügen in Gott‹ dem ›göttlichen Vergnügen im Irdischen‹ gewichen.

Zitierte Literatur: Bernhard BÖSCHENSTEIN: Mörikes Gedicht »Auf eine Lampe«. In: Euphorion 56 (1962) S. 345–364. – Gerhart von GRAEVENITZ: Eduard Mörike: Die Kunst der Sünde. Zur Geschichte des literarischen Individuums. Tübingen 1978. – Hans-Henrik KRUMMACHER: Zu Mörikes Gedichten. Ausgaben und Überlieferung. In: Jahrbuch der Deutschen Schillergesellschaft 5 (1961) S. 267–341. – Helga UNGER: Zu Mörikes Gedicht »Im Weinberg«. Versuch einer Deutung. In: Zeitschrift für deutsche Philologie 85 (1966) S. 240–250. – Vgl. auch S. 92.
Weitere Literatur: siehe S. 92.

Franz Grillparzer

Entsagung

Eins ist, was altergraue Zeiten lehren,
Und lehrt die Sonne, die erst heut getagt:
Des Menschen ew'ges Loos, es heißt: Entbehren,
Und kein Besitz, als den du dir versagt.

5 Die Speise, so erquicklich deinem Munde,
Beim frohen Fest genippter Götterwein,
Des Theuren Kuß auf deinem heißen Munde,
Dein wär's? Sieh zu! ob du vielmehr nicht sein.

Denn der Natur alther nothwend'ge Mächte,
10 Sie hassen, was sich freie Bahnen zieht,
Als vorenthalten ihrem ew'gen Rechte,
Und reißen's lauernd in ihr Machtgebiet.

All' was du hältst, davon bist du gehalten,
Und wo du herrschest, bist du auch der Knecht.
15 Es sieht Genuß sich vom Bedarf gespalten,
Und eine Pflicht knüpft sich an jedes Recht.

Nur was du abweist, kann dir wieder kommen,
Was du verschmähst, naht ewig schmeichelnd sich,
Und in dem Abschied, vom Besitz genommen,
20 Erhältst du dir das einzig deine: Dich!

Abdruck nach: Oesterreichisches Morgenblatt. Zeitschrift für Vaterland, Natur und Leben. Jg. 5. 4. März 1840. [Erstdruck. – Die Druckvorlage wurde freundlicherweise von der Wiener Stadt- und Landesbibliothek zur Verfügung gestellt.]
Weiterer wichtiger Druck: Franz Grillparzer: Sämtliche Werke. Hist.-krit. Gesamtausg. Hrsg. von August Sauer, fortgeführt von Reinhold Backmann. 42 Bde. Wien: Schroll, 1909–48. Abt. 1. Bd. 10: Gedichte. T. 1. 1932. Nr. 87. [Im wesentlichen dem Erstdruck folgend.]

Burkhard Bittrich

»Des Menschen ew'ges Loos, es heißt: Entbehren«. Zu Grillparzers *Entsagung*

Über die hohe, vielleicht sogar einzigartige Bedeutung des Gedichtes *Entsagung* innerhalb von Grillparzers lyrischem Werk ist sich die Forschung seit jeher einig gewesen. Schon 1872 bemerkt Emil Kuh, daß sich bei diesem Dichter »das Reflexionsgedicht zuweilen in den reinen Aether der Poesie« erhebe, und er betrachtet als »die vollendetsten Stücke dieser Art« *Entsagung* und *Pflanzenwelt* (Kuh, S. 173). Hundert Jahre später rühmt Herbert Seidler in der Grillparzer-Feier der Österreichischen Akademie der Wissenschaften »das vollendete Gedicht ›Entsagung‹« (Seidler, S. 116). Während der dreißiger Jahre unseres Jahrhunderts spricht Erich Hock von dem Gedicht als »der vielleicht schönsten und reinsten Schöpfung der Grillparzerschen Gedankenlyrik« (Hock, S. 188). 1949 äußert sich Ernst Alker, 1956 Walter Naumann ebenso begeistert. Für jenen ist das »wunderbare Gedicht« (Alker, S. 175) nur mit ganz wenigen anderen aus Grillparzers Feder zu vergleichen, und dieser hält es, wie er sogar zweimal versichert, für »das schönste Gedicht Grillparzers« überhaupt (Naumann, S. 10, vgl. auch S. 40). Eine eingehendere Würdigung von *Entsagung* fehlt indessen bislang.
Es dürfte nicht leicht ein jambisches Gedicht in deutscher Sprache zu finden sein, das gemessener, getragener gesprochen werden müßte als Grillparzers *Entsagung*. Der üblicherweise rasche und lebhafte Jambenfluß wird durch Retardationen mannigfacher Art verzögert. Kein Zeilensprung ist ihm gestattet (schon die Satzzeichen an jedem Versende verbieten Enjambements), erst recht kein Strophensprung, und an nicht wenigen Stellen ist schwebende Betonung vonnöten, die ebenfalls tempohemmend wirkt. So bereits in dem gravitätischen Gedichteinsatz »Eíns íst«, der den Charakter alles Folgenden bestimmt; so in der zwei-

felnden Frage »Déin wấr's?« (8) und ebenso dann zu Beginn der anschließenden Strophen, wobei die Eingangszeile der dritten durch die Silbenfolge »álthér nóthwénd'ge« (9) noch zusätzlich beschwert wird. Mit solchen Doppelungen von Hebungssilben dringt ein spondeisches Element in das Gedicht ein und teilt ihm etwas von dem feierlich-sakralen Wesen dieses Metrums mit, das anfänglich bei religiösen Zeremonien (griech. σπονδή, Trankopfer) Verwendung fand. Zum Ritardando tragen auch die durchwegs vorhandenen Zäsuren bei, die gelegentlich sogar, in einer bei Fünfhebern ungewöhnlichen Form, zweifach (3, 8, 20) auftreten. Ebenso ungewöhnlich, aber sehr wirkungsvoll, ist der Einschnitt vor dem solcherart und auch durch die Großschreibung herausgehobenen einsilbigen Schlußwort des Gedichts. Die Sonderstellung des »Dich!« ist mit dem Ende von Goethes *Prometheus*-Hymne zu vergleichen, wo das Ego durch die geballte Wucht der Zwei-Silben-Zeile »Wie ich.« (Goethe, Bd. 1, S. 46) in ähnlicher Weise akzentuiert wird. Die in *Entsagung* vorherrschende Gliederung innerhalb der Zeilen faßt jeweils Kola von zwei und drei Hebungen zusammen, wobei die Verse mit der Zäsur unmittelbar nach dem zweiten Akzent eine deutliche Überzahl aufweisen. Diese Placierung des Verseinschnitts nach der vierten Silbe des von Grillparzer verwendeten gereimten jambischen Fünfhebers mit männlicher oder weiblicher Kadenz läßt an den formgleichen ›vers commun‹, den neben dem Alexandriner gebräuchlichsten Barockvers, denken. Die zäsurbedingte Zweischenkligkeit beider Metren begünstigt die jedem Leser von Texten des 17. Jahrhunderts vertraute antithetische Struktur einer Unzahl von barocken Lyrik- und Dramenzeilen. Wenn wir nun in Grillparzers Gedicht dem gleichen Phänomen als einem ihm wesentlichen Merkmal begegnen, dann erweist sich sein Autor auch hierin als einer der bedeutendsten Erben jener Epoche. Ist schon Vers 8, mit wirkungsvoller Sperrstellung der gegensätzlichen Possessiva, antithetisch gebaut – »Dein wär's? Sieh zu! ob du vielmehr nicht sein« –, so stehen später, in den beiden

Schlußstrophen, fast sämtliche Zeilen unter dem formenden Einfluß dieses rhetorischen Mittels. Das beginnt mit der Verkehrung des aktiven Haltens in das passive Gehaltenwerden (13), setzt sich fort mit dem Gegensatz von Herrschaft und Knechtschaft (14), von befriedigtem und doch nicht zu befriedigendem Verlangen (15), von Recht und Pflicht (16) und klingt aus in der zwiefach beschworenen Korrespondenz von Repulsion und Attraktion (17f.).
Eine Verbindung zum Barock ergibt sich auch aus der gedanklichen Aussage, welche diesen Antithesen zugrunde liegt. Denn dem Autor der *Entsagung* geht es ebenso wie den Poeten des 17. Jahrhunderts um eine Entlarvung der Güter dieser Welt, des Lebens- und Machtgenusses. Es geht darum, zu zeigen: »Der Welt Wollust ist nimmer ohne Schmerzen«, wie Gryphius eines seiner Sonette betitelte; sei es nun, daß man, wie im Barock, mehr die Nichtigkeit und Vergänglichkeit alles Irdischen betont oder, wie Grillparzer, das Fesselnde, das Ich Einschränkende und seiner Souveränität Beraubende weltlichen Besitzes hervorhebt. Es geht letztlich um das barocke Urthema des Gegensatzes von Schein und Sein. Daß die Erkenntnis des wahren Charakters dieser Welt zur Loslösung von ihr führt, zum »Abschied, vom Besitz genommen« (19) – auch darin ist barockes Denken lebendig.
Im Barock hätte allerdings nicht das Ich, sondern Gott das letzte Wort. »Nicht ich, nur Gott« lautet denn auch der für jenes Zeitalter bezeichnende Wahlspruch Rudolfs II. in Grillparzers historischem Drama *Ein Bruderzwist in Habsburg*. Die Art, wie in *Entsagung* von der Welt Abschied genommen wird, ist ebenfalls nicht mehr barock zu nennen. Sie ist nicht heroisch oder pathetisch, nicht klagend oder anklagend, wir bekommen kein Simplicianisches »verflucht sey der Tag / darinn ich in dir O arge böse Welt geborn bin!« (Grimmelshausen, S. 463) zu hören. Der Abschied vollzieht sich ohne Affekt und Pose, worauf das 17. Jahrhundert nicht verzichtet hätte, mit jener Ruhe und Gemessenheit, die uns schon eingangs auffiel. Ein Fazit wird gezogen, nicht als

Ergebnis einer Aufwallung, sondern als eines, das aus lebenslanger Reflexion erwachsen ist. *Resultate* hat der von Grillparzer hochgeschätzte Ernst von Feuchtersleben eine Abteilung seiner Gedichte genannt. Auch in *Entsagung* haben wir ein solches ›Resultat‹ vor uns. Man merkt dem Autor an, daß er im Jahrhundert des Rationalismus geboren wurde, das sich wie kein anderes als lernendes und lehrendes verstand. Er selber hat gelernt, seine Lehrmeisterin war die Geschichte. Lehre ist, was er mitzuteilen hat und auch gleich zweimal, an betonter End- und Anfangsstelle von Versen, ausdrücklich als solche bezeichnet:

Eins ist, was altergraue Zeiten lehren,
Und lehrt die Sonne, die erst heut getagt (1 f.).

Was nun den Inhalt dieser Lehre angeht, so haben wir bereits Berührungen mit dem Lebensgefühl des Barock feststellen können. Natürlich hat man bemerkt (vgl. Grillparzer, Abt. 1, X,318), daß die Zeile »Des Menschen ew'ges Loos, es heißt: Entbehren« den berühmten »Faust«-Versen (1548 ff.) aus der Studierzimmer-Szene ähnelt:

Was kann die Welt mir wohl gewähren?
Entbehren sollst du! sollst entbehren!
Das ist der ewige Gesang,
Der jedem an die Ohren klingt,
Den, unser ganzes Leben lang,
Uns heiser jede Stunde singt.
(Goethe, Bd. 3, S. 53)

Auch des Umstands, daß in Goethes *Tasso* »entbehren lernen« der Prinzessin »Geschick / Von Jugend auf« (Goethe, Bd. 5, S. 122 und 121) gewesen ist, hat man gedacht (vgl. Grillparzer, Abt. 1, X,318). Die positive Seite des Nicht-Besitzes hebt Lessings Nathan an Al-Hafi, dem Derwisch, hervor, wenn er von ihm sagt: »Der wahre Bettler ist / Doch einzig und allein der wahre König!« (Lessing, Bd. 2, S. 387). Von allen uns hier beschäftigenden

Entsprechungen aus älteren Epochen mit Grillparzers Gedicht bietet vielleicht Friedrich Schlegels, von Schleiermacher mit zwei Sätzen ergänztes *Athenaeums*-Fragment Nr. 35, worin es um die mit dem Besitz gekoppelte Unfreiheit geht, die tiefste. Den Hinweis darauf verdanken wir August Sauer (vgl. Grillparzer, ebd.). In den Anmerkungen der historisch-kritischen Grillparzer-Ausgabe wird allerdings nur der Mittelteil des Fragments (von »alle« bis »nicht hätte«) abgedruckt; es muß aber vollständig zitiert werden, damit das, was beide Texte verbindet, in seinem ganzen Umfang zu erkennen ist:

> Der *Zyniker* dürfte eigentlich gar keine Sachen haben: denn alle Sachen die ein Mensch hat, haben ihn doch in gewissem Sinne wieder. Es kömmt also nur darauf an, die Sachen so zu haben, als ob man sie nicht hätte. Noch künstlicher und noch zynischer ists aber, die Sachen so nicht zu haben, als ob man sie hätte.
>
> (Schlegel, S. 171)

Dieses nichthabende Haben, dieses besitzende Nichtbesitzen, wie nahe ist es dem, was die Verse 17 und 18 von *Entsagung* aussprechen:

> Nur was du abweist, kann dir wieder kommen,
> Was du verschmähst, naht ewig schmeichelnd sich

– doch könnte man Grillparzers Worte auch zynisch nennen? Nun, gewiß nicht in der heutzutage gängigen Bedeutung von ›zynisch‹ als frech und verletzend. Wohl aber ist es uns, durch Schlegels Diktum hellhörig geworden, möglich, Elemente der kynischen Philosophie mit ihrem Lebensprinzip der Freiheit durch Bedürfnislosigkeit in dem Gedicht-Text wahrzunehmen.

Wir könnten nun bei der Parallelensuche noch weiter ausholen und beispielsweise an die Botschaft der Evangelien denken, in denen der Gewinn des Himmelreiches an Besitzlosigkeit geknüpft ist. Indessen wäre es bei einer zu großen Ausdehnung unserer philologischen Streifzüge kaum zu ver-

meiden, daß wir uns mit recht allgemeinen, wenig erhellenden Übereinstimmungen begnügen müßten. Begrenzen wir deshalb jetzt unser Blickfeld auf die eigentliche Grillparzer-Zeit, und versuchen wir, das Gedicht sowohl als Ausdruck seiner Epoche als auch in seiner individuellen, so nicht noch einmal vorhandenen Besonderheit zu erfassen.
Titel und Thema verknüpfen es aufs innigste mit der Biedermeierkultur zwischen dem Wiener Kongreß und dem Sturmjahr 1848. Wollte man diese, einmal abgesehen von den gleichzeitigen Strömungen des Jungen Deutschlands und des Linkshegelianismus, mit einem einzigen Begriff charakterisieren, so könnte man keinen treffenderen als den der ›Entsagung‹ nennen, der um 1800 die noch heute gebräuchliche Bedeutung von ›Resignation‹ annahm. Daß dieses Verzicht-Ethos ganz besonders dem Metternichschen Österreich als Leitbild diente, hat Wilhelm Bietak in seinem noch immer lesenswerten Buch *Das Lebensgefühl des ›Biedermeier‹ in der österreichischen Dichtung* (1931) an zahlreichen instruktiven Beispielen nachgewiesen. Bekanntlich hat sich auch der späte Goethe, vor allem in seinem Roman *Wilhelm Meisters Wanderjahre*, dem er den zweiten Titel *Die Entsagenden* gab, dem Zeitgeist seiner Altersjahre nicht verschlossen. Nun sind freilich die Vorstellungen, welche Goethe mit Entsagung verband, höchst komplexer Natur, wie Arthur Henkel in seinem diesem Begriff gewidmeten Goethebuch gezeigt hat. Im Zusammenhang mit Grillparzer ist vor allem Goethes mit fortschreitendem Alter zunehmende Distanzhaltung zu einer als irritierend und hemmend empfundenen Welt hervorzuheben, gegenüber der er sich einen Freiraum für sein persönliches Denken und Schaffen bewahren möchte. Sein bedeutendstes Alterswerk, den *Faust II*, enthält er zu großen Teilen der Öffentlichkeit vor – in merkwürdiger Übereinstimmung mit Grillparzer, der seine Spätwerke, den *Bruderzwist*, die *Jüdin* und, bis auf den ersten Akt, die *Libussa*, ebenfalls nicht publiziert. »Verwirrende Lehre zu verwirrtem Handel waltet über die Welt«, so rechtfertigt Goethe am 17. März 1832 seine ›Ent-

sagung‹ gegenüber Wilhelm von Humboldt, »und ich habe nichts angelegentlicher zu tun, als dasjenige, was an mir ist und geblieben ist, womöglich zu steigern und meine Eigentümlichkeiten zu kohobieren [klären], wie Sie es, würdiger Freund, auf Ihrer Burg ja auch bewerkstelligen« (Goethe, Bd. 3, S. 460). Bemerkenswert ist, daß Goethe Humboldts durchaus gefälliges, weltzugewandtes Tegeler Schlößchen hier als Burg bezeichnet: Nach außen abweisend, sucht man sich die innere ›Geborgenheit‹ zu bewahren. Daß es Goethe um die Steigerung, Grillparzer in seinem Gedicht jedoch lediglich um die Erhaltung des eigenen Ichs geht, sollte bei aller Gemeinsamkeit der beiden Dichter in puncto Entsagung nicht unbeachtet bleiben und wird uns noch beschäftigen.

Geben wir neben Goethe noch Feuchtersleben, als ausgesprochenem Biedermeiermenschen, das Wort. Auch bei ihm läßt sich, im gleichen Jahrzehnt, nämlich in der Einleitung zu seiner 1838 erschienenen Schrift *Zur Diätetik der Seele*, eine ähnliche Distanzhaltung feststellen, wenn er »von dem entmuthigenden Leben einer vulkanischen Gegenwart, von dem noch entmuthigenderen Schwanken einer in tausend nichtige Richtungen zerfallenen Literatur« spricht und es als ausgesprochen wohltuend preist, sich davon ab- »und den stillen Regionen der Naturforschung des inneren Menschen, der Betrachtung unseres Selbst« zuzuwenden. Und nun folgen Worte, welche zwar nicht mehr mit der 1840 publizierten endgültigen Fassung von *Entsagung*, wohl aber mit der Schlußstrophe des 1836 entstandenen Tagebuch-Entwurfs von Grillparzers Gedicht

Nur was du abweist kann dir wiederkehren,
Nur was du denkst ist dein, denn du bists, es ist du
D'rum laß gefaßt ein Äußres uns entbehren
In Selbstbewahrung liegt zuletzt die Ruh.
(Grillparzer, Abt. 2, X,27)

geradezu frappante Übereinstimmungen aufweisen: Indem wir, meint Feuchtersleben, durch eine solche Selbstbetrach-

tung »mit der Welt, die uns nichts zu gewähren im Stande ist, heiter abschließen, fühlen wir, daß der verloren geglaubte Friede wieder bei uns einkehrt« (Feuchtersleben, S. 21).
Was bringt nun Grillparzers Gedicht, über alles Tradierte und Zeittypische hinaus, an Eigenem hinzu? Es scheint uns zum einen in der Radikalisierung der Resignationsstimmung seiner Entstehungszeit zu liegen. Der Schnitt zwischen Ich und Welt wird kompromißlos und endgültig vollzogen. Kein befreundetes, kein geliebtes Wesen, kein ausgewählter Zirkel von Gleichgesinnten darf dem einsamen Ich verbleiben, und dies nicht etwa nur deshalb, weil ›verwirrende Lehre zu verwirrtem Handel über die Welt waltet‹ und es »von dem entmuthigenden Leben einer vulkanischen Gegenwart« bedroht wird, sondern weil zu allen Zeiten Einsamkeit und Bindungslosigkeit überhaupt erst den Ich-Besitz ermöglichen. Die andere und vielleicht noch bedeutsamere Besonderheit von *Entsagung* dürfte darin zu sehen sein, daß auch dieser letzte, so teuer erkaufte Besitz gefährdet ist. Das Ich reißt die Welt nicht mehr erobernd an sich, sondern hat sie aufgegeben, um zu versuchen, wenigstens sich selbst zu retten. Nicht mehr um Trotz und Auflehnung des Ichs wie im *Prometheus*, auch nicht um Bereicherung und Vertiefung, um eine Steigerung dessen, was in uns ist, wie es Goethe, mit einem zentralen Begriff seines Denkens, noch in seinem letzten, von uns schon herangezogenen Brief für sich erhoffte, nicht mehr darum geht es, sondern lediglich, wenn möglich, um die Erhaltung des Status quo. Und während Goethe neben die Konzentration des Ichs auf sich selbst im *Prometheus* das Verströmen des Ichs im *Ganymed* stellen konnte, seinen bekannten Worten entsprechend, »daß wir, indem wir von einer Seite uns zu verselbsten genötiget sind, von der andern in regelmäßigen Pulsen uns zu entselbstigen nicht versäumen« (Goethe, Bd. 9, S. 353), hält Grillparzer in *Entsagung* mit einer Starre und Betontheit am Ich fest, daß dahinter die Angst spürbar wird, auch dieses einzigen Besitztums noch beraubt zu werden. Man

könnte sogar noch weitergehen und sich fragen, ob die beschwörende Selbstvergewisserung am Schluß des Gedichtes nicht letzten Endes als Autosuggestion oder Selbsttäuschung anzusehen sei. Hofmannsthal jedenfalls hat so gedacht, der als »die Signatur von Grillparzers Leben«: »sich selber nicht besitzen« (Hofmannsthal, S. 29) bezeichnete. Ebendies aber gehört auch zur Signatur der Epoche um 1900, und so steht Grillparzer, wenn auch durchaus eigenständig, zwischen den Zeiten, dem Ende der Goethezeit und dem Beginn der Moderne. Mit seinen eigenen, freilich umfassender gemeinten Worten:

Will meine Zeit mich bestreiten,
Ich laß es ruhig geschehn;
Ich komme aus anderen Zeiten
Und hoffe in andre zu gehn.
(Grillparzer, Abt. 1, XII,307)

Entsagung will Allgemeingültiges über den Menschen aussagen. Es geht um »des Menschen ew'ges Loos« (3); die verwendeten Pronominalformen der zweiten Person sind nicht nur Selbst- und Leseranrede, sondern werden zugleich im Sinne eines unbestimmt-allgemeinen ›man‹ gebraucht. Auch »Des Theuren Kuß« (7) ist nicht etwa nur auf eine Person männlichen Geschlechts zu beziehen, sondern ein lieber und teurer Mensch überhaupt ist gemeint. Es handelt sich hierbei um eine ganz bewußte Stilisierung und Monumentalisierung aufs schlechthin Gültige, geprägt von dem wenigstens vordergründig noch intakten Glauben daran, daß der Dichter Ratgeber und Wegweiser der Menschheit sein könne und solle. Grillparzer zeigt sich auch in dieser Beziehung als Erbe der klassischen deutschen Dichtung. Er spricht so, wie Goethe, wie Schiller oft gesprochen haben. Doch unter dem allgemein Formulierten verbirgt sich Persönlichstes. Dies trifft nicht nur in dem Sinne zu, daß hinter jedwedem Gedanken von *Entsagung* der Mensch Grillparzer steht, sondern ist auch ganz konkret so zu verstehen, daß persönlich Erlebtes das Gedicht veranlaßt hat.

Von den autobiographischen Bezügen des Gedichtes soll darum abschließend noch die Rede sein. Wir können hier nicht, wie es Eduard Castle in seinem Essay von 1939 getan hat, mit epischer Breite über »Grillparzers letzte Liebe« berichten, an deren Ende Entsagung als Lebensentscheidung und *Entsagung* als Poem stehen. Wir können nur auf diese, alles Biographische liebevoll nachzeichnende Arbeit verweisen, allenfalls ein Zitat einflechten und müssen uns im folgenden auf die wichtigsten Daten und Fakten beschränken. Grillparzers ›letzte Liebe‹ war ein junges Mädchen namens Heloise Höchner. Er muß sie zum erstenmal um das Jahr 1830 gesehen haben und von ihr sogleich tief beeindruckt gewesen sein, wie das ihr geltende Gedicht *Begegnung* (1831) bezeugt. »Schon ihr Name«, schreibt Castle – sie war die Tochter eines Zürchers und einer Französin –, »umwob sie mit romantischen Erinnerungen: [...] war es ihr bestimmt zu entsagen, wie der Geliebten Abälards? War es ihr bestimmt, ihre erste Liebe zu überwinden und an der Seite eines tüchtigen Mannes ein ruhiges Glück im Schoße der Familie zu finden, wie der Romanheldin Rousseaus?« (Castle, S. 91.) Sie wird beides sein, Heloise und ›Neue Heloise‹. Im Sommer 1834 nähert sie sich dem Dichter als um ihn Werbende. Nach anfänglichem Entgegenkommen zieht dieser sich zurück, und seine Reise nach Paris und London im Jahre 1836 soll ihm unter anderem auch dazu dienen, Abstand von dieser Liebe zu gewinnen. Da sieht er am 19. April auf dem Pariser Friedhof Père Lachaise das Grabmal Abälards und Heloises, und unter dem frischen Eindruck dieser unverhofften Namens-Reminiszenz trägt er, nach einer separaten Skizzierung der ersten beiden Strophen unseres Gedichtes unter der Überschrift *Trost*, dessen vollständige, titellose Erstfassung in sein Reisetagebuch ein. Sie unterscheidet sich von der endgültigen Gestalt hauptsächlich durch die von uns bereits zitierte Schlußstrophe. Heloise heiratet, auf Anraten Grillparzers, im Jahre 1838 den Ingenieur Costinesco und übersiedelt zu ihm nach Jassy im Fürstentum Moldau, wo sie 1848 stirbt. Was an Zeugnissen dieser Begegnung des Dichters und Heloises die Zeiten überdauert hat, sind Grillparzers Impression von 1831, acht Briefe von ihr, nach Josef Nadler »die schönsten Frauenbriefe an Grillparzer, die erhalten sind« (Nadler, S. 203), und, über alles bloß biographische Interesse weit hinausragend, eines der makellosen Gedichte deutscher Sprache, das Gedicht *Entsagung*.

Zitierte Literatur: Ernst ALKER: Die deutsche Literatur im 19. Jahrhundert (1832–1914). Stuttgart [2]1962. S. 173 ff. – Wilhelm BIETAK: Das Lebensgefühl des ›Biedermeier‹ in der österreichischen Dichtung. Wien/Leipzig 1931. – Eduard CASTLE: Grillparzers letzte Liebe. In: E. C.: Dichter und Dichtung aus Österreich. Wien 1951. S. 90–108 [Biographisches zu »Entsagung«]. – Ernst von FEUCHTERSLEBEN: Zur Diätetik der Seele. Leipzig o. J. – Johann Wolfgang GOETHE: Werke. Hamburger Ausg. in 14 Bden. Hrsg. von Erich Trunz. Hamburg 1948 ff. – Franz GRILLPARZER: Sämtliche Werke. [Siehe Textquelle. Zit. mit Abteilung, Band- und Seitenzahl.] – Hans Jakob Christoffel von GRIMMELSHAUSEN: Simplicissimus Teutsch. Hrsg. von J. H. Scholte. Halle a. d. Saale [2]1949. – Arthur HENKEL: Entsagung. Eine Studie zu Goethes Altersroman. Tübingen [2]1964. – Erich HOCK: Das Schmerzerlebnis und sein Ausdruck in Grillparzers Lyrik. Berlin 1937. – Hugo von HOFMANNSTHAL: [Notizen zu einem Grillparzer-Vortrag]. In: Reden und Aufsätze I. 1891–1913. Frankfurt a. M. 1979. S. 26–32. – Emil KUH: Zwei Dichter Oesterreichs: Franz Grillparzer – Adalbert Stifter. Pest 1872. – Gotthold Ephraim LESSING: Gesammelte Werke. Hrsg. von Paul Rilla. Berlin [Ost] 1954 ff. – Josef NADLER: Franz Grillparzer. Wien [2]1952. S. 194–204 [Biographisches zu »Entsagung«]. – Walter NAUMANN: Franz Grillparzer. Das dichterische Werk. Stuttgart [1956]. [2]1967. – Friedrich SCHLEGEL: Charakteristiken und Kritiken I (1796–1801). Hrsg. und eingel. von Hans Eichner. München/Paderborn/Wien 1967. – Herbert SEIDLER: Grillparzer als Lyriker, Epigrammatiker und Erzähler. In: Grillparzer-Feier der Akademie. Wien 1972. (Sitzungsberichte der Österreichischen Akademie der Wissenschaften. Philos.-hist. Kl. Bd. 280. Abh. 1.) S. 113–125.
Weitere Literatur: Friedrich KAINZ: Grillparzer als Denker. Der Ertrag seines Werks für die Welt- und Lebensweisheit. Wien 1975. (Sitzungsberichte der Österreichischen Akademie der Wissenschaften. Philos.-hist. Kl. Bd. 280. Abh. 2.) S. 89 f. und 213. – Werner KOHLSCHMIDT: Geschichte der deutschen Literatur vom Jungen Deutschland bis zum Naturalismus. Stuttgart 1975. S. 302. – Friedrich SENGLE: Biedermeierzeit. Deutsche Literatur im Spannungsfeld zwischen Restauration und Revolution 1815–1848. Bd. 3: Die Dichter. Stuttgart 1980. S. 121 f. – Otto ZAUSMER: Grillparzers Lyrik als Ausdruck seines Wesens. Wien/Leipzig 1933. S. 28–31 [Biographisches zu »Entsagung«].

Friedrich Hebbel

An den Tod

Halb aus dem Schlummer erwacht,
  Den ich traumlos getrunken,
  Ach, wie war ich versunken
In die unendliche Nacht!

5 Tiefes Verdämmern des Seins,
  Denkend Nichts, noch empfindend!
  Nichtig mir selber entschwindend,
Schatte mit Schatten zu Eins!

Da beschlich's mich so bang,
10 Ob auch, den Bruder verdrängend,
  Geist mir und Sinne verengend,
Listig der Tod mich umschlang.

Schaudernd dacht' ich's, und fuhr
  Auf, und schloß mich an's Leben,
15 Drängte in glüh'ndem Erheben
Kühn mich an Gott und Natur.

Siehe, da hab' ich gelebt:
  Was sonst, zu Tropfen zerflossen,
  Langsam und karg sich ergossen,
20 Hat mich auf einmal durchbebt.

Oft noch berühre du mich,
  Tod, wenn ich in mir zerrinne,
  Bis ich mich wieder gewinne
Durch den Gedanken an dich!

Abdruck nach: Friedrich Hebbel: Sämtliche Werke. Hist.-krit. Ausg. Hrsg. von Richard Maria Werner. Berlin: Behr, 1901–07. Abt. 1: Werke. Bd. 6. 1902. S. 266.

Erstdruck: Morgenblatt für gebildete Leser. Nr. 47 vom 24. 2. 1840. [Str. 6 lautet:

Wandle noch oft an mir hin,
  Tod, wenn ich zweifelnd zerrinne,
  Bis ich das Höchste gewinne,
Durch das Gefühl, daß ich bin.]

Weiterer wichtiger Druck: Gedichte von Friedrich Hebbel. Hamburg: Hoffmann und Campe, 1842. [Endfassung.]

Ingrid Kreuzer

Auflösung und Individuation. Zu Hebbels Gedicht *An den Tod*

Das literarische Schaffen Friedrich Hebbels (1813–63) gliedert sich in drei Phasen. In seiner Frühphase herrschen Lyrik und Erzählprosa vor, in der zweiten und dritten, vor bzw. nach 1848, dominiert die Dramatik, auch wenn Hebbel bis ans Lebensende Gedichte schreibt. Sein Ruhm gilt jedoch seinem dramatischen Werk (weshalb seine Gedichte auch erst in Buchform erscheinen konnten, nachdem er bereits als Dramatiker berühmt geworden war). Seine »lyrische Anlage« erschien einem repräsentativen Forscher nicht »dominant« genug, »um eine entschieden originäre, produktive Ausdrucks- und Formgestaltung aus dem Ursprunghaften und Ungehörten zu erzwingen« (Martini, S. 123); doch wird Hebbels ›Gedankenlyrik‹ inhaltliche Tiefe und ästhetische Geformtheit nie abgesprochen. Das Selbstverständnis des jungen Literaten als einer »wahrhaften Dichter-Natur« aber ist ausdrücklich an die Produktion von »Lyrik« geknüpft: diese ist »Offenbarung« vom »Wohl und Weh« der ganzen Menschheit, die sich »in der Brust des Dichters« versammelt hat, als deren Vertreter er den Weltsinn erkennt: »Jedes seiner Gedichte ist ein Evangelium«; »die begei-

sternde Stunde« der Dichtung schließt dem »Genius« das »Welt-All« auf: »nun kann er eintreten, wo er will« (*Briefe*, S. 176 und 177.) Eine andere Funktion des Gedichts dient dem Autor selbst: »O, wie mich so ein Gedicht, das sich den Tiefen meiner Seele entringt, beschwichtigt! Es ist mir ein Zeichen, daß ich noch lebe, und ich bedarf solcher Zeichen« (*Briefe*, S. 157). So erfüllt der lyrische Ausdruck, der der Menschheit die Erkenntnis ihrer selbst vermittelt, zugleich für den Produzenten einen therapeutischen Zweck: Er hilft ihm gegen die Attacken seiner »Todeskrankheit«, an der – wie andere Autoren der literarischen »Weltschmerz«-Epoche in der Biedermeierzeit – auch der junge Hebbel leidet: Sie ist »das Gefühl des vollkommenen Widerspruchs in allen Dingen; [. . .] das Zusammenfließen alles *höchsten* Elends in einer einzigen Brust; [. . .] Erlösungs-Drang ohne Hoffnung und darum Qual ohne Ende.« (*Briefe*, S. 191.)
Der Vierundzwanzigjährige, aus dessen Feder die zitierten Briefe von 1837 stammen, schreibt *An den Tod* im selben Jahr in München, wohin er im Herbst zuvor von Heidelberg gewandert war und wo ihn die ›metaphysische Neurose‹ erneut befällt. Er lebt dort vage und lustlos, pekuniär eingeschränkt, auch geistig ohne Ziel. Das Brotstudium der Jurisprudenz, der Hamburger Freundin Elise Lensing »innigsten Wunsch«, hat er aufgegeben (»Ich hab' in Heidelberg für kein juristisches Collegium etwas gethan und in München in kein's den Fuß gesetzt« [*Briefe*, S. 193]); er hört Schelling, empfängt jedoch aus dem direkten Kontakt nicht mehr die psychische Hilfe, »die ihm in Heidelberg die Beschäftigung mit Schellings Schriften« gebracht hatte (Liepe, S. 224). Er verfertigt Texte seiner paradox-grotesken Kurzprosa, die sein »Talent« weder ausfüllen noch die Zweifel tilgen, ohne Talent zu sein, weil es »zu groß ist, um unterdrückt, und zu klein, um [. . .] Mittelpunct meiner Existenz zu sein« (*Briefe*, S. 213). Das punktuelle »Vegetiren in ewiger Einsamkeit« (S. 153) auf der »wüsten Insel« der Großstadt (S. 149) und im Stau einer stillstehenden Zeit schlägt ihn in den Bann einer trostlosen Ewigkeit: der

Langeweile, in der die »Seele« selber einschläft, »da mag anklopfen, was da will, Gott selbst wird nicht eingelassen« (S. 153). Solch tiefe »Verzweiflung über sein verfehltes Leben« (Werner, in: Abt. 1, VII, S. XLIV) lenkt seine Sehnsucht auf die opiatische Erlösung durch Schlaf und Tod, ohne seine Furcht vor deren Bedrohungen aufzuheben: Enderwartung, Schauder, Glücksvernichtung und Grab.

An den Tod ist ein ›Memento vivere‹, mit dem der junge Autor sich in jener depressiven Phase Mut zuruft, wenn auch nicht für ein tätiges Leben im Gleichmaß einer Erlebensmitte mit der subjektiven Erfahrung einer stetig fließenden Zeit, sondern für einen rauschhaften Höhenflug, dem Absturz und Entzugsgefühle folgen müssen. Schon der Titel weist auf ein ganz spezielles Verhältnis zum Tod: »*An* den Tod« meint Anruf und Absprache, unmittelbaren Kontakt des dichtenden Ich zu einem Partner, den es sich zu Diensten machen möchte; mit welchem Ziel, sagt erst die letzte Strophe. – *An den Tod* wird unter die »Meistergedichte Hebbels« gerechnet, zum »Kreis der sogenannten Gedankengedichte«, die zwischen 1836 und 1841 entstehen. Ihr Metrum ist der typische »Hebbelvers«: »seine vierzeilige Strophe im durchweg dreitaktigen daktylischen Maß« (Braak, S. 91). Sechs solcher Strophen beschreiben mit ihrem dynamisch-drängenden Rhythmus, der die Stoßkraft bändigt und in karge Formen faßt, was sonst zerfließen würde, eine Erfahrungsstruktur, die für das lyrische Ich zum Wunschmuster des dichterischen Lebens wird. Diese Seinsvorstellung vermittelt der Dichter nicht nur gedanklich-inhaltlich, sondern suggeriert sie durch bewußt instrumentierte lyrische Mittel. Dazu gehören die von Strophe zu Strophe wechselnden jeweils dominierenden Vokalpaarungen (etwa die a/u-Konstellation der ersten, die e/o-Kombination der fünften, die Häufung von -i- und -e- der sechsten Strophe), auch das kontrapunktische Hämmern von Alliterationen (2: »traumlos getrunken«) und Konsonant-Repetitionen (4: »**I**n die u**n**e**n**dliche **N**acht«). Die Seinsformen dieses lyrisch mitgeteilten Lebensmusters werden an Raumvorstellungen eines ›Oben‹ und ›Unten‹ konkretisiert; deren Verteilung auf die sechs Strophen erfolgt nach einem antithetischen, rahmenbildenden Prinzip, das sich (wenn auch nicht mit gleicher Konsequenz) auch in der einzelnen Zeile findet (1: »Halb – aus dem Schlummer – erwacht«; 6: »denkend Nichts, noch empfindend«). Das Gedicht ist aus der Position und in der Zeitform des Rückblicks geschrieben; dennoch sind ein permanentes Perfekt, ein aktuelles Imperfekt und ein Futur, das beider Wechsel repetieren wird, gleichermaßen anwesend. *An den Tod* erfüllt so den Anspruch einer formbewußten lyrisch verdichteten Umsetzung. Die Elemente des mitgeteilten Gedankenguts gehören zum philosophischen Bewußtseinsstand der Zeit; ihre Verwendung dagegen darf man als ›originär‹ bezeichnen.

Akteur dieses Lebensspiels ist das gespaltene dichtende Ich. Der Tod, sein Adressat und Partner, existiert nur als Vorstellung und in ihr als bewegende Kraft, die den Lebensprozeß in Gang hält. Dessen zeitlicher Ablauf ist an die Antipoden des Orts gebunden: ein ›Oben‹, in dem sich der Augenblick des bewußt erfahrenen ›Jetzt‹ verwirklicht – ein ›Unten‹ der Bewußt- und Zeitlosigkeit. Die ersten beiden Strophen schildern das ›Unten‹ als Ort der Nacht, in die das Ich abgesunken ist. Unendlichkeit, Dämmerung, Tiefe, Schattenhaftigkeit bezeichnen sie. Das Individuum hat sich in ihr aufgelöst; es hat sein Selbstbewußtsein und sein Erscheinungsbild für die »Sinne« verloren, ist farblos und flach geworden, identisch mit den anderen »Schatten«, mit denen es ununterscheidbar verschmilzt. Sein Zustand des Schlummers, den es wie ein Opiat getrunken hat, ist seinsgleich mit der ›stehenden‹ Dauer der Zeit. Daß der Zeitzustand sich kurz vor einem Wechsel befindet, im Übergang vom bewußtlosen Präsens zum Bewußtsein von Vergangenheit, deutet indessen schon die erste Zeile an, der Hinweis auf das halbe Erwachen. Der Bann des ›Unten‹, noch nicht gebrochen, ist der Sprache schon zugänglich; die Gerundien der zweiten Strophe leuchten an dieser Schwelle die Unendlichkeit von Nacht und Nichtsein aus, in die mit dem »Da«

der dritten Strophe das aktuelle Imperfekt des ›Jetzt‹ einbricht. Das Ich empfindet sich zunächst in seiner Passivität, das Ich-Erlebnis bahnt sich als bange Ahnung der Ichbedrohung an und erweitert sich dann im Denkprozeß, während Denken und Empfinden vorher ausgelöscht waren. Das Ich, das im Schlaf sich selber entglitten war, hat durch die geistige Wiederbelebung seine Individuation neu erlangt. Deren Anstoß war Todesfurcht: der Verdacht, der Tod könnte seinen Bruder, den Schlaf, listig wie Jakob den Esau, vor dem Blinden verdrängt haben. Das Sedativ des Schlummers aber wird vom Ich nur auf Zeit gewollt; die Konsequenz der Unendlichkeit macht es schaudern. Doch dieses Schaudern ist der Zündstoff, der es in »glüh'ndem Erheben« (15) nach oben katapultiert, an die höchste Seinsspitze, den antipodischen Gegenort, der unter dem Begriff eines ›höheren‹ Lebens die Wesen von »Natur« und »Gott« vereint, an die das kühne Individuum sich wollend andrängt. Das Enjambement in der vierten Strophe gibt dem »Auf« der Zeile 14 seine außergewöhnliche rhythmische Stoßkraft, die von dem »Kühn« der Zeile 16 noch einmal aufgenommen wird.

Das aktuelle Imperfekt der vierten Strophe beschreibt diesen Aufflug zum erfüllten Augenblick auf dem Gipfel des Orts, wo die transitorische Zeit sich zum Kondensat des »auf einmal« (20) ballt, Vergangenheit und Zukunft zusammenfallen. Der Umschlag folgt sofort. Die fünfte Strophe überspannt noch im retrospektiven Perfekt (»Siehe, da hab' ich gelebt«) die neue räumliche und zeitliche Ferne zum ›Top-Erlebnis‹ (im doppelten Sinne); die Erinnerung kostet das Erfahrungskonzentrat noch einmal nach, das im steilen Moment gewährte, was vom Fluß der ebenen Lebenszeit nur im Nacheinander karger und langsamer Tropfen zugeteilt wird.

Ein zeitlicher Hiatus trennt die fünfte von der sechsten Strophe. Der Augenblick des Genusses und die Erinnerung daran sind vorbei; eine lyrische Gegenwart gibt es hier nicht, außer als Reflexion auf das Gewesene, die im Gedicht Dauer

gewinnt. Das Ich in der »inn'ren Lücke« (Abt. 1, VII,142) ohne Raum- und Zeitkoordinaten ist im Begriff, wieder abzugleiten ins ›Unten‹ ohne Zeit und Form, erneut dem Zustand des Zerrinnens nahe. (Diese Phasen sind – entsprechend dem schon erwähnten symmetrisch-antithetischen Prinzip der Rahmenbildung – auf die sechs Strophen verteilt, von denen Strophe 6 das verallgemeinernde Fazit enthält, 1 und 4 korrespondierende Vergangenheitsstrophen bilden, 3 als Umschlagsachse fungiert zwischen der ›Unten‹-Euphorie von Strophe 1 und 2 zur ›Oben‹-Euphorie von Strophe 4 und 5.) Vor der Endgültigkeit der Auflösung schützt nur die Hoffnung auf ein »Oft« der wiederholten Auferstehung. Deren Wunder aber ist ausgerechnet in die Hand des Todes gelegt; nur seine Berührung weckt den stimulierenden Schauder zum Aufschwung ins ekstatische »Leben«; an ihn ist darum die Bitte – sie klingt wie ein Gebet – der letzten Strophe gerichtet.
Schlaf und Tod, die Hebbel oft auch identisch setzt, sind hier konkurrierende Brüder, deren Vertauschung und Verwechslung für das Ich Gefahr bedeutet, solange sein Schlafbedürfnis nur periodische Flucht anzielt. Denn die Nachtseite der Welt – hier steht der junge Dichter noch im Bann der romantischen Tradition – meint nicht das endgültige Jenseits des Todes; sie schirmt zwar vor den Schmerzen und Problemen des Daseins ab, erlaubt aber den Widerruf, den der Selbstmord ausschließt. Im Gedicht *An den Tod* wird das Absinken in die Tiefe des Selbstverlusts, das auf das befriedigte Trinken des Schlummers folgt, alarmierend als Gefahr empfunden. Die »Angst«, »das Ur-Gefühl seines erwachenden Bewußtseins« (Stolte, S. 13), ließ zunächst als Angst vor dem *Leben* den jungen Dichter in den Untergrund des Nächtlichen zurücksinken; dann verkehrt sie plötzlich ihre Zielrichtung und wird zur Angst vor dem Tod. Sie bewirkt den Auftrieb der Re-Individuation; doch ist auch er nicht wirklich ›final‹ (im Unterschied zum geschichtlichen Handeln in einem Hebbelschen Drama). Gerade weil der Aufschwung bis zum höchsten Gegenpol

reicht, muß der neue Abfall folgen. Hebbel beschreibt die Bewegung des Pendelschwungs wenige Jahre später in dem (nur inhaltlich interessanten) Gedicht *Das höchste Gesetz*:

Zwei Pole sind's, die hin und wieder stoßen,
Und gleich dem Pendel, dessen ew'ges Schweben
Nie ruht im Schwerpunct, schwankt und schweift das Leben
(Abt. 1, VII,186).

Die Pole des Pendelschwungs sind in *An den Tod* allerdings vertikal gesehen, und sie sind nicht gleichgewichtig: Der Spitze kommt nur die Augenblickserfahrung des lyrischen Subjekts zu, dem Schlaf dagegen die Aufhebung von Subjekt und Zeit, weshalb der Aufschwung auch die helfende Hand des Todes braucht. Der erhält eine paradoxe Funktion: Er rekonstituiert das Ich und wirkt dadurch lebenserhaltend; die Brüder sind hier Gegenspieler mit vertauschten Rollen. Insofern stellt *An den Tod* eine verblüffende Umgehung der Feuerbachschen Lehre vom ›ganzen Tode‹ dar, die die »Grundfesten des Hebbelschen Lebensgefühls [bedrohte]« (Liepe, S. 170). Auf der anderen Seite enthebt der Tod das Ich dem Zwang zur Selbstbehauptung mittels ruheloser Wachsamkeit: Es kann sich ›oft‹ die Entgrenzung im Schlummer leisten, weil ihm der Erwecker zur Verfügung steht, den es – wie den Geist im Märchen – durch den »Gedanken« an ihn herbeizitiert. So kann auf die Erschlaffung der Antrieb, die Ichgewinnung auf den Ichverlust, auf das Zerfließen die Form, das Stimulans auf das Sedativ folgen und umgekehrt. Das mechanische Bild des Steigens und Fallens vermittelt zwischen den Polen, die *beide* euphorischen Genuß bedeuten. Daß das lyrische Gedicht der Auflösung in der Süße des Mohnrauschs insgeheim wohl den Vorzug gibt, kann man vielleicht aus der Bildlichkeit von Unendlichkeit (unten) und Moment (oben) schließen; auch die Interpunktion scheint es anzudeuten: Vier Ausrufungszeichen emphatisieren die Komplexe der unendlichen Nacht! das Nichts von Denken und Empfinden! die Identität mit den Schatten! den Anruf an den Tod! – Die Auffahrt zur Lebensspitze, das Andrängen an Gott und Natur dagegen sind nur konstatierend mit einem Punkt beschlossen, der auch für die Begrenzung des Erfüllungsaugenblicks genügt. Ein Teil dieser Präferenz scheint sogar dem Tod selber – und nicht nur dem Bruder Schlaf – zuzufließen: Die letzten vier Zeilen sind von der Sanftheit einer Liebesstrophe mit der Bitte um Berührung und dem »Gedanken an dich!«, dem das Ausrufungszeichen nachklingendes Gewicht verleiht.

Das Ich, dessen abstrakte Seinsstruktur unser Gedicht beschreibt, ist – auf und ab gejagt zwischen Identitätsbehauptung und Selbstverlust – nur mit sich befaßt; es will keine Lebensmitte einer konstanten und progressiven Zeit; die bemessene kontinuierliche Gabe des »sonst« (Str. 5) genügt ihm nicht. Es kennt keine Tätigkeit, außer der künstlerischen, die sich hier nicht *im*, aber *durch* das Gedicht bezeugt. Hier strebt es primär nach Genuß, den es auf beiden Antipoden des Daseins findet. Es fürchtet die Anstrengung der Individuation, und es zielt sie zugleich an, wenn auch nur als alternierenden Pol einer vertikalen Bewegung, für deren Antrieb das ›Leben‹ den Tod selber instrumentalisiert. Das Ich bemächtigt sich gleichsam Gottes und der Natur und benutzt die »kosmischen Momente« (Schubert) zu rauschhafter Selbsterfahrung. Ist für Schelling »das Bewußtsein der tiefen Nacht, aus der er ans Dasein gehoben worden«, der Antrieb des Menschen, »aus allen Kräften nach dem Licht zu streben« (zit. nach Liepe, S. 202f.), so fällt das Hebbelsche Ich unseres Gedichts von dort wieder zurück ins Nächtliche. Der finale aufsteigende Idealismus seiner geistigen Lehrer wird hier relativiert und umgebogen. Gotthilf Heinrich Schuberts Naturmystik, Ludwig Feuerbachs Naturalismus und Schellings vermittelnde Theodizee liefern zwar Bausteine für das Weltbild des jungen Hebbel (auch Vorstellungen Schopenhauers spielen hinein), aber er nutzt sie für vielfältige und in der Kombination oft originäre Weltmodelle. *An den Tod* drückt ein Welt- und Ichverständnis aus, das die Bejahung des Seins auf die Extreme der

Ich-Erfahrung bezieht, die Alltäglichkeit des »sonst« überspringt und bewegte Zeit nur als Mechanik des Pendelschlags vorstellt. Doch bedeutet dies nur einen Konstruktionsversuch unter anderen. Ein halbes Jahr früher hat Hebbel den Gedanken der Antithese in eine völlig andere Struktur gefaßt, die mit der Horizontalen auch Progreß und Ziel verbindet: »Leben ist Verharren im Angemessenen. Ein Theil des Lebens ist Ufer (Gott und Natur), ein anderer (Mensch und Menschheit) ist Strom« (*Briefe*, S. 140). Und kurz bevor *An den Tod* entsteht, beschreibt er den Dramatiker als einen »Künstler«, der gegenüber dem Lyriker »die unendlich schwierigere Aufgabe hat [...], den Geist [...] auf das Unvergängliche zu reducieren und dies Unvergängliche [...] plastisch als Character hinzustellen« (*Briefe*, S. 211 f.). Wenn Hebbel 1840 mit *Judith* seine Dramen zu schreiben beginnt, wird er plastische Charaktere auf die Basis einer fiktiven Wirklichkeit stellen, die sich im Fluß einer kontinuierlich geschichtlichen Zeit bewegt mit ihrem unausweichlich und irreversibel fortschreitenden Handeln. Die Kluft zwischen Ich und All soll nun durch das Mittel des tragischen Leidens bewältigt werden, auch wenn es die »inn're Lücke« nicht schließt. Der dramatische Dichter im Sinne Hebbels repräsentiert die Menschheit nicht als Sprachrohr gegensätzlicher Emotionen des Ich, sondern »in ihrer Gesammtkraft und ihrem Gesammtwillen und Streben« (ebd.). Solche aktiven Faktoren fehlen dem Seinsmodell, das *An den Tod* strukturiert. Es legt sich quer zu einer historisch-linearen Zeit, versenkt sich ins Ich und gestaltet mit der ahistorisch-biologischen Rhythmik von Wachen und Schlaf eine lyrische Metaphysik des Individuationsprozesses (mit seinen Tendenzen nach Behauptung, Steigerung und Auflösung), die auf das Bewußtsein des Todes angewiesen ist. Auch dessen Rolle wird im späteren Drama eine andere sein.

Zitierte Literatur: Ivo BRAAK: Hebbel als Lyriker. In: Hebbel-Jahrbuch 1954. Heide (Holstein) 1954. S. 68–92. – Friedrich HEBBEL: Sämtliche Werke. [Siehe Textquelle. Zit. mit Abteilung, Band- und Seitenzahl.] – Friedrich HEBBEL: Briefe. In: F. H.: Sämtliche Werke. [Siehe Textquelle] Abt. 3. Bd. 1. [Zit. als: *Briefe*.] – Wolfgang LIEPE: Beiträge zur Literatur- und Geistesgeschichte. Neumünster 1963. – Fritz MARTINI: Der Lyriker Hebbel. Theorie und Gedicht. In: Hebbel in neuer Sicht. Hrsg. von Helmut Kreuzer. Stuttgart 1963. S. 123–149. – Heinz STOLTE: Ahne das Wunder der Form! Zur lyrischen Biographie Friedrich Hebbels. In: Hebbel-Jahrbuch 1961. Heide (Holstein) 1961. S. 9–35.

Weitere Literatur: U. Henry Gerlach: Hebbel-Bibliographie 1910–1970. Heidelberg 1973.

Nikolaus Lenau

Die Drei

Drei Reiter nach verlorner Schlacht,
Wie reiten sie so sacht, so sacht!

Aus tiefen Wunden quillt das Blut,
Es spürt das Roß die warme Flut.

Vom Sattel tropft das Blut, vom Zaum
Und spült hinunter Staub und Schaum.

Die Rosse schreiten sanft und weich,
Sonst flöß das Blut zu rasch, zu reich.

Die Reiter reiten dicht gesellt,
Und einer sich am andern hält.

Sie sehn sich traurig ins Gesicht,
Und einer um den andern spricht:

»Mir blüht daheim die schönste Maid,
Drum tut mein früher Tod mir leid.«

»Hab Haus und Hof und grünen Wald,
Und sterben muß ich hier so bald!«

»Den Blick hab ich in Gottes Welt,
Sonst nichts, doch schwer mirs Sterben fällt.«

Und lauernd auf den Todesritt
Ziehn durch die Luft drei Geier mit.

Sie teilen kreischend unter sich:
»Den speisest du, den du, den ich.«

Abdruck nach: Nikolaus Lenau: Sämtliche Werke und Briefe in sechs Bänden. Hrsg. von Eduard Castle. Leipzig: Insel-Verlag, 1910–23. Bd. 1. Gedichte. 1910. S. 418.
Erstdruck: Gedichte von Nicolaus Lenau. Siebente, durchgesehene und sehr vermehrte Auflage, Stuttgart/Tübingen: Cotta, 1844.

Wolfgang Martens

Das letzte Wort haben die Geier. Zu Lenaus Gedicht *Die Drei*

Unser Text zählt nicht zu den heute prominenten oder gar geliebten Lenau-Gedichten. Er ist nicht volkstümlich geworden, wie *Die drei Zigeuner* in ihrer freundlichen Melancholie oder *Der Postillon*, nicht repräsentativ für empfindsame Ich-Aussprache in wechselnder Naturszenerie, wie die *Schilflieder* oder die *Waldlieder*, kein Paradebeispiel pessimistischer Gedankenlyrik wie etwa das Doppelsonett *Einsamkeit*. Die deutschen und österreichischen Anthologien und Schullesebücher pflegen ihn nicht zu führen, und die Literaturgeschichte hat kein Aufhebens von ihm gemacht. Man rechnet ihn zu den Nebenprodukten von Lenaus Arbeit an den *Albigensern*, motivisch verknüpft mit den dort gegebenen Kriegsschilderungen.
Mag man so immerhin dies Gedicht nicht zu den herausragenden Leistungen Lenaus rechnen, so ist es doch auch keine Durchschnittsarbeit, die man wieder vergißt. Es hat einen eigenen unverwechselbaren Lenauschen Akzent. Vielleicht ist es dieser Akzent gewesen, der ihm in fremden Sprachen besondere Resonanz verschafft hat. Jedenfalls ist das Gedicht *Die Drei* dasjenige Lenaus, das bisher bei weitem die meisten gedruckten Übersetzungen ins Rumänische erfuhr, nämlich insgesamt zehn, und immerhin neun

ins Ungarische. Schauen wir uns das Gedicht näher an! Es stammt aus dem Sommer oder dem Herbst 1842.
Zunächst zur Frage der Gattung. Es handelt sich um ein Gedicht, durch Verse und Reime gebunden, in Strophen gegliedert – aber ist es »lyrisch«, erscheint es sangbar? Es hat kein lyrisches Ich. Ein Lied ist es nicht zu nennen, auch wenn uns die Berufung von drei Reitern zunächst volksliedhaft anmutet. Auch ist der Text nicht von einer einheitlichen Stimmung getragen – er endet dissonant. Ein gewisses berichtendes, erzählendes Moment ist unverkennbar. Wörtliche Reden sind eingeschaltet, so daß man an eine Ballade denken könnte, wenn nicht doch der die Ballade mitkonstituierende Zug des Dramatischen fehlte. Nennen wir es ein Gedicht lyrisch-epischen Charakters. Derartige Texte sind bei Lenau nicht selten.
Ein Blick auf die Formelemente: Das Gedicht besteht aus 11 zweizeiligen Strophen. Diese Bauweise bedingt nach jeweils zwei Zeilen ein Innehalten im Sprechen (oder Lesen), was den Versen Gewicht gibt. Die Reime, bei männlichem Versausgang, sind Paarreime – die denkbar einfachste Reimstellung. – Auffallend – und typisch für Lenau – ist, daß die Reimwörter meist bedeutungsschwer sind, oftmals schon von sich aus etwas vom Grundtenor des Gedichts vermitteln, namentlich in den ersten Strophen. »Schlacht«/»sacht« – »Blut«/»Flut« – »Zaum«/»Schaum« – »weich«/»reich«: stimmungshaft ist damit bereits Wesentliches evoziert.
Das verwendete Metrum ist der vierhebige Jambus, ein steigendes, fortschreitendes Maß, hier regelrecht ohne Füllungsfreiheit mit je acht Silben gebildet. Der Lauf jeder Zeile ist selten durch eine Interpunktion, ein Komma, unterbrochen. Das hat eine gewisse Monotonie zur Folge – dem gehaltlichen Geschehen durchaus adäquat. Nur die letzte Zeile fällt aus dem Rahmen, sie ist zweimal durch Kommata unterteilt; die Gleichförmigkeit ist hier aufgesprengt (und auch das dürfte dem Inhaltlichen kongruent sein).
Ein gewisses Gleichmaß ist ferner dadurch erreicht, daß in der Regel jede Zeileneinheit einer Sinneinheit entspricht,

was sich durch Interpunktion am Ende jeder Zeile bekundet. Keine Zeile ist also gedanklich oder syntaktisch im sogenannten Enjambement in die folgende Zeile hineingezogen, mit Ausnahme der vorletzten Strophe, wo in dem »und lauernd auf den Todesritt ziehn durch die Luft ...« (19/20) eine Beschleunigung, eine bedrohliche Dynamisierung einsetzt. Sie endet in der dissonanten Schlußstrophe.

Die Sätze bzw. Satzteile sind einfach gebildet, parataktisch angeordnet. Nirgends ein schwieriges Gefüge, die Spannung einer Hypotaxe; es gibt keinerlei Nebensätze. Auch das trägt zu einem einfachen, gleichförmigen Charakter des Ganzen bei – bis zur unheimlich grellen Schlußwendung.

Ein weiteres gestalterisches Moment ist der Rhythmus, der das Metrum überlagert. Er setzt an gewisse beim jambischen Maß unbetont geforderte Stellen schwere, betonte Silben, vor allem am jeweiligen Zeilenbeginn. »Drei«, »Wie«, »Sonst«, »Mir«, »Drum«, »Hab«, »Ziehn« – das sind zu betonende Wörter, die doch an einer Senkungsstelle stehen. Das Sprechen der Verse wird damit gedehnter, gewichtiger. Die letzte Zeile des Gedichts aber verläßt dann gleichsam jedes prosodische Maß; hier führt tatsächlich – mit Ausnahme der dritten – jede Silbe einen Tonakzent. Die jambische Harmonie ist hier aufgegeben: Die Furchtbarkeit des Ausgesagten paralysiert sie gleichsam.

Das sprachliche Material des Gedichts zeigt keine besonderen Auffälligkeiten. Es findet sich kein ungewöhnliches Wort, kein kühnes Kompositum, auch kein Fremdwort. Lenau spricht bis auf die Schlußstrophe ›gepflegt‹, in mittlerer Stillage, zuweilen konventionell, so daß man sich wieder ans Volkslied erinnert fühlen könnte. »Die schönste Maid«, »früher Tod«, »Haus und Hof«, »grüner Wald,« »Gottes Welt« (13–17) – das sind formelhafte, nicht originelle Wendungen. Auch die Verbindungen »Staub und Schaum«, »sanft und weich«, die Wendungen »einer [...] am andern«, »einer um den andern« sind einfachen Zuschnitts. »Poetisch« freilich wirkt die Wortfolge. Es kommt zu zahlreichen Umstellungen in der Abfolge, zu Inversionen (in Str. 2,

3, 5, 6, 7, 9 und 10). Dadurch erscheint die Diktion des Gedichts der Alltagssprache enthoben. Auffällig ist im übrigen – innerhalb der Symbolik des Ganzen – der Verzicht auf besondere Bildhaftigkeit. »Mir *blüht* daheim die schönste Maid« (13) – das ist durchaus konventionelle Metaphorik.

Stellen wir eine Analyse der klanglichen Qualitäten des Gedichts zurück und wenden wir uns dem Gehaltlichen zu: Haben wir es mit einem Kriegsgedicht zu tun? Wir erfahren nichts von historischen Umständen, nichts von politischen oder strategischen Lagen. Zu hören ist nur, daß die Schlacht verloren ist. »Drei Reiter nach verlorner Schlacht« – dieser elliptische Satz aus der Anfangszeile könnte auch die Überschrift des Gedichts abgeben. (Warum hier eine andere – kürzere – Überschrift gewählt ist, davon später!) Wohin die Reiter reiten, ist nicht gesagt. Sie haben kein Ziel. Sie denken auch nicht an Hilfe. Sie denken nur an eines: ans Sterben. Eine Richtung ihrer Bewegung ist nicht angegeben, offenbar schreiten die Rosse ungeleitet dahin. Sie spüren die warme Flut des strömenden Bluts, nicht aber einen leitenden Zügel. Der Ritt dieser drei Reiter ist in Wahrheit sinnlos, wenn man im ›Sinn‹ noch die alte Bedeutung von ›Weg‹ und ›Richtung‹ mithört. Der Weg, den sie reiten, führt in den Tod. Und sie wissen es.

Von einer näheren Beschreibung der drei Reiter kann kaum die Rede sein. Man erfährt nichts über ihre Namen, nichts über ihren Rang, ihre Bewaffnung, ihre Uniform, ihr Alter, ihr Aussehen. Sie sind ganz allgemein gegeben – und eben in dieser Allgemeinheit sind sie symbolfähig. Nichts auch ist über Art und Farbe ihrer Pferde gesagt. Lenau spart alles Individuelle aus. Auch über die Örtlichkeit, die Landschaft, die Tageszeit, die Jahreszeit sind wir nicht unterrichtet. Drei todwunde Reiter nach verlorner Schlacht – das wird sozusagen holzschnittartig vorgestellt.

Ausgemalt wird hingegen etwas anderes: das verhaltene Dahinreiten, das vorsichtige Schreiten der Rosse und das intensive Quellen, Tropfen und Strömen des Bluts. Der Dichter verfolgt das mit fast sinnlicher Anteilnahme.

»Sacht«, »warm«, »sanft« und »weich« sind beherrschende adverbielle bzw. adjektivische Bestimmungen. Nehmen sie dem Geschehen das Furchtbare? – Die Anteilnahme des Dichters wird manifest im zweimaligen »so« in der zweiten Zeile, gleichsam in erlebter Rede gesprochen: »so sacht, so sacht«. Und auch die Rosse scheinen anteilnehmend in ihrem schonungsvollen Schreiten.
Von den drei Reitern spricht jeder einen Satz. Und jeder Satz meint das gleiche: Wir müssen sterben und verlassen die Welt ungern. Mehr bringen sie nicht hervor. Es kommt zu keiner Auflehnung, zu keinem Protest – Protest etwa gegen die Schuldigen, die ›Herrschenden‹, die Urheber des Krieges (wie z. B. in Lenaus *Robert und der Invalide* [I,64]). Das Gedicht hat keine politische Aussage. Und es formuliert kein ›Warum?‹. Die Frage nach dem Sinn des Geschehens wird nicht gestellt. Auch ein metaphysisches Aufbegehren, etwa gegen Gott, der all das zuläßt, unterbleibt. Ebenso aber nimmt keiner der Reiter seine Zuflucht zum Gebet. Die drei verweisen auf das, was man verliert – eine Geliebte, einen Besitz, die Schönheit der Welt. Im übrigen nehmen sie ihr Los hin, traurig und folgsam, ohne Hoffnung.
Frappierend aber ist das, was sich an die letzten Worte des dritten Reiters anschließt. Bis hierher, bis zum Ende der neunten Strophe könnte der Text noch als teilnahmsvolle konventionelle Vergegenwärtigung traurigen Soldatenloses erscheinen, er könnte nach Art mancher Soldatenlieder ein ›Fahrt wohl, Kameraden!‹ erwarten lassen oder eine allgemeine Klage um frühen Tod im Morgenrot. Doch die beiden folgenden Doppelzeilen zerreißen solche Erwartungen in echt Lenauscher Wendung. Der ganze Vorgang, alles bisher Geschilderte, rückt durch die beiden letzten Strophen in ein anderes Licht – ein grausames, hartes, desillusionierendes Licht. Man könnte auch sagen, alle bisherigen Vorzeichen erweisen sich als unstimmig. An die Stelle teilnahmsvoller Trauer tritt Entsetzen. Und das beklemmendste an dieser Veränderung ist, daß sie anscheinend ganz unbeteiligt formuliert wird. Nicht ein adversatives ›aber‹ oder ›doch‹ leitet

über zur Berufung der unter sich bereits ihren Fraß verteilenden Geier, sondern ganz gleichmütig sachlich wird mit der Konjunktion ›und‹ angeschlossen: »Und lauernd auf den Todesritt / Ziehn durch die Luft drei Geier mit.« Die Präsenz der Geier ist sozusagen ohne Aufhebens, indifferent, konstatiert wie eine Selbstverständlichkeit, etwas zur Ordnung der Dinge Gehöriges: Jedem der drei Reiter ist sein Aasgeier bestimmt. Ihr Ende wird nicht im vielbesungenen kühlen Grab sein, ihr Ende wird schlimmer sein als Verwesung: Dekomposition durch widerliches Gevögel.
Die Desillusionierung ist grausam. Sie zerstört jede Möglichkeit noch etwa versöhnlicher oder beschwichtigender Gedanken beim Leser. Was die Geier kreischen, kontrastiert erbarmungslos mit den konventionellen freundlichen Formeln von »Gottes Welt«, »schönster Maid«, »Haus und Hof« und »grünem Wald«. Nachträglich wird auch das besänftigende Element in der Schilderung des Reitens »so sacht, so sacht« der ersten Verse jäh liquidiert. Wenn es so schien, als werde dem leidenden Menschen von seiten der Kreatur Schonung und Anteilnahme zuteil in der behutsamen Gangart der Rosse, so belehren die Geier jetzt eines anderen: Animalische Fraßgier wird sich über menschliche Kadaver hermachen. Die in den ersten Strophen beherrschenden Stimmungsvalenzen von »warm«, »sanft«, »weich« und »reich« werden brüsk zerstört. – Entsprechend steht auch das Sprachmaterial klanglich im Dienste greller Desillusionierung. Dominierten in den ersten Strophen warme, harmonische Lautungen mit vollen dunklen Vokalen, so enden die letzten beiden Zeilen mit scharfem »ei«, dumpfem »u« und schrillem »i« dazu in forcierter Dissonanz.
Was die Szene beherrscht, ins Bewußtsein gerückt wird, sind am Ende die drei Geier. Auf jeden der drei Reiter kommt einer der Aasvögel, ohne daß die Reiter es wissen. Sie ordnen sich ihnen gleichsam zu, so wie nach alten frommen Vorstellungen über jedem Menschen ein Schutzengel schwebte. Es sind in schlimmer Verkehrung nun sozusagen bestialisierte Todesengel.

Das aber tangiert auch die Überschrift des Gedichts. Das lakonische *Die Drei* gewinnt hier einen fatalen Hintersinn. Sind nicht eigentlich die drei lauernden Geier »die drei«, die das Geschehen und damit das Gedicht bestimmen – nicht die drei Reiter? Zielt das Gedicht mit der Berufung dieser mythischen Zahl nicht eigentlich auf sie, und erst mit ihnen auch auf ihre Opfer?

Die symbolische Aussage des Gedichts ist eindeutig. Die Menschen, verwundet, geschlagen, ziehen ziellos ihren Weg, der in den Tod führt. Der alte ›homo viator‹ auf dem Weg zu seiner Bestimmung ist ersetzt durch einen ›victus moriturus‹. »Gottes Welt« ist nichts als eine leere Formel. Gott existiert nicht und Schutzengel ebensowenig. Es gibt keinen Trost, keine Hoffnung (und absolut töricht wäre hier ein Verklärungsversuch, ein ›Ihr habt doch gesiegt‹, eine Glorifizierung ins Heldische). Am Ende bleibt nichts als die physische Vernichtung – eine Vernichtung, die durch die Natur bewerkstelligt wird. Das menschliche Leben steht unter dem Signum der Sinnlosigkeit.

Wir wissen, daß Lenau immer wieder solche weltanschaulichen Positionen bezogen hat, mag man sie nun mit den Begriffen ›Weltschmerz‹, ›enttäuschter Pantheismus‹ oder ›Lebensekel‹ bezeichnen.

Eigenartig ist nun, daß Lenau wiederholt gerade am Motiv des Geiers zu ähnlichen Aussagen gekommen ist – des drohend über dem Leben schwebenden und des gierig sich an Kadavern atzenden Geiers. Es erscheint angezeigt, unser Gedicht im Kontext dieser Lenauschen Gestaltungen des Geier-Motivs noch genauer zu situieren. Zunächst: Die Forschung hat darauf hingewiesen, daß Lenau im September und Oktober 1842 intensiv das Alte Testament studierte und dort auf Hesekiel gestoßen sein könnte: »Ich will dich den Vögeln, woher sie fliegen, und den Tieren auf dem Felde zu fressen geben« (39,4) und »Sättigt euch nun an meinem Tisch von Rossen und Reitern, von Starken und allerlei Kriegsleuten, spricht der Herr« (39,20). Eine motivische Anregung von hierher ist durchaus denkbar, auch wenn dort nicht eigens von Geiern gesprochen wird; die Bibel erwähnt diese Vogelart nur ein einziges Mal. Allerdings hätte Lenau das Motiv der sich an Leichen sättigenden Vögel und weiterer Tiere auch anderwärts im Alten Testament finden können, im 5. Buch Mose, im 1. Buch Samuel, bei Jeremia und in weiteren Kapiteln des Hesekiel – stets im Zusammenhang mit dem Fluch über die Ungehorsamen und Götzendiener oder aber als göttliche Verheißung des Sieges für die Frommen über ihre Feinde. Gerade aber im Vergleich zu den biblisch-prophetischen Bildern ist etwas von der Eigenart der Gestaltung durch Lenau erkennbar: Lenaus Geiern und ihrem Tun fehlt jeglicher Bezug auf Fluch oder Siegesverheißung durch Gott den Herrn. Das Geschehen vollzieht sich hier in einem gottleeren Raum, ist bewirkt lediglich von naturhaften Kräften.

Viel näher jedoch als gewisse biblische Parallelen liegen verwandte Gestaltungen des Geier-Motivs bei Lenau selbst. »Ob jeder Freude seh ich schweben / den Geier gleich, der sie bedroht«, heißt es in dem Gedicht *Aus*. Der Geier ist hier das negative Prinzip schlechthin. Daneben ist er die sinnenhafte Verkörperung des Todes: »Dort sah ich einen Geier durch die Bäume / wie einen stillen Todsgedanken fliegen«, heißt es zu Beginn des Gedichts *Der ewige Jude*. Im ersten Gesang des ›Nachtstücks‹ *Die Marionetten* verfolgt der Dichter, gleichsam zur Einstimmung in ein grausiges Geschehen, wie ein Geier ein »schuldloses Lamm« reißt und davonträgt. Die Vorstellung des lauernden leisen Schwebens über der Beute, die in unserem Gedicht *Die Drei* zum Zuge kommt, scheint eine Faszination auf Lenau ausgeübt zu haben. So finden wir sie auch als Bild für das boshafte Lächeln des Vatermörders gegenüber seinem Opfer im *Savonarola*: »Also umschwebt ein stiller Geier / ein blutend Wild von Angst und Schmerz«.

Bemerkenswert intensiv – und nun unter ausdrücklicher Anspielung auf den Propheten Hesekiel (bei dem freilich, wie ausgeführt, nur allgemein von Vögeln die Rede ist) – setzt Lenau das Geier-Motiv dann in den *Albigensern* ein.

Der Gesang *Ein Schlachtfeld* beschreibt, was im Gedicht *Die Drei* nur als Erwartung formuliert ist, die Mahlzeit der Vögel an den Leichen Gefallener:

Ein weites Feld mit Leichen übersät,
Still – alles tot – verstummt das letzte Ächzen;
Verklungen auch der Priester Dankgebet,
Te Deum laudamus nur die Geier krächzen.

Was einst Hesekiel verhieß den Geiern:
›Der Herr wird lassen euch die Mahlzeit feiern
Auf seinem Tisch und Ross und Reuter fressen!‹
Die Geier habens heut noch nicht vergessen.

Ein Geier nur den andern Geier hört,
Neidlos, denn reiches Mahl ist hier geboten,
Die Fliegenschwärme summen um die Toten,
Und sonst kein fremder Laut die Gäste stört.
(II,338 f.)

Das grauenvolle Geschehen des Ketzerkriegs des 13. Jahrhunderts wird mit solchen Vorstellungen illustriert. Wir beobachten hier einen Hang, fast eine Lust des Dichters zum Ausmalen grauenvoller, abstoßender Bilder – etwas, das tendenziell auch in den Schlußzeilen unseres Gedichts spürbar ist. Freilich schließt sich hier nun die Sinnfrage an, das Aufbegehren, die Verzweiflung:

Da liegen sie; – wann klingen die Posaunen,
Die weckenden? – und gibts ein solches Klingen?
Die Fliegen wissen nichts davon zu raunen,
Und auch die Geier keine Kunde bringen,
[...]
Ob nicht Unsterblichkeit die schlimmste Fabel,
Die je ein Mensch dem andern vorgesprochen.
(II,341)

Angesichts des Leichenfelds, auf dem nur die Fliegen und die Geier noch Leben zeigen, scheint der Unsterblichkeitsgedanke illusorisch. Ja der Zweifel richtet sich gegen Gott selbst und kommt zu herausfordernd blasphemischen Vorstellungen, die an die nihilistischen Tiraden Dantons und seiner Freunde in der Conciergerie-Szene in Büchners *Dantons Tod* erinnern – zu Schreckensbildern aus der ›Mythologie der entgötterten Welt‹, wie man das genannt hat:

Ob das ein Gott, ein kranker, ist zu nennen,
Der eine Welt in Fieberglut errichtet
Und bald im Frost des Fiebers sie vernichtet?
Ist Weltgeschick sein Frieren nur und Brennen?

Ists nur ein Götterkind, dem diese Welt
Als buntes Spielgeräte zugefallen,
Das bald sich dran ergetzt, bald es zerschellt
Und seine Wünsche nur vermag zu lallen?
(II,340)

Unser Gedicht kennt derartige weltanschauliche Verzweiflungsausbrüche nicht. Es bleibt hier stumm. Es schildert nur und bricht im Vorausdeuten auf ein grauenvolles Ende ab. Gerade in diesem Stummsein wirkt es nach.
Wir wissen, daß Lenau den Fürchterlichkeiten der Albigenserkriege, die er schildert, schließlich doch einen Sinn abzugewinnen gewußt hat. Im einleitenden *Nachtgesang* und im *Schlußgesang* ist es, an Hegelsches Geschichtsdenken angelehnt, formuliert: Durch »Graun und Schmerz und Tod« gehend wird die Welt dem Licht und der Freiheit zuschreiten. »Den Albigensern folgen die Hussiten / Und zahlen blutig heim, was jene litten. / Nach Huß und Ziska kommen Luther, Hutten, / Die dreißig Jahre, die Cevennenstreiter, / Die Stürmer der Bastille, und so weiter.« Im Fortschreiten der Geschichte wird der Geist, der Weltgeist, einst die Erlösung bringen und damit allem erlittenen Todesgrauen den Stachel der Sinnlosigkeit nehmen – eine Perspektive, von der unser Gedicht *Die Drei* so wenig etwas entdecken läßt, wie es die Sinnfrage überhaupt aufwirft.
Interessant nun ist, daß eine solche positive, alles Todesgrauen transzendierende Perspektive bei Lenau zum ersten Mal – vor den *Albigensern* – ins Auge gefaßt ist wiederum am Motiv des Geiers, nämlich in seinem Gedicht *Auf mei-*

nen ausgebälgten Geier von 1838. In diesem zweiteiligen ›Lehrgedicht‹ geht der Dichter vom Anblick eines ausgestopften Geiers in seinem Zimmer über zur Vision des Niederstoßens und Reißens einer Beute durch den Geier, und er gewinnt aus dieser Vision Zuversicht – Zuversicht, denn das Morden und das Bluttrinken, das der Geier exerziert, geschieht unter dem Gesetz der ewigen Natur. »Im Kreischen dieses Aars, mags auch die Sinne stören, / Ist für die Seele doch ein süßer Klang zu hören.« – »O kommt, Unsterblichkeit will die Natur euch lehren«. Im Bewußtsein der Ewigkeit der Natur, die lebt, indem sie tötet, ist auch das fürchterlichste Todesgrauen zu bewältigen – auch der Schrecken der Kriege, ja der Schrecken der Seuchen. Um dies zu demonstrieren, wählt Lenau in der Folge extreme Beispiele, in denen sich zugleich wiederum eine fast perverse Lust am Grauenvollen äußert. Der Dichter versetzt sich nach Indien, an den Ganges, wo die Opfer der Cholera auf dem Flusse treiben. Und wiederum steht – neben anderem Getier – der leichenschmausende Geier im Mittelpunkt seines Sinnens:

Der Ganges rauscht vorbei an einem Totenacker,
Und Geier fliegen schnell heran, die Leichenhacker.

[...]

An manchem Herzen jetzt die Geier zehrend haften,
Wie noch vor einem Tag die heißen Leidenschaften.

Die Raben tummeln sich am Rest des Geiermahls,
Und gierig springen dran Wildhunde und Schakals.

Und Störche ziehn heran, gefiederte Giganten,
Vom strenggemeßnen Schritt geheißen Adjutanten.

Wie sie auf ihren Fraß zuschreiten leis und sacht,
Unhörbar: ist allein, was mich hier grauen macht;

Und wie bedächtig sie den Schnabel klappernd wetzen;
Nur die Methode weckt mir grieselndes Entsetzen.

Dort Leichen führt hinab der Ganges, dumpf erbrausend,
Viel Geier sitzen drauf und schwimmen mit, fortschmausend;

Und andre folgen satt, mit müßigem Geflatter
Dem Leichenzuge nach, wild schwärmende Bestatter.

Hier bin ich rings umbraust von heißem Lebenstriebe,
Natur! hier rauscht dein Kuß der heftgen Mutterliebe.

Hier muß das Grauen selbst der Seuche sich verlindern,
Seh ich, Natur, wie du hier schwelgst in deinen Kindern!

Fort wird das Bild des Tods vom Lebenssturm getragen.
Der Siegesruf verschlingt mir alle Todesklagen.

Und mit den Geiern dort, die um die Leichen schwanken,
Laß fliegen ich am Strom Unsterblichkeitsgedanken.

(I,240 f.)

Das Todesgrauen angesichts einer mörderischen Natur, verkörpert durch die Geier, erfährt hier philosophisch-pantheistisch eine Umdeutung, so wie später analog in den *Albigensern* »Graun und Schmerz« angesichts geschichtlichen Geschehens umgewandelt werden können in Fortschritts- und Freiheitszuversicht. Das Geier-Motiv bildet dazu gleichsam den Angelpunkt.

Wenn wir von hier aus zu unserem Gedicht *Die Drei* zurückkehren, bleibt nur zu konstatieren: Dieser Text, entstanden *nach* dem Gedicht *Auf meinen ausgebälgten Geier* und *nach* den *Albigensern*, kennt keinerlei Unsterblichkeitsgedanken, keinerlei Hoffnung – weder auf seiten der drei Reiter noch auf seiten des Dichters. Der gewaltsame, forcierte Pantheismus des ›Lehrgedichts‹ und die von Hegel gestiftete Heilsperspektive des Albigenser-Epos sind hier nicht zugegen. Und das besagt: Weltanschaulich sind die Zuversichtsproklamationen dieser Dichtung nicht Lenaus letztes Wort. Die alte Sinnfrage angesichts grauenvollen Geschehens in Natur und Geschichte stellt sich für ihn erneut, und sie bleibt ohne Antwort. Unser Text bestätigt das gerade dadurch, daß er es beim Berichten bewenden läßt und auf die Artikulation der verzweifelten Sinnfrage überhaupt verzichtet. Ja der Dichter, der in *Auf meinen ausgebälgten Geier* und im *Nachtgesang* wie im *Schlußgesang* der *Albigenser* durchaus persönlich, in der Ichform, Stellung bezieht, der von sich und seiner Weltanschauung spricht, nimmt sich in *Die Drei* ganz zurück. Er ist zugegen nur in der erlebten Rede des »so sacht« in der zweiten Zeile und allgemein im auktorialen Gestus des Berichtenden, der nicht nur weiß, was die drei Reiter sprechen, sondern auch, was die Geier da oben kreischen. Er weiß es, aber er klagt und fragt nicht mehr, und er rechtet nicht mehr mit Gott und Schicksal. Er blickt nur stumm »dem Weltgeheimnis in den finstern Schlund«, um es mit Versen aus dem Gedicht *Der Urwald* zu sagen. Oder, wie es in dem bereits zitierten Gedicht *Aus* heißt, das ebenfalls das Geiermotiv bemüht: »Des Menschen Herz hat keine Stimme / Im finstern Rate der Natur.« Stimme und letztes Wort haben die Geier.

Zitierte Literatur: Georg BÜCHNER: Dantons Tod. In: G. B.: Sämtliche Werke und Briefe. Hist.-krit. Ausg. Hrsg. von Werner R. Lehmann. Bd. 1. Hamburg [3]1979. – Nikolaus LENAU: Sämtliche Werke und Briefe [Siehe Textquelle. Zit. mit Band- und Seitenzahl.]
Weitere Literatur: Heinrich BISCHOFF: Nikolaus Lenaus Lyrik. Ihre Geschichte, Chronologie und Textkritik. 2 Bde. Berlin 1920/21. – Karl S. GUTHKE: Die Mythologie der entgötterten Welt. Ein literarisches Thema von der Aufklärung bis zur Gegenwart. Göttingen 1971. – Wolfgang MARTENS: Bild und Motiv im Weltschmerz. Studien zur Dichtung Lenaus. Köln/Graz [2]1976. – Nikolaus Lenau in Ungarn. Bibliographie. Hrsg. von Antal Mádl und Ferenc Szász. Budapest 1979.

Annette von Droste-Hülshoff

Am letzten Tage des Jahres (Sylvester)

Das Jahr geht um,
Der Faden rollt sich sausend ab.
Ein Stündchen noch, das letzte heut,
Und stäubend rieselt in sein Grab
Was einstens war lebendge Zeit.
Ich harre stumm.

S' ist tiefe Nacht!
Ob wohl ein Auge offen noch?
In diesen Mauern rüttelt dein
Verrinnen, Zeit! Mir schaudert, doch
Es will die letzte Stunde sein
Einsam durchwacht.

Gesehen all,
Was ich begangen und gedacht,
Was mir aus Haupt und Herzen stieg,
Das steht nun eine ernste Wacht
Am Himmelsthor. O halber Sieg,
O schwerer Fall!

Wie reißt der Wind
Am Fensterkreuze, ja es will
Auf Sturmesfittigen das Jahr
Zerstäuben, nicht ein Schatten still
Verhauchen unterm Sternenklar.
Du Sündenkind!

War nicht ein hohl
Und heimlich Sausen jeder Tag
In der vermorschten Brust Verließ,
Wo langsam Stein an Stein zerbrach,

Wenn es den kalten Odem stieß
30 Vom starren Pol?

Mein Lämpchen will
Verlöschen, und begierig saugt
Der Docht den letzten Tropfen Oel.
Ist so mein Leben auch verraucht,
35 Eröffnet sich des Grabes Höhl
Mir schwarz und still?

Wohl in dem Kreis,
Den dieses Jahres Lauf umzieht,
Mein Leben bricht: Ich wußt es lang!
40 Und dennoch hat dies Herz geglüht
In eitler Leidenschaften Drang.
Mir brüht der Schweiß

Der tiefsten Angst
Auf Stirn und Hand! – Wie, dämmert feucht
45 Ein Stern dort durch die Wolken nicht?
Wär es der Liebe Stern vielleicht,
Dich scheltend mit dem trüben Licht,
Daß du so bangst?

Horch, welch Gesumm?
50 Und wieder? Sterbemelodie!
Die Glocke regt den ehrnen Mund.
O Herr! ich falle auf das Knie:
Sey gnädig meiner letzten Stund!
Das Jahr ist um!

Abdruck nach: Annette von Droste-Hülshoff: Werke. Briefwechsel. Hist.-krit. Ausg. Hrsg. von Winfried Woesler. Bd. 4,1: Geistliche Dichtung. Text. Bearb. von Winfried Woesler. Tübingen: Niemeyer, 1980. S. 165 f.
Entstanden: Januar 1840.
Erstdruck: Das geistliche Jahr. Nebst einem Anhang religiöser Gedichte von Annette von Droste-Hülshoff. [Hrsg. von Christoph Bernhard Schlüter in Zus.arb. mit Wilhelm Junkmann.] Stuttgart/Tübingen: Cotta, 1851.

Winfried Woesler

Religiöses Sprechen und subjektive Erfahrung. Annette von Droste-Hülshoffs *Am letzten Tage des Jahres (Sylvester)*

Der heutige Mensch überschätzt die Konstanz der Feier von Festtagen. Wer weiß sicher, wann und wo der Nikolaustag wichtiger war als Weihnachten? Ein von Annettes Schwester Jenny Anfang des Jahrhunderts gezeichnetes Fichtenbäumchen auf einem Gabentisch, um den die Hülshoffer Kinder spielen, gilt z. B. als frühester westfälischer Beleg für den Weihnachtsbaum im Familienkreise. Noch die Silvesternacht wurde hier anders als heute begangen: ohne Sekt, Feuerwerk oder Tanz, war sie Anlaß zum familiären Beisammensein, ließ wohl auch Zeit für ein besinnliches ›memento mori‹.
Ist aber die von der Droste geschilderte Situation nun eher ein literarisches oder ein biographisches Zeugnis, daß der einzelne allein sein Leben reflektierte: »Ob wohl ein Auge offen noch?« (8), die Nacht »Einsam durchwacht« (12)? Zumindest über einen Hülshoffer Silvesterbrauch aus Annettes Jugendzeit sind wir informiert. Es gibt von 1820 einen bis heute unveröffentlichten ›Silvesterbrief‹, in dem jedes Familienmitglied seinen momentanen Zustand schildert und der ein Jahr später wieder geöffnet wurde. Annette: »Ich soll durchaus was schreiben und bin doch von der übelsten Laune der Welt und habe einen entsetzlichen Husten, und obendrein muß ich morgen noch beichten [...].« Jenny teilt eben damals mit: »[...] Nette und der Pr[ofessor] Wenzelo [ein Theologe] disputiren aus Leibeskräften.« Religiöse Besinnung zur Jahreswende scheint damals üblich gewesen zu sein.
Ausführlich beschreibt die Droste in ihrem anderen Gedicht *Silvesterabend*, wie die katholische Bevölkerung das neue Jahr mit einer Mitternachtsmesse begann. Die Kirche feiert

am 1. Januar, unbeeinflußt vom Ablauf des bürgerlichen Jahres, das ›Fest der Beschneidung des Herrn‹. Es ist schwer zu sagen, inwieweit daneben noch heidnische Relikte des Wintersonnenwendfestes weiterlebten: Die Silvesternacht galt als eine der ›Zwölf Nächte‹, in denen Wotans wütendes Heer dahinbraust. Auch sonst war sie im europäischen Volksbewußtsein eine besondere, vom Aberglauben erfüllte Nacht, wie es das Droste-Gedicht *Silvesterfei*, das ihren Zyklus *Volksglauben in den Pyrenäen* einleitet, beschreibt. Teufelspakt und Erlösung ereignen sich im *Spiritus familiaris des Roßtäuschers* in der Silvesternacht, eine Fixierung, welche die Droste unabhängig von ihrer Quelle vornahm. Im Münsterland gab es wohl nur das verbreitete Neujahrsläuten, einen alten Brauch, den die Droste außer im vorliegenden Silvestergedicht auch in *Neujahrsnacht* erwähnt. Der parallele Schluß beider Texte unterstreicht die christlich bestimmten Reflexionen der Autorin zum Jahreswechsel. Dort heißt es: »Knie nieder, Lässiger, und dränge / Auch deines Herzens Wunsch hervor! / [...] / Da, horch! – es summt durch Wind und Schlossen, / Gott gnade uns, hin ist das Jahr!« (V. 83–90).
Die Droste schließt mit *Am letzten Tage des Jahres* ihren 72 Gedichte umfassenden Zyklus des *Geistlichen Jahres*, d. i. des ›Kirchenjahres‹, ab. Die ersten 25 Gedichte bis *Ostermontag* hatte sie 1820 ins reine geschrieben, die anderen verfaßte sie teilweise parallel zu den Sonntagen des Jahres 1839. Das Silvestergedicht war demnach für den Jahreswechsel geplant, ist aber erst im Laufe des Januars 1840 fertig geworden. Beide Teile kamen auf Anregung oder sogar Drängen eines anderen zustande: der Anfang auf Anregung der naiv-frommen Stiefgroßmutter M. A. von Haxthausen, die Vollendung auf Drängen des christlich-konservativen Philosophieprofessors Ch. B. Schlüter. Der zweite Teil versucht, Ton und Form des ersten aufzunehmen, was im wesentlichen gelang, nur ist der liedhafte Charakter der frühen Texte jetzt zugunsten eines stärker reflektierenden zurückgetreten.

Die Großform des religiösen Jahreszyklus hat im Abendland seit Ovids *Fasten* Tradition, das *Geistliche Jahr* steht in der langen Reihe der Zyklen zum Kirchenjahr. Als wesentlicher Unterschied bleibt, daß für die Droste Beginn und Ende nicht wie üblich mit dem 1. Advents-Sonntag und mit dem letzten Sonntag nach Pfingsten feststehen, sondern daß sie sich dem Ablauf des bürgerlichen Jahres anpaßt. Eine Ähnlichkeit besteht allerdings insofern, als das vorliegende Gedicht die Endzeit-Thematik der Evangelien der letzten Sonntage nach Pfingsten in individueller Erfahrung spiegelt. Das Silvestergedicht fehlt sonst in den Kirchenjahrzyklen vom Zeitalter des Barock, z. B. den *Son- undt Feiertagsgedichten* eines Gryphius, bis zum 20. Jahrhundert, z. B. in Rudolf Alexander Schröders *Das Sonntagsevangelium in Reimen* oder im *Wendekreis des Lammes* der Elisabeth Langgässer. Wenn ein Autor der jährlich wiederkehrenden Feier der christlichen Heilsereignisse folgt und dabei aus den Sonntagsperikopen sein Thema wählt, fügt er sich einer strengen Ordnung. Diese äußert sich formal in den Einzelgedichten der Droste auch in der häufigen Wiederaufnahme des ersten Verses durch den letzten, hier: *Das Jahr geht um* und *Das Jahr ist um.* – So selten Silvestergedichte im religiösen Jahreszyklus sind, so häufig sind sie als Gelegenheitsgedichte. Übereinstimmend mit deren Thematik begreift die Droste das Ende des Jahreskreises als Ende ihres Lebensweges: »Wohl in dem Kreis, / Den dieses Jahres Lauf umzieht, / Mein Leben bricht: Ich wußt es lang!« (37–39.) Nicht übernommen wurde aus dem Genre des Gelegenheitsgedichts die dankende Rückschau und der zuversichtliche Ausblick ins kommende Jahr.

Die sprachliche Form verdient wegen ihrer Sorgfalt Beachtung: Von den 72 Texten des Zyklus haben nur zwei, wohl versehentlich, den gleichen Strophenbau. Es fehlt z. B. in der geistlichen Lyrik die sonst bei der Droste beliebte freie Füllung der Senkung. Das Gedicht ist alternierend gebaut, mit dem ungewöhnlichen Reimschema abcbca; die letzte Zeile bezieht sich – wiederum einen kleinen Kreis bildend –

also jeweils auf die erste zurück. Diese durch den Reim gebundenen ersten und letzten Zeilen einer Strophe haben nur vier Silben, alle Verse einen betonten männlichen Ausgang. Und doch ist trotz dieses festen metrischen Schemas der Rhythmus insbesondere durch Enjambements, von denen zwei sogar die Strophengrenze übergreifen (24/25 und 42/43), erstaunlich abwechslungsreich und gleitend. Solche kunstbewußte Form verrät keine Rücksicht mehr auf die mehrfach ausgesprochenen Selbstzweifel der Droste, ob religiöses Sprechen und artifizielle Ambitionen überhaupt miteinander vereinbar seien, ob nicht im Sinne der pietistischen Kritik der Künste religiöse Texte im Geiste der Demut geschrieben, einfach und schmucklos sein müßten: »Daß nicht mein Lied entrauscht, ein kunstvoll sündlich Klingen, / Ein Frevel und ein Spott.« (*Am dritten Sonntage in der Fasten*, V. 27 f.)
Religiöse Texte werden nicht nur im Gehalt von der Glaubensgemeinschaft geprägt, sondern weitgehend auch in Form und kultischer Sprache. Die Verse »Gesehen all, / Was ich begangen und gedacht« (13 f.) entsprechen dem einer Gewissenserforschung folgenden Sündenbekenntnis »quia peccavi nimis cogitatione, verbo et opere«. An dieses schließt sich, das kirchliche »miserere nobis in hora mortis nostrae« aufnehmend, die Bitte um Gnade an: »O Herr! ich falle auf das Knie: / Sey gnädig meiner letzten Stund!« (52 f.)
Auch in Motivik und Bildlichkeit wird deutlich, wie traditionsverbunden die Droste schreibt, wenngleich sich schon in den leichten Umdeutungen des Überlieferten das neue Selbstbewußtsein des Subjekts im 19. Jahrhundert manifestiert. Insbesondere die teilweise aus der Antike stammende, hier zentrale Todesmetaphorik (39: »Mein Leben bricht«; 31: »Mein Lämpchen will / Verlöschen«; 2: »Der Faden rollt sich sausend ab«) ist über die barocke Bildlichkeit vermittelt, die in der Biedermeierzeit fast unberührt von der deutschen ›Klassik‹ zumal in katholischen Regionen weiterlebte. Oft wird der Stellenwert dieser ›Sinnbilder‹ erst verständlich, wenn man die Parallelen des übrigen Zyklus mithört. Die

Formulierung »der Liebe Stern« (46) erinnert an den »Hoffnungsstern« im Gedicht *Am drey und zwanzigsten Sonntage nach Pfingsten* (V. 69). Das Verlöschen des Lämpchens ist zwar hier zunächst Bestandteil fiktionaler Wirklichkeit, trotzdem greift es auch ein Motiv aus dem Gedicht *Am zweyten Sonntage im Advent* auf und läßt es wieder anklingen: »Gieb dich gefangen, thörichter Verstand! / Steig nieder / Und zünde an des Glaubens reinem Brand / Dein Döchtlein wieder! / Die arme Lampe, deren matter Hauch / Verdumpft, erstickt in eignen Qualmes Rauch.« (V. 25–30) Das Bild des Lebensfadens findet sich auch im Gedicht *Am zweyten Sonntage nach Pfingsten*: »Bis jener Faden endet, / Deß Dauer Keiner kennt« (V. 26 f.).
Was die Technik der Metaphernbildung angeht, verwendet die Droste ihr im *Geistlichen Jahr* erprobtes Verfahren auch im Silvestergedicht stringent; realistische Gegenstände verwandeln sich in Sinnbilder für Spirituelles: »Mauern« (9) und »Fensterkreuz« (20) kennzeichnen »der vermorschten Brust Verließ, / Wo langsam Stein an Stein zerbrach« (27 f.). Der Sturm, der sie angreift, wird zum »hohl / Und heimlich Sausen« (25 f.) im Innern. Wie das Lämpchen verlöscht, will das Leben verrauchen. Ein Stern am Himmel wird zu »der Liebe Stern« (46). Es ist das Verdienst von Günter Häntzschel, die bildspendenden Bereiche im *Geistlichen Jahr* als erster genau untersucht zu haben, im Bereich des Hauses etwa mit dem Ergebnis, daß die Droste den Zustand der Gott nahen Seele immer wieder im Bild des festen Gebäudes, den der Gott fernen Seele mit Hilfe der Trümmer metaphorisch ausdrückt. Die Erwähnung zerbröckelnder Mauern läßt andere Stellen im *Geistlichen Jahr* mitschwingen und ist ohne diese kaum zu verstehen. Im schon genannten Gedicht zum 2. Sonntag nach Pfingsten wird z. B. der »Erdenleib« als »Haus« bezeichnet, das dem Menschen »nur verpfändet« ist (V. 3 und 25). Deutlich kontrastiert die hier vorherrschende düstere Metaphorik auch mit dem genau 20 Jahre früher entstandenen Gedicht *Am Neujahrstage*, das mit dem Wunsch schließt: »Und sollte dich das neue Jahr

noch finden, / So mög es in ein Gotteshäuslein schaun!« (V. 65 f.)
Solches Ineinandergreifen von Außen- und Innenwelt zeigt sich nicht nur in der Sinngebung der gewählten Bilder, sondern bereits sprachlich in der Personifikation der Außenwelt: »dein / Verrinnen, Zeit!« (9 f.), »es will / [...] das Jahr / Zerstäuben« (20–22), »begierig saugt / Der Docht den letzten Tropfen Oel« (32 f.), »Die Glocke regt den ehrnen Mund« (51), »Das Jahr geht um« (1). Im Eingangsgedicht hatte die Droste sogar, mit einer Vorliebe der Biedermeierzeit übereinstimmend, das neue Jahr selbst als Dialogpartner des Herzens auftreten lassen.
Formal von Bedeutung sind die Fragen, die das Gedicht zum Schluß zunehmend bestimmen, Fragen nach der augenblicklichen Situation: »Ob wohl ein Auge offen noch?« (8), rückblickend nach der schlechten Gesundheit: »War nicht ein hohl / Und heimlich Sausen [...]?« (25) und nach der Zukunft: »Eröffnet sich des Grabes Höhl [...]?« (35); das Ich schwankt zwischen Angst und zagender Hoffnung: »Wie, dämmert feucht / Ein Stern dort durch die Wolken nicht? / Wär es der Liebe Stern vielleicht, / Dich scheltend mit dem trüben Licht, / Daß du so bangst? // Horch, welch Gesumm? / Und wieder? Sterbemelodie!« (44–49.) Die wiederholten Fragesätze zeigen, welche existentielle Problematik die Autorin bewegt, und es hat dem künstlerischen Rang des Gedichtes wie des Zyklus sicher genutzt, daß dogmatische Antworten am Schluß ausbleiben, daß z. B. – im Hinblick auf die Bildlichkeit – ein Stern nicht in traditioneller Weise gedeutet wird, sondern die Droste nur wagt, nach einer solchen Möglichkeit zu fragen. Wie oft in ihrer Dichtung, besonders deutlich in der *Judenbuche*, bleiben Ungewißheit und Ambivalenz bestehen. Hier hält sie bewußt die Schwebe zwischen existentieller Angst und fiktionaler Wirklichkeit: »Wohl in dem Kreis, / Den dieses Jahres Lauf umzieht, / Mein Leben bricht: Ich wußt es lang!« (37–39.)
Stephan Berning hat sich in seiner Dissertation *Sinnbildspra-*

che eingehend mit dem Silvestergedicht befaßt. Er geht von der Beobachtung aus, daß diesem Gedicht im Gegensatz zu den meisten anderen des Zyklus keine biblische Bezugsstelle bzw. kein religiöses Stichwort vorangesetzt ist, und zeigt, wie sich die Autorin so größere Möglichkeiten der Ausgestaltung offengehalten hat. Dieser religiöse Text nähert sich dem Erlebnisgedicht, das Hier und Jetzt wird stärker als sonst betont: »In diesen Mauern« (9), »Ein Stündchen noch, das letzte heut« (3) usw. Optische und akustische Eindrücke vermitteln die Vorstellung einer konkreten Raum- und Zeitsituation. Anstelle des sonst üblichen statischen, abstrakten Reflexionsvorganges im Zeitlosen, der sich z. B. in immer neuen Ansätzen um die persönliche Erfahrung einer Heilswahrheit bemüht, aber in der Regel unabgeschlossen bleibt, wird der erlebnishaft geschilderte Vorgang in einem fiktionalen Zeitablauf entwickelt. Denn innerhalb einer genau fixierten Stunde hält das Ich Rückschau, bis sein Wahrnehmen und fortschreitendes Erkennen im abschließenden Gebet einmünden.
So richtig es ist, die Nähe dieses Textes zum Erlebnisgedicht zu betonen, so deutlich wird die Distanz, wenn man ihn z. B. zu dem thematisch verwandten Gedicht *Durchwachte Nacht* in Beziehung setzt. Während dieses in frührealistischer Weise dem Vorrücken der nächtlichen Stunden folgt und genau schildert, wie Ohr und Auge des wachenden Subjekts mit überdeutlichen Sinnen auch die leisesten Eindrücke wahrnehmen, ist in jenem das Erlebnis der Silvesternacht in ständigem Bezug auf eine jenseitige Sinngebung des Daseins dargestellt.
Mag die hier geschilderte Situation mehr oder weniger fiktiv sein, die Autorin hat zumindest jene Silvesternacht 1839 im Rüschhaus bei so schlechtem Gesundheitszustand verbracht, daß sie kaum zu schreiben imstande war. Ob sie nun eben damals eine solche Angst verspürt hat, Todesangst – »Mir brüht der Schweiß / [...] / Auf Stirn und Hand« (42–44) –, die in allen Strophen deutlich wird, ist zu wissen nicht not, denn es ist dieselbe tiefe Angst, die immer wieder

in ihrer religiösen Dichtung anklingt. Eine lebenslange Kränklichkeit hatte sie zunehmend für die Existenzfrage sensibilisiert, ihre körperlich empfundene Angst verband sich mit der Frage nach dem Sinn des Daseins. Angesichts von »des Grabes Höhl«, die sich ihrem Auge »schwarz und still« eröffnete (35 f.), und unter der Last eines Bewußtseins, das sich im Laufe des Lebens immer mehr den Toten verbunden fühlte, wovon ihre zahlreichen Totengedichte zeugen, bedeuten christliche Formeln allein wenig Hoffnung oder gar Trost. Obwohl das *Geistliche Jahr* mit einem Akt des Vertrauens schließt, wird damit die den Gesamtzyklus tragende Spannung zwischen individuellem Zweifel an der Transzendenz und dem Glaubenwollen in keiner Weise aufgehoben. Jede isolierte Betrachtung dieses letzten Gedichtes des *Geistlichen Jahres* kann darum nur zu Fehlschlüssen führen. Die Droste hat längst vor Nietzsche die Vorstellung vom »toten Gott« in Worte gefaßt, wenn sie sagt, sie habe in der größten Gottesferne immer noch daran festgehalten »Zu lieben meines Gottes Traum / Und auch dem Todten Kränze noch zu flechten« (*Am fünf und zwanzigsten Sonntage nach Pfingsten*, V. 55 f.).
Es finden sich bei ihr mehrere Stellen wie die folgende: »Ist es der Glaube nur, dem du verheißen, / Dann bin ich todt. / O Glaube! wie lebendgen Blutes Kreisen, / Er thut mir Noth; / Ich hab ihn nicht.« (*Am Pfingstmontage*, V. 1–5.) Die Fortführung dieser Zeilen wirft auch ein zusätzliches Licht auf jene Formulierung des Silvestergedichts, wo von »der Liebe Stern« (46) die Rede ist: »Ach, nimmst du statt des Glaubens nicht die Liebe / Und des Verlangens thränenschweren Zoll: / So weiß ich nicht, wie mir noch Hoffnung bliebe« (V. 6–8). Man kann die Situation des Schlußgedichtes, das der nicht abgeschlossenen Reflexionsbewegung des *Geistlichen Jahres* formal und willentlich ein Ende setzt, mit dem bekannten christlichen Satz beschreiben: »Herr, ich glaube, hilf meinem Unglauben.« (Markus 9,24.) Religiöses Sprechen, das Unbegreifbares sagbar zu machen versucht, bedient sich gern der Form des Paradoxons, welches wie-

derum den diese Dichtung kennzeichnenden Gegensatz von Glaube und Bewußtsein fassen könnte.
Noch hatte die Droste den Durchbruch als Dichterin nicht geschafft, er deutet sich aber bereits in diesem Gedicht, das übrigens auf dem gleichen Papier wie ein Entwurf zur *Judenbuche* fixiert wurde, an. Bevor sich ihr Talent in der Begegnung mit Schücking in der Landschaft des Bodensees schließlich voll entfalten wird, übernimmt sie hier noch einmal die Rolle des religiösen Sprechers, der Texte verfaßt, die die Glaubensgenossen gebrauchen können. Aber ist dieses Silvestergedicht dafür eigentlich noch geeignet? In ihrem frühen Selbstkommentar, dem Widmungsbrief an die Mutter von 1820, hatte es schon geheißen, das *Geistliche Jahr* sei »für die geheime, aber gewiß sehr verbreitete Sekte Jener« geschrieben, »bey denen die Liebe größer wie der Glaube« sei, und ein in Einfalt frommes Gemüt werde es nicht einmal verstehen. Wenn die Droste daher in der zweiten Hälfte des Jahres 1839 den Zyklus keineswegs aus eigenem Antrieb, sondern auf Bitten ihrer Freunde zu Ende schrieb, dann fügte sie sich wohl nicht wider besseres Wissen, aber doch ohne besonderes eigenes Bedürfnis in die verstärkten konservativen Tendenzen der Zeit ein. Hiervon erhofften sich ihre Freunde Schlüter und Junkmann eine durchaus auch politisch gemeinte Restauration im christlichen Geiste. Sie hatten die Droste überzeugt, daß die Vollendung des *Geistlichen Jahres* wohl das »Nützlichste« sei, was sie in ihrem Leben leisten werde – so ihr Brief an Schlüter vom 24. August 1839 –, trotzdem blieben ihre Zweifel bestehen, ob denn gerade sie geeignet sei, solche Texte zu verfassen. Sie spürte einerseits zutiefst die Brüchigkeit der ihr vorgegebenen gesellschaftlichen und konfessionellen Schranken, andererseits fühlte sie sich verpflichtet, zumindest an einer moralischen Restauration mitzuwirken.
Wenn sie sich auch selbst nicht zu helfen wußte und das Silvestergedicht eine totale Isolierung ahnen läßt – weder Familie noch Kirche noch der ferne Gott können dem

Individuum im angsterfüllten Hier und Jetzt zur Seite stehen –, so vertraute sie doch in besseren Stunden den Worten ihrer Freunde, daß ein religiöser Zyklus wie der ihre wenigstens anderen, wenn auch nur einzelnen Menschen helfen könnte. Trotz ihrer deutlich geäußerten Bedenken (»Ein Schelm der mehr giebt als er hat«) nimmt sie die Rolle des religiösen Sprechers auf sich. Bezeichnend für diese aus heutiger Sicht zutiefst christliche Haltung bleibt die angestrengte Geste im Gedicht *Am ein und zwanzigsten Sonntage nach Pfingsten*: »Ein halb Ertrunkner deut ich nach der Küste« (V. 29).

Zitierte Literatur: Stephan BERNING: Sinnbildsprache. Zur Bildstruktur des Geistlichen Jahres der Annette von Droste-Hülshoff. Tübingen 1975. [Insbesondere S. 187–196.] – Annette von DROSTE-HÜLSHOFF: Werke. Briefwechsel. [Siehe Textquelle; dort noch nicht erschienene Texte werden zitiert nach:] Annette von DROSTE-HÜLSHOFF: Sämtliche Werke in zwei Bänden. Hrsg. von Günther Weydt und Winfried Woesler. München 1973–78. – Günter HÄNTZSCHEL: Tradition und Originalität. Allegorische Darstellung im Werk Annette von Droste-Hülshoffs. Stuttgart 1968.
Weitere Literatur: Clemens HESELHAUS: »Annette von Droste-Hülshoff. Am letzten Tage des Jahres. Silvester«. In: Die deutsche Lyrik. Form und Geschichte. Interpretationen. Hrsg. von Benno von Wiese. Bd. 2. Düsseldorf 1956. S. 159–167. – Winfried WOESLER: Religiöses und dichterisches Selbstverständnis im »Geistlichen Jahr« der Annette von Droste-Hülshoff. In: Westfalen 49 (1971) S. 165–181.

Annette von Droste-Hülshoff

Im Grase

Süße Ruh', süßer Taumel im Gras,
Von des Krautes Arom' umhaucht,
Tiefe Flut, tief, tief trunkne Flut,
Wenn die Wolke am Azure verraucht,
Wenn aufs müde schwimmende Haupt
Süßes Lachen gaukelt herab,
Liebe Stimme säuselt und träuft
Wie die Lindenblüt' auf ein Grab.

Wenn im Busen die Toten dann,
Jede Leiche sich streckt und regt,
Leise, leise den Odem zieht,
Die geschloßne Wimper bewegt,
Tote Lieb', tote Lust, tote Zeit,
All die Schätze, im Schutt verwühlt,
Sich berühren mit schüchternem Klang
Gleich den Glöckchen, vom Winde umspielt.

Stunden, flücht'ger ihr als der Kuß
Eines Strahls auf den trauernden See,
Als des ziehnden Vogels Lied,
Das mir niederperlt aus der Höh',
Als des schillernden Käfers Blitz
Wenn den Sonnenpfad er durcheilt,
Als der flücht'ge Druck einer Hand,
Die zum letzten Male verweilt.

Dennoch, Himmel, immer mir nur
Dieses eine nur: für das Lied
Jedes freien Vogels im Blau
Eine Seele, die mit ihm zieht,
Nur für jeden kärglichen Strahl

30 Meinen farbig schillernden Saum,
Jeder warmen Hand meinen Druck
Und für jedes Glück meinen Traum.

Abdruck nach: Annette von Droste-Hülshoff. Sämtliche Werke in zwei Bänden. Hrsg. von Günther Weydt und Winfried Woesler. München: Winkler, [1973–78.]. Bd. 1. [1973.] S. 436 f. [nach dem Erstdruck].
Zur Entstehung: Eine Anspielung im Brief der Droste an Schücking (31. 10. 1844) aus dem Rüschhaus läßt auf Entstehung des Gedichts im Oktober 1844 schließen (am 28. 9. 1844 war die Droste von der Meersburg zurückgekehrt): »Zwischendurch mache ich Gedichte; die geraten gut, ich werde sie aber zum Teil ins Kölner ›Feuilleton‹ geben« (*Briefe*, Bd. 2, S. 353).
Erstdruck: Kölnische Zeitung. Nr. 329 vom 24. November 1844.
Weitere wichtige Drucke: Letzte Gaben. Nachgelassene Blätter von Annette Freiin von Droste-Hülshoff. [Hrsg. von Levin Schücking.] Hannover: Rümpler, 1860. [Ersch. 1859. – Abweichungen gegenüber dem Erstdruck: 4 Wolk 17 flüchtiger 19 ziehenden. (Vgl. Schulte Kemminghausen, S. 295 und 489 f.)] Seitdem in allen übrigen Droste-Ausgaben sowie zahlreichen Lyrik-Anthologien (z. B. in Theodor Echtermeyers *Deutsche Gedichte*, Rudolf Borchardts *Ewiger Vorrat deutscher Poesie* und Georg Brittings *Lyrik des Abendlands*).

Heinz Rölleke

»Dennoch, Himmel …« Zu Annette von Droste-Hülshoffs Gedicht *Im Grase*

»Die Vorstellung ist unklar, aber der Klang äußerst lieblich«, merkte Julian Schmidt schon 1859 zu einem der spätesten und nachmals berühmtesten Droste-Gedichte an (Woesler, Bd. 1, S. 220). Die Antinomie zwischen spontaner Bewunderung und interpretatorischer Ratlosigkeit bestimmte weiterhin, wenn auch zunächst uneingestanden, die Beurteilung: von den positivistischen Erklärungsversuchen Kreitens (1887) und Schwerings (1912) über die geradezu kanonisch gewordene Wertung, die beiden Eingangsstrophen gehörten zum »Wunderbarsten der lyrischen Welt-

literatur«, der Fortgang sei »bedauerlich«, die Emil Staiger (1946) an exponierter Stelle gab, bis hin zu Peter Berglars Resümee (1967): »Jeder Kommentar schweigt, vollendete Einheit ruht, dem Interpreten entzogen, in sich« (vgl. auch Günther Weydt: Dieses Gedicht sei »aus Magie und Inspiration hervorgegangen« und »kaum mehr interpretierbar«).
Bedürfen die wohl jeden Leser ganz unmittelbar ansprechenden Strophen überhaupt der Erklärung? Dieser Skrupel des Lyrik-Interpreten drängt sich hier sofort und besonders energisch auf – zumal nach solch merkwürdigen Erläuterungsversuchen wie »sie bittet den Himmel, er möge ihr [...] viel Freunde geben« (Kreiten) oder »sie bittet also um ein empfängliches Gemüt für die Natur« (Schwering) und angesichts weitgehender Abstinenz der sachkundigsten Interpreten (in seiner Droste-Monographie widmet Staiger dem Gedicht nur einen Satz, während Heselhaus in seinem spezielleren Aufsatz von 1948 es auf ganze 14 Zeilen bringt). Der Leser sollte sich daher durch keine Deutung die bei unbefangener Begegnung mit dem Gedicht spürbar werdende Suggestionskraft abschwächen oder irritieren lassen.
Eine biographische Lokalisierung gestattet nur Vers 18, der gewiß den Bodensee beruft. Daraus hat man geschlossen, das Gedicht sei noch im September 1844 auf der Meersburg entstanden. Dagegen gilt festzuhalten, daß gerade die so genuin ›westfälischen‹ *Heidebilder* ihrerseits am Bodensee gedichtet worden waren, so daß man jeweils von ›Erinnerungen‹ in jeglichem Wortsinn sprechen darf. »Es ist traurig, seine Vorliebe so zwischen zwei Orte geteilt zu haben, die doch nie zusammenrücken können«, schreibt die Droste Ende 1844 in einem Brief aus dem Rüschhaus an den Bodensee (*Briefe*, Bd. 2, S. 369). Diese ersehnte Ineinssetzung ist eingangs der *Schlacht am Loener Bruch* poetisch gestaltet, wenn in »Westfalens Eichenhain« imaginiert wird, wie sich der Blick aus der Region der »Gletscher« mit heißer Liebe stets »nach Norden« richtet; sie gelingt in den späten Gedichten unausgesprochen. »Ich habe im übrigen ein ganz

angenehmes Jahr dort verlebt«, äußert sie, am 30. Oktober 1844 brieflich auf diese Meersburger Zeit zurückblickend (*Briefe*, Bd. 2, S. 347). Es waren Monate relativer Gesundheit gewesen, dichterischen und sogar ökonomischen Erfolgs (Kontrakt mit Cotta; Ankauf des ›Fürstenhäusles‹), vertrauten Umgangs mit der Familie der Schwester und vor allem der letzten wehmütigen, aber noch ungetrübten Begegnung mit dem geliebten Levin Schücking und dessen junger Frau. Man wird in diesem Gedicht – trotz des vielleicht auch resignativ auffaßbaren Schlusses – einen Widerschein jener selbst in den Augen der Dichterin recht glücklichen Zeit vermuten dürfen.
Darauf lassen mehrere Beobachtungen schließen. Zunächst und am auffälligsten unterscheiden sich die vier Strophen durch das Aufgeben eines starren Metrums von der vorgängigen Lyrik mit ihrem oft überwach und kontrolliert wirkenden rhythmischen Duktus. Das verdient aufmerksame Beachtung. Spuren von Regelmäßigkeit werden in diesem Gedicht fast gänzlich verwischt unter dem beherrschenden Eindruck getragener Ungezwungenheit, der wesentlich aus der durchgängigen metrischen Senkungsfreiheit erwächst (ein oder zwei unbetonte Silben folgen den Hebungen in buntem Wechsel). So dient bereits in Vers 2 der Apostroph nicht nur der Hiatvermeidung, sondern vor allem der metrischen Varianz (entsprechend ist wohl in Vers 4 intentional »Wolk'« zu lesen). Besonders im Gedichteingang überläßt sich die Sprache wirklich in jedem Vers erneut diesem ungezwungenen, wiegenden Rhythmus. Nichts wird hier von dem sonst in der Verssprache der Droste so häufig begegnenden Sich-Fassen, Abgrenzen oder Festlegen spürbar. Die Versanfänge verstärken den Eindruck: »Von des«, »Wenn die«, »Wenn aufs«, »Wie die« (2, 4, 5, 8) usw. bis hin zu »Und für« (32) sind zweifellos als zweisilbige unbetonte Auftakte aufzufassen. Unter diese unbestimmt und im doppelten Wortsinn unbeschwert einsetzenden Verse sind indes in wiederum ganz unregelmäßiger Folge eher trochäisch intonierte Zeilenanfänge gemischt, wie sie vor allem die

in den ersten Strophen dominierenden zweisilbigen Adjektive bilden (»Süße«, »Tiefe«, »Süßes«, »Liebe« [1, 3, 6, 7] usw.). In der Skala feinster Betonungsnuancierungen stehen diese Adjektive in der Mitte zwischen den in der zweiten Hälfte des Gedichts gehäuften ›leichteren‹ Trochäen (»Jede«, »Eines«, »Dieses«, »Jedes«, »Eine«, »Meinen«, »Jeder« [10, 18, 26, 27, 28, 30, 31]) und dem ›schweren‹ Trochäus »Stunden« (17), während das »Dennoch« (25) eine Sonderstellung einnimmt. Die eingangs also erstaunlich lokker gehaltenen Verse enden sämtlich invariant und lakonisch markant mit männlicher Kadenz, damit die einzelnen Versausgänge kräftig konturierend; dem entspricht der weitgehende Verzicht aufs Enjambement, wobei jedoch der Eingang der Schlußstrophe (25/26) wiederum eine Ausnahme bildet. Im Blick auf das ganze Gedicht läßt sich bereits jetzt sagen, daß rhythmischer Verlauf der einzelnen Verse und thematische Gesamtstruktur kongruent wirken: Dem Sich-Aufgeben zu Beginn folgen gewollte Markierungen.
Zu dieser Struktur stimmt auch die Wandlung der sprachlich-stilistischen Mittel. Im ersten Teil fallen die überreich verwendeten Assonanzen und Alliterationen ins Ohr; zuletzt dominieren die eher rhetorisch bestimmten Wortwiederholungen. Sechsmaliges -au- und fünfmaliges -ü- allein in der ersten Strophe prägen sich ein und verdichten sich in Konnotationen wie etwa »Lachen« – »herab« (6), »säuselt« – »träuft« (7), »streckt« – »regt« (10), »berühren« – »schüchtern« (15) zu einer Art Binnenassonanz. Die Alliterationen (s-, w-, sch-, gl-) innerhalb der Verse 1–16 kulminieren unaufdringlich in den vers- und strophenüberbrükkenden l-Fügungen (6–8, 10, 11, 13). Dergestalt gewinnt der erste Teil des Gedichts farbigen Klang trotz des weitgehenden Verzichts auf den Endreim, der ähnlich ungezwungen und zunächst scheinbar unbestimmt wie die Metrik der Verseingänge verwendet ist: Erst ab Vers 4 ahnt, ab Vers 8 erkennt man das ans Volkslied erinnernde Schema (xaxaxbxb) der sämtlich unprätentiösen Reimbindungen.
Die klangschöne und intensiv erfüllte Diktion, wie sie sich

in den ersten Strophen in den bedeutungsschweren Wiederholungen »süß«, »tief«, »Flut«, »leise«, »tot« realisiert, wandelt sich mit Hilfe desselben Stilmittels zu einem bewußter geformten, konstruierteren Sprechen, wenn in der dritten Strophe nicht weniger als viermal »als«, in der vierten Strophe ebenso oft »jed(er)« und noch jeweils dreimal »nur« und »für« wiederholt werden. Diese beiden Sprecharten sind unauffällig verklammert, indem schon der Eingang gleichsam vorbereitend ein dreifaches »Wenn« bietet (in 22 nochmals aufgenommen), während in der Wiederholung des »flüchtig« (17, 23) etwas von der dichten Diktion der Eingangsstrophe weiterklingt.

Diesem Befund entspricht die Syntax. Die rudimentären Hauptsätze und deren grammatisch gewagte Verknüpfungen in den Eingangsstrophen (vgl. 1, 3; 13) verfestigen sich zu klareren, wenn auch immer noch elliptisch formulierten Beziehungen (vgl. 17 ff.). Der Erlebnisablauf geht vom erfüllten Augenblick aus, dessen rauschhaft zeitlose Gegenwärtigkeit wie selbstverständlich auch die erinnerte Vergangenheit einbezieht, und gewinnt erst mit der abschließenden Strophe eine gewisse Zukunftsperspektive. Das zunächst scheinbar gänzlich hingegebene Sprechen versichert sich immer gewollter seiner Bedingungen, wird zunehmend deutend. Trotz der ab der dritten Strophe in vieler Hinsicht (metrisch, rhetorisch, syntaktisch) gewandelten Diktion erwächst eines aus dem andern, zumal die schon mehr oder weniger bewußt, jedenfalls aber vom lyrischen Ich gesetzten Vergleiche jeweils am Ende der Eingangsstrophen (8; 16) und die sich unauffällig innerhalb einer Metapher (20) andeutende Verfestigung dieser Ich-Perspektive erkennen lassen, daß Erlebnis und Reflexion im Grunde synchron sind.

Eine genauere Beobachtung der nicht genug zu bewundernden rhythmischen Figur des Gedichteingangs kann einen weiteren Zugang zur Interpretation eröffnen. Die erste volle Betonung trifft das Wort »Ruh'«, bei dem die Stimme unweigerlich ›sinkt‹; dieselbe Linie ergibt sich beim Abstieg

von den unbetonten Vokalen -ü- und -i- zu den dunklen Lauten -au- und -a-. Dabei bilden »Ruh'« und »Gras« lautlich und bedeutungsmäßig die horizontale Basis des lyrischen Sprechens, die in »Krautes Arom'« nochmals imaginiert wird, ehe über die noch diffuse und unbestimmte Vorstellung der »trunknen Flut« (vorbereitet durch die Berufung des »süßen Taumels« in Vers 1) mit den Begriffen »Wolke« und »Azur« rasch und wie magisch die Vertikale gewonnen wird. Damit ist ein Bezugssystem umrissen, das etwa ab Vers 6 wiederum die inhaltlich wie rhythmisch in eins realisierte Bewegung des schwankenden Herabsinkens ermöglicht, wobei die vertikal fallende Linie sich in dem die Eingangsstrophe beschließenden Vergleich bis ins Unterirdische verlängert. In seiner eigensten Melodie gibt sich dergestalt das Sprechen selbst der süßen Ruhe hin, überläßt sich dem Taumel, geht in trunkner Flut auf.
Auch sonst spricht die erste Strophe im eigentlichen Wortsinn ek-statisch (aus sich heraustretend). Das in seinen Konturen verschwimmende (5), fast ausgelöschte (8) Ich erlebt in einem schwebenden Zustand inmitten zerfließender Bewegungen (umhauchen, verrauchen, gaukeln, säuseln) Unten und Oben (Flut – Azur; Gras – Wolke; Kraut – Lindenbaum), »Ruh'« und »Taumel«, Wachen und Schlaf (»müde schwimmend«) und letztlich umfassend Leben und Tod als Einheit, wobei Leben wesentlich als Liebe aufgefaßt ist. Ihr süßes Lachen, ihre liebe Stimme werden mit der Blüte der Linde verglichen, des traditionellen Lieblingsbaums der Liebenden. Dieser abstrahierende Vergleich macht deutlich, wie weit trotz einiger Topoi hier Vorstellungen des ›locus amoenus‹ entwirklicht sind (vgl. etwa Walthers *Under der linden* mit der Berufung von »heide«, »gras«, »houbet« und »linde« ebenfalls aus der Perspektive eines weiblichen Sprechers) – es ist nicht die »liebe Stimme« eines konkreten »vriedel«, sondern sublimierteste Abstraktion. Und so ist es zwar überraschend, aber im Grunde nur folgerichtig, daß das »süße Lachen« und die »liebe Stimme« nicht etwa auf eine glücklich Liebende und daß die Lindenblüte keineswegs

auf eine »bettestat« herabträufen, sondern auf eine letztlich Einsame und auf ein Grab. Damit ist metaphorisch der Bereich des Vergangenen eröffnet, der scheinbar kontinuierlicher als der ekstatische Augenblick durch »Liebe«, »Lust« und erfüllte »Zeit« bestimmt war; assoziativ ist zugleich damit das Ineins von Grab und Auferstehung angedeutet.
In einer Art Enstasis kann die zweite Strophe dergestalt über den innersten Grund des Sprechens Auskunft geben, zumal die eingangs berufene Allverbundenheit nicht ein gänzliches Sich-Verlieren im Grenzenlosen, nicht eine romantische Ich-Auflösung, sondern mit den Vorstellungen »umhaucht« und »herab« durchaus einen umrissenen Standpunkt voraussetzte. Mit einem unerhört realistischen, zunächst wie eine spätmittelalterliche Auferstehungsdarstellung anmutenden Bild beginnt die Er-innerung an diese abgestorbene Welt, die im Busen bewahrt wird: Was einst äußerlich war, erinnert sich seiner selbst im Sprechenden. Dem Erlebnis ekstatischer Allverbundenheit entspricht die Vision, in der sich alles ›Verschüttete‹ – ob tote Liebe, vergangene Lust oder abgelebte Zeit – berührt, wie es sich die zunehmend vereinsamende Dichterin zutiefst ersehnt haben mag. Das macht den »Schutt« der Zeit und des menschlichen Fehlverhaltens (vgl. *Am zwölften Sonntage nach Pfingsten*, V. 26: »Schutt und Geröll stellt sich mein Wirken dar«) nicht vergessen. Denn es kommt nicht zu einer romantischen Verklärung oder gar zu einer strahlenden Auferstehung des Vergangenen, sondern nur zu einem geisterhaften Klang gleich dem windbewegter Glockenblumen, womit fast unmerklich wieder auf die Situation »im Grase« zurückgelenkt ist.
In vier Beispielen werden nun in der dritten Strophe Ekstasis und enstatische Vision als erfüllte Augenblicke (das ist im älteren Wortsinn die Bedeutung von »Stunden«) rhetorisch eindrucksvoll, wach und bewußt umschrieben. Jedesmal handelt es sich um ein Vorübergehen (der Sonnenstrahl auf einer Stelle des grauen Sees und auf dem Panzer des Käfers) oder ein Weggehen (das letzte Lied des Zugvogels, der

Händedruck zum Abschied), also zeitentrückte Augenblicke, in denen das Vergehende aufleuchtet oder aufklingt – erfüllt und flüchtigst zugleich. Erfüllt darf man diese Augenblicke nennen, weil sie durch die Vergleichsvorstellungen in eine Sphäre des Strahlenden, Schimmernden, Wohlklingenden gerückt sind; ihre schmerzlich erfahrene Flüchtigkeit wird ebenso intensiv berufen: eine tragische Spannung, die erst hier allmählich bewußt wird, die das Zwiegesicht der Schlußstrophe bedingt und der die wachere und rhetorisch angestrengtere Diktion des Gedichts auf ihre Weise zu entsprechen sucht. Die sich bis in die Syntax hinein ausprägende Unentschiedenheit der Schlußstrophe erwächst aus dieser Antinomie. Daß sie kaum oder so extrem verschieden interpretierbar scheint (als Ausdruck einer resignierenden Hoffnungslosigkeit oder eines tapfer bewahrten Glaubens an eine sinnerfüllte Existenz), ist für die Droste mit dem antinomischen Thema selbst gegeben. Vielleicht trifft auch für diese Strophe zu, was eine rhythmische Analyse allgemein zu solch ›rhetorisch überhöhtem Ton‹ konstatiert: »Er erklärt sich aus der Sehnsucht nach einer religiös fundierten Ordnung, nicht aus dem sicheren Bewußtsein, daß diese Ordnung existiert. Die rhetorische Überspitzung ist ein Zeichen von tiefgreifenden Zweifeln, sie verdeckt und verdrängt die innere Krise« (Schultz, S. 237). Das einleitende »Dennoch« markiert inhaltlich den festen Willen, die Krise zu meistern; seine metrische Unbestimmtheit sowie das folgende merkwürdige Enjambement machen die Unsicherheit deutlich. Dieselbe Antinomie spiegeln auch zwei handschriftliche Lesarten dieses Eingangs (zit. nach: Schulte Kemminghausen, Bd. 2, S. 490): »Dennoch, dennoch dies Eine nur mir« (eine Sinnerfüllung gleichsam herbeizwingend) und »Dennoch Himmel, laß es mir nur« (eher resignativ). Im Horizont einer schließlichen Resignation, die sozusagen ungewollt durchschlüge, wird man den zuletzt berufenen »Traum« als zweifelhaften, gefährdeten, ja ungenügenden Ersatz für zerstörte Liebe oder versagtes Glück deuten müssen. Die zumindest noch als antinomisch möglich vorgestellte Erfülltheit der dritten Strophe wäre dann durch ein trauerndes, jedenfalls kraftloses »Dennoch« sowie den trostlosen Seufzer »Himmel« entscheidend relativiert, und das dreifache »nur« bezeichnete einen Mangel, der jeden Sinn in Frage stellen könnte.

Was die Droste aber wohl sagen will, wahrscheinlich ohne es ganz überzeugend aussprechen zu können, geht in die entgegengesetzte Richtung. Dann müssen das »Dennoch« als kraftvolle Entgegnung auf die Flüchtigkeiten des Daseins und die ganze Satzkonstruktion als elliptischer Imperativ verstanden werden: Der Himmel soll verleihen, daß erfüllte Augenblicke überdauern, daß die Seele zur Stätte wird, in der jede menschliche Begegnung, jedes menschliche Glücksempfinden überhaupt aufgehoben ist. Zumal der »Traum« vermag so dem erfüllten Augenblick Dauer zu verleihen; er wird zum Echo jedes Vogellieds, zum farbig schillernden Abglanz jeglichen Strahls aus der Höhe (wenn auch in aller Bescheidenheit, wie der Rückgriff auf das Bild in Vers 21 andeutet). In diesem Sinnhorizont bedeutet das Schlußwort eine Einkehr des Gedichts bei sich selbst, die über das Ende hinausweist. Es steht bedeutsam im Reimverbund mit dem farbigen »Saum«, der als Dichtung den Strahl der Poesie empfängt:

Das ist Poesie!
Jener Strahl, der Licht und Flamme,
Keiner Farbe zugetan,
Und doch, über alles gleitend
Tausend Farben zündet an.
(*Poesie*, V. 8–12)

Jenseits allen Abschieds verbleibt der Einsamen das »Zauberwort«, wie sie ihre menschliche und dichterische Situation ganz ähnlich im kurz zuvor entstandenen Abschiedsgedicht an das Ehepaar Schücking umschreibt (*Lebt wohl*, V. 11). Nur das Gedicht kann ekstatisch, visionär oder erinnernd Erlebtes in dauernden Sinnbesitz verwandeln, Gegenwart und Vergangenheit in die Zukunft überführen.

Das Gedicht als zeitlicher Dienst am Ewigen – so gesehen fügen sich die Strophen in die späte geistliche Poesie der Droste (man beachte etwa die zahlreichen identischen Motive im Gedicht *Am dritten Sonntage nach Ostern*!), die solche Gabe denn auch bezeichnenderweise letztlich und ausschließlich vom »Himmel« erbittet und erwartet.
Das wäre nichts weniger als eine letzte Begründung der eignen dichterischen Existenz und zugleich ein merkwürdig erfüllter Rückblick auf ein Dasein nicht gelebter Wirklichkeit und vorenthaltenen Glücks, dem sie mit einem tapferen »Dennoch« endlich einen Sinn abzuringen wüßte.

Zitierte Literatur: Peter BERGLAR: Annette von Droste-Hülshoff. Reinbek bei Hamburg 1967. S. 139–141. – Annette Elisabeth von DROSTE-HÜLSHOFF: Gesammelte Werke. Hrsg. von Elisabeth Freiin von Droste-Hülshoff. Nach dem hs. Nachlaß erg. [und hrsg.] von Wilhelm Kreiten. 4 Bde. Münster/Paderborn 1884–87. [Zit. als: Kreiten.] – Annette von DROSTE-HÜLSHOFF: Sämtliche Werke. Hrsg. von Karl Schulte Kemminghausen. 2 Bde. München 1925. [Zit. als: Schulte Kemminghausen.] – Annette von DROSTE-HÜLSHOFF: Sämtliche Werke. Hrsg., mit Einl. und Anm. vers. von Julius Schwering. 6 Tle. Berlin 1912. [Zit. als: Schwering.] – Die Briefe der Annette von Droste-Hülshoff. Hrsg. von Karl Schulte Kemminghausen. 2 Bde. Jena 1944. [Zit. als: *Briefe*.] – Clemens HESELHAUS: Die späten Gedichte der Droste. In: Zeitschrift für deutsche Philologie 70 (1948/49) S. 83–96. – Hartwig SCHULTZ: Form als Inhalt. Vers- und Sinnstrukturen bei Joseph von Eichendorff und Annette von Droste-Hülshoff. Bonn 1981. [S. 237, 381, 434.] – Emil STAIGER: Annette von Droste-Hülshoff. Zürich 1933. – Emil STAIGER: Grundbegriffe der Poetik. Zürich 1946. S. 73 f. – Günther WEYDT: [Siehe Textquelle]. – Winfried WOESLER: Modellfall der Rezeptionsforschung. Droste-Rezeption im 19. Jahrhundert. 2 Bde. Frankfurt a. M. 1980.
Weitere Literatur: Günter BLÖCKER: Liebe, Lust und Zeit. In: Frankfurter Anthologie. Bd. 4. Hrsg. von Marcel Reich-Ranicki. Frankfurt a. M. 1979. S. 59–63. – Artur BRALL: Vergangenheit und Vergänglichkeit. Zur Zeiterfahrung und Zeitdeutung im Werk Annettes von Droste-Hülshoff. Marburg 1975. S. 120 f. – Günter HÄNTZSCHEL: Tradition und Originalität. Allegorische Darstellung im Werk Annette von Droste-Hülshoffs. Stuttgart 1968. S. 122 f. – Clemens HESELHAUS: Eine Drostesche Metapher für die Dichterexistenz. In: Jahrbuch der Droste-Gesellschaft 4 (1962) S. 11–17. – Lotte KÖHLER: Annette von Droste-Hülshoff. In: Deutsche Dichter des 19. Jahrhunderts. Hrsg. von Benno von Wiese. 2., überarb. und verm. Aufl. Berlin 1979. S. 279–305. [Bes. S. 302.] – Walter MUSCHG: Studien zur tragischen Literaturgeschichte. Bern 1965. S. 175 f. – Peter SCHÄUBLIN: Annette von Droste-Hülshoffs Gedicht »Im Grase«. In: Sprachkunst 4 (1973) S. 29–52. – Reinhold SCHNEIDER: Über Dichter und Dichtung. Köln 1953. S. 287–302. [Bes. S. 297 f.]

Gottfried Keller

Sommernacht

Es wallt das Korn weit in die Runde
Und wie ein Meer dehnt es sich aus;
Doch liegt auf seinem stillen Grunde
Nicht Seegewürm noch andrer Graus;
5 Da träumen Blumen nur von Kränzen
Und trinken der Gestirne Schein.
O goldnes Meer, dein friedlich Glänzen
Saugt meine Seele gierig ein!

In meiner Heimat grünen Talen,
10 Da herrscht ein alter schöner Brauch:
Wann hell die Sommersterne strahlen,
Der Glühwurm schimmert durch den Strauch,
Dann geht ein Flüstern und ein Winken,
Das sich dem Ährenfelde naht,
15 Da geht ein nächtlich Silberblinken
Von Sicheln durch die goldne Saat.

Das sind die Bursche jung und wacker,
Die sammeln sich im Feld zuhauf
Und suchen den gereiften Acker
20 Der Witwe oder Waise auf,
Die keines Vaters, keiner Brüder
Und keines Knechtes Hilfe weiß –
Ihr schneiden sie den Segen nieder,
Die reinste Lust ziert ihren Fleiß.

25 Schon sind die Garben fest gebunden
Und rasch in einen Ring gebracht;
Wie lieblich flohn die kurzen Stunden,
Es war ein Spiel in kühler Nacht!
Nun wird geschwärmt und hell gesungen

Im Garbenkreis, bis Morgenluft
Die nimmermüden braunen Jungen
Zur eignen schweren Arbeit ruft.

Abdruck nach: Gottfried Keller: Sämtliche Werke. Auf Grund des Nachlasses besorgte und mit einem wissenschaftl. Anh. vers. Ausg. Hrsg. von Jonas Fränkel und Carl Helbling. 24 Bde. Erlenbach/Zürich: Rentsch [Bd. 16–19] // Bern: Benteli, 1926–1948. Bd. 1: Gesammelte Gedichte. 1931. S. 20 f.
Erstdruck: Gottfried Keller: Nachtgesänge. In: Lyrische Blätter 1 (1847) S. 74 f.
Weitere wichtige Drucke: Gottfried Keller: Neuere Gedichte. Braunschweig: Vieweg, 1851. 2., verm. Aufl. 1854. – Gottfried Keller: Gesammelte Gedichte. Berlin: Hertz, 1883. ²1884. ³1888 [von Keller durchgesehen und der zehnbändigen Gesamtausgabe letzter Hand zugrunde gelegt]. – Gottfried Keller: Gesammelte Werke in zehn Bänden. Berlin: Hertz, 1889. [Ausgabe letzter Hand.]

Eva Maria Brockhoff

Die Kühle im warmen Golde der Sommernacht. Zu Gottfried Kellers *Sommernacht*

der Text ist nicht isotrop: Die Ränder, die Kluft sind unvorhersehbar. (Roland Barthes)

Im Juni 1883 schreibt Gottfried Keller an Paul Heyse über seine im November 1883 bei Wilhelm Hertz in Berlin erscheinenden *Gesammelten Gedichte*: »Zu meinem Schrekken fällt mir altem Kamel erst jetzt auf, wie überwiegend das Buch von Säure und Rauhigkeit durchtränkt sein wird, in einem Zeitalter, wo, wie man sagt, nur die Frauensleute noch Verse lesen« (*Briefe*, Bd. 3,1, S. 91). Seiner Altersliebe Marie Frisch verspricht er bei gleicher Gelegenheit: »Wenn ich wieder auf die Welt komme, will ich es besser machen, wie ich auch normalere Ohrläppchen mitbringen werde« (Bd. 2, S. 302) – ein Versprechen, das in seiner Unerfüllbarkeit und Banalität zugleich die abschätzigen Urteile Kellers über seine »problematischen Verssünden« (Bd. 4, S. 252), seine »Gedichtverbrechen« (Bd. 2, S. 412), seine »ungefüge dicke Distel« (Bd. 3,1, S. 338), seinen »lyrischen Sündenwälzer« (Bd. 2, S. 370) relativiert und sie als eher selbstquälerisch ironische denn ernstgemeinte Verdikte entlarvt.

Aber auch die zeitgenössische Kritik konstatiert dieses »Rauhe und Brüchige, [...] Harte und Gequälte« (Weitbrecht, S. 795). Ernst Ziel spricht bei aller Wertschätzung der Kellerschen Muse in bezug auf die Gedichte von »Sonderlingen« und »poetischen Unarten«, die die Grenze zum »Pathologischen« überschreiten in ihrer Wunderlichkeit und Bizarrerie (Ziel, S. 1042 ff.). Distanziert verhält sich auch Theodor Fontane, wenn er in einer Bücher-Bestenliste von Gottfried Keller ausdrücklich »alles, mit Ausnahme der Gedichte« (Fontane, S. 14) empfiehlt. Andrerseits ließen sich ebenso viele Stimmen anführen, die Kellers Lyrik hochschätzen und ihr einen »ersten Platz« auf dem lyrischen Parnaß einräumen (anonym in *Die Grenzboten*, S. 674 ff.), die dem Dichter einen »Herzensdank« für seine Gedichte aussprechen (Frapan, S. 727).

Diese ambivalente und eher unentschlossene Haltung gegenüber der Kellerschen Lyrik hat sich bis heute fortgesetzt. Sie reicht von der Sicht Kellers als eines Spitzweg in Versen bis zu der als eines an der Schwelle zum Symbolismus stehenden Lyrikers. Die Auflage der Gedichte im Rahmen der noch von Keller betreuten zehnbändigen Gesamtausgabe seiner Werke blieb auffallend hinter dem erzählerischen Werk zurück. 1920 erlebten die Gedichtbände die 44.–47. Auflage, die übrigen Bände hingegen schon die 59.–108. Auflage. Obwohl bisher über dreißig (Auswahl-)Gedichtausgaben, beinahe ein Dutzend Dissertationen, zahlreiche Einzelstudien zur Lyrik Kellers erschienen sind, obwohl immer wieder auf seine Bedeutung als Lyriker hingewiesen wird, bleibt das umfangreiche lyrische Werk Kellers, sui generis und in seiner literaturgeschichtlichen Stellung, noch zu entdecken.

Sommernacht ist eines der wenigen Gedichte Kellers, das schon von Zeitgenossen als »fast populär« bezeichnet wurde (Avenarius, S. 546), ein Gedicht, das in weitverbreitete Lyrikanthologien des 19. Jahrhunderts Eingang fand, wie z. B. in speziell für Frauen gedachte Sammlungen von Gedichten, »die vorzugsweise aus der Seele des Weibes heraus, in das Herz des Weibes hinein sangen« (Barthel, Nachwort). *Sommernacht* als lyrisch-episches Stimmungsgedicht ohne »Säure und Rauhigkeit«, als romanzenhafte Erlebnislyrik gelesen? Ausgehend von einem in seiner Sprachmusikalität und Rhythmik meisterhaft gestalteten Naturbild schildert das Gedicht einen »alten schönen Brauch«, wie Gottfried Keller ihn in Jean Pauls *Hesperus* finden konnte, wo im »18. Hundsposttag« berichtet wird, »wie sich in der Schweiz die Jünglinge für die Mädchen, die sie liebten, Nachts dem Getraideschneiden unterzögen.« (Jean Paul, S. 67). Karl Fehr (S. 45 f.) dagegen vermutet als Vorlage eine Schilderung in Pestalozzis *Lienhard und Gertrud*, dem – nach Kellers eigenen Worten – »unübertroffenen Muster« (XX,44) erzieherischer Volksschriften. War bei Jean Paul das erotische Interesse als Motivation für die gute Tat im Vordergrund gestanden, so klingt bei Pestalozzi die Idee gemeinschaftlich selbstloser Hilfe an, wenngleich auch hier ausdrücklich die Töchter einer Witwe geehrt werden sollen. In der von der Forschung bisher nicht beachteten Erstfassung des Gedichts wird der »gereifte Acker / Der ärmsten Maid des Dorfes« aufgesucht (19 f.). In der Handschrift zur Gesamtausgabe seiner Gedichte setzt Keller anstelle der »Waise« die »Tochter«, im Druck jedoch erscheint wiederum die Lesart der *Neueren Gedichte*, was darauf schließen läßt, daß es Keller im Vergleich zu seiner Vorlage – sei es nun der von ihm geschätzte Jean Paul, sei es Pestalozzi oder sei es die Kenntnis dieser Sitte aus eigener Anschauung (vgl. Hunziker, S. 31) – zunehmend darauf ankam, darzustellen, wie in einer intakten Gemeinschaft den Schwächeren selbstverständlich und selbstlos Hilfe zuteil wird.

Nicht das verehrte Mädchen, die heiratsfähige Waise oder Halbwaise, sondern die schwache, hilfsbedürftige Frau – ob alt, ob jung – wird unterstützt. Besondere Bedeutung erhält diese Nuancierung auch durch die formale Sonderstellung des emphatischen, das regelmäßig jambische Versmaß durch die schwebende Anfangsbetonung durchbrechende »*Ihr* schneiden sie [...]« (23).
Die nächtliche Arbeit geschieht denn auch in »reinster Lust«, im Formalen hervorgehoben durch den Gebrauch des Superlativs und die nachfolgende Zäsur. Sie ist der »eignen schweren Arbeit« (32) entgegengesetzt. In seiner Novelle *Romeo und Julia auf dem Dorfe* hat Keller dieses Motiv wiederaufgenommen. Auch hier ist von einer »außerordentlichen« Arbeit, die mit Lust getan wird, die Rede (VII,100). Wie in der *Sommernacht* klingt sie in einem gemeinsamen Fest aus, das allerdings durch das gewaltsame Einschreiten der beiden Protagonisten gestört und – das tragische Geschehen vorausdeutend – beendet wird.
Während bei Pestalozzi die Knaben hinter Zäunen versteckt lauschen, ob die Töchter den heimlichen Helfer erraten, womit das Geschehen eher den Charakter eines Gesellschaftsspiels erhält, das Raum bietet für ein symbolhaftes Liebesgeständnis, mündet das nächtliche Treiben bei Keller in ein – wie es scheint – ungestört harmonisches gemeinsames Fest. Bar jeglicher Heimlichkeit wird »geschwärmt und hell gesungen«, bis der Morgen anbricht und dem Nicht-Alltäglichen, dem Außergewöhnlichen ein sozusagen natürliches Ende setzt. In seiner Vorliebe für die Darstellung der Nacht scheint Keller sich nahtlos in die Tradition der romantischen Lyrik einzufügen. »Nachtgesänge« ist der übergreifende Titel der vier Gedichte Kellers (*Frühlingsnacht*; *Sommernacht*; *Herbstnacht*; *Winternacht*) im 1. Jahrgang der *Lyrischen Blätter* Hermann Rolletts. In der Abteilung »Buch der Natur« der *Gesammelten Gedichte* bildet die »Nacht« ein zwölf Gedichte subsumierendes thematisches Ordnungsprinzip, dem die *Sommernacht* beigeordnet ist.

Die Kapitelüberschrift »Jahreszeiten« in den *Neueren Gedichten* war zu Recht fallengelassen worden.
Hatte die Romantik die Nacht in ihrer geheimnisvollen Undurchschaubarkeit gegenüber dem Tag glorifiziert, so mündet bei Keller die Nacht immer in den Morgen, findet der Tag als Gleich- bzw. Gegengewicht dieselbe Berechtigung. Die Nacht in ihrer Stille erhält ihre Entsprechung in der Tätigkeit des Tages. Dem »stillen Grunde« der ersten, dem »Flüstern« der zweiten Strophe ist das ›helle Singen‹ der letzten Strophe gegenübergestellt. Dem anbrechenden Tag ist Tribut gezollt: »rasch«, »kurz«, »hell«, »nimmermüde«.
Der Gegensatz zwischen Tag und Nacht findet seine Entsprechung in der Gegenüberstellung von schwerer (Tages-) Arbeit und der nächtlichen Nachbarschaftshilfe, die als »Spiel in kühler Nacht« (28) bezeichnet wird – ein Spiel freilich, das mit dem erotischen Versteckspiel der Vorlage(n) nichts mehr gemein hat. Mit diesem das Geschehen der Nacht abschließenden und zusammenfassenden Ausruf, der durch die Kongruenz von Verszeile und syntaktischer Einheit besonders exponiert erscheint, wird die selbstlose nächtliche Arbeit als Spiel apostrophiert, als Spiel in kühler Nacht. Die Kühle wirkt seltsam unvermittelt, wurde sie doch in den vorangehenden Strophen in keiner Weise vorbereitet. Goldenes Glänzen der Gestirne, strahlende Sterne, schimmernde Glühwürmchen bestimmen die Sommernacht, und auch das emsig rasche Arbeiten vom Schneiden über das Binden und Ordnen der Garben läßt den Gedanken an Kühle kaum aufkommen. In der Erstfassung war es noch ein »Spiel in lichter Nacht« gewesen, die in dieser Helligkeit nahtlos in den anbrechenden Morgen überzugehen schien. Sollte sich hier nun eine der für die Kellersche Lyrik charakteristischen ›brüchigen‹ Stellen finden? Läuft nicht dieser »alte schöne Brauch«, diese nur in den »blühendsten Zeiten« eines Volkes (Keller, *Vermischte Gedanken über die Schweiz*, in: XXI,105) herrschende Sittlichkeit Gefahr, zum bloßen Spiel zu verkommen?

Wird auch in diesem Gedicht der Cantus firmus aller Kellerschen Poesie, nämlich das »Grollen im Untergrund« (Kaiser, S. 105), hörbar, obwohl es vorerst ein Musterbeispiel dafür zu sein scheint, wie Keller einen Gedanken in didaktischer Absicht in poetische Form kleidet, »wie man schwangeren Frauen etwa schöne Bildwerke vorhält« (an Berthold Auerbach, in: *Briefe*, Bd. 3,2, S. 195)? Das schöne Bild zeigt dunkle oder blinde Flecken. Das für die Kellersche Lyrik charakteristische Hereinragen des Anderen, des Bedrohlichen, der horizontale Schnitt, der seine Welt in ein Oben und Unten teilt, das Ineinandergreifen von ruhig verklärter Wirklichkeit und »anderer« Sphäre, das, was in Hugo von Hofmannsthals *Unterhaltung über Gottfried Keller* gelobt wird als die »unbegreiflich feine und sichere Schilderung gemischter Zustände«, der »sonderbarsten Kombinationen« (Hofmannsthal, S. 167 f.), findet sich auch in diesem Gedicht, wenngleich der Aufeinanderprall keineswegs so schroff und unvermittelt geschieht wie z. B. in der bekannten *Winternacht*. Ausgehend von einem stimmungshaften Naturbild, das in seiner rhythmischen und sprachlichen Gestaltung das wie ein Meer wogende Kornfeld nachbildet, indem das streng alternierende Versmaß durch schwebende Betonungen, Zeilensprünge, Zäsuren das Auf und Ab einer Wellenbewegung wiedergibt, findet das freundlich liebliche Bild eine freilich nur flüchtige Unterbrechung im Hinweis auf das grausige Seegewürm. Die Verneinung der Existenz dieses Grauens aber erhält durch die schwebende Anfangsbetonung etwas Forciertes, als ob das Gewürm nun geradezu herbeizitiert würde.
Was die Bildlichkeit der ersten Strophe betrifft, so zeigt sich, daß Keller nicht nur auf traditionelle Stilmittel wie den Vergleich oder die barocke Antithetik zurückgreift, sondern daß er den Weg von der breiten allegorischen Ausdeutung, von eindeutiger Bildlichkeit zu symbolischer Verknappung und ambivalenter Bedeutung geht. Durch das Bild der träumenden Blumen wird ein neuer Bildbereich, ein zusätzliches Stück Natur in das wogende Ährenfeld aufgenommen.

Damit ist zwar kein Mehr an realistischer Wirklichkeitsdarstellung gewonnen, wohl aber ein Mehr an »poetischer« Wahrheit. Dem lyrischen Ich gerät in seinem Bemühen, Gewürm und Graus zu verbannen, das Kornfeld zu einem goldglänzenden Blumenmeer. War in der Erstfassung dieses Motiv der (Blumen-)Kränze in der letzten Strophe wiederaufgenommen worden, wenn die Garben »schön in einen Kranz« gebracht wurden, so ließ Keller in der Letztfassung das Motiv nur in variierter Form anklingen (26). Die letzte Strophe zeichnet sich nun durch größere Wirklichkeitsnähe aus; die Garben werden angesichts des nahenden Morgens »rasch« in einen »Ring« gebracht. Das schnelle Vorwärtsschreiten der Arbeit steht im Vordergrund, helles Singen anstelle friedlich stiller Träume, Ähren bzw. Garben anstelle von Blumen. Beispielhaft sei hier darauf hingewiesen, mit welcher Sorgfalt Keller an seinen Gedichten feilte: der mit der Vorstellung des Blumenkranzes korrespondierende »Morgenduft« wird nun zur »Morgenluft« (30), die ihrerseits wiederum die Vorstellung von der »kühlen Nacht« (28) stützt.

Die Verbindung zur ersten Strophe ist nun subtiler. Es ist die Variation des Kreismotivs in der ersten (Runde, Kranz) und in der letzten Strophe (Ring, Garbenkreis), die dem Gedicht Geschlossenheit verleiht, die den Bezug herstellt zwischen dem Teil, in dem ein lyrisches Ich sich im Einklang mit der umgebenden Natur ausspricht, und dem Teil, in dem es – wie Adolf Muschg kritisch anmerkt – »leicht ins Erzählende hinabgeht« (Muschg, S. 25). Der epische und der reflexive Charakter seiner Lyrik wurde Keller besonders in Zeiten vorgeworfen, die Lyrik als Erlebnislyrik verstanden. Seine Gedichte stehen sperrig in der Tradition dieser nach-goetheschen deutschen Erlebnislyrik, in der zwischen lyrischem Ich und dargestellter Situation ungebrochene Unmittelbarkeit herrscht; in ihnen wird weniger erlebt als vielmehr beobachtet. Auch in der *Sommernacht* nimmt das lyrische Ich am Geschehen nicht teil, es steht in der Position des Voyeurs am Rande des Feldes, ebenso wie für Keller der

Künstler die qual- oder lustvolle Position des Außerhalb-Stehenden einnehmen muß, von der aus er allemal zu objektiverer Beobachtung fähig ist, denn »wer in einem festlichen Zug mitzieht, kann denselben nicht so beschreiben wie der, welcher am Wege steht« (*Der grüne Heinrich*, in: XVIII,6 f.). Die Gier, mit der das lyrische Ich seine Seele am friedlichen Glänzen teilhaben lassen will, hat denn auch etwas sehr Bemühtes, Angestrengtes an sich, woran sich – wie mit einem neuen Atemholen – die Beschreibung seiner Beobachtung anschließt. Spannungsvoll – von lautmalerischen Zischlauten, Flüstertönen untermalt, von aufblitzenden Farbspielen begleitet – drängt das Geschehen – alliterierend, zeilenspringend – weiter, durch Spannungs- und Höhepunkte gegliedert.
Obwohl es für Keller immer darum geht, eine Idee poetisch einzukleiden, »denn der Gedanke ist es, der das Wort adelt«, wie er in seinem Tagebuch vermerkt (XXI,40), wird man dem Gedicht nur unzureichend gerecht, liest man es bloß als stimmungsvolle Schilderung lobenswerten Brauchtums, als idealisierendes Lehrgedicht, in dem die »braune Hand« des Volkes (vgl. Keller, *Am Mythenstein*, in: XXII,121) sittliche Taten vollbringt. Ebenso bemerkenswert ist es im Hinblick auf seine brüchigen Nahtstellen, auf das Ätzende, das äußerst kunstvoll versprüht wird. Das Artifizielle ist es, das »Grollen im Untergrund«, das Keller an die Schwelle der modernen Lyrik treten läßt, in der die Unmittelbarkeit der Ich-Aussage einer vielfach gebrochenen, facettenreichen Distanziertheit weicht oder – um mit seinen eigenen, in mehrfacher Weise charakteristischen Worten zu enden: So sieht er sich, seine »geringfügige Gestalt, wie sie in der literarischen Gemeindestube in der Nähe der Tür sitzt« (*Autobiographie III*, in: XXI,12).

Zitierte Literatur: Ferdinand AVENARIUS: Gottfried Keller als Lyriker. In: Tägliche Rundschau. 4 (1884) Nr. 137. S. 546–551. – Des Mädchens Wunderhorn. 12. Aufl., bearb. von E. Barthel. Halle a. d. S. 1883. [Zit. als: Barthel.] – Karl FEHR: Gottfried Keller. Aufschlüsse und Deutungen. Bern/München

1972. S. 44–48. – Theodor FONTANE: Die besten Bücher aller Zeiten und Litteraturen. Berlin 1889. – Ilse FRAPAN: Gesammelte Gedichte von Gottfried Keller. In: Das Magazin für die Literatur des In- und Auslandes 52 (1883) S. 724–727. – Die Grenzboten 42 (1883) S. 674–680 [Anonyme Sammelbesprechung neuer Gedichte]. – Hugo von HOFMANNSTHAL: Prosa. Bd. 2. Hrsg. von Herbert Steiner. Frankfurt a. M. 1951. – Fritz HUNZIKER: Glattfelden und Gottfried Kellers Grüner Heinrich. Zürich/Leipzig 1911. – Gerhard KAISER: Gottfried Keller. Das gedichtete Leben. Frankfurt a. M. 1981. – Gottfried KELLER: Sämtliche Werke. [Siehe Textquelle. Zit. mit Band- und Seitenzahl.] – Gottfried KELLER: Gesammelte Briefe. Hrsg. von Carl Helbling. 4 Bde. Bern 1950–54. [Zit. als: *Briefe*.] – Gottfried KELLER: Ausgewählte Gedichte. Hrsg. von Walter Muschg. Bern 1956. [Vorwort. Zit. als: Muschg.] – Jean Pauls Sämtliche Werke. Lfg. 2. Bd. 3. Berlin 1826. – R. WEITBRECHT: [Sammelrezension]. In: Blätter für literarische Unterhaltung. 1895. S. 795. – Ernst ZIEL: Über Gottfried Kellers Gesammelte Gedichte. In: Beilage zur Allgemeinen Zeitung Nr. 71 (1884) S. 1042–1044.
Weitere Literatur: Hermann BÖSCHENSTEIN: Gottfried Keller. 2., durchges. und erw. Aufl. Stuttgart 1977. S. 98–103. [Hier auch weiterführende Literatur.]

Robert E. Prutz

Rechtfertigung

Man hat die Poesie verklagt,
Man zürnt mit uns Poeten,
Daß wir mit stolzem Muth gewagt,
Vor unser Volk zu treten:
5 Daß wir gewagt, mit lautem Ton
Die Schlummernden zu wecken,
Daß wir gewagt, auf ihrem Thron
Selbst Könige zu schrecken.

Schaut um Euch, sagt man: Alles still!
10 Die Lämmer gehn und grasen,
Die ganze Welt ist ein Idyll,
Was nützt es, Lärm zu blasen?
Ihr ruft zur Schlacht tagaus, tagein,
Wer soll die Schlachten schlagen?
15 So laßt doch das Trompeten sein,
Es will ja doch nichts sagen.

Die Muse ist ein Weib – wohlan!
Für Weiber ziemt die Klause.
Was ficht denn Eure Muse an?
20 Was will sie außerm Hause?
Macht Verse wieder, wie zuvor,
Singt: blühe, liebes Veilchen!
Und findet das kein offnes Ohr,
Je nun, so schweigt ein Weilchen. – –

25 Und wär' es auch, und wär' es so,
Wir wollen doch nicht schweigen!
Doch in die Lüfte stolz und froh,
Soll'n unsre Lieder steigen!
Und wären alle Lerchen stumm

Und alle Nachtigallen,
So soll die Freiheit doch ringsum
Von allen Zweigen schallen!

Was? Wenn der Mond am Himmel steht,
Und wenn die Sternlein flimmern,
Da soll Euch hurtig der Poet
Ein Mondscheinliedchen wimmern:
Doch wenn aus Nacht und Nebel bricht
Der Zukunft goldne Sonne,
Da, wollt Ihr, soll der Dichter nicht
Ausjauchzen seine Wonne?

An jedem Hälmchen, jedem Moos
Soll der Poet sich freuen,
Er soll die Blumen klein und groß
Poetisch wiederkäuen:
Doch wie? wenn der Geschichte Baum
Laut rauscht mit allen Zweigen,
Das freut Euch nicht? das hört Ihr kaum?
Da soll der Dichter schweigen?

Ihr laßt ihn gerne dies und das
Von Rausch und Reben singen,
Und wenn der Wein sich rührt im Faß,
Soll auch die Leier klingen:
Doch wenn der Geist, der ew'ge, gährt,
Daß alle Herzen dröhnen,
Das dünkt Euch nicht Besingens werth,
Da soll kein Lied ertönen?

Ihr hört dem Dichter ruhig zu,
Singt er von Liebesschmerzen,
Ihr kriegt nicht satt sein ewig: Du,
Du, Du liegst mir im Herzen:
Doch wenn ein Mann zur Liebsten sich
Die Freiheit hat erkoren,

Da dünkt das Lied Euch kümmerlich,
Da schmerzen Euch die Ohren?

65 Nun gut, so rutscht denn auf dem Knie,
So räuchert Eurem Fetisch,
Und klagt, die neue Poesie
Sei gar zu unästhetisch:
Wir kümmern uns den Teufel drum,
70 Wie man uns kritisire,
Und ob ein feines Publicum
Uns höchlich degoutire! –

Dich, deutsche Jugend, Dich allein,
Dich suchen diese Lieder!
75 Dein Ohr ist wach, Dein Herz ist rein,
Dein Busen hallt sie wieder.
Die Jugend nur, die Jugend nur,
Die Jugend soll uns hören,
Und nicht Kritik und nicht Censur
80 Soll unsre Lieder stören! –

Abdruck nach: R. E. Prutz: Gedichte. Neue Sammlung. Zürich/Winterthur: Literarisches Comptoir, [2]1843. S. 9–14.
Erstdruck: Rheinische Zeitung vom 11. 9. 1842.

Karl Prümm

Selbstporträt der »politischen Poesie«. Zu Robert Prutz' Gedicht *Rechtfertigung*

In der Geschichte der politischen Lyrik des Vormärz treten zwei Phasen besonders markant hervor, in denen das Zeitgedicht zu Dominanz und intensiver Wirksamkeit gelangte.

Das Jahr 1840 mit der Rheinkrise und der Thronbesteigung von Friedrich Wilhelm IV. in Preußen, patriotische Emotionen und illusionäre liberale Erwartungen brachten eine Welle von vaterländischen Gesängen und Freiheitsliedern hervor. Doch schon wenige Jahre später sind Abnutzungserscheinungen unübersehbar, und Mitte des Jahrzehnts waren nicht nur die Skeptiker davon überzeugt, daß sich »jener nutzlose Enthusiasmusdunst« (Heine, Vorrede zu *Atta Troll*, in: Bd. 1, S. 338) überlebt habe. Die revolutionären Ereignisse 1848 bringen noch einmal einen Aufschwung für eine Lyrik mit politischen Motiven und politischer Zielsetzung, bevor dann im Zuge der allgemeinen Desillusionierung ein breites Abrücken vom Zeitgedicht erfolgt.
Die lyrische Produktion des äußerst vielseitigen Robert E[duard] Prutz (1816–72) – er war zugleich Lyriker, politischer Publizist, Historiker, Literaturwissenschaftler, Dramatiker und Romancier – spiegelt diese Chronologie sehr genau wider. In seinem ersten, 1841 erschienenen Gedichtband sind die zeitkritischen Gedichte noch in der Minderzahl gegenüber der Fülle der romantischen Schauer- und Liebeslyrik. Die zwei Jahre später erschienene *Neue Sammlung* von Gedichten vollzieht dann eine totale Wendung zur ›politischen Poesie‹. Erst 1849 kommen *Neue Gedichte* heraus, in denen die politische Thematik noch einmal dominiert, bevor dann die späteren Bände *Aus der Heimat* (1858), *Aus goldenen Tagen* (1861) und *Herbstrosen* (1865) schon im Titel die Rückkehr zu den epigonalen lyrischen Anfängen annoncieren.
Besonders in der Aufbruchsstimmung der politischen Lyrik zu Beginn der vierziger Jahre spielt Prutz eine repräsentative Rolle. In den Kontroversen um die ›politische Poesie‹ wird stets sein Name in der allerersten Reihe zusammen mit Herwegh, Hoffmann von Fallersleben und Dingelstedt genannt, seine Gedichte kursieren als Flugblätter, werden auf Massenversammlungen vorgetragen. Sie sind an herausragenden Stellen plaziert, im Feuilleton der *Rheinischen Zeitung*, dem wichtigsten Organ der liberalen Opposition.

Prutz zählt zu den Autoren, die in den zeitgenössischen Anthologien politischer Lyrik am breitesten vertreten sind (Denkler, S. 182–187).

In eine repräsentative Rolle rückt Prutz aber vor allem durch seine vielfältigen Bemühungen, die Politisierung der Lyrik theoretisch zu legitimieren. Kein anderer Autor des Vormärz hat mit einer solchen Intensität versucht, eine historische und systematische Theorie der politischen Lyrik zu formulieren. 1842 konzipiert Prutz einen umfangreichen Aufsatz *Die politische Poesie. Ihre Berechtigung und Zukunft*, den er erst fünf Jahre später veröffentlicht, doch Teile davon erscheinen aus aktuellen Anlässen in der *Rheinischen Zeitung*.

Dort wird auch am 11. September 1842 das Gedicht *Rechtfertigung* zum ersten Mal gedruckt. Es greift ein in die laufende Debatte um die ›politische Poesie‹ und bezieht eindeutig Stellung in der erregten Kontroverse zwischen Herwegh und Freiligrath. Im Medium des Gedichts selbst wird die politische Parteinahme des Dichters gerechtfertigt und damit der Anspruch einer umfassenden Politisierung noch einmal potenziert. Über die aktualitätsgebundene Funktion hinaus gewinnt das Gedicht für Prutz bekenntnishaften und programmatischen Charakter, zumal es am Anfang seiner *Neuen Sammlung* von Zeitgedichten steht.

Die Austauschbarkeit von theoretischer und lyrischer Aussage hat bei Prutz einen besonderen Hintergrund. In seinen *Vorlesungen zur deutschen Literatur der Gegenwart* (1847) hat er die »politische Poesie« als massenwirksames Pendant zur politischen Philosophie bezeichnet, wie sie von den *Hallischen Jahrbüchern* repräsentiert wird. Indem die Lyrik deren »vorzüglichste Pointen zum Teil wörtlich« wiederhole, mache sie die politische Philosophie zum »wahren Eigentum des Volkes« und liefere die beste »Rechtfertigung namentlich auch für die Polemik der Jahrbücher« (Prutz, *Werkauswahl*, S. 357). Seine lyrische »Rechtfertigung« der »politischen Poesie« benutzt das Argumentationsmaterial der theoretisch-essayistischen Begründung, doch gelingt es keineswegs – wie sich noch zeigen wird –, die Pointe, sondern lediglich die Ausgangskonstellation zu übertragen.

Er wählt für seinen Rechtfertigungsversuch die damals beliebte Form des dialogischen Streitgedichts. Die erste Strophe der *Rechtfertigung* hat den Charakter einer Exposition und bereitet die dialogische Gegenüberstellung vor. Doch der nüchterne, chronikhafte Beginn wird sehr schnell durch einen hymnischen Sprachton abgelöst, das Referieren der Gegenposition verkehrt sich in eine pathetische Selbstdarstellung. Das dreifach betonte ›Wagnis‹ (3, 5, 7) übertrumpft das ›Verklagen‹ und ›Zürnen‹, die »politische Poesie« feiert sich selbst als Erweckerin einer machtvollen Volksbewegung, die den feudalistischen Machthabern einen panischen Schrecken einjagt. Gleich zweimal beharrt Prutz auf der Kategorie des ›Poetischen‹ (1, 2) und wehrt so die Kritik an einer politischen Ästhetik ab, bevor die Vorwürfe überhaupt expliziert werden. Längst ist das ›Streitgespräch‹ vorentschieden.

In typischer Weise kommt hier ein Selbstbewußtsein zum Ausdruck, wie es für die politische Lyrik um 1840 charakteristisch ist. Die gemeinsame Beschwörung der »Freiheit« und die gemeinsame Wendung gegen Repression und Zensur verdeckten die Differenzen und ließen die Illusion entstehen, eine mächtige und geschlossene Front zu repräsentieren. Mit großer Selbstverständlichkeit gebraucht Prutz die Kollektivformel »Wir«. Das enorme Machtbewußtsein hatte aber auch seine ganz reale Basis. Der durchschlagende Massenerfolg der politischen Lyrik, der Autoren wie Herwegh zu überall gefeierten Heroen machte, die zentrale Rolle der Zeitgedichte in der politischen Publizistik und bei den zahlreichen Schiller- und Gutenberg-Feiern – all dies konnte den Eindruck erwecken, die »politische Poesie« sei nicht das Resultat, sondern der Auslöser dieser gewaltigen Volksbewegung. Der Gebrauchscharakter der Texte ließ überdies eine sehr direkte Beziehung zwischen Publikum und Autor entstehen und bekräftigte so dessen Überzeugung, der beru-

fene Sprecher der ›Freiheitspartei‹ zu sein. Auch für sein Gedicht *Rechtfertigung* erhielt Prutz ein ermutigendes Rezeptionszeichen. Eine Gruppe Königsberger Bürger übersandte »Dem Dichter R. Prutz« als Dank und Huldigung einen silbernen Pokal, auf dem die letzten Zeilen der *Rechtfertigung* eingraviert waren. Prutz widmete daraufhin »Seinen Freunden in Königsberg in Preußen« seine *Neue Sammlung* von Gedichten.
Als ein weiteres Indiz für Erfolg und reale Wirkung konnte das Verhalten von Zensur und Obrigkeit gewertet werden. Aus den »literarischen Geheimberichten«, die für die Mainzer »Zentraluntersuchungskommission« angefertigt wurden, wissen wir, daß der Staatsapparat die »politische Poesie« der beginnenden vierziger Jahre als »politisch-literarische Macht« ersten Ranges einstufte. Die behördlichen Observanten beschreiben die Wirkung der politischen Lyrik kaum anders als deren Protagonisten: »sie rührt elektrisch und prägt sich mit ihren Liedern tief in das Gemüt der Jugend, während sie auch die Älteren umstrickt« (zit. nach: Wilke, S. 330). So erklären sich die harten Gegenmaßnahmen: Herwegh wird aus Preußen, Prutz aus Sachsen-Weimar ausgewiesen. Massenerfolg und nervöse Reaktionen der Obrigkeit begründen das Selbstbewußtsein der Autoren, das jedoch in einen Gegensatz zum Grundgestus des Gedichts *Rechtfertigung*, zum Legitimationsbedürfnis gerät. Ist die Selbstverherrlichung, so muß man fragen, doch nur blendende Rhetorik, die eine latente Unsicherheit übertönen soll? Zweifel sind auch angebracht gegenüber dem radikalen Konzept einer politischen Lyrik, wie es in der ersten Strophe implizit entwickelt wird. Der Dichter erscheint hier als Führer- und Leitfigur, sein Anspruch ist universell. Er repräsentiert das »Volk« und ruft es zugleich zur Aktion auf, die Stoßrichtung ist kompromißlos antifeudalistisch. Diese Entschiedenheit widerspricht Prutz' faktischer Haltung, der eher einer Reformpolitik von oben zuneigt.
In seinem Aufsatz *Die politische Poesie. Ihre Berechtigung und Zukunft* unterscheidet Prutz zwischen zwei »Parteien«,

einer »politischen« und einer »ästhetischen«, die beide die politische Lyrik gleichermaßen ablehnen, deren Motive jedoch differieren. Detailgetreu transponiert er diesen Ansatz ins Gedicht. Wie im Essay, so kommt auch hier in der zweiten Strophe zunächst die Fraktion der politischen Gegner imaginär zu Wort. In Wirklichkeit ist die Gegenposition satirisch verzerrt, um ihr Herrschaftsinteresse bloßzulegen. Eine solche Funktionalisierung der Satire findet sich in beinahe allen dialogischen Streitgedichten des Vormärz. Die Erhaltung des »Quietismus« ist nach Prutz das Hauptanliegen, auch in diesem Punkt wird die bewußte Anlehnung an die gleichzeitige oppositionelle Publizistik und politische Philosophie deutlich, die diesen Vorwurf immer wieder vorbringt. Das pastorale Bild der friedlich weidenden Herde entlarvt die Absicht, das »Volk« generell für »politisch unmündig, unbeteiligt und unberechtigt« zu erklären (*Die politische Poesie*, in: *Werkauswahl*, S. 157). Die satirische Perspektive beherrscht diese Strophe aber keineswegs so eindeutig, wie dies zunächst den Anschein hat. Prutz scheut sich nicht, in den negativen Kontext der entlarvenden Satire zentrale Elemente seines Selbstverständnisses einzubringen.

Sie Kommt gewiß, sie wird gewiß geschlagen,
Die köstliche, die deutsche Freiheitsschlacht!

verkündet er 1841 in dem Gedicht *Dichtergruß* (*Gedichte*, S. 125). Hier wird nun dieselbe Prophetie dem ironisierten Gegner als ironische Replik in den Mund gelegt, eine Art Selbstaufhebung der Satire mit satirischen Mitteln. Prutz knüpft an die Erweckungsfunktion der politischen Lyrik an, wie sie schon in der ersten Strophe beansprucht wurde, die Selbstdarstellung drängt sich auch hier in den Vordergrund. Mit der Metapher des »schmetternden Trompetentons« (*Werkauswahl*, S. 230) hat Prutz wiederholt – wie auch zahlreiche andere Autoren – seine eigene politische Lyrik emphatisch umschrieben.
Die dritte Strophe zitiert ebenso im Gewand der Satire die

ästhetisch motivierten Einwände gegen die Ausdehnung des lyrischen Sprechens auf die Angelegenheiten des »öffentlichen Lebens«. Diese »Partei« will nach Prutz die Lyrik auf ihre traditionellen Reservate beschränken, auf die privaten Gefühle und auf ein harmonisierendes Naturbild. Mit dem Schweigegebot hat das satirisch pointierte Zitat seine denkbar schärfste Zuspitzung erfahren. Wirksam läßt sich nun das eigene Konzept dagegenstellen, die »politische Poesie« erhält die Aura einer trotzigen Selbstbehauptung, einer Pioniertat, die sich über traditionelle Erwartungen kühn hinwegsetzt. Ausruf und Anapher zu Beginn der vierten Strophe (»Und wär' es auch, und wär' es so«) übertragen den hohen Grad an emotionaler Beteiligung auf den Leser. Verteidigt wird die Politisierung des Naturgedichts, die bloße Umdeutung eines von der Romantik favorisierten Genres. Die »politische Poesie« verzichtet darauf, ihre eigene Ästhetik, ihre spezifischen Bilder und Metaphern zu entwickeln, sie bleibt an das tradierte Motivarsenal gebunden. Im Prozeß der Legitimation führt Prutz diese Umfunktionierung selbst exemplarisch vor: die Lerche wird zur allegorischen Umschreibung der politischen Lieder, die Nachtigall vom anheimelnden Idyllenmotiv zur Verkünderin der Freiheit. Dem Leser waren solche Umwertungen höchst vertraut, wie Versatzstücke kehren sie in der politischen Lyrik der Zeit wieder.

Die nächsten vier Strophen fügen nun, nachdem das Grundprinzip der »politischen Poesie« artikuliert ist, nichts Neues mehr hinzu, die Tendenz der Vormärzlyrik zu Reihungsprinzipien, ornamentaler Ausschmückung und rhetorischer Aufschwellung wird überdeutlich. Die einzelnen Strophen folgen einem strengen Parallelismus. Prutz schreitet die einzelnen Felder der überkommenen lyrischen Produktion und der fixierten Publikumserwartung ab, die Nacht- und Naturpoesie, die Trinklieder und die Liebeslyrik, und lenkt dann stets am Ende pointenhaft die Aufmerksamkeit auf die neuen poetischen Objekte, auf das pathetisch beschworene, das anbrechende Zeitalter der Freiheit. Widersprüchlich verbindet sich eine wiederum satirisch zugespitzte antiromantische Radikalität mit einer überraschenden Aufwertung des verbrauchten Bildmaterials. Denn entscheidend legitimiert wird das Neue, indem es per Metapher von der traditionellen Lyrik eingeholt wird. Das revolutionäre Pathos ist daher nur Pose, der antiromantische Affekt bloße Rhetorik. Allein mit einem rhetorischen Trick gelingt es Prutz dann auch, das Zukunftsweisende einigermaßen plausibel vom Gewohnten abzusetzen: Die alten poetischen Motive werden zu Diminutiva verkleinert, die politischen Symbole dagegen ins Monumentale überhöht.

Prutz hatte bewußt den Weg der ästhetischen »Rechtfertigung« gewählt, doch auch dieses Verfahren greift – vom Autor sicher unkontrolliert – auf die politische Dimension über. Die naturalen Muster verändern den Charakter dessen, auf das sie angewandt wurden, die Naturmetapher wird, gewollt oder ungewollt, zur Wesenserklärung. Politische Prozesse erhalten eine Naturmächtigkeit, die Teleologie von Hegels Geschichtsphilosophie wird zu naturhafter Notwendigkeit, zu einem organischen Automatismus umgedeutet. Prutz neigte im besonderen Maße zu dieser vergröbernden Hegel-Interpretation. Nicht umsonst hat Herwegh in einem Huldigungsgedicht an seinen Freund dieses Element hervorgehoben:

»Es *muß* geschehn, und darum *wird's* geschehen!«
Schriebst du nicht also, mein geliebter Prutz?
(Herwegh, S. 94)

Die starke Prägung durch Hegel kommt im Gedicht auch direkt zur Geltung. Der »ewige Geist«, das vorwärtstreibende Prinzip der Geschichte, wird dort gewaltsam gepreßt in das schiefe Bild vom gärenden Most, der alle Herzen zum »Dröhnen« bringt (53/54).

Die Überführung des Politischen ins Naturhafte setzt auch als zweite gravierende Konsequenz das radikale Eingangsmodell »politischer Poesie« außer Kraft. Die politisierte Naturlyrik ist nun nicht mehr handlungsstimulierend, sie hat ihre Führungs- und Repräsentationsrolle eingebüßt. In der breiten rhetorischen Rechtfertigung im Zentrum des Gedichts beschränkt sich ihre Aufgabe auf das »Besingen« (55), auf die reflexive Begleitung einer selbstmächtigen Bewegung. Zum Verhältnis von Theorie und Praxis, Literatur und Wirklichkeit finden sich bei Prutz äußerst widersprüchliche Aussagen. Auf der einen Seite scheint er der Position Heines und der Linkshegelianer Ruge und Marx zuzuneigen, die Literatur und Philosophie als Handlungskompensation bestimmen:

In den Himmel rettet sich, wem die Erde verschlossen ist: Und so haben auch wir aus der Unfreiheit unsers wirklichen, bürgerlichen Daseins uns in den Äther der Spekulation, in die Ästhetik, die Literatur, die Kunst hinübergeflüchtet.
(*Die politische Poesie*, in: *Werkauswahl*, S. 161.)

Andererseits feiert Prutz gerade die »politische Poesie« als prophetische Vorwegnahme der »Schlacht« und als Handlungsaufforderung. Eine dritte Variante taucht ebenfalls bei ihm auf: das Gedicht selbst wird zur ›Tat‹ erklärt.

Wohlauf mein Lied! laß deine Pfeile schwirren!
Denn auch das Lied ist ein geflügelt Erz.
(*Gedichte*, S. 126)

Die Widersprüchlichkeit der sich eigentlich ausschließenden Grundpositionen ist im Gedicht *Rechtfertigung* durch die Emphase überdeckt, mit der hier der poetische Traditionalismus attackiert wird. Prutz funktionalisiert in der vorletzten Strophe die Religionskritik für die ästhetische Diskussion, indem er die Traditionalisten in die Nähe einer pervertierten Religiosität rückt. Auch dieser Vorgang beleuchtet, daß der Autor durch die Schule des Linkshegelianismus gegangen ist. Die Behauptung einer generellen Unberührbarkeit durch Kritik und Ablehnung schließt die Auseinandersetzung ab: »Wir kümmern uns den Teufel drum, / Wie man uns kritisire. / Und ob ein feines Publicum / Uns höchlich degoutire! –« (69–72.) Peter Stein will aus dieser

Stelle herauslesen, Prutz verzichte bewußt auf den »ästhetischen Wert« zugunsten der »politischen Durchschlagskraft«, er nimmt den Radikalismus beim Wort (Stein, S. 181).
Eine solche Wertung isoliert diese Stelle, schon durch den Kontext des Gedichts wird sie eindeutig widerlegt. Dessen formale Geschlossenheit, das streng durchgehaltene Reimschema und Versmaß, der wohlkalkulierte Aufbau und die ornamentalen Elemente beweisen, daß die ästhetischen Prinzipien für Prutz keineswegs eine Quantité négligeable darstellen. Vielmehr ist der antiästhetische Radikalismus die Befreiung aus einer Zwangslage, in die sich Prutz manövriert hat. Der Vergleich der essayistischen mit der lyrischen Rechtfertigung zeigt, daß die Analogie an ganz entscheidender Stelle abbricht. In der diskursiven Begründung steht die philosophische Legitimation der »politischen Poesie« als Höhepunkt wirksam am Ende. Wiederum operiert Prutz mit Hegelschen Kategorien. Wenn die unbestreitbare Aufgabe der Kunst die »schöne Individualität und ihre Darstellung« sei, so müsse mit dem »erweiterten Inhalt des Subjekts« auch die Kunst sich erweitern, folglich »Staat, die Zustände der Geschichte, die politischen Verhältnisse eines Volkes«, diese »Offenbarung des Geistes« in sich aufnehmen und »künstlerisch reproduzieren« (*Werkauswahl*, S. 173 f.). Diese komplexe Argumentation ist in das appellative, auf Emotionen bedachte Gedicht nicht zu übertragen, an ihre Stelle tritt eine bloß rhetorische Klimax. Bei einem negativen Ende will es Prutz nicht belassen, daher übersteigert er die antiromantische Pose und die Abqualifizierung des Gegners noch einmal mit einem spektakulären Finale, dem damals viel strapazierten Oppositionsschema von ›Alt‹ und ›Jung‹, das auf einfache Weise die eigene Position als vital und zukunftsträchtig erscheinen läßt. Der dreifache Appell an die »Jugend« belegt noch einmal die Neigung dieser Gedichte zur Deklamatorik. Im mitreißenden Schwung gerät aus dem Blickfeld, daß die Schlußwendung die Eingangsstrophe widerlegt. Der universelle Anspruch

wird zugunsten eines selektiven Publikumsbegriffs aufgegeben, eine Einschränkung, die der realen Funktion der politischen Lyrik um 1840 viel mehr gerecht wird. Die *Rechtfertigung* war in Wirklichkeit nicht dazu geeignet, Einwände zu zerstreuen und Gegner zu überzeugen, sondern ihr Ziel war es einzig, die eigene Partei hymnisch zu feiern. »Politische Poesie« in diesem Sinne konnte nur kurzfristig Erfolg haben, zu schmal war die inhaltliche Substanz, zu überschaubar das Motiv-Arsenal. Zeitgedichte sind »hors de saison«, muß Prutz 1847 enttäuscht konstatieren (*Werkauswahl*, S. 173). Das schnelle Ende war nur konsequent.

Zitierte Literatur: Horst DENKLER: Zwischen Julirevolution (1830) und Märzrevolution (1848/49). In: Geschichte der politischen Lyrik in Deutschland. Hrsg. von Walter Hinderer. Stuttgart 1978. S. 179–209. – Heinrich HEINE: Sämtliche Werke in vier Bänden. Hrsg. von Jost Perfahl. München 1969–72. – Georg HERWEGH: Werke in einem Band. Berlin/Weimar 1977. – Robert E. PRUTZ: Gedichte. Leipzig ²1844. – Robert PRUTZ: Zwischen Vaterland und Freiheit. Eine Werkauswahl. Hrsg. von Hartmut Kircher. Köln 1975. [Zit. als: *Werkauswahl.*] – Peter STEIN: Politisches Bewußtsein und künstlerischer Gestaltungswille in der politischen Lyrik 1780–1848. Hamburg 1971. – Jürgen WILKE: Das »Zeitgedicht«. Seine Herkunft und frühe Ausbildung. Meisenheim a. G. 1974.
Weitere Literatur: Arnold RUGE (Hrsg.): Die politischen Lyriker unserer Zeit. Leipzig 1847. Neudr. Hildesheim 1976.

Anastasius Grün
(Anton Alexander von Auersperg)

Spaziergänge

Aus der dumpfen Siechenstube nach den frischen grünen
Hainen
Läßt der Kranke gern sich leiten von den liebevollen Seinen,
Daß er dort ins Gras sich lagre, Kraft und neuen Glanz sein
Auge,
Seine Seele Mut und Hoffnung aus dem Grün der Wiesen
sauge.

Aus dem Finstern an die Sonne wird geführt der arme
Blinde,
Ach, daß nur ein Funke Lichtes Zugang in sein Dunkel
finde!
Die versiegten Augenhöhlen glühen dann gleich
Flammenbronnen,
Wie zwei runde Purpurrosen, wie zwei große rote Sonnen.

Wenn der Wächter dem Gefangnen einen Festtag will
bereiten,
Aus dem Kerker auf ein Stündchen läßt er an die Luft ihn
schreiten,
Daß er seh', wie sie der Freiheit auf der Welt viel Raum noch
gönnen,
Da die Wolken frei noch segeln, frei die Vögel singen
können!

Also bin auch ich gestiegen auf der Hügel sonn'ge Rücken,
Wenn's wie Nacht der Blindheit unten dunkelte vor meinen
Blicken,
Also sucht' ich freie Bergluft, wenn ich Kerkerluft gewittert,
Und das Grün, der Hoffnung Farbe, wenn mein Herz krank
und zersplittert.

In der Stadt, darin ich wohne, gibt's viel Klöster und
Kasernen,
Ries'ge Akten-Arsenale, Dome ragend zu den Sternen
Und dazwischen kleine Männlein, rufend im
Triumphestone:
20 Seht, *wir* sind die Weltregierer, wir mit Canon und Kanone!

So geschieht's denn, daß die Glocken brüllen allzu grell
bisweilen,
Daß zu stark die einen trommeln, und zu laut die andern
heulen,
Daß der Dampf der Weihrauchfässer allzu dick die Luft
verhülle;
O dann such' ich auf den Bergen Licht und frische Luft und
Stille.

25 So läßt vieles leicht sich tragen, was zu Boden könnte
pressen,
Wenn man nur für gute Sohlen nicht zu sorgen hat
vergessen,
Wenn der Lenker der Gestirne mir des Herzens schlicht
Begehren,
Nur das wen'ge, drum ich flehe, wie bisher, noch will
gewähren:

Daß er fest und aufrecht wandeln, nicht am Krückenstab
mich humpeln,
30 Daß er nicht die schönen Berge übern Haufen lasse rumpeln,
Daß er seines Schöpferodems einen Hauch fortan mir borge
Und ein bißchen frische Bergluft, Sonnenschein und Grün
besorge.

Abdruck nach: Anastasius Grüns Werke in sechs Teilen. Hrsg. von Eduard Castle. Berlin/Leipzig/Wien/Stuttgart: Bong & Co., [1909]. T. 1: Politische Dichtungen. S. 127 f.
Erstdruck: [Anonym:] Spaziergänge eines Wiener Poeten. Hamburg: Hoffmann und Campe, 1831.
[27 f. lauten:

Wenn der Lenker der Gestirne nur des Herzens Wunsch erhörte,
Und das Wen'ge, d'rum ich flehe, wie bisher fortan gewährte:]

Weitere wichtige Drucke: 2. [Titel-]Auflage. Ebd. 1832. [Diese zweite Auflage (in 4000 Expl.) erschien ohne Auerspergs Wissen. Über die Entstehungs- und Publikationsbedingungen informiert ein Brief Grüns an die Weidmannsche Verlagsbuchhandlung vom 22. 7. 1841: »Sie <sc. die Spaziergänge> sind im Herbst und Winter 1830 auf 31 geschrieben. Im Frühling 31 gab ich Herrn Rudolf Besser, der damals gerade die Geroldsche Buchhandlung in Wien verließ, um nach Hamburg heimzukehren, das Manuscript mit der Bitte mit, für dasselbe außerhalb Österreichs einen Verleger zu finden und diesem zu bedeuten, daß der vorderhand unbekannt bleiben wollende Verfasser sich seinerzeit um das Honorar melden werde. An neue Auflagen dachte ich damals gar nicht, da ich wenig Erfolg vermutete, konnte daher auch diesfalls nichts Ausdrückliches stipuliren. 1831 im Herbst erschien bei Hoffmann und Campe die erste, 1832 die zweite Auflage, letztere ohne mein Vorwissen. Im Jahre 1836 erhielt ich das Honorar für beide Auflagen mit 200 Gulden Conventionsmünze.« (Franzos, S. 212 f.)] – 3. [vermehrte] Auflage. Leipzig: Weidmann, 1844. – 6. Auflage. Wien: Braumüller, 1875 (erstmals unter dem Pseudonym Anastasius Grün). – 8. Auflage. Berlin: Grote, 1876. [Diese abermals vermehrte Ausgabe liegt der Edition von Eduard Castle zugrunde. Der Text des Gedichts *Spaziergänge* weicht geringfügig von der Erstausgabe ab: geänderte Interpunktion, Korrektur eines offensichtlichen Druckfehlers (3 neuer Glanz).]

Karl Wagner

Stehende Bilder der Veränderung. Zu Anastasius Grüns *Spaziergängen*

Polemisch erwähnt Karl Kraus den »Verfasser so vieler langweiliger Gedichte, die unter dem Namen Anastasius Grün noch heute Völkerfrühling und Schuljugend belasten« (*Die Fackel* Nr. 216 vom 9. 1. 1907) – an anderer Stelle spricht er von der »langweiligen Sammlung ›Spaziergänge eines Wiener Poeten‹« (Nr. 203 vom 12. 5. 1906). Aus heutiger Sicht scheint sich die Schärfe dieses Urteils erübrigt zu haben: Die Schuljugend bleibt verschont, in Lesebüchern und Anthologien ist Grün kaum noch vertreten, im Buchhandel keines seiner Werke erhältlich. Kraus erinnert mit

seinem in politisch-moralischer und ästhetischer Hinsicht vernichtenden Urteil gleichwohl an die Verfallsgeschichte des politischen Liberalismus im 19. Jahrhundert, dem sich Auersperg verpflichtet fühlte und mit dem er sich als Realpolitiker im Revolutionsjahr 1848 und nach 1860 exponierte und in den Nationalitätenkampf verwickelte. Zugleich wird auf die historische Bedingtheit von Grüns berühmtester Gedichtsammlung hingewiesen. Was Zeitgenossen aufrüttelte und begeisterte, scheint nur noch von historischem Interesse zu sein. Anders als seinen Nachfolgern und Mitstreitern ist Grün auch das jüngst so aktuelle Interesse an der politischen Dichtung des Vormärz nicht zugute gekommen.
Allerdings vermerken schon die zeitgenössischen Leser formale Mängel: die Dominanz des rhetorischen Elements, das Pathos, die Häufung von Metaphern oder die »hybriden Contraste« (Rosenkranz, S. 93). Angesichts der politischen Wirkungsintention bzw. der dieser Lyrik zugewiesenen politischen Funktion erschienen solche Mängel sekundär. Die Imitation des Titels, die Nachbildung der zyklischen Ordnung, inhaltliche Anspielungen und bewußte Formzitate bei anderen Autoren beweisen es. In dem Maße, wie die inhaltlich-politische Substanz dieses Zyklus von anderen Autoren überboten wurde, schwächte sich die Mitteilungsfunktion der lyrischen Sprache Grüns ab. Die politische Radikalisierung der Poesie konnte und wollte ein Teil des Publikums ebensowenig nachvollziehen wie der unter bürgerlichem Pseudonym schreibende Aristokrat Auersperg. Zugleich wurde Grün, nicht zuletzt wegen seiner sozialen Herkunft und Lebensführung, von jenen angegriffen, die seine politischen Parolen nicht als Ziel-, sondern als Ausgangspunkt der Veränderung verstanden. So wird erst verständlich, daß sich der selbstkritische Autor bereits 1841 von seinen *Spaziergängen* distanzierte und sie nicht zusammen mit dem *Schutt* veröffentlichen wollte.
Das Gedicht *Spaziergänge*, das den Titel der Sammlung aufgreift, dient der lyrischen Exposition. Die sprachliche Aussagestruktur dieser Gedichte eines Fünfundzwanzigjäh-

rigen bietet Elemente kanonisierter Form- und Bildtraditionen auf, ihre festgelegten semantischen Möglichkeiten werden jedoch verändert und für die politische Wirkungsabsicht adaptiert. Die überhöhte Stillage und der reiche rhetorische ›ornatus‹ sind – wie bei vielen Zeitgenossen (vgl. Häntzschel, S. 150) – an Schillers Sprache geschult. Im konkreten Fall ist die Nähe zu Schillers *Spaziergang* kaum zu verkennen. Zusammen mit dem strengen Kalkül metrischer, syntaktischer und strophischer Ordnungsprinzipien gehören solche Traditionsbezüge zu jenen Vertrautheitsvorgaben, welche die Wirksamkeit des politischen Appells beim gebildeten bürgerlichen und adeligen Lesepublikum allererst ermöglichen. Dazu zählt auch die für Grün charakteristische Langzeile. Die paarweise gereimten, zu vierzeiligen Strophen zusammengefaßten achthebigen trochäischen Verszeilen knüpfen an eine bestimmte Tradition politischer Lyrik, die Griechenlieder Wilhelm Müllers, an. Das im Zyklus enthaltene Gedicht *Gastrecht* erinnert auch thematisch an die Lyrik des Philhellenismus.
Das strenge Vers- und Reimschema wird bei Grün kaum gelockert. Versgrenzen werden selten durch übergreifende syntaktische Fügungen überspielt, sondern durch den Zwang des Paarreims forciert hervorgehoben. Die geringe Verzahnung der Vierzeiler und die Länge der Verszeilen begünstigen antithetische Fügungen und mitunter, wie in der zweiten Strophe der *Spaziergänge*, fast zwanghaft aneinandergereihte Vergleiche. Dieses ausgeklügelt-rationalistische Formprinzip, zu dem auch die (teilweise durch das Metrum erklärbaren) meist viersilbigen intensivierenden Komposita gehören, ist schon zu Grüns Zeiten durch eine lange Tradition belastet und historischem Verschleiß besonders ausgesetzt.
Die Tendenz zur Eindringlichkeit und Abundanz wird durch den tektonischen Bau des Gedichts unterstützt. Die ersten vier, nach dem Summationsschema angeordneten Strophen bilden eine deutliche Einheit. Anaphorische Verse, semantische und syntaktische Parallelität kennzeichnen die

Argumentation der Gleichnisrede. Daß es sich um eine solche handelt, signalisiert das »also« der vierten Strophe. Das hier erstmals eingeführte »Ich« besitzt keine besondere Identität, keine Konturen eines unverwechselbaren lyrischen Ich, sondern ist Hohlform gleichartiger, ›kollektiver‹ Erfahrungen. Krankheit, Blindheit und Gefangensein sind ihre Anschauungsformen. Das Ich artikuliert in bildlicher Kürze die Gründe, die immer schon und immer noch die Spaziergänge provozier(t)en: »Nacht der Blindheit« (14), »Kerkerluft« (15), ein »Herz krank und zersplittert« (16). Gerade das kranke und zersplitterte Herz ist keine individuelle Besonderheit, sondern Ausdruck einer geschichtlichen Krisenerfahrung. Dieses Bild kann als Signatur einer allgemeinen Bewußtseinskrise gelten, die im epochalen Merkmal der »Zerrissenheit« reflektiert wurde (vgl. Sengle, Bd. 1, bes. S. 1–33). – In der fünften Strophe werden konkrete Details der Wirklichkeit benannt, die auf kirchliche und staatliche Institutionen verweisen. Die sechste Strophe führt diese konkreten Details näher aus, kehrt aber mit der letzten Zeile zum Fluchtort des Spaziergängers und damit auch zur Bildebene der Anfangsstrophen zurück. Mit der Einführung der Instanz Gottes wird die abschließende Strophe vorbereitet, deren markante Appellstruktur (Anaphern, Parallelismus) das vorher Bezeichnete gesteigert hervorhebt.

Die Komposition des Gedichts läßt also eine dreiteilige Argumentationsstruktur erkennen: einer gleichnishaft-bildlichen Darstellung bestehender Übel und ihrer Linderung (Str. 1–4) folgen die konkrete Benennung von gesellschaftlich produzierten Übeln (Str. 5, 6) und schließlich der Appell zur Veränderung (Abschwächung) (Str. 7, 8). Diese Teile werden durch einen streng bewahrten Bildzusammenhang überlagert und verknüpft, der ins thematische Zentrum des Gedichts führt und vorausweisend inhaltliche Schwerpunkte des gesamten Zyklus präfiguriert.

Das Muster der variierend wiederholten Bilderfolge wird von den abschließend genannten Elementen geprägt: »Bergluft«, »Sonnenschein« und »Grün« sind durchgehend als

Gegen-Bilder zu eindeutig negativ markierten Symptomen und Erfahrungen eingesetzt. Das Gedicht hebt die antithetische Spannung nicht auf, harmonisiert das Entgegengesetzte nicht, sondern bringt es – und dazu bedarf es des Beistandes Gottes – in eine prekäre Balance. Das positiv Ausgegrenzte lindert und korrigiert physische und gesellschaftliche Korrumpierung. Die Natur als das Offene, Weite (im Gegensatz zu den geschlossenen Räumen der »Siechenstube«, des Kerkers und der Stadt) erscheint ein weiteres Mal als Fluchtraum gegeben. Auffallend ist jedoch, daß dieser Fluchtraum mit einigen wenigen, gleichbleibenden Merkmalen gekennzeichnet wird. Diese Unbestimmtheit ermöglicht jene Bedeutungszuweisung, die das Gedicht teilweise selbst vornimmt, teilweise von den vertrauten allegorischen Zügen des Naturbildes bezieht. Wortbestand und Bildlichkeit verraten die literarische Tradition, die in Grüns Lyrik noch deutlich zum Vorschein kommt. Dieser Tradition entstammen die dominierenden Bildbereiche des Gedichts, das Naturbild und die Licht-Dunkel-Metaphorik. Beide verfügen über einen heilsgeschichtlich gesättigten Bedeutungshorizont, der bei Auersperg zwar nicht völlig gelöscht, aber durch den politischen weitgehend ersetzt wird. So ist das wiederholt hervorgehobene »Grün« – das darauffolgende Gedicht *Frühlingsgedanken* erinnert daran – Element der Jahreszeitenallegorie. In christlicher Bildtradition, die Frühlingsanbruch und Christi Auferstehung (Ostern) verknüpft, ist damit die Vorstellung vom Anbruch einer völlig neuen Zeit bezeichnet. Die *Spaziergänge* berühren dieses Bedeutungspotential: das Grün sei »der Hoffnung Farbe«, die »Seele« des Kranken könne »Mut und Hoffnung aus dem Grün der Wiesen« saugen. Diese Selbstauslegung im Gedicht läßt sich auch als Verweis auf das Pseudonym des Dichters lesen, das er für diesen anonym erschienenen Gedichtband sicherheitshalber fallen ließ. Grillparzer hat es in seinem Gedicht *Einem Grafen und Dichter* (1834) so interpretiert: »Nicht mehr *grün* sind deine Früchte, / Reif und hoch, zu hoch dem Zwerg, / Du *Erstandner* im Gedichte, /

Anastas und Auersberg [sic].« Der religiöse Anklang des Gedichts ist damit nicht erschöpft. Er kommt erst richtig zum Vorschein, wenn man die Korrespondenz des vorletzten Verses (31) mit einer Strophe des Gedichtzyklus *Fünf Ostern* aus der Sammlung *Schutt* beachtet. Dort heißt es:

Ein Ostern, Auferstehungsfest, das wieder
Des Frühlings Hauch auf Blumengräber sät!
Ein Ostern der Verjüngung, das hernieder
Ins Menschenherz der Gottheit Atem weht!
(II,272)

Daß Auersperg wegen der abstrakten Zukunftsvision einer erlösten, ihrer Gottebenbildlichkeit bewußten Menschheit von christlicher Seite verschiedentlich angegriffen wurde (u. a. von Eichendorff), verrät die politische Irritation, die der Übertragbarkeit bzw. der Übertragung des religiösen Bildbereichs von der heilsgeschichtlichen Wende auf die Ebene der menschlichen Geschichte beigemessen wird. Das Grün (des Frühlings) und die religiöse Vorstellung der Auferstehung suggerieren das Hervorbringen einer anderen, besseren Wirklichkeit. Dies gilt für die Frühlings- und Naturbilder der politischen Vormärz-Lyrik insgesamt (vgl. Jäger, Kircher). Der Frühling, das Grün des wiedererwachenden Lebens gehören zu den zeitlosen Antithesen, in denen in der Epoche des Vormärz der Anbruch einer neuen Zeit stereotyp dargestellt wird. Die Allgemeinheit der Naturmetaphorik ist zwar nicht geeignet, den schlechten Lauf des Althergebrachten genau zu fassen, hat aber den Vorzug breiter Wirkungsmöglichkeit. Dieser Vorzug scheint in ebendieser Ungenauigkeit begründet zu sein. Dies trifft auch für das im Gedicht abschließend nochmals genannte Bild der »Bergluft« zu (15, 32). Seine semantischen Möglichkeiten deuten sich im Gegensatz von oben und unten sowie in den näheren Bestimmungen (etwa »freie Bergluft«) an. Spätestens seit Hallers *Die Alpen* ist die allegorische Lesart dieses Bildes populär, die in ihm die ursprüngliche Naturverbundenheit und Freiheit mit »gesellschaftlich-politischer Unnatur« konfrontiert sieht (Bayerdörfer, S. 184). Heines *Prolog*, der den Abschnitt *Aus der Harzreise* in seinem *Buch der Lieder* eröffnet, bemüht dasselbe Bild, um die Distanz zur gesellschaftlich deformierten Liebeskonvention prägnant zu verdeutlichen: »Auf die Berge will ich steigen, / Wo die frommen Hütten stehen, / Wo die Brust sich frei erschließet / Und die freien Lüfte wehen« (Heine, Bd. 1,1, S. 335). Vor diesem, hier nur angedeuteten Horizont wird die in der Schlußstrophe der *Spaziergänge* schlecht formulierte Bitte an Gott zu einer politischen. Der Vers 30 »Daß er nicht die schönen Berge übern Haufen lasse rumpeln« möchte die Störung der Natur abwenden, weil mit der natürlichen Ordnung der Anspruch auf politische Freiheit legitimiert werden kann. Ein nahezu identischer Vers aus dem Gedicht *»Naderer da!«*: »Jene Kette stolzer Berge sei ein Haufen Schutt und Sand« entwirft ein Bild der zerstörten Natur. Nur so würde sie den Verkehrtheiten der politischen Verhältnisse entsprechen, nur so wäre der Widerspruch gegen die Machthaber ausgeräumt, »Wunsch und Träne« verbannt, wie der Anruf der Mächtigen zeigt: »Wollt ihr unsre Herzen wandeln, o verwandelt erst das Land!« (I,135). Grün beruft sich auf die Differenz von Natur und Gesellschaft, um im Sinne bewährter naturrechtlicher Argumentation politische Ansprüche anzumelden und die Angst vor revolutionären Umbrüchen zu bannen. Die im Gedicht *Antworten* antithetisch formulierte Aufforderung: »›Dichter, bleib bei deinen Blumen! Nicht an Thronen frech gemeistert!‹« (I,135) wird dadurch außer Kraft gesetzt. Das markiert auch den Unterschied zur poetischen Praxis der meisten schwäbischen Romantiker, mit denen Grün freundschaftlich verbunden war. Heines Verwunderung, daß man Grün zur schwäbischen Dichterschule rechne, wo er doch nicht auf Käferjagd gehe (vgl. Werner, S. 371), ist verständlich, sofern man Auerspergs Verehrung für Ludwig Uhland ausnimmt, dessen politische Gesinnung und Freiheitslyrik er schätzt. Das Widmungsgedicht der *Spaziergänge eines Wiener Poeten* und das den *Vaterländi-*

schen Gedichten Uhlands entnommene Motto sind äußere Zeichen dieser Wertschätzung. Grüns politische Lyrik ist dagegen der Versuch, rückwärtsgewandte formale Mittel auf eine Weise zu überbieten und zu verändern, daß sie die gegenwartsbezogene Auseinandersetzung mit den innenpolitischen Verhältnissen der Donaumonarchie ermöglichen. Die veränderte Semantik der konservierten Bildlichkeit wird in den *Spaziergängen* wirksam, weil der politische Bereich nicht nur auf der Ebene des Gemeinten, sondern auch auf der Ebene des Gesagten zum Vorschein kommt. Er ist in der fünften und sechsten Strophe, in den durch Alliteration verstärkten Doppelungen »Klöster und Kasernen« (17) sowie »Canon und Kanone« (20) wirkungsvoll benannt. Wie die hyperbolische Verszeile »Ries'ge Akten-Arsenale, Dome ragend zu den Sternen« (18) bezeichnen sie das restaurative Bündnis von Kirche und Staat im vormärzlichen Österreich. Grüns Opposition gegen das »Duumvirat der katholischen Kirche und des souverainen Thrones« (zit. nach Lechner, S. 84) basiert auf dem josephinischen Religionsverständnis und dessen Kritik am Kanonischen Recht und am Machtanspruch der Kirche. Grüns im einzelnen differenzierte Abrechnung mit dem Klerus und den kirchlichen Institutionen mündet im Schlußgedicht *An den Kaiser* in die Maxime aufklärerischer Selbstermächtigung: »Ei, wir finden in den Himmel selber wohl den Weg hinein!« (I,166). Es ist im Sinn dieser Maxime, wenn in den *Spaziergängen* Gott unmittelbar angesprochen wird. Neben dem weltlichen Machtstreben der Kirche wird indirekt auch ihre Legitimation bezweifelt, zwischen Gott und den Menschen zu vermitteln. Diese »Wiederherstellung einer Unmittelbarkeit zwischen Gott und dem Menschen« (Starobinski, S. 46) opponiert auch gegen die Indienstnahme Gottes durch die »Weltregierer« (20) und ihre absolute Macht. Ein Abglanz der Sonne – Emblem des absolutistischen Herrschers – soll fortan auch auf die Untertanen fallen. Hier scheint die Vorstellung einer Partizipation an der Macht durch, die sich Grün durch eine Reform von oben erhofft.

Aus dem Zusammenhang des Zyklus geht hervor, daß die Licht- und Sonnenmetaphorik keinen radikalen Bruch mit der geschichtlichen Vergangenheit meint, also nicht wie der Sonnenmythos der Französischen Revolution pathetisch einen absoluten Anfang zeichenhaft setzt (vgl. Starobinski, S. 40 ff.). Bei aller rhetorischen Kühnheit lokalisiert Auersperg seine Gegenwart in der Geschichte. Es gilt, den schon gesetzten Anfang fortzuführen. Die gegenwärtig herrschende »finstre Nacht« sei Rückfall hinter einen Anfang, den Joseph II. als »goldner Stern des Tages« (I,132) repräsentiert. Diese Präzisierung der Bild-Sprache des Gedichts scheint wichtig, weil Grün die *Spaziergänge eines Wiener Poeten* unter den Eindrücken einer Reise durch Süddeutschland (zu Uhland) und nach Straßburg geschrieben hat, wo er »noch das Feuer der Juliusrevolution begeistert lodern sah« (VI,10). Im *Sieg der Freiheit* (I,141 f.) werden jedoch die geläufigen Bilder revolutionärer Gewalt (Naturkatastrophen, Vulkanismus, Feuer) nur eingesetzt, um die Dringlichkeit gewaltfreier Veränderung zu unterstreichen. In Österreich wäre der Sieg der Freiheit noch mit anderen Waffen möglich. Sehr viel später, als der Traum dieses Sieges vorerst ausgeträumt war, legt Auersperg in einem Brief aus dem Jahre 1849 an den konservativen Geistlichen Sebastian Brunner, der ihn (wie Grillparzer und andere auch) öffentlich der Bauernschinderei bezichtigt hatte, die Bildinhalte seiner politischen Lyrik am deutlichsten fest, wenn er schreibt: »[...] daß ich niemals ein Enthusiast der Revolution gewesen, wol aber ein entschiedener Anhänger der durchgreifendsten rechtzeitigen Reform, die uns vor jener bewahren sollte und wol auch bewahrt hätte; meine Losung war und blieb jederzeit: das Licht, nicht der Brand! die Bewegung, nicht der Sturm! der Bau, nicht die Zerstörung!« (Zit. nach Bauernfeld, S. 396.)
Diese liberale Eingrenzung des Bildzusammenhangs der *Spaziergänge* übersetzt am deutlichsten, was auch im Nachvollzug der Argumentation des Gedichts erkennbar wird. Auffallend ist der rhetorische Gestus der Übertreibung in

der fünften und sechsten Strophe, mit dem die gegenwärtige herrschaftliche Willkür von ›Thron und Altar‹ und die angemaßte Autorität ihrer Repräsentanten bloßgestellt wird. In satirischer Absicht werden den überdimensionierten Monumenten der Macht (18) die »kleinen Männlein« gegenübergestellt, die sich »im Triumphestone« als die »Weltregierer« gebärden. Von dieser lächerlichen Diskrepanz, vom Unstimmigen der geltenden Herrschaft zeugt selbst das unscheinbarste formale Detail, die Tonbeugung im Schlußvers dieser Strophe. Das von den Unterdrückern absolut und ausschließlich gebrauchte »wir« fällt im metrischen Schema auf eine Senkung. Die hyperbolischen Verse werden in der nächsten, sechsten Strophe durch mehrere Modaladverbien (»allzu grell«, »zu laut«, »allzu dick«) sinngemäß weitergeführt. Die rhetorische Sprachverwendung ist nicht Selbstzweck, sondern signalisiert einen absolutistischen Ordnungsüberschuß, dessen Abbau das Gedicht fordert. Das kritische Interesse des Gedichts läßt sich präzisieren: Es wendet sich gegen dieses Zuviel, nicht gegen die bestehende Ordnung überhaupt. Um diese Absicht wirkungsvoll zu demonstrieren, wird der Hybris der Machthaber die Bescheidenheit des Bittenden, den rhetorischen Mitteln des Überbietens die Bescheidenheits- und Demutsgeste des Kritikers entgegengesetzt: das »*schlicht* Begehren«, »das *wen'ge*« (27 f.), das erbeten wird, »ein *bißchen* frische Bergluft, Sonnenschein und Grün« (32) (meine Hervorhebung, K. W.). Das Minimum des Geforderten soll breites Einverständnis ermöglichen und verhindern, daß die Unzufriedenen sich polarisieren. Der bestimmten Negation überschrittener Machtbefugnisse entspricht kein mit derselben Deutlichkeit formuliertes positiv Gemeintes, um die Basis des Einvernehmens nicht zu gefährden. Die positive Alternative zu den angeprangerten Auswüchsen und obsoleten Erscheinungsformen des Metternichschen Systems ist – zumindest in diesem einleitenden Gedicht – nicht ausgesprochen, sondern bloß implizit im Verweisungscharakter seiner Bildlichkeit faßbar.

Zitierte Literatur: [Eduard von BAUERNFELD:] Correspondenz mit Anastasius Grün. Erinnerungen von Bauernfeld. In: Nord und Süd (1877) H. 2. S. 375–407. – Hans-Peter BAYERDÖRFER: Fürstenpreis im Jahre 48. Heine und die Tradition der vaterländischen Panegyrik. In: Zeitschrift für deutsche Philologie 91 (1972) Sonderheft: Heine und seine Zeit. S. 163–205. – [Karl Emil FRANZOS:] Zur Charakterisierung Anastasius Grüns. Nach ungedruckten Quellen. In: Deutsche Dichtung 4 (1888) S. 204–213, 272–275, 323–326. – Franz GRILLPARZER: Sämtliche Werke. Hist.-krit. Gesamtausg. Hrsg. von August Sauer und Reinhold Backmann. Abt. 1. Bd. 11. Wien o. J. – Anastasius GRÜN: Werke in sechs Teilen. [Siehe Textquelle. Zit. mit Band- und Seitenzahl.] – Ungedruckte Briefe Anastasius Grüns. Anastasius Grün und Gustav Schwab. Mitgeteilt von Anton Schlossar. In: Deutsche Revue 21 (1896) H. 1. S. 328–339; H. 2. S. 102–108. [Zit. als: Schlossar.] – Günter HÄNTZSCHEL: Tradition und Originalität. Allegorische Darstellung im Werk Annette von Droste-Hülshoffs. Stuttgart 1968. – Heinrich HEINE: Sämtliche Werke. Hist.-krit. Gesamtausg. Hrsg. von Manfred Windfuhr. Bd. 1,1, 1,2, 8,1. Hamburg 1975–79. – Hans-Wolf JÄGER: Politische Metaphorik im Jakobinismus und im Vormärz. Stuttgart 1972. – Hartmut KIRCHER: Naturlyrik als politische Lyrik – politische Lyrik als Naturlyrik. Anmerkungen zu Gedichten zwischen Spätromantik und 48er Revolution. In: Naturlyrik und Gesellschaft. Hrsg. von Norbert Mecklenburg. Stuttgart 1977. S. 102–125. – Silvester LECHNER: Gelehrte Kritik und Restauration. Metternichs Wissenschafts- und Pressepolitik und die Wiener »Jahrbücher der Literatur« (1818–1849). Tübingen 1977. – Karl ROSENKRANZ: Ästhetik des Häßlichen. Königsberg 1853. – Friedrich SENGLE: Biedermeierzeit. Deutsche Literatur im Spannungsfeld zwischen Restauration und Revolution 1815–1848. 3 Bde. Stuttgart 1971. 1972. 1980. – Jean STAROBINSKI: 1789. Die Embleme der Vernunft. Paderborn/München/Wien/Zürich 1981. – Reinhold WÄCHTER: Anastasius Grüns politische Dichtung. Geistesgeschichtliche und stilistische Untersuchungen. Jena 1933. – Michael WERNER (Hrsg.): Begegnungen mit Heine. Berichte der Zeitgenossen. Bd. 1: 1797–1846. Hamburg 1973.

Weitere Literatur: Vgl. die ausführliche Bibliographie von Alfred Kracher und Hellmuth Himmel in: Goedekes Grundriß zur Geschichte der deutschen Dichtung. N. F. [. . .] Berlin [Ost] 1962. S. 555–707. – Franz DINGELSTEDT: Lieder eines kosmopolitischen Nachtwächters. Studienausg. mit Komm. und Einl. von Hans-Peter Bayerdörfer. Tübingen 1978. – Hanns-Peter REISNER: Literatur unter der Zensur. Die politische Lyrik des Vormärz. Stuttgart 1975. – Peter STEIN: Politisches Bewußtsein und künstlerischer Gestaltungswille in der politischen Lyrik 1780–1848. Hamburg 1971. – Hans-Georg WERNER: Geschichte des politischen Gedichts in Deutschland von 1815 bis 1840. Berlin [Ost] ²1972. – Eduard WINTER: Romantismus, Restauration und Frühliberalismus im österreichischen Vormärz. Wien 1968. – Edda ZIEGLER: Julius Campe. Der Verleger Heinrich Heines. Hamburg 1976.

Heinrich Heine

Der Tannhäuser

Eine Legende
(Geschrieben 1836)

I

Ihr guten Christen laßt Euch nicht
Von Satans List umgarnen!
Ich sing' Euch das Tannhäuserlied
Um Eure Seelen zu warnen.

5 Der edle Tannhäuser, ein Ritter gut,
Wollt' Lieb' und Lust gewinnen,
Da zog er in den Venusberg,
Blieb sieben Jahre drinnen.

Frau Venus, meine schöne Frau,
10 Leb' wohl, mein holdes Leben!
Ich will nicht länger bleiben bei dir,
Du sollst mir Urlaub geben.

»Tannhäuser, edler Ritter mein,
Hast heut mich nicht geküsset;
15 Küss' mich geschwind, und sage mir:
Was du bei mir vermisset?

»Habe ich nicht den süßesten Wein
Tagtäglich dir kredenzet?
Und hab' ich nicht mit Rosen dir
20 Tagtäglich das Haupt bekränzet?«

Frau Venus, meine schöne Frau,
Von süßem Wein und Küssen
Ist meine Seele geworden krank;
Ich schmachte nach Bitternissen.

Wir haben zuviel gescherzt und gelacht,
Ich sehne mich nach Thränen,
Und statt mit Rosen möcht' ich mein Haupt
Mit spitzigen Dornen krönen.

»Tannhäuser, edler Ritter mein,
Du willst dich mit mir zanken;
Du hast geschworen viel tausendmal,
Niemals von mir zu wanken.

»Komm, laß uns in die Kammer gehn,
Zu spielen der heimlichen Minne;
Mein schöner lilienweißer Leib
Erheitert deine Sinne.«

Frau Venus, meine schöne Frau,
Dein Reiz wird ewig blühen;
Wie viele einst für dich geglüht,
So werden noch viele glühen.

Doch denk' ich der Götter und Helden, die einst
Sich zärtlich daran geweidet,
Dein schöner lilienweißer Leib,
Er wird mir schier verleidet.

Dein schöner lilienweißer Leib
Erfüllt mich fast mit Entsetzen,
Gedenk' ich, wie viele werden sich
Noch späterhin dran ergetzen!

»Tannhäuser, edler Ritter mein,
Das sollst du mir nicht sagen,
Ich wollte lieber du schlügest mich,
Wie du mich oft geschlagen.

»Ich wollte lieber du schlügest mich,
Als daß du Beleidigung sprächest,

55 Und mir, undankbar kalter Christ,
Den Stolz im Herzen brächest.

»Weil ich dich geliebet gar zu sehr,
Hör' ich nun solche Worte –
Leb' wohl, ich gebe Urlaub dir,
60 Ich öffne dir selber die Pforte.«

II

Zu Rom, zu Rom, in der heiligen Stadt,
Da singt es und klingelt und läutet:
Da zieht einher die Prozession,
Der Papst in der Mitte schreitet.

65 Das ist der fromme Papst Urban,
Er trägt die dreifache Krone,
Er trägt ein rothes Purpurgewand,
Die Schleppe tragen Barone.

»O heiliger Vater, Papst Urban,
70 Ich laß dich nicht von der Stelle,
Du hörest zuvor meine Beichte an,
Du rettest mich von der Hölle!«

Das Volk es weicht im Kreis' zurück,
Es schweigen die geistlichen Lieder: –
75 Wer ist der Pilger bleich und wüst,
Vor dem Papste kniet er nieder?

»O heiliger Vater, Papst Urban,
Du kannst ja binden und lösen,
Errette mich von der Höllenqual
80 Und von der Macht des Bösen.

»Ich bin der edle Tannhäuser genannt,
Wollt' Lieb' und Lust gewinnen,

Da zog ich in den Venusberg,
Blieb sieben Jahre drinnen.

»Frau Venus ist eine schöne Frau,
Liebreizend und anmuthreiche;
Wie Sonnenschein und Blumenduft
Ist ihre Stimme, die weiche.

»Wie der Schmetterling flattert um eine Blum'
Am zarten Kelch zu nippen,
So flattert meine Seele stets
Um ihre Rosenlippen.

»Ihr edles Gesicht umringeln wild
Die blühend schwarzen Locken;
Schau'n dich die großen Augen an,
Wird dir der Athem stocken.

»Schau'n dich die großen Augen an,
So bist du wie angekettet;
Ich habe nur mit großer Noth
Mich aus dem Berg gerettet.

»Ich hab' mich gerettet aus dem Berg,
Doch stets verfolgen die Blicke
Der schönen Frau mich überall,
Sie winken: komm' zurücke!

»Ein armes Gespenst bin ich am Tag,
Des Nachts mein Leben erwachet,
Dann träum' ich von meiner schönen Frau,
Sie sitzt bei mir und lachet.

»Sie lacht so gesund, so glücklich, so toll,
Und mit so weißen Zähnen!
Wenn ich an dieses Lachen denk',
So weine ich plötzliche Thränen.

»Ich liebe sie mit Allgewalt,
Nichts kann die Liebe hemmen!

115 Das ist wie ein wilder Wasserfall,
Du kannst seine Fluthen nicht dämmen!

»Er springt von Klippe zu Klippe herab,
Mit lautem Tosen und Schäumen,
Und bräch' er tausendmal den Hals,
120 Er wird im Laufe nicht säumen.

»Wenn ich den ganzen Himmel besäß',
Frau Venus schenkt' ich ihn gerne;
Ich gäb' ihr die Sonne, ich gäb' ihr den Mond,
Ich gäbe ihr sämmtliche Sterne.

125 »Ich liebe sie mit Allgewalt,
Mit Flammen, die mich verzehren, –
Ist das der Hölle Feuer schon,
Die Gluthen, die ewig währen?

»O heiliger Vater, Papst Urban,
130 Du kannst ja binden und lösen!
Errette mich von der Höllenqual
Und von der Macht des Bösen.«

Der Papst hub jammernd die Händ' empor,
Hub jammernd an zu sprechen:
135 »Tannhäuser, unglücksel'ger Mann,
Der Zauber ist nicht zu brechen.

»Der Teufel, den man Venus nennt,
Er ist der Schlimmste von allen;
Erretten kann ich dich nimmermehr
140 Aus seinen schönen Krallen.

»Mit deiner Seele mußt du jetzt
Des Fleisches Lust bezahlen,
Du bist verworfen, du bist verdammt
Zu ewigen Höllenqualen.«

III

Der Ritter Tannhäuser, er wandelt so rasch,
Die Füße, die wurden ihm wunde.
Er kam zurück in den Venusberg
Wohl um die Mitternachtstunde.

Frau Venus erwachte aus dem Schlaf,
Ist schnell aus dem Bette gesprungen;
Sie hat mit ihrem weißen Arm
Den geliebten Mann umschlungen.

Aus ihrer Nase rann das Blut,
Den Augen die Thränen entflossen;
Sie hat mit Thränen und Blut das Gesicht
Des geliebten Mannes begossen.

Der Ritter legte sich in's Bett,
Er hat kein Wort gesprochen.
Frau Venus in die Küche ging,
Um ihm eine Suppe zu kochen.

Sie gab ihm Suppe, sie gab ihm Brod,
Sie wusch seine wunden Füße,
Sie kämmte ihm das struppige Haar,
Und lachte dabei so süße.

»Tannhäuser, edler Ritter mein,
Bist lange ausgeblieben,
Sag' an, in welchen Landen du dich
So lange herumgetrieben?«

Frau Venus, meine schöne Frau,
Ich hab' in Welschland verweilet;
Ich hatte Geschäfte in Rom und bin
Schnell wieder hierher geeilet.

Auf sieben Hügeln ist Rom erbaut,
Die Tiber thut dorten fließen;

175 Auch hab' ich in Rom den Papst gesehn,
Der Papst er läßt dich grüßen.

Auf meinem Rückweg sah ich Florenz,
Bin auch durch Mailand gekommen,
Und bin alsdann mit raschem Muth
180 Die Schweiz hinaufgeklommen.

Und als ich über die Alpen zog
Da fing es an zu schneien,
Die blauen See'n die lachten mich an,
Die Adler krächzen und schreien.

185 Und als ich auf dem Sankt-Gotthard stand,
Da hört' ich Deutschland schnarchen;
Es schlief da unten in sanfter Huth
Von sechs und dreißig Monarchen.

In Schwaben besah ich die Dichterschul',
190 Gar liebe Geschöpfchen und Tröpfchen!
Auf kleinen Kackstühlchen saßen sie dort,
Fallhütchen auf den Köpfchen.

Zu Frankfurt kam ich am Schabbes an,
Und aß dort Schalet und Klöse;
195 Ihr habt die beste Religion,
Auch lieb' ich das Gänsegekröse.

In Dresden sah ich einen Hund,
Der einst gehört zu den Bessern,
Doch fallen ihm jetzt die Zähne aus,
200 Er kann nur bellen und wässern.

Zu Weimar, dem Musenwittwensitz,
Da hört' ich viel Klagen erheben,
Man weinte und jammerte: Goethe sey todt
Und Eckermann sey noch am Leben!

Zu Potsdam vernahm ich ein lautes Geschrei –
Was giebt es? rief ich verwundert.
»Das ist der Gans in Berlin, der liest
Dort über das letzte Jahrhundert.«

Zu Göttingen blüht die Wissenschaft,
Doch bringt sie keine Früchte.
Ich kam dort durch in stockfinstrer Nacht,
Sah nirgendswo ein Lichte.

Zu Celle im Zuchthaus sah ich nur
Hannoveraner – O Deutsche!
Uns fehlt ein Nationalzuchthaus
Und eine gemeinsame Peitsche!

Zu Hamburg frug ich: warum so sehr
Die Straßen stinken thäten?
Doch Juden und Christen versicherten mir,
Das käme von den Fleeten.

Zu Hamburg, in der guten Stadt,
Wohnt mancher schlechte Geselle;
Und als ich auf die Börse kam,
Ich glaubte ich wär' noch in Celle.

Zu Hamburg sah ich Altona,
Ist auch eine schöne Gegend:
Ein andermal erzähl' ich dir
Was mir alldort begegent.

Abdruck nach: Heinrich Heine: Neue Gedichte. Hamburg: Hoffmann und Campe, 1844. S. 111–128.
Erstdruck: Heinrich Heine: Der Salon. Bd. 3. Hamburg: Hoffmann und Campe, 1837.

Jochen Zinke

Tannhäuser im Exil. Zu Heines »Legende« *Der Tannhäuser*

Mit seinem *Tannhäuser* greift Heine einen populären, breit überlieferten Stoff auf, einen Stoff dazu, der in der ersten Hälfte des 19. Jahrhunderts eine regelrechte Renaissance erlebte und sich parodistischer Bearbeitung geradezu anbot. Geibel, Tieck, Brentano sind als Nachdichter zu nennen, aber auch der von Heine angeregte Richard Wagner. Ausgangspunkt des neuerwachten Interesses war der Nachdruck des alten Tannhäuserliedes in *Des Knaben Wunderhorn* (1806), jener romantisch-national inspirierten Gedichtsammlung von Arnim und Brentano, einem Kultbuch der Epoche. »Dieses Buch«, so Heine in seiner *Romantischen Schule* (1836), »kann ich nicht genug rühmen; es enthält die holdseligsten Blüten des deutschen Geistes, und wer das deutsche Volk von seiner liebenswürdigsten Seite kennenlernen will, der lese diese Volkslieder. In diesem Augenblick liegt dieses Buch vor mir, und es ist mir, als röche ich den Duft der deutschen Linden. [...] Auf dem Titelblatte jenes Buches ist ein Knabe, der das Horn bläst; und wenn ein Deutscher in der Fremde dieses Bild lange betrachtet, glaubt er die wohlbekanntesten Töne zu vernehmen, und es könnte ihn wohl dabei das Heimweh beschleichen, wie den Schweizer Landsknecht, der auf der Straßburger Bastei Schildwache stand, fern den Kuhreigen hörte, die Pike von sich warf, über den Rhein schwamm, aber bald wieder eingefangen und als Deserteur erschossen wurde« (*Romantische Schule*, S. 105).

Es ist ein seltsames Heimweh, das den exilierten Wahlfranzosen Heine hier befällt. Die Sehnsucht nach einem irreal poetisch-phantastischen Deutschland der Vergangenheit. Der Deserteur ist eine einleuchtende Identifikationsfigur, wohl aber auch der in den Venusberg zurückflüchtende

Ritter und Sänger Tannhäuser, den Heine eine abenteuerliche Reise durch die deutsche Gegenwart machen läßt.
Die Tannhäusergeschichte ist vermutlich eine alte Bußlegende, die sich im späten Mittelalter mit der Venusberg-Sage mischt. Dabei werden die Hauptfiguren durch historische Gestalten substituiert. Aus dem Eremiten Danhuser (der im Tann haust) wird der Hofdichter Tannhäuser, bis heute eine der rätselhaftesten Gestalten der mittelhochdeutschen Literatur. Dessen revolutionär erotische Lobpreisungen des Frauenkörpers waren wohl Anlaß für seinen mythischen Einzug in den Venusberg. Folgerichtig erscheint ein Zeitgenosse Tannhäusers, der Papst Urban (Pontifikat 1261–64), als Gegenspieler.
Das Lied im *Wunderhorn* erzählt die Geschichte des reuigen Rom-Pilgers, der mit Mühe dem Zauber der Venus entweicht, um vor dem Pontifex seine Sünden zu beichten. Er hat im Venusberg ein Mariengelübde (Zölibatsversprechen) gebrochen. Der Papst jedoch weist ihn ab. Er hält ihm einen verdorrten Stab entgegen: Erst wenn dieser dürre Zweig Blätter trage, werde er erlöst. Verzweifelt kehrt Tannhäuser in den Venusberg zurück. Als er dort für keinen Boten mehr erreichbar ist, ereignet sich das Stabwunder. Der Papst, so schließt das Lied, hat Tannhäuser ins Verderben geschickt:

Das soll nimmer kein Priester thun,
Dem Menschen Mistrost geben,
Will er denn Buß und Reu empfahn,
Die Sünde sey ihm vergeben.

Dem Erstdruck seiner »Legende« (in den *Elementargeistern* von 1837) hat Heine die alte Fassung beigestellt. In der zweiten französischen Ausgabe des Werkes *De l'Allemagne* (1855) gibt er dazu eine ausführliche Erläuterung: »Sehr interessant und aufschlußreich wird dieser Vergleich für den Kritiker sein, der sehen möchte, auf wie verschiedene Weise zwei Dichter aus zwei ganz entgegengesetzten Epochen die gleiche Legende behandelt haben, wobei sie völlig die gleiche Komposition, den gleichen Rhythmus und beinahe den

gleichen Handlungsrahmen beibehalten. Aus einem solchen Vergleich muß der Geist beider Epochen entschieden hervortreten, es wäre sozusagen eine vergleichende Anatomie der Literatur« (S. 52). Der hier angeregte Vergleich muß uns noch beschäftigen. Festgehalten werden kann aber schon jetzt, daß die beiden Zentralmotive des alten Liedes (Mariengelübde/Stabwunder) in Heines Version gar nicht mehr auftauchen. Metrum und Rhythmus dagegen, die historisierende Mimikry des Textes, hat er tatsächlich übernommen. Damit belebt Heine eine der ältesten populären Bauformen, die sogenannte Vagantenstrophe: vier- und dreihebige Zeilen im Wechsel, mit klingendem Reim nur der Abverse. Der ungekünstelte Charakter dieses Verses trägt noch das Flair der Improvisation, ermöglicht rasches Vorankommen und erlaubt umfangreiche ›epische‹ Texte, die den Hörer nicht durch Schwierigkeiten ermüden. Solcher Kommunikativität hat sich Heine mit traumwandlerischer Sicherheit bedient. Schon die erste Strophe persifliert mit gespieltem Ernst die klassische Kontaktformel des Bänkelsangs. Die Sinnverlagerung derartigen Zitierens geschieht auf zwei Wegen. Stilistische Ironie bemächtigt sich einer tradierten Form. Parallel dazu bleibt auch die Aussage ganz im Horizont mittelalterlicher Frömmigkeit. Die Verständigung zwischen satirischem Autor und aufgeklärtem Leser findet hinter dem Text statt. So wird die Widersprüchlichkeit kultureller Kodes bereits am Eingang des Gedichts als operatives Mittel der Parodie sichtbar.
Dieses Spiel, ein irritierendes Schwanken zwischen geschichtlicher Folie und enthüllender Aktualisierung bleibt konstitutiv für ganze Werkschichten im *Tannhäuser*. Manche Floskeln (5: »ein Ritter gut«; 13: »edler Ritter mein«; 75: »Pilger bleich und wüst«) imitieren die Stellungs- und Deklinationsfreiheit des Mittelhochdeutschen. Der gleichen Sprachstufe entstammen Wendungen wie »Urlaub geben« (12) oder »spielen der heimlichen Minne« (34). Derart archaisierendes Sprechen ist in fast unmerklichen Übergängen verwoben mit Anleihen an den Volkston. Tannhäusers

Aufenthalt im Venusberg (sieben Jahre) und seine Rückkehr (Mitternachtsstunde) gehorchen dem naiven Märchenritus. Seine Liebe schwört er »viel tausendmal« (31); Venus hat ihn »geliebet gar zu sehr« (57); und wie ein Handwerksbursche ist er »mit raschem Mut« sogar die »Schweiz hinaufgeklommen« (179 f.).

Stilistisch noch prägender als derartig punktuelle Anleihen an tradierte Sprachmuster ist die ständig und virtuos angewandte Prolepse und das Spiel mit dem umgangssprachlichen korrelativen »da«: »Das Volk es weicht [...]« (73); »Der Teufel, den man [...]« (137); »Die blauen See'n die lachten [...]« (183); »Zu Rom, [...,] / Da singt es [...]« (61 f.) usw. Derartige Nachstellungen (die Liste ließe sich beliebig erweitern) stauen die Spannung und suggerieren als ein altfränkisches Hilfsmittel populären Dichtens gleichzeitig volkstümliches Erzählen. In den Bereich ›antiquarischer‹ Gestaltung gehören auch die normierten Anfangssetzungen der Anreden, so etwa in der ritualisierten Dialogsteuerung. Wohl nicht zufällig erscheinen im Gedicht die Stereotypen aus I (13: »Tannhäuser, edler Ritter mein«; 9: »Frau Venus, meine schöne Frau«) noch einmal am Beginn von III (165; 169). Überhaupt ist das volksliterarische Prinzip von Wiederholung und Normung in der Struktur des Textes unübersehbar. Man findet rahmende Strophen, versübergreifende Inversionen und variierte Standardfloskeln (35: »Mein schöner lilienweißer Leib«; 43, 45: »Dein schöner lilienweißer Leib«). Die ›geographische Kette‹ der Versanfänge von III schließlich erinnert noch deutlich an das Vorbild des Pilger- und Landsknechtsliedes. Der Text ist geradezu überladen mit derart mechanisierten Mustern. Doch der Sinn des parodistischen Verfahrens entfaltet sich erst ganz im Umschlag des sprachlichen Gestus, sei es in den Ton des ästhetischen Salons, in eine raffiniert stilisierte Liebesklage oder aber in eine fast journalistische Prosanähe.

Freilich erweist sich nicht nur die Sprache des Gedichts als sehr sophistische Mischung heterogener Elemente. Die systematische Interferenz hoher und niedriger, erhabener

und komischer Effekte, der scheinbar unmotivierte Übergang vom Erwarteten ins Unerwartete bestimmt auch das Innenleben der Figuren und den Ablauf des Geschehens.
Der Tannhäuser des Abschiedsdialogs hat wenig Ähnlichkeit mit dem gotischen Ritter, der den Bann der Venus durch eine Beschwörung des Satans bricht. Angst vor Höllenstrafe schüttelt ihn nicht. Eher ist es ein extravagantes Amalgam aus raffiniertem Ästhetizismus und erotischer Desillusioniertheit, das ihn seiner Venus überdrüssig werden läßt. Von dem Gift, welches das Christentum dem Eros zu trinken gab (mit Nietzsche zu sprechen), hat er ein wenig genossen, aber wohl nur um herauszufinden, ob der Beigeschmack des Lasters und der Lästerung (27: »[...] möcht' ich mein Haupt / Mit spitzigen Dornen krönen«) den Genuß noch steigert.
Die Spannweite solcher Affekte bleibt Venus verschlossen. Erst noch ganz höfische Dame und kultivierte Mätresse, verwandelt sie sich unversehens in eine aufrichtig erzürnte Bürgersfrau (57 f.: »Weil ich dich geliebet gar zu sehr, / Hör' ich nun solche Worte –«), die einen handfesten Ehekrach besser zu genießen weiß als geistige Exaltationen. Tannhäuser selber, hochfahrender Ritter und prügelnder Ehemann, erscheint plötzlich in einem recht merkwürdigen Zwielicht. Derartige Doppelung der Figuren, der Abbau hoher Rollen durch Umschlag ins Vital-Menschliche bleibt eine wesentliche parodistische Strategie im *Tannhäuser*. So gesehen ist die verblüffende Wendung in die Küchenkomik von III, von vielen Interpreten als ›Bruch‹ verstanden, nichts anderes als die Fortsetzung eines einmal eingeschlagenen Weges.
Besten gedrängten Balladenstil imitieren die drei Berichtstrophen am Beginn von II, wirkungsvoll unterbrochen durch den unvermittelten Ansatz zu Tannhäusers großem Monolog. Obwohl die Spannung zwischen den Ideenträgern (»Papst«, »rotes Purpurgewand«, »dreifache Krone« – »Pilger, bleich und wüst«) mit herrlichen Effekten (73: »Das Volk es weicht im Kreis zurück«) in Szene gesetzt ist, bleibt der Konflikt leer. Er erscheint nur noch als Zitat, satirisch

entwertet durch die sich intern entfaltende Kritik am verweltlichten feudalen Kult der Amtskirche. Wen wundert es, wenn Tannhäusers Rede vor dem Papst – eingerahmt durch die stimmungsbrechende Kontrafaktur der »Höllen«-Strophen – nicht die erwartete Beichte ist, sondern hymnischer Lobgesang der Frauenschönheit. In gewagter Bildlichkeit und expressivem Kommentar flutet ein individualistisches Lebensgefühl in den Text, das die Distanz zwischen Sprecher (Tannhäuser) und Autor aufzuheben scheint. Die so aufgebaute Struktur gesteigerter Liebeslyrik verfällt jedoch unvermittelt der Binnenparodie. Die medusenhafte Venus verwandelt sich ohne Übergang in ein ausgelassen fröhliches, beängstigend gesundes Frauenzimmer. Der edle Tannhäuser, er redet nun von ›seiner‹ schönen Frau, entpuppt sich als sentimentales »armes Gespenst«, das die Tränen nicht zurückhalten kann. Die Rede schwillt ironischerweise zum metaphorischen Wasserfall, zu einer barocken Wortkaskade, die Himmel und Hölle, Fluten und Gluten beschwört, um in einem gewaltsamen Aufschwung nach der Ernüchterung noch einmal die »Allgewalt« der Liebe plastisch zu machen. Der taktische Sinn solcher Steigerung liegt in der ›Überredung‹ des Papstes, dessen Antwort nur eine seltsam einverständige Flucht in den komischen Jammer sein kann. Im Eingeständnis der eigenen Hilflosigkeit (137: »Der Teufel, den man Venus nennt, / Er ist der Schlimmste von allen«) zeigt er, wenig erwartungskonform, ein gerütteltes Maß an Abgeklärtheit und resignierter Weltklugheit.
Solche Technik eines desillusionierenden Skeptizismus kulminiert in III. Das ›Umkippen‹ des Textes kündigt sich ja längst an, wenn auch manche Interpreten aus dem Wortzauber erst erwachten, als sie dem kalkulierten Schock der Heimkehrszene (Ernst Elster: »Faust aufs Auge«) ausgesetzt wurden. Der nun ganz und gar unheldische Tannhäuser, ein heinetypischer ›wunder Ritter‹ par excellence, kehrt zu seiner Hausfrau Venus ins Bürgerliche zurück. Und trotz aller Banalität hat diese Rückkehr ihre eigene spröde Poesie. Hier wird keine Leidenschaft besungen, wohl aber der Versuch

zweier Menschen dargestellt, sich in einer unvollkommenen Wirklichkeit einzurichten. So ist es mehr als ein anrührendes Detail, wenn Frau Venus das roteste Herzblut aus der Nase tropft.

Damit wären wir beim gar nicht so geheimen Biographismus des Gedichts. Uns sollte nicht vorrangig interessieren, ob pikante Einzelheiten (etwa die handfesten Ehekräche) in Heines Leben zu recherchieren wären oder ob etwa für das Bild der platonisch verehrten dämonischen Frau – Porträts legen eine Ähnlichkeit nahe – vielleicht die geheimnisumwitterte Prinzessin Belgiojoso Modell gestanden hat. Sie pflegte ihr Boudoir mit einem Totenschädel zu schmücken, und Mario Praz, einer der besten Kenner der ›schwarzen Romantik‹, hält sie für die exemplarisch frigide Femme fatale ihrer Epoche. Zu ihr jedenfalls flüchtete Heine 1836 aus der anfangs chaotischen Beziehung zu der lebenslustigen Kokotte »Mathilde« Mirat, die später sein »treues Eheweib« und »gutes dickes Kind« wurde. Wichtiger jedoch als derartige Hintergrund-Erhellung, die Zeitgenossen ohnehin kaum möglich war, ist der durchaus auch ohne solche Hilfe erkennbare Konfessionscharakter des *Tannhäuser*. Ungeschminkte Selbsterforschung, Entblößung erotischer Obsessionen, Eingeständnis privater Misere und bürgerlichen Winkelglücks, das Schwanken zwischen einem weiblichen Traumbild, das nur eine männliche Kopfgeburt sein kann, und ehelicher Alltäglichkeit, wo sexuelle Verfügbarkeit eher Selbstzweifel als Erfüllung bringt – all dies gibt dem Gedicht seine provokative Aufrichtigkeit.

Karl Gutzkow, zeitweilig einflußreicher Berater von Heines Verleger Campe, aber auch literarischer Konkurrent, rät Heine denn auch von der Veröffentlichung der *Neuen Gedichte* ab. Recht päpstlich fragt er, welche Nation wohl »solche Sachen« in ihre Literatur aufgenommen habe. Die Antwort, ein Brief vom 23. 8. 1838, ist ein taktisches Meisterstück und hat sich gewaschen: »[. . .] meine angefochtenen Gedichte [sind] kein Futter für die rohe Menge. Sie sind in dieser Beziehung auf dem Holzwege. Nur vornehme Geister, denen die künstlerische Behandlung eines frevelhaften oder allzu natürlichen Stoffes ein geistreiches Vergnügen gewährt, können an jenen Gedichten Gefallen finden. Ein eigentliches Urtheil können nur wenige Deutsche über diese Gedichte aussprechen, da ihnen der Stoff selbst, die abnormen Amouren in einem Welttollhaus, wie Paris ist, unbekannt sind. Nicht die Moralbedürfnisse irgend eines verheuratheten Bürgers in einem Winkel Deutschlands, sondern die Autonomie der Kunst kommt hier in Frage. [...] Leben Sie wohl. Ich danke Ihnen nochmals für das Wohlwollen, mit welchem Sie mich auf den Splitter, den Sie in meinem Auge bemerkt haben, aufmerksam machten« (Heine, *Briefe*, S. 278).

Heine wußte auch ohne Gutzkow, daß seine ›Frivolität‹ den »Landsturm des Patriotismus« in Deutschland gegen ihn in Bewegung setzen würde. Sogar Friedrich Engels, der 1841 allerdings noch an das »Ideal des deutschen Lebens« und die »Exstirpation der Franzosen« glaubte, hat den *Tannhäuser* wohl nicht zu Ende gelesen: »Wie der treue Eckart der Sage steht der alte Arndt am Rhein und warnt die deutsche Jugend, die nun schon manches Jahr hinüberschaut nach dem französischen Venusberge und den verführerischen, glühenden Mädchen, den Ideen, die von seiner Zinne winken. Aber die wilden Jünglinge achten des alten Recken nicht und stürmen hinüber – und nicht alle bleiben entnervt liegen wie der neue Tannhäuser Heine« (Engels, S. 171).

Hier kommt die damalige deutsche Gegenwart ins Spiel. Man muß Engels' dialektischen Trick, die Identifikation der »glühenden Mädchen« mit den Freiheitsideen der Revolution, gar nicht nachvollziehen, um den Weg ins Politische zu finden. Heines Versuch einer Beschreibung ›privater‹ sexueller Emanzipation, auch der Art wie sie scheitert, nimmt ja bereits de facto einen repressionsfreien Raum vorweg, ist die Inanspruchnahme konkreter Freiheit.

Zwar erarbeitet das Gedicht die subtile Erfahrung, daß das Außerkraftsetzen dogmatischer Hemmnisse nicht automatisch einen hedonistischen Zustand sensualistischer Selbstbestimmung herbeiführt. Doch Heine bleibt bei dieser Erkenntnis keineswegs »entnervt« stehen. Seine rasante Deutschland-Philippika, von vielen bis heute als Anhängsel und Fingerübung für das *Wintermärchen* (drei Strophen tauchen dort wieder auf) abgewertet, ist im Zusammenhang des *Tannhäuser* nichts anderes als ein indirektes Plädoyer für die ›französischen Zustände‹.

Die kaum verhüllten Anspielungen mußten manchem Zeitgenossen die Ohren klingeln lassen. Dem heutigen Leser seien diese Passagen kurz aufgeschlüsselt: Mit den »sechs und dreißig Monarchen« (188) irrt Heine nur wenig. Zum Deutschen Bund, einer Mißgeburt des Wiener Kongresses, gehörten immerhin vierunddreißig souveräne Fürsten (und vier freie Städte). Die schwäbische »Dichterschul'« (189), eine Gruppe idyllisch-spätromantischer Provinzdichter (u. a. Kerner, Mayer, Pfizer, Schwab), war des öfteren Zielscheibe Heineschen Spottes. Hier rüstet er die ehrenwerten Herren mit »Fallhütchen« aus, die man sonst benutzte, um kleine Kinder vor Stürzen zu schützen. Der Dresdner »Hund« (197) ist unzweideutig Ludwig Tieck, der gelegentlich das Junge Deutschland ›anbellte und -wässerte‹. Johann Peter Eckermann veröffentlichte nach Goethes Tod (erstmals bereits 1836) seine berühmt-berüchtigten *Gespräche mit Goethe in den letzten Jahren seines Lebens*. – Eduard Gans schließlich, Freund Heines und Schüler Hegels, hatte an der Berliner Universität zeitgeschichtliche Vorlesungen gehalten, die von der Polizei verboten wurden. Heine läßt ihn ganz unverfänglich über das letzte Jahrhundert, das Zeitalter der Aufklärung, lesen (205–208). So ergibt sich in kalkulierter Auswahl, festgemacht an schlagenden Beispielen, ein peinlicher Beichtkatalog, den der frivole Sünder Heine seinen ehrenfesten Landsleuten vorhält: Vielstaaterei, politischer Immobilismus, bornierte Provinzialität in Kunst und Wissenschaft, ein deformiertes Geschichtsdenken, das einen Nationalstaat mit »gemeinsamer Peitsche« über individuelle Freiheit stellt, verspätetes und epigonales Bewußt-

sein, treffend charakterisiert durch Eckermanns quasi symbolisches Weiterleben.
Legitimität bezieht die Attacke aus der ungeschminkten Analyse der eigenen Situation. Tannhäusers eilende Reise durch das deutsche Biedermeier wird so zur Fahrt durch ein öffentliches Gruselkabinett. Die Desintegration solcher Zeitkritik, welche die Tannhäuserwelt geradezu in die Luft sprengt, ist nichts anderes als die letzte parodistische Wendung gegen das Alter. Die subjektive Grundstruktur des Textes, die ihre ironischen Differenzen bisher im Spiel mit der literarischen Vorlage austrug, mündet in direkte Auseinandersetzung mit Problemen der Zeit. Wenn sich dabei die deutsche Gegenwart als Weiterleben einer schlechten Vergangenheit entlarvt, hat die Parodie ihr Ziel erreicht.
Wagners Tannhäuser, ohne Heines verschwiegenes Vorbild wohl nicht denkbar, flieht aus dem heidnisch-französischen Babel des Venusbergs, um Rettung zu finden in deutscher Landschaft, Kunst, Sitte und Frömmigkeit. Dies kennzeichnet genau das im Stoff liegende ideologische Potential, gegen das Heines Satire sich präventiv richtet.

Zitierte Literatur: Ernst ELSTER: Tannhäuser in Geschichte, Sage und Dichtung. Bromberg 1908. – Friedrich ENGELS: Ernst Moritz Arndt (1841). In: Deutsche Literaturkritik. Von Heine bis Mehring. Hrsg. von Hans Mayer. Frankfurt a. M. 1978. S. 171–189. – Heinrich HEINE: Briefe. Bd. 1. Mainz/Berlin 1949/50. – Heinrich HEINE: De l'Allemagne. Paris 1855. – Heinrich HEINE: Die romantische Schule. Krit. Ausg. Hrsg. von Helga Weidmann. Stuttgart 1976. – Mario PRAZ: Liebe, Tod und Teufel. Die schwarze Romantik. München 1963.
Weitere Literatur: Barker FAIRLEY: Heinrich Heine. Eine Interpretation. Stuttgart 1965. – Laura HOFRICHTER: Heinrich Heine. Biographie seiner Dichtung. Göttingen 1966. – Wikoff JEROLD: Heinrich Heine. A Study of »Neue Gedichte«. Frankfurt/Bern 1975. – Dierk MÖLLER: Heinrich Heine. Episodik und Werkeinheit. Wiesbaden/Frankfurt 1973. – Siegbert S. PRAWER: Heine. The Tragic Satirist. Cambridge 1961. – Josef SCHNELL: Realitätsbewußtsein und Lyrikstruktur. Heines Lyrik und ihre ästhetischen Voraussetzungen. Diss. Konstanz 1970. – Dolf STERNBERGER: Heinrich Heine und die Abschaffung der Sünde. Hamburg/Düsseldorf 1972. – Gerhard STORZ: Heinrich Heines lyrische Dichtung. Stuttgart 1971.

August Heinrich Hoffmann von Fallersleben

Das Lied der Deutschen

Deutschland, Deutschland über Alles,
Über Alles in der Welt,
Wenn es stets zu Schutz und Trutze
Brüderlich zusammenhält,
5 Von der Maas bis an die Memel,
Von der Etsch bis an den Belt –
Deutschland, Deutschland über Alles,
Über Alles in der Welt!

Deutsche Frauen, deutsche Treue,
10 Deutscher Wein und deutscher Sang
Sollen in der Welt behalten
Ihren alten schönen Klang,
Uns zu edler That begeistern
Unser ganzes Leben lang –
15 Deutsche Frauen, deutsche Treue,
Deutscher Wein und deutscher Sang!

Einigkeit und Recht und Freiheit
Für das deutsche Vaterland!
Danach laßt uns alle streben
20 Brüderlich mit Herz und Hand!
Einigkeit und Recht und Freiheit
Sind des Glückes Unterpfand –
Blüh' im Glanze dieses Glückes,
Blühe deutsches Vaterland!

Abdruck nach: Hoffmann's von Fallersleben Gesammelte Werke. Hrsg. von Heinrich Gerstenberg. 8 Bde. Berlin: F. Fontane, 1890–93. Bd. 3. Lyrische Gedichte. 1891. S. 233.
Erstdruck: Das Lied der Deutschen von Hoffmann von Fallersleben. Melodie nach Joseph Haydn's: »Gott erhalte Franz den Kaiser, / Unsern guten Kaiser Franz!« Arrangirt für die Singstimme mit Begleitung des Pianoforte oder der

Guitarre. (Text Eigenthum der Verleger.) 1. September 1841. Hamburg: Hoffmann und Campe / Stuttgart: Paul Neff. Neudr. München: Drei Masken-Verlag, 1923. [Faks. bei Günther, S. 76–79. – In der ersten Handschrift (Faks. u. a. bei Günther, S. 81) links über der Titelzeile: »Helgoland 26. Aug. 41«; neben den beiden letzten Zeilen die Variante: »Erst: Stoßet an und ruft einstimmig: Hoch das deutsche Vaterland!« – vielleicht ist diese »Erst«-Version (?) als Alternative für entsprechende Gesangssituationen festgehalten, in einer späteren Handschrift ist sie förmlich als Schluß (23 f.) eingesetzt (vgl. Günther, S. 75); weitere Variante einer eigenhändigen Abschrift: »Von dem Rhein bis an die Memel« (vgl. Volkmann, S. 298)].
Weitere wichtige Drucke: [Hoffmann von Fallersleben:] Deutsche Lieder aus der Schweiz. Zürich/Winterthur: Literarisches Comptoir, 1843. [Fortsetzung der satirischen »Unpolitischen Lieder«.] – Hoffmann von Fallersleben: Gedichte. 3. Aufl. Leipzig: Weidmann, 1843. – Deutsche Lieder nebst ihren Melodien, Leipzig: Freise, 1843. [Berliner studentisches Kommersbuch.] – Ludwig Erk (Hrsg): Alte und neue Volkslieder für Männerstimmen gesetzt. 2 Bde. Essen: Baedeker, 1845. – Hoffmann von Fallersleben: Deutsches Volksgesangbuch. Leipzig: Engelmann, 1848.

Hans Peter Neureuter

Hoffmanns »Deutscher Sang«. Versuch einer historischen Auslegung

Der Text hat 117 Wörter. Ohne Wiederholungen und Artikel sind es 58, ohne Partikel und Pronomina nur 43 verschiedene Wörter, das ist etwas über ein Drittel der gesamten Wortmenge.
Die Substanz, die hier umgewälzt wird, ist zur Hauptsache in den 26 Substantiven enthalten, nur durch wenige Verben miteinander verbunden: ein Prädikat in der ersten Strophe, in einem Nebensatz, »zusammenhält« (4); zwei in der zweiten, »sollen [...] behalten« (11), (sollen) »begeistern« (13); drei in der dritten, »laßt uns [...] streben«, »sind«, »blüh(e)« (19, 22–24). Nur das letzte Verb hat üppigere, selbständige Bedeutung, fast alle haben futurischen Sinn, der einzige präsentische Indikativ formuliert den einzigen Ge-

danken des Gedichts: »Einigkeit und Recht und Freiheit / Sind des Glückes Unterpfand.« (21 f.)

Die appellativ wiederholten Nomina sind offenbar weder ›Ideen‹ noch schlechthin Sachen. »Deutschland«, 1841 zwar keine staatliche Realität, aber doch Eigenname einer Gegend mit 30 Millionen Einwohnern in der förmlich angegebenen Erstreckung »von der Maas bis an die Memel, / Von der Etsch bis an den Belt« (6), wird durch die dringliche Doppelung am Anfang hinausgehoben über die Bezeichnung bloßer Territorien und bloßer Menschen. Drei weitere Gedichte Hoffmanns beginnen ebenso und enthüllen einen seltsamen Namensfetischismus: »Deutschland! Deutschland! / O heil'ger Name, o süßer Klang! / [...] Deutschland! Deutschland! / Heil deinem Namen« (1847; III,239 f.; ferner V,150 und 349 f.). Auch in unserem Text ist die Silbe »deutsch« mit 15 Nennungen die häufigste, sie tönt betäubend aus beinahe jedem siebten Wort. Befremdlich und künstlich wirkt darum die Bedingung, unter der »Deutschland über Alles« gestellt wird, nämlich »wenn es [...] brüderlich zusammenhält« (4). Der eindeutige Sinn des alten Topos wird vom Autor selbst an anderer Stelle verdeutlicht: »und wir können jeden Feind / Treuverbunden überwinden« (*Eins und – Alles*; IV,104). »Alles« meint also logisch »alle«. Die Drohung beschränkt sich auf Verteidigungswillen, aber nur so wird man künftig moderne Nationen mit allgemeiner Wehrpflicht für den Krieg werben können. Wichtiger als die Rekonstruktion des rationalen Wortsinns ist jedoch die Enträtselung der primären Unklarheit selber, der Gärungspotenz einer Vaterlandserhöhung »himmelwärts« (III,329), die dennoch »in der Welt« (2) bleibt. Das Erhobene wird offenbar gegen die bedingende Logik absolut gesetzt, indem sein irrealer Siegesanspruch nach innen schlägt und im Subjekt vollbringt, was es in Wirklichkeit nicht kann; eine Vaterlandsmystik, der kaum ein Motiv säkularisierter Religiosität fehlt: Vatergott-Anbetung, Jesus- und Marien-Minne, Kirchenliedton und Analogien wie Auferstehung und Pfingstwunder. Das Ich zerschmilzt in Hingabe: »Treue Liebe bis zum Grabe / Schwör ich dir mit Herz und Hand: / Was ich bin und was ich habe, / Dank ich dir, mein Vaterland.// [...] ewig sind vereint wir beide, / Und mein Trost, mein Glück bist du« (1839; III,237); »Mein Vaterland ist meine Braut!« (1841; III,237); »O du mein heiß Verlangen, / Du meiner Wünsche Spiel, / Du meines Herzens Bangen, / Du meiner Hoffnung Ziel! // [...] Ich leb nur, um zu leben / Für dich, mein Vaterland!« (1852; III,250 f.).

Eine Art kuscheliger Gemütston in diesen Zeilen ist das Neue gegenüber der »vaterländischen Panegyrik« der Befreiungskriege (vgl. Bayerdörfer, S. 173), an welche die zweite Strophe noch stärker erinnert. Vom Besingen des Namens übergehend zur Benennung des Wesens, präsentiert sie den traditionellen Tugendkatalog des deutschen Patriotismus seit dem Mittelalter, wie er zuletzt in der Lyrik von 1809–15 und in den sie fortsetzenden Burschenschaftsliedern virulent geworden war. Das gilt besonders für den Inbegriff deutscher Selbstdeutung, die »deutsche Treue« (9). So ist etwa in Ernst Moritz Arndts *Bundeslied* 1815 (»Es lebe alte deutsche Treue«, in: *Schauenburgs Kommersbuch*, Nr. 102) oder in Karl Follens *Turnerstaat* 1817 (ebd., Nr. 95) auch die Wiedererweckungsgebärde der »*alt*deutschen Treu« noch kenntlich. »Deutsche Frauen« (9) sind vor allem die Mütter: »Ihr kennt noch frohe deutsche Weise, / Noch deutsche Zucht und Sittsamkeit; / [...] wohlan! ihr sollt im Kind erwecken / Den Sinn für Vaterland und Recht« (1840; IV,103 f.). Die Frauen gehören daher ebensowenig wie »deutscher Wein und deutscher Sang« (10) in die ›Wein-Weib-Gesang‹-Trinität des eigentlichen Trinkliedes. Das aufdringliche Adjektiv nimmt allen sowohl Sinnlichkeit als auch Idealität, erfüllt damit vollkommen den Tatbestand der Idolatrie. Auch ›Treue‹ ist offenbar mehr als »deutsche Treue«.

Indessen wird von allen Idolen »in der Welt« zunächst nicht mehr verlangt, als daß sie ihren »schönen Klang« behalten und zu diesem Zweck auch die Sänger »zu edler Tat begeistern« (12, 13) sollen. Die Wendung läßt aufhorchen, aber das Verhältnis von Wort und Tat gelangt, wie überall bei Hoffmann, nicht zum Bewußtsein dessen, was es ist, Grundproblem seiner ganzen politischen Dichtung. Darf man sich die vom Idol inspirierte Tat auch wiederum als Bekundung des Idols vorstellen, etwa als »deutschen Sang«, oder allgemeiner: die Verwirklichung des Ideals als dessen fortwährendes Bekennen »unser ganzes Leben lang« (14), so ergäbe dieser Kreislauf von Klang zu Begeisterung zu Tat-Klang und Klang-Tat eine nicht unangemessene Umschreibung der literarisch-politischen Öffentlichkeit des Vormärz. Daß Worte Taten sein konnten, indem die Obrigkeit sie ernstnahm, beweist Hoffmanns eigenes Schicksal. Der zweite Band seiner *Unpolitischen Lieder* kostete ihn 1842 das Professorenamt, er konnte sich daher im ›Ruhm‹ eines realen Opfers ›sonnen‹ (I,56 f.). Es scheint, daß seine allerhäufigste Wortkombination, »mit Herz und Hand«, eben für dieses Verhältnis von Wort und Tat die Lösungsformel darstellt: Das Wort des Herzens und die Tat der Hand finden ihre nächstliegende Einheit im Schwur. Seine völlige Abstinenz von jeder praktisch-politischen Tätigkeit im Jahr 1848 bestätigt die Auslegung, ebenso die Begründung, mit der er vor dem badischen Aufstand floh: »Meine Waffe war das Lied [...]« (VIII,21).

Einem ernsthafteren Begriff von ›Wort‹ als ›Tat‹ – auch innerhalb des bloßen Parolengebens – kommt das Lied jedoch erst in der dritten Strophe näher. Der »nutzlose Enthusiasmusdunst« (Heine, *Atta Troll*) geht hier dennoch von leerer Idolatrie zur Proklamation von Schlagwörtern über, die aktuell und konkret auslegbar waren. Sie enthalten in nuce das gesamte Programm des zeitgenössischen Liberalismus. »Einigkeit« fordert das großdeutsche Reich. »Recht« meint vor allem »Konstitution« (IV,277), »Verfassung zeitgemäß und fest, / die sich nicht untergraben läßt« (V,15), im besonderen die Garantie der Menschenrechte gegen Polizeiwillkür (V,36) und Gleichheit vor dem Gesetz (V,15) – denn noch galten in Deutschland für Adelige und Bürger verschiedene Rechtsnormen und Strafmaße. In der Gleichheit der

Pflichten und Rechte (V,107) ist ferner die allgemeine Wehrpflicht mitzudenken, von der man sich nicht loskaufen konnte, und allgemeine Besteuerung (auch des Adels); mit gemeint ist ferner eine Reform der Prozeßordnung, nämlich »mündlich öffentlich Gericht« (V,15), also Geschworenengerichte statt der schriftlichen Geheimjustiz des Absolutismus. Und obwohl das Recht auf Eigentum und seine freie Verfügbarkeit immer vorausgesetzt ist, klingen in Hoffmanns Versen gelegentlich auch soziale Motive an, wie in *Der christliche Staat*: »Sollen Gottes Güter werden / Nie gemeinsam hier auf Erden?« (1843; IV,303) oder, mit einer freilich nicht weiter verfolgten volkstümlich-antikapitalistischen Tendenz im Jahr des Weberaufstands: »Wir wollen für die Weber Brot, / Für keinen Deutschen Durst und Not, / Dann mag von dem was übrig bleibt / Der Rothschild Austern schlürfen« (1844; IV,281). Auch »Freiheit« erfaßt Hoffmann in ihrer modernen und aktuellen Bedeutung: »Freiheiten haben wir in großen Massen, / Wo aber ist die Freiheit, wo?« (V,107) – statt der ständischen Privilegien, einzeln ausgehandelt und ›geschichtlich gewachsen‹, also den vollen naturrechtlichen Begriff, aus dem sich die Volkssouveränität notwendig ergibt. Unmittelbar wichtig und von Hoffmann unermüdlich in Verse gebracht ist die Rede-, Presse- und Glaubensfreiheit: »In jedem Munde das freie Wort!« (IV,252), »Wir wollen endlich Preßfreiheit, / So wie sie zukommt unsrer Zeit« (IV,282), »Und nirgend Lehr- und Glaubenszwang« (V,111). Sogar die ökonomischen Forderungen des Liberalismus finden sich gereimt, so die Gewerbefreiheit (V,111) und der Freihandel (V,15) – ohne daß sie freilich in irgendeine Beziehung zu den sozialen Forderungen gebracht würden.

Diese Programmpunkte kehren in der Paulskirchen-Verfassung wieder, sie sind das unverwirklichte Erbe der Großen Französischen Revolution, wie Hoffmann es einst als Bürgermeisterssohn im Königreich Westfalen kennengelernt hatte. Dieser deutsche Staat, zu dem Fallersleben gehörte, lebte sechs Jahre lang, 1807–13, unter dem *Code civil*. So versucht denn »Einigkeit und Recht und Freiheit« ›Liberté, Égalité, Fraternité‹ nur historisch einzuholen. Auch »Glück« steht in der Tradition der ›félicité publique‹ der Aufklärer, sogar den antireligiösen Aspekt dieser Idee greift Hoffmann auf: »Gib den Gedrängten und Gebückten / Hienieden schon dein Himmelreich!« (1841; IV,200), »Wir wollen, daß ein jeder frei / Und schon hienieden glücklich sei« (1844; IV,281). Das *Blühen* des Vaterlands, um dessentwillen die Reimstruktur der letzten Strophe so auffällig verändert ist, wendet sich gegen monarchische »Beglükkungsideen« (IV,304), gegen die »alte Leier [...]. Der König will uns glücklich machen« (IV,168); »Ich behaupte dagegen, alles Heil könne nur von unten kommen« (1842; VII,302).

Solches Blühen »von unten« aus der Wurzel von »Gemeinsinn, Bürgertugend« (IV,309) hat offensichtlich auch einen Bezug zum erstaunlichen Titel *Das Lied der Deutschen*. Nicht nur, weil Singen eine Analogie, ja Teil des Blühens ist. *Das* Lied *der* Deutschen (nicht ›Lied‹ oder ›Ein Lied‹) kann wohl nur als republikanische Demonstration gegen die österreichische Kaiserhymne gedeutet werden, auf deren Melodie es von vornherein gedichtet und die dem Erstdruck vorangestellt war. Die Kontrafaktur korrigiert damit den Typ der Fürstenhymne überhaupt, verzichtet ostentativ auf ein gekröntes Haupt der Deutschen – enthält so vielleicht doch ein Moment jenes glossierenden, negierend oder forcierend reflexiven Verhältnisses zum poetischen ›Material‹, das für die politische Lyrik um 1840 typisch ist (Bayerdörfer, bes. 173 ff.).

Stellvertretendes Singen aus dem Herzen der Nation wird von Hoffmann und seiner Zeit aus der Volksliedtheorie begründet. Wie für seinen Mentor Jacob Grimm war für den Germanisten und Volksliedsammler Hoffmann Volkspoesie ›Naturpoesie‹, weil sie (im Gegensatz zur ›Letternpoesie‹) sich ›von selber‹ mache. Aus ihrer Unmittelbarkeit ergab sich auch ihr Status als ›Nationalpoesie‹, Ausdruck kollektiver ›Sinnesart‹; das ist die integrative Idee, die seit Herder das literarische Interesse am Volkslied bestimmte: »Es schlägt ein Ton durch, es entbindet sich ein Geist, darin die geschiedenen Stände sich als Volk zusammenfinden und verstehen« (Uhland, S. 4). So verstanden sich auch die neuen Dichtungen ›im Volkston‹, wie sie besonders folgenreich Uhland schrieb (*Ich hatt' einen Kameraden*; *Es zogen drei Bursche wohl über den Rhein*) und kaum weniger erfolgreich sein Bewunderer Hoffmann (*Abend wird es wieder*), besonders im Kinderlied (*Alle Vögel sind schon da*; *Winter ade*; *Ein Männlein steht im Walde*). Hier ist das ›unschuldsvolle‹ Aussingen dessen, was vor Augen und auf der Hand liegt, auf seinem Höhepunkt, von entwaffnender Simplizität, die sich selbst immer wieder mit dem Tirilieren der Vögel vergleicht und den Kritikern abwinkt: »Ich habe nichts für euch gemacht, / Ich habe nur ans Volk gedacht« (1842; I,46); »Volksdichter, weiter nichts« wollte er sein und »Froh flattern in der Gotteswelt umher / Und singen wie ein Vogel in der Luft.« (1871; V,219).

Auch vom *Lied der Deutschen* meinte er, daß es »sich zu einem Volksliede eignet« (III,296), und nahm es 1848 in sein *Deutsches Volksgesangbuch* auf. Diese Sammlung, die außer eigentlichen Volksliedern und Volkslied-Imitationen auch allerneueste politische Chansons enthält, bezeugt klar, daß Hoffmann keinen prinzipiellen Unterschied anerkannte zwischen dem Volkslied und dem ›Zeitlied‹, dessen Wende zum Konkreten, Populären, ja Agitatorischen er selber 1840 mit seinen *Unpolitischen Liedern* eingeleitet hatte. Wenn das Vorwort zum *Volksgesangbuch* erklärt, durch die »Unterdrückung alles frischen, freien und frohen Lebens in Deutschland hat auch Poesie und Gesang unendlich viel gelitten«, so behauptete sein ›Zeitlied‹ diese Freiheit des Singens im Spott über die klägliche Gestalt der Unfreiheit. Die Alternative von ›Herzblut‹ und ›Aktualität‹ (Gutzkow) galt nur auf der Oberfläche. Mit Ruges Satz »Das Wesen der Poesie ist demokratisch« als Motto (1844; IV,207) übernahm Hoffmann die Gleichung von Volkslied und Volksherrschaft.

Einen geschichtlichen Augenblick lang verband sich derart der germanistische Volksliedbegriff mit der liberalen Theorie einer gesinnungsbildenden, letztlich auf Demokratie zielenden Öffentlichkeit. Die Theorie zur Frühgeschichte des Deutschlandliedes ist daher beim prominentesten Naturrechtler der Zeit nachzulesen, in Karl von Rottecks *Lehrbuch des Vernunftrechts und der Staatswissenschaften*: »[...] das laute Bekennen und Verkünden tut Not in unserer Zeit [...]. *Freiheit* und *Recht* sind die Losungsworte der heutigen Zeit. Nicht *revolutionär*, sondern auf *gesetzlichem Wege* sollen sie ins bürgerliche Leben geführt, zur Herrschaft erhoben werden. Ohne gesetzlose *Gewalt* [...], nur durch Erhebung, Befestigung, Läuterung der öffentlichen Meinung und durch ernste, kräftige aber ruhige Verkündigung soll und kann das hohe Ziel erreicht werden [...]. Darum soll Jeder, ob mit ferntönender Stimme redend oder nur vernehmbar im kleinen Kreis, die hohen Losungsworte treu, liebend, mit aller ihm nur möglichen Kraft verkünden.« (*Vorwort.*)
»Verkünden« historisch überfälliger »Losungsworte« zur »Erhebung« – das deutet recht genau auf unseren Liedtypus und begründet, warum die »Vormärzlyrik [...] die [...] Prosaperiode der dreißiger Jahre« in ihrer politischen Funktion ablöst (Sengle, Bd. 1, S. 202). Dazu gehörte die Hoffnung auf Überwindung der ›prosaischen‹ Zustände durch eine ›poetische‹ Wiedergeburt, wie sie die Legende von den Befreiungskriegen behauptete. Die in der ›Rheinkrise‹ von 1840 aktualisierte Allianz von burschenschaftlicher Nationalromantik und Liberalismus, die schon im Stilkonglomerat des Texts erkennbar war, prägt auch die Gattung. Ein symbolischer Zufall machte, daß *Das Lied der Deutschen* zum erstenmal als Ständchen für Rottecks Freiburger Kollegen und Mitverfasser des berühmten *Staatslexikons* Karl Theodor Welcker an die Öffentlichkeit trat; »Hamburger Liedertafel« und Turner brachten ihm einen Fackelzug, sangen das Lied, es folgte eine Rede, ein tausendstimmiges Hoch, bewegter Dank und weitere Lieder (VII,293). Hoff-

mann selbst galten Hunderte ähnlicher Feiern, besonders nach seiner Entlassung, ja das Sich-fêtieren-Lassen als Märtyrer und Vortragen der eigenen Lieder wurde zur Lebensform der nächsten Jahre. »Nun zog er von Stadt zu Stadt, von Dorf zu Dorf und erneuerte im eigentlichsten Verstande die Bänkelsängerei«, schreibt Ruge (S. 76), sagt damit aber schon zuviel. Denn es scheint nicht, daß Hoffmann die Kreise der Akademiker und des Stadtbürgertums wirklich überschritten hat. Das Wort ›Bänkelsänger‹ empfand er selber als Abwertung (1847; V,25) durch die »Schriftgelehrten« (IV,344), die in der Tat von seinem Mangel an Schliff und Intellektualität, aber auch von seiner Popularität abgestoßen waren. Solche Distanzierungen gegenüber dem ›burschikosen‹ Liedermacher kamen aus der ganzen Breite des politischen Spektrums: von Goedeke, den Brüdern Grimm, Gutzkow, Heine (»Späße für Philister«, 1842), Tieck (»Das ist noch der alte Student von Anno 15«, zit. nach: VII,285). Hoffmann seinerseits grenzt sich ebenso gegen den ›Salon‹ ab (IV,170 f.; V,25) wie zur anderen Seite gegen Bänkelsang und ›Bierbank‹ (IV,185 f.). Sein bestes Publikum fand er im bürgerlichen Mittelstand und unter den Studenten.

Das Lied der Deutschen ist denn auch weder seiner Verbreitung noch seinen typischen Gesangssituationen noch seiner Form nach wirklich ein Volkslied. Die gewichtige achtzeilige Strophe mit den trochäischen Vierhebern war dem eigentlichen Volkslied fremd. Die beiden ungereimten Zeilen durchbrechen den geläufigen Kreuzreim und lassen die Strophe nicht mehr als Kombination von zwei Vierzeilern auffassen. Die Strophenform steht am ehesten in der Tradition der Gesellschafts- und Freundschaftslieder, von Schillers Hymne (Frank, S. 621 ff.). Von ihr trennt Hoffmann jedoch der gezeigte Mangel an wahrer Idealität seiner Gegenstände und der ›freien Selbständigkeit‹ des singenden Subjekts. Nur das rhetorische Moment wirkt weiter, wie allerdings auch in der Mehrzahl der Volkslied-Imitationen: ein Singen des Singens, eine Begeisterung über und für die Begeisterung, Trinken auf den Wein, ein ständiges »Laßt

uns«, »Frisch auf«, »Hoch« und »Soll«, eine durchgehende Meta-Naivität. Die konkrete Zukunft des liberalen Vaterlandsgesangs im Volkston zeichnet sich deshalb schon früh in der Publikationsform ›Kommersbuch‹ ab, die gleichzeitig mit dem Druck unter dem ›Volkslied‹-Etikett einsetzt (1843, s. Textquelle). Als studentischer Kommers, Liedertafeln und Notabelnbankette nach 1848 ihre politische Bedeutung verloren, wurden ihre Lieder von der wachsenden Zahl privater Vereine weitergesungen. Berufs-, Sport-, Imker-, Krieger- und Skatvereine, nach einem unpolitischen Sonderinteresse definiert, verzichteten in ihren Liedern doch nicht auf das vaterländische Pathos. Für das spezielle Vereinslied griff man besonders gern auf die Melodie *Deutschland, Deutschland über alles* zurück: »Nur den Fußball woll'n wir lieben / Immerfort bis in den Tod« (Schwab, S. 880, 884).
Als Dekoration eines partikularen Gruppenbehagens fand der Liedtypus so seinen Untergang. *Das Lied der Deutschen* im besonderen wirkte nach 1870 nicht mehr vorausweisend, sondern nur noch als Verklärung des Bestehenden; ein Vorgang, den der Autor selbst bestätigte, als er im Krieg aller deutschen Stämme gegen Frankreich die Zukunft seines Lieds erfüllt sah (III,295).
Zuletzt blickte nicht nur die Linke sondern auch die völkische Rechte auf die liberale Phrasenliteratur herab. Seit der Jahrhundertwende fielen Hoffmann und seinesgleichen aus den Anthologien der konservativen Erneuerung heraus. Er fehlt mit Arndt, Freiligrath, Herwegh und Körner im *Hausbuch deutscher Lyrik* des ›Kunstwarts‹ Avenarius 1902, und um die gleiche Zeit fand der völkische Literarhistoriker Adolf Bartels »Gemütspoesie« von der Art des Deutschlandlieds zwar unentbehrlich für das Volk, »um sein dauerndes Verhältnis zum Vaterlande auszusprechen – für die gehobenen, die großen Momente reicht sie freilich nicht mehr« (Bd. 1, S. 724). Die gesteigerten Ansprüche befriedigten im Weltkrieg die Dehmel, Flex, Vesper, Wildgans, Ina Seidel und R. A. Schröder mit Produkten von höherem Rauschwert.

Der Rest ist oft genug erzählt und dokumentiert worden. 1922 wurde *Das Lied der Deutschen* Nationalhymne als Konzession von links an die nationale Mitte und blieb 1933 Nationalhymne als Konzession von rechts. Vor der nationalen Einheit entstanden, hat es sie auch überlebt, 1952 wiedereingesetzt von einem liberalen Bundespräsidenten nach vergeblichem Zurückscheuen. So tief war die Scheu vor diesem Erbe und so vergreist war dieser Liberalismus, daß er zunächst bereit schien, das geschändete Symbol seiner eigenen Vergangenheit gegen ein Altersprodukt aus der konservativen Revolution auszutauschen, das historisch eher hinter Hoffmann zurückfiel; im Glauben, »daß der tiefe Einschnitt in unserer Volks- und Staatengeschichte einer neuen Symbolgebung bedürftig sei« (Günther, S. 146). Dieser Glaube an die Substanz nationaler Symbolik kann die Tiefe des Einschnitts nur leugnen. Die halben Aufklärer, die heute diese oder jene Änderung vorschlagen, wollen mit dem Exemplar eine Gattung retten, deren Aussterben sie segnen müßten.

Zitierte Literatur: Adolf BARTELS: Geschichte der deutschen Literatur. 2 Bde. Leipzig [6]1909. – Hans-Peter BAYERDÖRFER: Fürstenpreis im Jahre 48. Heine und die Tradition der vaterländischen Panegyrik. In: Zeitschrift für deutsche Philologie 91 (1972) Sonderheft: Heine und seine Zeit. S. 163–205. – Horst Joachim FRANK: Handbuch der deutschen Strophenformen. München/Wien 1980. – Ulrich GÜNTHER: ... über alles in der Welt? Studien zur Geschichte und Didaktik der deutschen Nationalhymne. Neuwied/Berlin 1966. – August Heinrich HOFFMANN VON FALLERSLEBEN: Gesammelte Werke. [Siehe Textquelle. Zit. mit Band- und Seitenzahl.] – Karl von ROTTECK: Lehrbuch des Vernunftrechts und der Staatswissenschaften. 4 Bde. Stuttgart [2]1840. – Arnold RUGE (Hrsg.): Die politischen Lyriker unserer Zeit. Ein Denkmal mit Porträts und kurzen historischen Charakteristiken. Leipzig 1847. Neudr. Hildesheim 1976. – Schauenburgs Allgemeines Deutsches Kommersbuch. Ursprüngl. hrsg. von Friedrich Silcher und Friedrich Erk. 75. Aufl. Lahr 1906. – Heinrich W. SCHWAB: Das Vereinslied des 19. Jahrhunderts. In: Handbuch des Volksliedes. Bd. 1. Hrsg. von Rolf W. Brednich, Lutz Röhrich und Wolfgang Suppan. München 1973. S. 863–898. – Friedrich SENGLE: Biedermeierzeit. Deutsche Literatur im Spannungsfeld zwischen Restauration und Revolution 1815–1848. 3 Bde. Stuttgart 1971. 1972. 1980. – Ludwig UHLAND: Alte hoch- und niederdeutsche Volkslieder mit Abhandlungen und Anmerkungen. Bd. 2.

Abhandlung über die deutschen Volkslieder. Stuttgart 1866. – Ernst Volkmann (Hrsg.): Um Einheit und Freiheit. 1815–1848. Leipzig 1936.
Weitere Literatur: Ulrich Enzensberger: Auferstanden über alles. Ein Beitrag zur deutsch-deutschen Hymnenforschung. In: Trans-Atlantik (1981) H. 10. S. 24–36. – Heinrich Gerstenberg: Deutschland über alles! Vom Sinn und Werden der deutschen Volkshymne. München 1933. – Jost Hermand: Zersungenes Erbe. Zur Geschichte des »Deutschlandliedes«. In: Basis 7 (1977) S. 75–88. – Hans-Wolf Jäger: Politische Metaphorik im Jakobinismus und im Vormärz. Stuttgart 1971. – Helmut Lamprecht (Hrsg.): Deutschland, Deutschland. Politische Gedichte vom Vormärz bis zur Gegenwart. Bremen 1969. – Max Preitz: Hoffmann von Fallersleben und sein Deutschlandlied. In: Jahrbuch des Freien Deutschen Hochstifts. Halle a. d. S. 1926. S. 289–327. – Jürgen Wilke: Das »Zeitgedicht«. Seine Herkunft und frühe Ausbildung. Meisenheim a. G. 1974. – Wulf Wülfing: Schlagworte des Jungen Deutschland. Mit einer Einführung in die Schlagwortforschung. Berlin 1982.

Georg Herwegh

Die deutsche Flotte

I

Erwach', mein Volk, mit neuen Sinnen,
Blick' in des Schicksals goldnes Buch,
Lies aus den Sternen Dir den Spruch:
Du sollst die Welt gewinnen!
Erwach', mein Volk, heiss' Deine Töchter spinnen!
Wir brauchen wieder einmal deutsches Linnen
Zu deutschem Segeltuch.

II

Hinweg die feige Knechtsgeberde;
Zerbrich der Heimat Schneckenhaus,
Zieh' mutig in die Welt hinaus,
Daß sie Dein eigen werde!
Du bist der Hirt der großen Völkerherde,
Du bist das große Hoffnungsvolk der Erde,
Drum wirf den Anker aus!

III

War Hellas einst von bessrem Stamme,
Als Du, von bessrem Stamme Rom?
Daß Hermann, Dein gepriesner Ohm,
Mein Volk, Dich nicht verdamme –
Hinaus ins Meer mit Kreuz und Oriflamme!
Sei mündig und entlaufe Deiner Amme,
Wie seinem Quell Dein Strom!

IV

Wohl ist sie Dein, die schönste Flotte,
Die je ein sterblich Aug' entzückt;
Der Münster Schiffe, wie geschmückt
Hast Du sie Deinem Gotte!
Du lächelst ob der Feinde schwachem Spotte,
Wenn sie auf schwankem Brett, die freche Rotte,
Die Frucht der Erde pflückt.

Auch *diese* Frucht sollst Du ersiegen, V
30 Wenn erst das Salz Dein Ruder netzt,
Und all' die Sterne, die sich jetzt
Stolz über'm Haubt Dir wiegen,
Gleich schmucken Sklaven Dir zu Füßen liegen;
So zwischen zweien Himmeln hinzufliegen –
35 Diß Ziel ist Dir gesetzt!

O blick' hinaus in's Schrankenlose! VI
Bestürmt Dein Herz nicht hohe Lust,
Wenn, wie an einer Mädchenbrust
Die aufgeblühte Rose,
40 Die Sonne zittert in des Meeres Schooße?
Und rauschen nicht der Tiefe tausend Moose
Dir zu: Du mußt! Du mußt!?

Gleicht nicht das heil'ge Meer dem weiten VII
Friedhof der Welt, darüber hin
45 Die Wogen Decken von Rubin
Und grüne Hügel breiten?
Um Deiner Toten Asche mußt Du streiten!
Ha! schlummern nicht aus Deiner Hansa Zeiten
Auch deutsche Helden drin?

50 Wiegt sich nicht auf krystallnem Stuhle VIII
Im Meer der Nereiden Schaar,
Die sich ihr Schicksal Jahr um Jahr
Abspinnt von goldner Spule?
Lockt sie Dich nicht, der Becher nicht von Thule,
55 Das wilde Meer, der Freiheit hohe Schule,
Lockt Dich nicht die Gefahr? –

Das Meer wird uns vom Herzen spülen IX
Den letzten Rost der Tyrannei,
Sein Hauch die Ketten weh'n entzwei
60 Und unsre Wunden kühlen.

O laßt den Sturm in euren Locken wühlen,
Um frei wie Sturm und Wetter Euch zu fühlen;
Das Meer, das Meer macht frei!

X

Kühn, wie der Adler kommt geflogen,
Nimmt der Gedanke dort den Lauf,
Kühn blickt der Mann zum Mann hinauf,
Den Rücken ungebogen.
Noch schwebt der Geist des Schöpfers auf den Wogen,
Und in den Furchen, die Columb gezogen,
Geht Deutschlands Zukunft auf.

XI

Wie Dich die Lande anerkennen,
Soll auch das Meer Dein Lehen sein,
Das alle Zungen benedein
Und einen Purpur nennen.
Er soll nicht mehr um Krämerschultern brennen
Wer will den Purpur von dem Kaiser trennen?
Ergreif' ihn, er ist *Dein.*

XII

Ergreif' ihn, und mit ihm das Steuer
Der Weltgeschichte, fass' es keck!
Ihr Schiff ist morsch, ihr Schiff ist leck,
Sei Du der Welt Erneuer!
Du bist des Herrn Erwählter und Getreuer;
O sprich, wann lodern wieder *deutsche* Feuer
Von jenes Schiffes Deck?

XIII

Hör', Deutschland, höre Deine Barden:
Dir blüht manch lustig Waldrevier –
Erbaue selbst die Segler Dir,
Der Freiheit beste Garden,
Mit eignen Flaggen, eigenen Kokarden;
Bleib' nicht der Sklave jenes Leoparden
Und seiner schnöden Gier!

Wen bittrer Armut Not erfaßte, XIV
Und wer verbannt die See durchwallt,
Daß heisse Sehnsucht nicht zu bald
95 Die Seele ihm belaste,
Dem sei's beim Schwanken einst der deutschen Maste,
Als ob er träumend noch zu Hause raste
Im kühlen Eichenwald.

Es wird geschehn! sobald die Stunde XV
100 Ersehnter Einheit für uns schlägt,
Ein Fürst den deutschen Purpur trägt,
Und *Einem* Herrschermunde
Ein Volk vom Po gehorchet bis zum Sunde;
Wenn keine Krämerwage mehr, wie Pfunde,
105 Europa's Schicksal wägt.

Schon schaut mein Geist das nie Geschaute, XVI
Mein Herz wird segelgleich geschwellt,
Schon ist die Flotte aufgestellt,
Die unser Volk erbaute;
110 Schon lehn' ich selbst, ein deutscher Argonaute,
An einem Mast, und kämpfe mit der Laute
Ums goldne Vließ der Welt.

Abdruck nach: [Georg Herwegh:] Die deutsche Flotte. Eine Mahnung an das deutsche Volk. Vom Verfasser der Gedichte eines Lebendigen. Zur sechsten Säkularfeier der Stiftung des Hansabundes. Zürich/Winterthur: Literarisches Comptoir, 1841. 8 S. [Erstdruck.]
Weitere wichtige Drucke: [Georg Herwegh:] Gedichte eines Lebendigen. Mit einer Dedikation an den Verstorbenen. Bd. 2. Zürich/Winterthur: Literarisches Comptoir, 1843. – Georg Herwegh: Werke. 3 Tle. in 1 Bd. Hrsg. von Hermann Tardel. Berlin: Bong & Co., [1909]. T. 1: Gedichte eines Lebendigen.

Werner Hahl

Realitätsverlust im rhetorischen Zeitgedicht des Vormärz. Zu Georg Herweghs Flottengedicht

Das Gedicht, dessen emphatischer Nationalismus an das Deutschlandlied erinnert, ist 1841 entstanden, ein Jahr nach der späteren Nationalhymne. Eine deutsche Flotte gab es damals so wenig wie einen deutschen Nationalstaat. Während die Kriegs- und Handelsflotte des britischen Empire das Weltmeer beherrschte, schifften die Norddeutschen unter den Flaggen von Preußen, Hamburg, Bremen, Lübeck, Mecklenburg, Holstein und Hannover. Auch eine Flagge von Kniphausen wehte über dem Ozean! Der Küstenstaat Preußen, eine Großmacht zu Lande, verfügte von 1842 an als einziger deutscher Bundesstaat über ein kleines Kriegsschiff. Man segelte unter dem Schutz Großbritanniens, um Unkosten und das Mißtrauen der Engländer zu vermeiden. Diese dagegen hatten sich den Stützpunkt Helgoland angeeignet. Die Dänen erhoben einen anachronistischen Sundzoll, der den preußischen Seehandel belastete. 1846 erklärte Dänemark seinen ebenfalls anachronistischen Anspruch auf Schleswig-Holstein und konfiszierte holsteinische Schiffe samt der Mannschaft. 1848 postierte Dänemark vor jedem deutschen Seehafen und vor jeder Flußmündung eine Fregatte, um die nationalen Gefühle für Schleswig-Holstein zu dämpfen.

Noch ehe diese Herausforderungen das deutsche Nationalbewußtsein angestachelt hatten, war der Volkswirt und Politiker Friedrich List mit ebenso eindringlichen wie besonnenen Vorschlägen zur Einigung und Stärkung der Nation hervorgetreten. Er war seit den dreißiger Jahren der prominenteste Fürsprecher einer wehrhaften deutschen Flotte, die für ihn aber kein isoliertes Machtmittel darstellte; er hatte sie zur Gewährleistung einer unabhängigen nationalen Handelspolitik seinem Konzept einer friedlichen Wirtschaftsentwicklung untergeordnet. List faßte seine wirtschaftspolitischen Ansichten unter dem Eindruck des britischen Industrie- und Handelsimperiums und in der Auseinandersetzung mit Adam Smiths freihändlerischer Wirtschaftslehre. Gegen Smiths Begriff des Nationalreichtums erhob List den grundlegenden Einwand, der Nationalreichtum bemesse sich nicht einfach nach dem Tauschwert der gehandelten Waren, sondern nach der produktiven Kraft einer Nation, d. h. nach dem Bedingungsgeflecht von Kapital, Bildung, politischer Macht, Infrastruktur, Leistungsmotivation usw. Bei gleicher Werterzeugung übertreffe eine Industrie-Nation die Ackerbau-Nation bei weitem im Aufbau produktiver Kraft. »Die Manufakturen und Fabriken sind die Mütter und die Kinder der bürgerlichen Freiheit, der Aufklärung, der Künste und Wissenschaften, des inneren und äußeren Handels, der Schiffahrt und der Transportverbesserungen, der Zivilisation und der politischen Macht. Sie sind ein Hauptmittel, den Ackerbau von seinen Fesseln zu befreien und ihn zu einem Gewerbe, zu einer Kunst, zu einer Wissenschaft zu erheben, die Landrente, die landwirtschaftlichen Profite und Arbeitslöhne zu vermehren [...]« (List, *Das nationale System*, S. 230). Die Überlegenheit des ausgewogenen Agrikultur-Manufaktur-und-Handels-Staates war List am Beispiel Großbritanniens klar geworden. Er sah auch, warum die Briten die falsche Theorie Smiths propagierten: Der Irrtum der Gleichschätzung industrie- und agrarstaatlicher Produktion wirkte sich nur zu Lasten der Agrarstaaten aus. Smiths Lehre setzte einen Zustand gleichgewichtiger Nationalökonomien voraus, der nicht existierte. Unter den gegebenen Verhältnissen war diese Lehre eine kosmopolitische Theorie im Dienste der britischen Nationalinteressen. Als notwendige Folge ihrer uneingeschränkten Geltung prophezeite List die Versklavung aller übrigen Nationen, weil die britische Überlegenheit jede andere Industrie im Keim erstickte.

Um dies zu verhindern und jene Gleichwertigkeit der Volkswirtschaften herzustellen, die die Voraussetzung des echten

Freihandels ist, forderte List einen gesamtdeutschen Zollverein mit Schutzzollschranken nach außen. Schutzzölle sollten der deutschen Industrie auf die Beine helfen und den ausgewogenen Agrikultur-Manufaktur-und-Handels-Staat auch hierzulande ermöglichen. Lists Modernisierungsplan für Deutschland darf selber modern genannt werden. Denn während man sonst im Vormärz sich an abstrakten Einheits- und Freiheitspostulaten erbaute, von der Erhaltung der Agrarsphäre als Gegengewicht (!) zur Industrie träumte oder in der uferlosen Pauperismusliteratur auf einzelne Mittel sann, die soziale Not zu lindern, begriff List die bürgerliche Produktionsweise als *die* bewegende Kraft zu mehr Fortschritt, Freiheit und Einheit. Als modern erwies sich Lists Denken auch darin, daß er Erfahrung und erfolgreiche Kompromisse über Dogmen stellte; er war weder Freihändler noch Schutzzöllner, weder Nationalist noch Kosmopolit, sondern *Realpolitiker*, dem das Fernziel freier, ebenbürtiger Nationen vorschwebte. Lists Realismus verweist auf die Zeit nach 1850. Er hat nicht zuletzt die *Grenzboten*-Redakteure Julian Schmidt und Gustav Freytag sowie den Historiker Heinrich von Treitschke beeinflußt, die sowohl in literarischer wie in politischer Hinsicht den bürgerlichen Realismus propagierten.
Bei der Verfolgung seiner Pläne mußte der Vorkämpfer bürgerlicher Interessen allerdings den Widerstand der kleinen Küstenstaaten, auch der bürgerlichen Stadtrepubliken, erfahren. Der hanseatische Handel gedieh nämlich unter dem britischen Schutzschild ausgezeichnet, wenn auch nicht zum Vorteil ganz Deutschlands. Daß trotzdem zu Anfang der vierziger Jahre die Flottenfrage in der Hamburgischen Presse als *Lebensfrage für die Hansestädte* diskutiert wurde, war eine Folge der binnenländischen Entwicklung und mittelbar ein Erfolg Lists. Der Deutsche Zollverein hatte sich in den dreißiger Jahren bewährt und bis an die Grenzen der norddeutschen Küstenstaaten erweitert. Preußen war sogar Mitglied. Das Wachstum des Vereins war begleitet vom Ausbau der Eisenbahnen und der Flußschiffahrt. So war die

Küste dem Binnenland mit seiner schlummernden Produktionskraft nähergerückt, und im Zollvereinsbereich wurde der Wunsch nach einem nationalen, von fremdem Wohlwollen unabhängigen Seehandel laut. Der Wunsch war dringend; denn die Zollvereinspolitik kollidierte mit den Manufaktur- und Handelsinteressen des mächtigen Großbritannien, da man Importe von Industrieartikeln mit Schutzzöllen von 20 bis 60 Prozent belegte. So waren die handeltreibenden deutschen Küstenstaaten zwischen zwei Mächte geraten. Mit Ausnahme Preußens entschieden sie sich auf weitere zwei bis drei Jahrzehnte für ein ungetrübtes Verhältnis zu England und blieben dem Zollverein wie auch den deutschen Flottenplänen fern. List nannte die Haltung der Hanseaten »Abtrünnigkeit« und »Nationalskandal«.
Alle Flottenreden und -gedichte der vierziger Jahre gehen letztlich auf die Anregungen Lists zurück. Wenn er, der Realpolitiker, ob der innerdeutschen Interessengegensätze gelegentlich die Fassung verlor, was konnte erst ein Dichter tun, um dem nüchternen Kalkül der Hanseaten ebenso wie dem Selbsterhaltungstrieb der deutschen Partikularstaaten beizukommen?
In Georg Herwegh (1817–75) fand der Flottengedanke einen Verkünder, der Lists Leidenschaft, nicht seinen Pragmatismus verstand. Friedrich Theodor Vischer attestierte dem damals Vierundzwanzigjährigen politische Verworrenheit, aber das Publikum begeisterte sich an seinem rhetorischen Schwung. Für die Schwäche seiner politischen Lyrik ist Herwegh daher nicht allein verantwortlich. Daß junge Publizisten – so jung wie die Publizistik selbst, die seit der Julirevolution 1830 anschwoll, und in nichts bewandert als in der Schönen Literatur – sich berufen fühlten, dem Volk die politischen Fragen der Zeit zu erklären, beweist nur die Verkümmerung der Institutionen freier Öffentlichkeit im damaligen Obrigkeitsstaat. Eine zusätzliche Überforderung der jungen Literaten rührte von der revolutionären Unruhe der Zeit her, die, zu Taten drängend, das Ansehen des ›bloßen‹ Schriftstellers in Zweifel zog. Als der Literarhisto-

riker Gervinus 1838 forderte, die Intelligenz möge sich vom Schreiben ab- und der Politik zuwenden, fand er die größte Beachtung. Auch Herwegh meinte stets mehr sein zu müssen als ein Schriftsteller, nämlich ein Prophet, ein Volkstribun, ein Führer oder ein »Barde«, der mit der »Laute« um die deutsche Weltherrschaft kämpft (111). Das Prekäre dieser – eben doch nur *literarischen* – Vorkämpferrolle offenbarte sich an Herwegh selbst: Seine im Jahr 1842 unternommene Deutschlandreise, die sich für den Verfasser der *Gedichte eines Lebendigen* zum Triumphzug gestaltete und die – wie zum Beweis, daß engagierte Literatur den Rang einer politischen Tat habe – von einer Audienz beim preußischen König gekrönt war, endete abrupt durch journalistische Indiskretion und demütigende Landesverweisung. *Nun* war die Stunde der Besserwisser. »Faule Äpfel gab es statt der Kränze«, schrieb Heine dazu, und: »Das Volk, wie katzenjämmerlich, / Das eben noch so schön besoffen« (*Georg Herwegh*, »Zeitgedicht« Nr. 12 aus den *Neuen Gedichten*).

Auch aus Lists soliden Fässern zapfte Herwegh seinem Volk den Wein der Begeisterung für den kurzen revolutionären Schwips. Die erste Strophe zeigt beispielhaft das anfeuernde rhetorische Genie. Ein imperativischer Satz oder Satzteil füllt jede der sieben Zeilen. Die eigentlichen Imperative stehen an den gewichtigen Versanfängen, verklammert durch Anaphorik (1/5) oder Satzparallelismus (2/3) und zum Teil hervorgehoben durch Akzentverlagerung (2/3). Die lapidare Wirkung eines biblischen »Du sollst« (4) wird durch Zeilenverkürzung und Sperrdruck gesteigert, um das Unglaubliche einer deutschen Weltherrschaft in den Bereich der erfüllbaren Ziele zu rücken. Imperativisch wirken auch Vers 6, der die Not der deutschen Leinenindustrie in ein Gebot der geschichtlichen Stunde umsetzt, und Vers 7, der dies Gebot durch erneute Zeilenverkürzung, durch emphatische Wiederholung des ›Deutschen‹ und durch lakonische Konkretisierung des Flottengedankens im ›Segeltuch‹ verdichtet. Die Strophe mit dem asymmetrischen Reimschema

abbaaab und dem spannungsvollen Wechsel zwischen drei-, vier- und fünfhebigen Versen vermittelt eine drängende Wirkung: Die ersten vier Verse scheinen das gebräuchliche Muster des umarmenden Reims (abba) zu erfüllen und mit der verkürzten, sentenziösen Zeile 4 zur Ruhe zu kommen; doch wieder tönt in Vers 5 der Weckruf aus Vers 1, und der Reim a, statt die ersten vier Zeilen abzuschließen, pocht in Vers 5 und 6 weiter, bis ein zweiter verkürzter Vers mit dem Reim b den Schluß bildet. In seiner Beherrschung des Rhythmus und der suggestiven Sprachgebärde ist es Herwegh am ehesten gelungen, das Odium der literarischen Reflexion gegen den Glanz der politisch-poetischen ›Tat‹ einzutauschen.
Der Reimzwang beeinträchtigt allerdings die Präzision und Angemessenheit der Wortwahl. So wird die künftige deutsche Flagge mit dem Namen des alten französischen Königsbanners (19: »Oriflamme«) umschrieben, und dem »großen Hoffnungsvolk« (13) wird zugerufen: »entlaufe deiner Amme« (20). Doch die Unschärfe der Bezeichnungen hat auch ihren strategischen Sinn. Mit ihrer Hilfe konnte man einer uneinigen Nation ein neues, gemeinsames Ziel vorzeichnen. Und darum geht es: Der Vorstellungsbereich von Erneuerung und Aufbruch bestimmt das Gedicht auf der semantischen Ebene ebenso wie auf der rhythmisch-sprachgestischen. Herwegh, der Theologie studiert hat, deutet vor allem die religiösen Gefühle in neue, nationale um. Der religiös besetzte Topos des Erweckens (vgl. ›Erweckungsbewegung‹) wird zum nationalen Weckruf. Nicht das Reich Gottes, sondern die Welt ist der ›Gewinn‹, den – mit biblischer Tönung und antibiblischem Sinn – der neue Prophet seinem Volk verspricht. Eine Fülle jüdisch-christlicher Vorstellungen wird in den neuen, nationalen Gottesdienst (25) übertragen: der Hirte, die Hoffnung und der Anker (II), das Kreuz (III) und die Dome (IV), der Sternenhimmel (V) und der Schöpfergeist (X), die ›benedeienden‹ Zungen (XI), das erwählte Volk, die Verheißung der Erneuerung (XII) und schließlich das Erschauen des nie Geschauten

(XVI) – nämlich des zukünftigen Reiches, das ebenfalls eine christliche Entsprechung hat. Herwegh führt die alte theologische Hermeneutik, die das überlieferte Gotteswort allegorisch als Verheißung deutet, in seinem Sinne weiter. Er vermeidet dadurch jede *negative* Religionskritik und erhält sich so die Gunst der naiven Gemüter wie auch des protestantischen Liberalismus. Den Himmel bringt er um seine symbolisch-höchste Stelle, indem er ihn doppelt und doppelzüngig preist: ihn und seine reizvolle irdische Spiegelung (V). Die Seele dieser Preisung ist nicht mehr die alte Ehrfurcht, sondern die *Lust* und der *faustische Drang* (vgl. Goethe, *Faust* I, V. 1070 ff.).
Religionskritik war damals ein legitimes Anliegen der politischen Opposition, hervorgerufen durch den Mißbrauch der Religion zur Befestigung monarchisch-bürokratischer Herrschaft im ›Gottesgnadentum‹. Das neue Evangelium der Sinnlichkeit (1) – schon von Heine, den Jungdeutschen und dem ›exotischen‹ Freiligrath verkündet – antizipiert das Gefühl gelebter Freiheit. Im vorliegenden Gedicht sehen wir allerdings die Sinnenfreiheit sogleich in Dienst genommen und verabreicht als Aphrodisiacum des nationalen Imperialismus. Der alte Flugtraum der Menschheit realisiert sich in der nationalen Seefahrt als lustvolles Besitzergreifen: Dahin zwischen zwei Himmeln, auf wiegenden Wellen, über Mädchenbrust und Meeresschoß, schmucke Sternensklaven und muntere Nixen! (V, VI, VIII.) Das Weltmeer will (du spürst den Drang der »Tiefe«, 41) von dir befahren, begattet, befruchtet (X) und beherrscht werden (XI). Dem männlich aufrechten und potenten Sieger (X) gewährt es Gold (VIII, XVI) und den Purpur der Macht (XI). – Triebhafte »Tiefe« suggeriert der Text freilich nur stellenweise, am ehesten in Strophe VI. Herweghs Wasser hat allerlei Balken, nämlich die verholzten »Realien« der rhetorisch-polyhistorischen Tradition. So knüpft er zwischen Seefahrt, Weltherrschaft und Deutschen die geradezu lohensteinsche Verbindung, daß das deutsche Volk seinem historischen Charakter nach das Reichs-, also das Kaiservolk und im übertragenen Sinn sogar

der Kaiser und Purpurträger selbst ist, daß aber Seeherrschaft sich im Purpur der (als kaiserliche Funktion vorgestellten) Weltherrschaft symbolisiert; auch dürfte sich der seltsame Vers 74 darauf beziehen, daß das Meer der Lebensraum der Purpurschnecke ist (vgl. Freiligraths Gedicht *An das Meer*, das Herwegh gewiß kannte), womit ein weiterer lohensteinscher, d. h. an den Haaren herbeigezogener, Vergleichspunkt mit dem deutschen Kaiservolk gewonnen wäre! Gelegentlich dissoniert die lyrische Taubheit barocker Gleichniskonstruktionen mit dem modernen Naturgefühl, so in Strophe XIV, wo kahle, schwankende Schiffsmasten die Vorstellung eines kühlen deutschen Eichenwaldes evozieren sollen. In Strophe II paßt das Hoffnungssymbol des Ankerauswerfens schlecht zu der Aufbruchsstimmung, die das gegensätzliche Bild des Ankerlichtens verlangt. Einen der im Barock hochgeschätzten Kalauer finden wir in der Assoziation der Flotte mit Kirchenschiffen (IV), und das Heruntermachen der Feinde, als ob sie böse Wichte wären, ist ein Topos des patristischen Stils, der bis ins Spätbarock gepflegt wurde (IV, XIII). Solche leicht zu vermehrenden Beispiele bezeugen Herweghs traditionell-rhetorische Weltsicht und einen darin zum Ausdruck kommenden Realitätsverlust. Er kommt nicht über das ›usurpierte‹ Verfahren der christlichen und antiken Hermeneutik hinaus.

Der so sinnliche, besitzergreifende, emanzipierte und in alledem moderne Text ist mit Gleichnissen und Bildungsanspielungen ausstaffiert wie irgend ein gelehrtes Elaborat des Hochbarock. Ein Widerspruch? Aus der Sicht des Autors eher eine sinnvolle Strategie! Denn unverblümter Materialismus gilt als Wesenszug der ›schnöden‹ Briten (75, 90 f., 104 f.). Deutsche Weltherrschaft vollzieht und verklärt sich im Lichte deutscher Bildung! Das ist die unausgesprochene Rechtfertigungsthese dieses anmaßenden Gedichts. Der Autoreneifer, der diese Fülle von Verheißungen aus Bibel, Mythos, Geschichte und Literatur zusammengetragen hat, demonstriert den zögernden Männern der Macht, daß der geistige Flottenbau bereits im Gang ist und daß sich der

deutsche Literat einen bedeutenden Platz im deutschen Nationalstaat erworben hat. Bei alledem erscheint uns der Autor als der erste, der die Bildung verrät, statt sie dem Volke zu vermitteln, weil er das Gold des Mythos und der Poesie als rhetorischen Flitterkram ausbietet: Das »goldne Vlies« (112), der goldene »Becher von Thule« (54; vgl. *Faust* I, V. 2759 ff.) sowie die mythologisch nicht nachweisbare goldene Schicksalsspule der Nereiden sind leere Schmuck- und Reizwörter, die dem Geiste nach aus den Schatzkammern der preziösen Barockmetaphorik stammen. Es wurde nur die Fürstenschmeichelei durch Volksschmeichelei ersetzt. In der preziösen Stilkonstante zeigt sich erneut Herweghs ungebrochenes Vertrauen in die Rhetorik: Er idealisiert den deutschen Griff nach den Gütern der Welt, indem er ihn auf die Ebene des *stilus ornatus* hebt, ihn schlicht *verblümt.*
So bildungsoptimistisch war der junge Herwegh nicht allein. Auch Freiligrath widmete damals seine *Flottenträume* der deutschen Intelligenz und glaubte damit das Streben nach Macht zu veredeln. Der Kölner Dombau war zeitweilig ein Fest des kulturellen Nationalismus. Die zahllosen Schillerfeiern von 1859 bildeten einen gigantischen Rahmen, um vom Weltreich des deutschen Geistes als dem Fundament und Rechtfertigungsgrund deutscher Weltherrschaft zu schwärmen.
Gemessen am Stand der Flottendiskussion, der mit Lists Hauptwerk im April 1841 erreicht war, dokumentiert das Gedicht den zeitweiligen Realitätsverlust der schöngeistigen Bildung im 19. Jahrhundert. Von einem *System* der politischen Ökonomie, wodurch der Flottenbau allein zu begründen war, weiß das Gedicht nichts, also nichts vom ausgewogenen Agrikultur-Manufaktur-und-Handels-Staat. Was sollten Herweghs Schiffe laden? Gestohlene Becher aus Thule? Oder Grüße an die Ausgewanderten? Leider bildeten die Auswanderer selbst, die in der Heimat keine Arbeit fanden, den einträglichsten Exportartikel hanseatischer Reeder (vgl. *Handbuch*, S. 375–378). Trotzdem ist Herweghs

Arbeitsbeschaffungsprogramm (5: »heiß deine Töchter spinnen«) fast so sinnlos wie der Kampf um die Asche der Toten (VII). Leinen gehörte zu den wichtigsten Ausfuhrartikeln im Handel mit den wärmeren Ländern. Es ging also darum, durch Mechanisierung der Leinenproduktion den Preis- und Qualitätsvorsprung englischer Waren einzuholen (*Handbuch*, S. 329–331), einen Teil des verlorenen Weltmarktes zurückzugewinnen und so den Bauch der Schiffe zu füllen, wenn man schon Schiffe haben wollte, statt das Leinen am Mast spazierenzufahren (6 f.). Auch von der Steigerung der produktiven Kräfte durch die technischen Anforderungen des Flottenbaus weiß das Gedicht nichts. Es schreibt die Erkundung natürlicher Ressourcen ausgerechnet auf das Konto der poetischen Zunft (XIII)! Das kompensatorisch-aggressive Gerede von Weltherrschaft (an dem List keinen Anteil nahm) verfehlte mit Sicherheit bei allen Maßgebenden die beabsichtigte Wirkung. Als Gemeinsames zwischen List und dem jungen Herwegh bleibt nur die Verknüpfung des Flottengedankens mit den Zielen der Freiheit und Einheit. In dem Kapitel »Die Lehren der Geschichte« aus dem *Nationalen System der politischen Ökonomie* hatte List ausgeführt, daß es stets Nationen mit freiheitlichen Institutionen, aber auch der Fähigkeit zu geschlossener Außenhandelspolitik waren, die große Flotten hervorgebracht haben.

Solche globalen Einsichten in erlebbare Unmittelbarkeit zu übertragen, ist gewiß eine der heikelsten Aufgaben der Dichtung. Herwegh hat sich dabei ›schön besoffen‹. So mußte er sich von einem Flottenschreiber korrigieren lassen, der, zum anderen Extrem neigend, nur vom Wert der trokkenen Lebensweise überzeugt war: Unter den guten charakterlichen Voraussetzungen der Deutschen für die Seefahrt nannte er »kalten, besonnenen Muth, ruhige Überlegung, Geist des Gehorsams und Anerkennung der höheren Fähigkeiten des Führers, unerschütterliches Vertrauen auf denselben, und augenblickliches, nicht lange mäckelndes Befolgen seiner Befehle, Ausdauer bei Ertragung von Entbehrungen jeglicher Art, lang anhaltende Geduld bei Widerwärtigkeiten und Ungemach [...]. Dazu körperliche, lang ausdauernde Kraft, [...] gesunde Eßlust und frühe Gewöhnung an die trockenen, auf der See gebräuchlichen Nahrungsmittel« (Wickede, S. 343.).

Zitierte Literatur: Handbuch der deutschen Wirtschafts- und Sozialgeschichte. Hrsg. von Hermann Aubin und Wolfgang Zorn. Bd. 2. Stuttgart 1976. [Zit. als: *Handbuch*.] – Friedrich LIST: Das nationale System der politischen Ökonomie [1841]. Neudr. nach der Ausg. letzter Hand (1844). Eingel. von Hans Gehring. Jena [6]1950. – Friedrich LIST: Das Wesen und der Wert einer nationalen Gewerbsproduktivkraft (1839). In: F. L.: Kleinere Schriften. Hrsg. von Friedrich Lenz. T. 1. Jena 1926. S. 367–436. – Friedrich Theodor VISCHER: Georg Herwegh, Gedichte eines Lebendigen. 6. Aufl. Zürich 1843. [Rez. 1843.] In: F. T. V.: Kritische Gänge. 2., verm. Aufl. Hrsg. von Robert Vischer. Bd. 2. München o. J. S. 92–130. – J. v. W[ICKEDE].: Die Seeschiffahrt Deutschlands und eine gemeinsame Nationalflagge. In: Deutsche Vierteljahrsschrift 3 (1844) S. 341–392.
Weitere Literatur: Die deutsche Kriegsflotte. In: Die Gegenwart. Bd. 1. Leipzig 1848. S. 439–472. – Hermann TARDEL: Lebensbild Herweghs. In: Georg Herwegh: Werke. [Siehe Textquelle.] S. VII–CIV. – Hans-Georg WERNER: Einleitung. In: Georg Herwegh: Werke in einem Band. Hrsg. von H.-G. W. Berlin/Weimar 1977. S. V–XXXIII. – Günter WOLLSTEIN: Das »Großdeutschland« der Paulskirche. Nationale Ziele in der bürgerlichen Revolution 1848/49. Düsseldorf 1977. S. 255–265 (Kap. 6: Eine deutsche Flotte).

Franz von Dingelstedt

Drei neue Stücklein mit alten Weisen

(Für Deutsche Liedertafeln)

I

Mel. Das Volk steht auf, der Sturm bricht los

1 Herr Michel und der Vogel Strauß
Sind leibliche Geschwister:
Aus diesem guckt's Kamel heraus,
Aus jenem der Philister.

5 Sie flögen gern und könnten's auch,
Die Schwingen sind gegeben,
Doch bleiben sie nach altem Brauch
Fein an der Erde kleben.

Der eine birgt den Kopf im Sand
10 Und läßt den Steiß sich blasen,
Der andre wühlt sich mit Verstand
In Bücher ein und Phrasen.

Indes hat man dem Strauß geschickt
Die Federn ausgerissen,
15 Indes die Fremde sich geschmückt
Mit Michels Geist und Wissen.

Sie lassen alle beide sich
Von einem Kinde leiten,
Das spornt und treibt sie ritterlich
20 Und lacht: Ich will Euch reiten.

Und was der Strauß für einen Wanst
Besitzt und welchen Magen!
– Nur du, mein deutscher Michel, kannst
Und mußt noch mehr vertragen!

II

Mel. Heil unsern Fürsten, Heil

Ihr macht mich irr durch das Gekrächz
Von Russen und Franzosen;
»Konservativer« heißt es rechts,
Und links heißt's »Ohne-Hosen«.

»Was ist des Deutschen Vaterland?«
So singt Ihr alle Tage,
Doch weder Rhein- noch Donaustrand
Antworten auf die Frage.

Wenn einer: »Lippe-Detmold« spricht, –
Hui, Partikularismus!
Und haßt er die Pariser nicht, –
Pfui, Kosmopolitismus!

Das Vaterland ist immer so,
Wie's passend wird befunden,
Bald Klein-Sedez, bald Folio,
Doch immerdar – gebunden!

Auflagen und den Druck versehn
Gern selbst die großen Herren,
Und die nicht so wie andre stehn,
Die Lettern läßt man – sperren.

Fürwahr, ein komischer Roman!
Wie wär's, wenn wir's versuchten,
Und bänden statt in Corduan
In Klammern ihn und Juchten?!

III

Mel. Hoch klingt das Lied vom braven Mann

1 Was ist, Ihr Herrn, ein deutscher Patriot? –
An alle Fakultäten diese Frage – ? –
»Ein Mann, der sonntags dient dem lieben Gott
Und seinem König alle Werkeltage.«

5 Was will, Ihr Herrn, ein deutscher Patriot? –
»Für sich ein Ämtchen, Titelchen und Bändchen,
Für seine – ehelichen – Kinder Brot
Und legitime Fürsten für sein Ländchen.«

Wie denkt, Ihr Herrn, ein deutscher Patriot? –
10 »Wenn's hoch kommt, wie die Allgemeine Zeitung;
Vom Franzmann spricht er nur mit Haß und Spott
Und schwärmt für Preußens Gaslichts-Welt-Verbreitung.«

Was kann, Ihr Herrn, ein deutscher Patriot? –
»Rezepte, Akten und Kompendien machen,
15 Laut klagen über seines Volkes Not
Und heimlich in sein sichres Fäustchen lachen.«

Hinaus zum Tempel, deutscher Patriot! –
– Eh' du dich in's Sanctissimum geheuchelt,
Und eh' dein Kuß, Judas Ischarioth,
20 Die Freiheit, den Messias, rücklings meuchelt!!

Abdruck nach: Franz Dingelstedt: Lieder eines kosmopolitischen Nachtwächters. Studienausg. mit Komm. und Einl. von Hans-Peter Bayerdörfer. Tübingen: Niemeyer, 1978. (Deutsche Texte 49.) S. 150–155.
Erstdruck: [Anonym:] Lieder eines kosmopolitischen Nachtwächters. I. Hamburg: Hoffmann und Campe, 1842.
Weiterer wichtiger Druck: Franz Dingelstedt: Sämmtliche Werke. Erste Gesammt-Ausgabe. 12 Bde. Berlin: Paetel, 1877. Bd. 8. [Unter dem Titel: Drei Stücklein vom deutschen Michel.]

Hans-Peter Bayerdörfer

Michel und die Patrioten

Die Verschärfung und Differenzierung der satirischen Tonarten kennzeichnet die politische Versdichtung des Jahrzehnts vor 1848 im Vergleich zu den dreißiger Jahren. Ein Zeugnis dafür bilden Dingelstedts *Lieder eines kosmopolitischen Nachtwächters*, die noch vor den ›Zeitgedichten‹ von Heines *Neuen Gedichten* entstanden und – in der nach Hoffmann von Fallerslebens *Unpolitischen Liedern* (1840/41) günstigen Vertriebs- und Absatzsituation – von Hoffmann & Campe um die Jahreswende 1841/42 verlegt wurden. Der ›satirischen Reise‹ durch die weitgehend selbständigen Territorien des Deutschen Bundes sind die *Drei neuen Stücklein* entnommen. Innerhalb des siebenteiligen Itinerars von *Nachtwächters Weltgang*, der von Frankfurt am Main über München, Hessen-Kassel, Hannover, Helgoland und Berlin nach Wien, also vom alten Reichsmittelpunkt und Sitz des Bundestages zum eigentlichen Machtzentrum der Restauration, dem Österreich Metternichs, führt, kommt den *Stücklein* eine besondere Stellung zu. Handelt es sich bei den Stationen – abgesehen von Helgoland, wo englische Freiheit und Liberalität walten – um Bastionen der restaurativen Macht, die satirisch aufs Korn genommen werden, so widmet sich das eingeschobene kleine Triptychon den Kräften, von denen nach allgemeiner Auffassung geschichtlicher Wandel und Fortschritt ausgehen könnte, dem deutschen Volk, der liberalen kritischen Presse, dem deutschen Patriotismus.

Die Auseinandersetzung mit der – im weitesten Sinne – ›Bewegungspartei‹, d. h. mit den Bestrebungen, gegenüber dem starren Metternichschen System etwas in Bewegung zu bringen, gewinnt Gestalt auf der Grundlage einer literatur- und sprachsatirischen Poetik. Den Ansatzpunkt dazu nennt der Titel. Er spielt auf das Verfahren der Kontrafaktur an, das in der politischen Lyrik seit den Befreiungskriegen sehr beliebt ist: Melodie, oft Teile des Wortlautes oder der Metaphorik eines bekannten Liedes werden übernommen. Bekanntheit und Beliebtheit des Alten werden der neuen politischen Intention nutzbar gemacht; durch die Art der Bezugnahme und Anknüpfung lassen sich auch bestimmte inhaltliche Aspekte hervorheben. Im vorliegenden Falle deuten die leicht altväterischen Zungenschläge bei »Weise« und bei dem Diminutiv »Stücklein« auf ironische Brechung. Dies bestätigt sich, wenn man bemerkt, daß die zu den drei Texten angegebenen Melodien und Metren gar nicht passen, daß also formal – aber auch, wie sich herausstellt, inhaltlich – eine Diskrepanz zwischen dem alten und dem neuen Liedtext gesetzt ist. Ein weiteres Ironie-Signal steckt in der dem Titel in Klammern beigegebenen Zweckangabe, nämlich in der Großschreibung des Adjektivs ›deutsch‹. Die Erscheinung der »Liedertafel« – die sprachliche Prägung wie auch die Erläuterung als »Gesang-Tischverein« stammt von Zelter aus dem Jahre 1808, wobei er als eine Art Vorstellungsmodell die Tafelrunde des Artus anführte – oder des ›Liederkranz‹, wie man später sagte, gehört nicht nur zur geselligen, sondern zur politischen Kultur der Restaurationszeit; seit den Befreiungskriegen, in politischem Zusammenhang mit den Burschenschaften, später mit den Veteranenvereinen, werden sie in einer Vielzahl von Erscheinungsformen gegründet. Je nach der politischen Ausrichtung löst sich dabei das patriotische Element von den ursprünglichen politischen Forderungen nach Konstitution, bürgerlichen Freiheiten und gesellschaftlicher Erneuerung, wobei der politische Substanzverlust ebenso häufig mit einem Zuwachs an Pathos ausgeglichen wird. Die Großschreibung besagt also Deutschtümelei und läßt sich am besten durch eine Passage aus Dingelstedts literarischer Zeitschrift *Der Salon* illustrieren, in welcher sich der Herausgeber mit der angeblichen Kritik einer »Gesellschaft von Deutschen« aus dem Städtchen Höxter am ›undeutschen‹ Titel des Organs auseinandersetzt und eine Reihe von Alternati-

ven vorschlägt wie »Deutsche Eichenblätter und deutsche Eicheln für eine deutsche Gesellschaft von Deutschen« oder »Deutsche Bärenhaut, eine Keil- und Runenschrift für eine Gesellschaft von Deutschen« oder schließlich »Deutsche Wall- und Narrhalla, für eine geschlossene Gesellschaft von Deutschen« (*Der Salon*, Nr. 16 vom 17. 7. 1841).
Das erste der drei Gedichte wendet sich gegen die Mythisierung des Volkes zur geschichtsmächtigen Urkraft, die nur geweckt zu werden braucht, damit sich die Verhältnisse mit einem Schlag ändern. Solche im Grunde apolitischen Vorstellungen, die aber politisch zu sein scheinen, weil sie sich mit der einseitigen Auffassung der Befreiungskriege als spontaner Volkserhebung verbinden, werden mit der Melodieangabe zu einem Lied von Theodor Körner angesprochen. Die Verse des Sänger-Märtyrers von 1812/13, der durchweg als Urbild aller patriotischen Dichter aufgefaßt und verehrt wird, stellen selbst einen Aufruf dar an alle, die sich dem Aufstand gegen die Fremdherrschaft noch nicht angeschlossen haben – »Wer legt noch die Hände feig in den Schoß?« lautet die zweite Zeile des Liedes *Männer und Buben*, aus Theodor Körners Nachlaß (im Nachtrag zu: *Leyer und Schwerdt*, 1814, S. 78 ff.). Doch das angeblich kontrafaktische »Stücklein« verweigert sich einem ähnlichen Appell und setzt mit einer schneidenden Antithese ein. Aus dem Volk von 1812/13 ist der deutsche Michel geworden, für dessen politischen Horizont nur das Bild vom Vogel Strauß angemessen erscheint. Dieser Zusammenstellung muß durchaus noch ein gewisser Schockwert zuerkannt werden. Denn die Emblem-Figur des deutschen Michel, die ursprünglich ja auf Sankt Michael bezogen war, ist zu Beginn der vierziger Jahre noch keineswegs negativ festgelegt. In seinen *Unpolitischen Liedern* (T. 2; *Sonntag*) schreibt Hoffmann mit der Datumsangabe »16. Mai 1840« noch die Strophen:

Verspottet nur den Vetter Michel!
  Er pflügt und sät:
Einst sprießt die Saat, die keine Sichel
Der löblichen Zensur ihm mäht.

Sie leben noch, die etwas wollen
  Mit Herz und Hand,
Die Gut und Blut noch freudig zollen
  Für Gott und für das Vaterland.

Der Übergang der Figur zum Inbegriff des passiven, gutgläubigen Dümmlings vollzieht sich – unter anderem auch bei Hoffmann selbst – gerade in den beginnenden vierziger Jahren, wobei sie so populär wird, daß bereits 1843 ein *Liederbuch des deutschen Michel* (hrsg. von Hermann Marggraff, Leipzig 1843) in selbständiger Ausgabe erscheint. Dingelstedts Gedicht hat Anteil an der Umwertung; alte Möglichkeiten der Philister-Satire, die schon im 18. Jahrhundert gerne Fabelmotive verwendete, werden zur Charakterisierung des Michel genutzt. Seine politische Hilflosigkeit ist nicht die Folge mangelnden Verstandes – geistige und wissenschaftliche Höhenflüge sind ihm durchaus möglich; sie ergibt sich vielmehr daraus, daß sich der Deutsche der Wirklichkeit nicht stellt. Er läßt sich mit *Phrasen* den Verstand vernebeln. Das eigentliche Thema der *Drei neuen Stücklein* ist mit diesem Stichwort formuliert. Aufgrund der ideologischen Blendung ist es möglich, daß sich andere, wie die schmückenden Straußenfedern, so die Errungenschaften deutscher Wissenschaft und deutschen Denkens aneignen. Weitere, nach Art der Fabel gewendete Motive verdeutlichen, in welchem Maße sich das deutsche Volk gängeln und was es sich alles zumuten läßt. Im Verhältnis zu seinen fürstlichen Regenten kann es nur den Eindruck der apolitischen Lethargie erwecken. Entscheidend aber ist bei dieser ›Ouvertüre‹ der drei *Stücklein*, daß im Bild des Michel, das eben noch nicht so stark festgelegt ist wie heute, ausdrücklich die Intellektuellen inbegriffen sind, gleichgültig ob ihnen echtes Wissen und wahre Kultur oder nur leeres Buchwissen zu bescheinigen wäre. In bezug auf politische Naivität und Hörigkeit gegenüber den herrschenden Mächten besteht kein Unterschied zwischen dem einfachen ›Mann des Volkes‹ und dessen gelehrten oder scheingelehrten Wortführern. Ihnen aber, die es besser wissen könnten und müßten, gilt die ärgerliche Aufmerksamkeit des Satirikers besonders.

Die Melodieangabe des zweiten »Stückleins« verweist auf verschiedene Königs- und Fürstenhymnen von *Heil unserm König, Heil* bis zu *Heil Dir im Siegerkranz*, die zum Grundbestand monarchistischer Treuebekundung vom Legitimismus von 1815 bis zum Nationalismus von 1914 gehören. Dieser Verweis hat deutlich satirische Funktion; das politische Verhalten des deutschen Bürgers gereicht den Fürsten zum Heil. Die bürgerlichen Kritiker des Spätfeudalismus des Deutschen Bundes legen sich gegenseitig lahm durch schlagworthaft geführten Meinungskampf in Presse und Öffentlichkeit und durch verbale Attitüden, hinter denen sich politische Konzeptionslosigkeit verbirgt. Die Phrasen der politischen Verunglimpfung und schematischen Kennzeichnung des Gegners beziehen sich gleichsam metaphorisch auf die europäischen Flügelmächte: ›Rußland‹ steht als Garant für die monarchistische Reaktion seit 1815, ›Frankreich‹ als Ursprungsort revolutionärer Radikalität, des Sansculottismus. Auf gleichem diskursivem Niveau der politischen Auseinandersetzung wird die bewegende Frage nach der eigenen nationalen Identität und ihren politischen Implikationen mehr oder weniger rhetorisch. Partikularismus, Landespatriotismus, alte Reichsvorstellungen und moderne nationale Träume werden zu sprachlichen Etiketten, ohne daß dabei politisch-gesellschaftliche Grundfragen noch ins Gesichtsfeld träten. Bezeichnenderweise taucht in diesem Zusammenhang das direkte Zitat in dem Gedicht auf. Anspielung und direkter wörtlicher Bezug auf vorausgehende oder auch gegnerische Positionen sind im patriotisch-politischen Gedicht des Vormärz verbreitet; dies entspricht dem Öffentlichkeitsanspruch der Lyrik in dieser Zeit. Dingelstedt führt das Verfahren weiter und überbietet es durch systematische satirische Verwendung der Zitate, aus denen er die tragende Struktur des zweiten und dritten Stücks der Serie gewinnt. Nicht ohne Grund wird die ›nationale Frage‹ daher in Form eines Zitats des berühmtesten Liedes von

Ernst Moritz Arndt gestellt (5), das in etwa die Funktion einer provisorischen Nationalhymne angenommen hatte, was nicht verhinderte, daß es zahllose ironisch kontrafaktische Übernahmen gab; so fragte Hoffmann von Fallersleben: »Sag, wo ist, sag, wo ist Vetter Michels Vaterland?« (zit. nach: Hermand, S. 106). Arndt selbst hatte die Frage vielfach geographisch, gemäß der kleinstaatlichen deutschen Teilung, abgewandelt: »Ist's Bayerland? Ist's Hessenland?« usw. und dagegen jeweils die Forderung erhoben: »Nein / Das ganze Deutschland muß es sein!« Dingelstedt stellt fest, daß rund 25 Jahre nach der Entstehung dieses Liedes die patriotischen Liedertafeln, zu deren festem Repertoire es gehört, auch nicht zu politischen Antworten gekommen, vielmehr in geographische zurückgefallen sind. Durch ihr Verhalten widerlegen sie, wie er im zweiten Teil seines *Wanderbuches* 1843 genauer ausführt, den im Brustton der Überzeugung geschmetterten Anspruch auf nationale Einheit:

> Da veranstalten wir sogar unter dem ausdrücklichen Zwecke der nationalen Vereinigung große Musikfeste, wo sie aus allen deutschen Landstädten 10 Meilen in der Runde zusammenlaufen, die fürchterlichen Sänger, ihre Noten unter dem Arm: ›Was ist des Deutschen Vaterland?‹ und die Antwort darauf am Hut: ein Preußenband, ein Hessenband, ein Nassauband, ein Sachsenband.
>
> (Bd. 2, S. 201.)

Als gemeinsamer Zug aller, die sich patriotisch geben, bleibt so lediglich die Franzosenfeindschaft, die, zu Dingelstedts Mißvergnügen, durch die Rheinkrise von 1840 besonderen Aufschwung bekommen und in Nicolaus Beckers Lied »Sie sollen ihn nicht haben, / Den freien deutschen Rhein« auch ihren kernigen Ausdruck gefunden hat. Der Begriff ›Vaterland‹ ist daher politisch schwammig, ›passend‹ je nach Lage. Er deckt alles, vom kleinstaatlichen Landespatriotismus bis zum großdeutschen Reichsbegriff oder zu einem Nationalstaatsgedanken mit imperialistischen Zügen, schließt aber so gut wie nie die politisch-demokratischen Komponenten ein, die einem modernen Begriff von Nation (sei es dem der

amerikanischen Unabhängigkeitserklärung, sei es dem der Französischen Revolution) von Rechts und der Geschichte wegen zugedacht werden müßten.
An dieser Stelle, wo als einzige Antwort auf die Frage nach dem »Vaterland« der Hinweis auf seine Unfreiheit bleibt, genau in der Mitte der kleinen Trilogie, führt der sprachliche Duktus vom Zitat der Phrasen zu einer sehr doppelzüngigen Metaphorik des Buchdrucks und der literarischen Gattungen. »Folio« ist das größte, »Sedez« das kleinste der gängigen Bindeformate (15); ›Duodez‹, das wenig größere, ist ohnehin metaphorisch bereits mit der politischen Struktur der deutschen Staatenwelt verbunden. Der deutsche Michel, der sich den Verstand mit Buchweisheit und Schlagworten vernebeln läßt, denkt sozusagen in Buchdimensionen, ohne zu bemerken, daß das ganze einschlägige Gewerbe, vor allem dank des raffiniert durchorganisierten Zensursystems, fest in fürstlicher Hand ist. Die letztlich politisch bedrükkendste Perspektive des ganzen Zeitalters schließt sich an. Verdiente der »komische Roman« (21) des deutschen Patriotismus einen Prachteinband, so denkt man dabei an das nach seinem alten Herkunftsort Cordoba benannte, feine Saffianleder; politisch handelt es sich dabei eher um »Juchten« (24), also russisches Leder. Die Berufung der Patrioten auf die deutsch-russische Waffengemeinschaft im anti-napoleonischen Kampf ist irreführend. Seit 1815 hat sich das zaristische Rußland als Garantiemacht der Reaktion innerhalb der Heiligen Allianz durchgesetzt, hat diese Rolle 1830/31 mit aller wünschenswerten Deutlichkeit gegenüber Polen militärisch ausgespielt – und wird es 1849 gegenüber Ungarn erneut tun.
Es ist kein Wunder, daß sich bei solchem Mangel an politischem Horizont die Frage stellt, ob sich der deutsche Patriotismus überhaupt in politischen Kategorien bestimmen läßt. Diesem Problem ist das dritte »Stücklein« zugeordnet.
Ernst Moritz Arndts Frage nach dem deutschen Vaterland wird daher verschoben zur Frage nach dem deutschen Patrioten. Das mit der Melodie-Angabe genannte Gedicht

Gottfried August Bürgers, das sehr verbreitete und bekannte *Lied vom braven Mann* steht für den Inbegriff des einfachen rechtschaffenen Mannes, der sich in der Notsituation für andere opfert; insofern ergäbe sich eine Brücke zu Hoffmanns Vorstellung vom Michel, der noch bereit ist, mit »Gut und Blut« für das Vaterland einzutreten (vgl. S. 256). Indessen läßt das Prinzip der ironisch gebrochenen Anknüpfung vermuten, daß die Preisfrage an die Hochschulen (1/2) eine im moralischen *und* politischen Sinne negative Antwort finden wird. Das Höchste des Erwartbaren wäre der Standpunkt der von Cotta verlegten *Allgemeinen Zeitung*, also ein gemäßigt konstitutioneller und liberaler Standpunkt, in Fragen der bürgerlichen Freiheiten eher progressiv, in sozialen Fragen eher konservativ. In der Regel ist der deutsche Patriot aber trivialer: ämter- und titelsüchtig, dem Legitimitätsprinzip des Wiener Kongresses hörig, auf den Horizont seines Duodez-Ländchens festgelegt, dazu borniert anti-französisch. Zukunft und Fortschritt sind für ihn keine politischen Kategorien, er kann sie nicht im Zusammenhang mit der Entwicklung Westeuropas verstehen, sondern nur technisch, wobei er an die gerade in Berlin eingerichtete Straßenbeleuchtung mit Gaslaternen denkt (12). Die eigene Sicherheit wiegt mehr als die wortreich beschworene Misere des deutschen Volkes. Der Patriotismus ist also geheuchelt und gefährdet die politische Emanzipation mehr, als es bloße Trägheit tun würde.

Das Gedicht mündet daher in eine Scheltstrophe, die sich von der bisherigen ironischen und zitierenden Stillage scharf abhebt. Pathetische Imperativformeln und Apostrophe verbinden sich mit einer Personifikation, die das Gewicht der biblischen Vorstellungen auf das politisch-moralische Urteil über den Patrioten überträgt. Dingelstedts Gedicht verfällt damit in eine Diktion, die auf allen Ebenen der politischen Lyrik des 19. Jahrhunderts sehr häufig anzutreffen ist (vgl. Jäger, S. 47 ff.). Die drei satirischen »Stücklein«, die im Kritischen durchweg eigene Töne anschlagen, klingen so in emphatische Allerweltsformeln aus, deren – nach dem Vor-

hergehenden – bescheiden anmutende inhaltliche Aussagen in keinem Verhältnis zum verbalen Aufwand zu stehen scheinen. Dabei ist zu beachten, daß das Nebeneinander verschiedener Stillagen im Zeichen der ›Tönerhetorik‹ des Biedermeier durchaus üblich ist und auch die stilistisch gekonnte Variatio vorgegebener sprachlicher oder metaphorischer Stereotype – im Bereich der politischen Poesie u. a. der Naturbilder, der Jahres- und Tageszeiten-Motive und der religiösen Traditionskomplexe – zu den anerkannten poetischen Verfahrensweisen gehört (vgl. Sengle, Bd. 1, S. 594 ff.). Dennoch ist in diesem Falle die – aus heutiger Sicht geurteilt – poetische Schwäche zugleich eine politische. Dingelstedt teilt sie an dieser Stelle mit dem Gros der politischen Lyrik des 19. Jahrhunderts. Die appellative Emphase gibt das in der satirischen Auseinandersetzung erreichte diskursive politische Niveau preis. Emotionale Solidarisierung mit dem Leser spiegelt Gemeinsamkeit vor, erschleicht damit auch die Vorstellung gemeinsamer politischer Überzeugung und Handlungsfähigkeit.
Dieses in der Schlußstrophe aufbrechende Dilemma ist keineswegs nur das subjektive Dingelstedts; es hat prinzipiell auch nichts mit dessen 1843 erfolgendem Kniefall am Stuttgarter Hof, wobei man schon an »Ämtchen, Titelchen und Bändchen« (6) denken kann, zu tun. Eher könnte man sagen, Dingelstedt fällt hier in die Tonart des pathetischen Aufrufs zurück, die ihm u. a. sein Generationskollege Georg Herwegh so eindrücklich vorformuliert hat, und verleugnet seine Leistung der poetischen Satire. Deren entwicklungsgeschichtliche Stellung ist etwa halbwegs zwischen Hoffmanns *Unpolitischen Liedern* und Heines politischer Versdichtung der vierziger Jahre anzusetzen.

Zitierte Literatur: Franz DINGELSTEDT: Wanderbuch. 2 Tle. Leipzig 1839. 1843. – Jost HERMAND (Hrsg.): Der deutsche Vormärz. Texte und Dokumente. Stuttgart 1967 u. ö. – August Heinrich HOFFMANN VON FALLERSLEBEN: Unpolitische Lieder. 2 Tle. Hamburg 1840. 1841. – Hans-Wolf JÄGER: Politische Metaphorik im Jakobinismus und im Vormärz. Stuttgart 1971. – Theodor

Körner: Leyer und Schwerdt. Berlin 1814. – Friedrich Sengle: Biedermeierzeit. Deutsche Literatur im Spannungsfeld zwischen Restauration und Revolution 1815–1848. 3 Bde. Stuttgart 1971. 1972. 1980.
Weitere Literatur: Hans-Peter Bayerdörfer: Laudatio auf einen Nachtwächter. Marginalien zum Verhältnis von Heine und Dingelstedt. In: Heine-Jahrbuch 15 (1976) S. 75–95. – Jürgen Brummack: Satirische Dichtung. Studien zu Friedrich Schlegel, Tieck, Jean Paul und Heine. München 1979. – Horst Denkler: Zwischen Juli-Revolution (1830) und März-Revolution (1848/49). In: Geschichte der politischen Lyrik in Deutschland. Hrsg. von Walter Hinderer. Stuttgart 1978. S. 179–209. – Hanns-Peter Reisner: Literatur unter der Zensur. Die politische Lyrik des Vormärz. Stuttgart 1975. – Peter Stein: Politisches Bewußtsein und künstlerischer Gestaltungswille in der politischen Lyrik 1780–1848. Hamburg 1971. – Hans-Georg Werner: Geschichte des politischen Gedichts in Deutschland von 1815–1840. Berlin 1969. Glashütten i. T. [2]1972.

Georg Weerth

Es war ein armer Schneider

Es war ein armer Schneider
Der nähte sich krumm und dumm;
Er nähte dreißig Jahre lang
Und wußte nicht warum.

Und als am Samstag wieder
Eine Woche war herum:
Da fing er wohl zu weinen an
Und wußte nicht warum.

Und nahm die blanken Nadeln
Und nahm die Scheere krumm –
Zerbrach so Scheer' und Nadel
Und wußte nicht warum.

Und schlang viel starke Fäden
Um seinen Hals herum;
Und hat am Balken sich erhängt
Und wußte nicht warum.

Er wußte nicht – es tönte
Der Abendglocken Gesumm.
Der Schneider starb um halber acht
Und Niemand weiß warum.

Abdruck nach: Gesellschaftsspiegel 1 (1845) H. 2. S. 63 [Erstdruck. – In der von Weerth selbst zusammengestellten, aber nie zum Druck gelangten Anthologie seiner Gedichte steht es an zweiter Stelle in der Abteilung *Die Noth*.]

Ernst Weber

Lesarten sozialistischer Lyrik. Zu Georg Weerth: *Es war ein armer Schneider*

Der Sprecher des Gedichts berichtet nüchtern, kommentarlos und ohne kausale Verknüpfung der geschilderten Vorgänge von einem Schneider, der Selbstmord beging. Er erzählt (»Es war«) in parataktisch geordneten, durch additives »und« verbundenen Sätzen von den einzelnen Phasen einer zeitlich vorausliegenden Handlung. Der Schneider, so erfährt der Leser, hat ein Menschenleben lang gearbeitet. Doch das Ergebnis war Armut, körperlicher und geistiger Ruin.
Die Informationen des Sprechers konzentrieren sich auf wenige Aspekte der Geschichte – wir erfahren z. B. nichts über Aussehen oder Familienstand, wohl aber über Wochentag und Todesstunde des Schneiders –, und sie sind auf die einzelnen Strophen unterschiedlich verteilt. Drei schildern die Vorgänge am Todestag: die den Schneider plötzlich überfallende Traurigkeit, deren komplementäre Gefühle, Wut und Aggression, sich zunächst im Zerbrechen von zwei seinen Berufsstand kennzeichnenden Werkzeugen zeigen, bevor sie sich gegen ihn selbst richten. Mit dem dritten bringt er sich schließlich um. Der Vernichtung seiner Lebensgrundlage folgt unmittelbar die Selbstvernichtung. Und sie erfolgt zu einem Zeitpunkt, den der Sprecher mit einer doppelten Zeitangabe (»halber acht«, »Abendglokken«) als bedeutsam hervorhebt: am Samstagabend, der zeitlichen Grenze zwischen Arbeit und Ruhe. Gegen Ende seines Arbeitslebens, am Abend vor dem Ruhetag sucht der Schneider nicht die vorübergehende Ruhe des Feiertages, sondern die ewige Ruhe. Dieser Vorgang hat eine ›Vor-‹ und eine ›Nachgeschichte‹, die der Sprecher in der ersten bzw. der letzten Strophe mitteilt. Die Leute (»niemand«) wissen nicht, auch nicht in der Gegenwart der Sprechsituation,

warum der Schneider sich erhängt hat, genausowenig – und darauf wird der Leser durch den Refrain in jeder Strophe (s. a. Z. 17) nachdrücklich aufmerksam gemacht – wie der Schneider selbst. Dieser wußte weder wofür er arbeitete, noch warum er weinte, noch warum er erst sein Handwerkszeug und dann sich selbst vernichtete.

Handelt es sich bei dieser Paraphrase des dargestellten Ereignisses auch schon um die Ereignisbedeutung? Geht es nur darum zu zeigen, daß ein Schneider so dumm zu sein scheint, nicht die Ursachen seiner Gefühle und Handlungen zu erkennen – eine literarische Variante der Schneiderspottlieder somit? Durch die prompte Wiederholung des Refrains wirkt der Schneider lächerlich, ohne daß, angesichts seines Endes, ein Lachen aufkommen kann. Der Refrain zwingt den Leser dazu, sich die Frage zu stellen, ob *er* vielleicht weiß, warum der Schneider sich umbrachte. Einen Gedankenstrich lang hat er Zeit zum Nachdenken. Der Refrain, in Vers 17 aufgenommen, wird abgebrochen, das entscheidende »warum« ausgespart. Die Irritation der Erwartung lenkt die Aufmerksamkeit vom Selbstmord auf ein lebensgefährliches Nicht-Wissen. Der Spott über die abgründige Dummheit eines Schneiders weicht der Frage nach dem Zusammenhang von Nicht-Wissen, Arbeit, Trauer, Wut und Tod. Die Antwort kann nicht im voreiligen Rückgriff auf sozial- bzw. literaturgeschichtliches Wissen erfolgen; denn allzu leicht wird nur das eigene Wissen bestätigt, die sich aus der Strukturierung des Textes ergebende Bedeutung aber übersehen. Wenn Vaßen aus dem Gedicht die Entlarvung des »Widerspruchs von Ausbeutung und Unterdrükkung einerseits sowie philisterhafter Heuchelei und Scheinmoral andererseits« herausliest (Vaßen, S. 72), dann folgt er nur seiner Vorstellung von den Themen eines sozialistischen Dichters im Vormärz.

Bislang haben wir kaum die Syntagmatik – die besondere Anordnung und Verknüpfung der als Zeichen verstandenen Wörter – bzw. die Paradigmatik des Gedichts – die besondere Auswahl aus dem Arsenal der historisch zur Verfügung stehenden sprachlichen Zeichen – berücksichtigt. Es ist nicht bedeutungslos, wenn z. B. »krumm« statt ›bucklig‹ steht, obgleich ›bucklig‹ ungleich besser dem aus Stereotypen des Volksliedes und Märchens zusammengesetzten Bild vom Schneider entspräche. Das gleiche gilt für die auffällige sprachliche Redundanz des Gedichts. Die Wiederholungen von Sätzen, Wörtern und Vokalen sind, da strukturbestimmend, bedeutungsrelevant. »Und« z. B. ist in der Hälfte der Zeilen Vers- oder Strophen-Anapher. Es erfüllt eine gliedernde (Dreiteilung des Gedichts) und eine stilistische Funktion (Eindruck sich dramatisch überstürzender Ereignisse). Darüber hinaus ergibt sich zusammen mit einem Prädikat unter Auslassung des Subjekts mehrmals die gleiche grammatische Konstruktion, die als solche semantische Bedeutung gewinnt. Sie deckt sich mit der Semantik der Sätze in Strophe 3 und 4: der Zerstörung der Existenz des Schneiders entspricht die Eliminierung des (grammatischen) Subjekts.

Wiederholungen in poetischen Texten konstruieren zunächst eine Äquivalenz; da die wiederholten Wörter oder Sätze in einem veränderten Kontext stehen, treten neue, bedeutungsrelevante Konnotationen hinzu. Durch Wiederholung des Reimworts »herum« (6; 14) werden »Wochen« und »Fäden« in eine semantische »Ko-opposition« (Lotman) gerückt und ihre Seme ›endlos‹ und ›einförmig‹ dominant gesetzt. Die Arbeitswochen nehmen Fadencharakter an, ihre Gleichförmigkeit und Endlosigkeit ersticken den Schneider. Durch diese Äquivalenz entsteht eine Kausalität zwischen Arbeit und Tod, die herzustellen der Sprecher verzichtet und die der Schneider nicht erkennt. Ein ähnlich textstrukturelles Verfahren liegt auch bei der Wiederholung von »krumm« (2; 10) vor. Durch die Äquivalenz zwischen »Schneider – krumm« und »Scheere krumm«, zwischen etwas Belebtem und etwas Unbelebtem, die die Seme ›unbrauchbar‹ und ›nutzlos‹ dominant setzt, wird satirisch gerade der semantische Kontrast herausgearbeitet: Der Schneider hat den Charakter seines Handwerkzeuges ange-

nommen. Er ist unbrauchbar und somit nutzlos geworden. Seine Selbstvernichtung erscheint dadurch wie gerechtfertigt. Als ein vergegenständlichter Schneider besitzt er auch nur das Nicht-Wissen seiner Produktionsmittel. Die Wiederholung der jeweils letzten Zeile der ersten vier Strophen bedeutet jedoch nicht die Wiederholung derselben semantischen Einheit. Aufgrund der jeweils veränderten strukturellen Position treten neue Sinnvarianten auf. Was zunächst wie die Dummheit des Schneiders schien, erweist sich von Strophe zu Strophe als seine grundsätzlichere Unfähigkeit, Zusammenhänge zu erkennen und Folgen auf ihre Ursachen zurückzuführen. Erst der Refrain macht das ganze Ausmaß der durch die Arbeit hervorgerufenen Verblödung sichtbar. Sich selbst entfremdet, ohne Verständnis für seine Situation oder gar Erkenntnis ihrer Ursachen muß ihm der Tod als die einzige Alternative zur Einförmigkeit und Endlosigkeit seines Arbeitslebens in Armut erscheinen. Das tödlich wirkende Nicht-Wissen teilt er mit allen anderen. Sein Selbstmord hat – darin liegt die Bedeutung der fünften Strophe – niemanden zu einer Erkenntnis geführt.
Die aus dem Text ermittelte Bedeutung bedarf der Einbettung in die historische Kommunikationssituation; denn nur so lassen sich die Gebrauchsfunktion des Gedichts ermitteln und die noch offenen Fragen (u. a. Exemplarität eines Einzelfalls; möglicher Adressat; Einordnung in die literarische Reihe) beantworten. – Die sozialgeschichtlichen Fakten suggerieren, daß es sich um ein mimetisches Gedicht handelt, das, ähnlich der zeitgenössischen Lyrik zum Weberaufstand, auf die durch die fabrikmäßige Kleiderherstellung hervorgerufene soziale Notlage des Schneiderhandwerks aufmerksam macht. Das Gedicht scheint das poetische Pendant einer Rede des Freundes Friedrich Engels zu sein, der im Februar 1845 in Elberfeld festgestellt hat: »Wir sehen es ja täglich, wie diese Klasse der Gesellschaft durch die Macht des Kapitals erdrückt wird, wie z. B. die einzelnen Schneidermeister durch die Läden fertiger Kleider [...] ihre besten Kunden verlieren« (MEW Bd. 2, S. 536). Die kapitalistisch

betriebene Konfektionsschneiderei trieb jedoch nur eine Entwicklung auf die Spitze, die mit der Aufhebung der Zünfte begann. Die Einführung der Gewerbefreiheit, die die Ausübung eines Handwerks allein vom Kauf eines Gewerbescheins abhängig machte, ließ die Zahl der Schneider erheblich ansteigen. Zwar blieben die Zünfte als freie Körperschaften bestehen, verloren aber ihre sozialsteuernde und existenzsichernde Funktion. 1845 gab es in Berlin 509 Innungsmeister gegenüber 3276 außerhalb der Zunft stehenden Gesellen. Verschärft wurde die Lage durch die überproportionale Zunahme der Schneider im Vergleich zur Bevölkerung vor allem in Preußen (103,4 % gegenüber ca. 88 %, vgl. Renzsch, S. 70 ff.).
Weerth kannte diese Entwicklung und wußte sie zu beurteilen. Sein Englandaufenthalt – er arbeitete als Angestellter einer englischen Firma von 1843–46 in Bradford – hat aus dem Sohn aus gutbürgerlichem Hause einen engagierten »Lumpen-Kommunisten« gemacht (V,172). In Bradford, einem »Schmutzflecken der industriellen Revolution« (Kemp-Ashraf, S. 46), lernte er die Tendenzen und Folgen der industriellen Revolution kennen: an den irischen Arbeitern die Entwurzelung und Ausbeutung der Unterschichten, an den Wollkämmern die existenzvernichtende Einführung der Maschinen.
Gedicht und Sozial- bzw. Wirtschaftsgeschichte haben jedoch nur mittelbar miteinander zu tun. Engels deutet ökonomische Daten. Weerth hingegen macht ein Deutungsangebot für die vergleichsweise hohe Selbstmordrate unter armen Handwerkern und Arbeitern: ihr Nicht-Wissen von den Ursachen ihrer (u. a. auch durch den Kapitalismus bewirkten) Lage läßt sie nur im Tod einen Ausweg aus ihrem Leiden suchen. Der Blick in die soziale Situation um 1845 erschließt zwar Zusammenhänge, von denen der Schneider nichts weiß. Die eigentliche Gebrauchsfunktion des Gedichtes ist damit aber noch nicht bezeichnet. Sie läßt sich aus dem medialen Kontext des Gedichts ermitteln.
Es erschien 1845 im zweiten Heft des von Moses Hess

zunächst mit Engels gemeinsam geplanten, dann aber allein verantworteten *Gesellschaftsspiegel* in Elberfeld. Vermutlich hat Engels den Druck dieses wie vier weiterer Gedichte Weerths vermittelt. Die unter Arbeitern erfolgreiche Zeitschrift war als »Organ zur Vertretung der besitzlosen Volksklassen und zur Beleuchtung der gesellschaftlichen Zustände der Gegenwart« konzipiert (so der Untertitel; vgl. Zlocisti, S. 175 ff.). Durch ungeschminkte Berichte von Armut, Hunger, Unterdrückung, Ausbeutung und Verwahrlosung sollte den Arbeitern ihr kollektives Schicksal zu Bewußtsein gebracht werden. Erst das Wissen von der Allgemeinheit des Einzelschicksals schuf, nach Hess, die Bedingungen für den notwendigen Klassenkampf. Das Blatt dokumentiert das Umdenken eines Teils der sozialistischen Intelligenz. Nach einer Phase der Theorie betrieb man nun Basisarbeit mit der Vermittlung gesellschaftlicher Fakten, um das für revolutionäre Veränderungen notwendige Bewußtsein zu schaffen.
In dieses Programm fügt sich das Schneiderlied ein. Es formuliert die neue, praxisbezogene Erkenntnis, daß ohne Wissen von den Ursachen der Armut, der geistig-psychischen Verkrüppelung, daß ohne die Einsicht in den Klassenantagonismus der Tod dem einzelnen Handwerker (und Arbeiter) als die einzige Möglichkeit erscheinen muß, der »Sinnlosigkeit einer sozialen Existenz zu entkommen, die sich in der Reproduktion ihrer elenden Bedingungen erschöpft« (Werner, S. 69). Das Gedicht unterscheidet sich von seinem publizistischen Kontext durch seine von den konkreten sozialen Fakten abstrahierende, aufs Typische ausgerichtete Darstellungsweise. Es korrespondiert mit ihm in der zur Zeitschriftengründung führenden Einsicht eines Teils der sozialistischen Intelligenz, daß das verbreitete Nicht-Wissen von den Ursachen eines elenden, Verstand und Gesundheit ruinierenden Arbeitslebens jede gesellschaftliche Veränderung verhindert.
Es ist daher nur bedingt richtig, wenn Kaiser im »Arbeiter und Handwerker« (I,23) den Adressaten von Weerths Gedichten ausmacht. Zwar entsprach das dargestellte Ver-

hältnis von lebenslanger Arbeit und bedrückendem Ergebnis deren Erfahrungen, doch dürfte nur die sozialistische Elite um 1845 das gesellschaftliche Bewußtsein erreicht haben, das sich in diesen Versen äußert. Bezeichnenderweise wurde das Gedicht, im Unterschied zu den anderen im *Gesellschaftsspiegel* abgedruckten Gedichten, später nicht in sozialdemokratische und sozialistische Anthologien aufgenommen. Die Geschichte der Arbeiterbewegung hat seinen versteckten Appell schon bald als überholt erscheinen lassen.

Das Schneiderlied erlaubt außer den beiden genannten Lesarten (ästhetische Umsetzung des gesellschaftlichen Bewußtseins der sozialistischen Elite; Identifikation stiftendes Abbild sozialer Wirklichkeit für den vierten Stand) noch eine dritte. Als satirisch gemeinte Parodie der verbreiteten Schneiderspottlieder (vgl. Hasse) erscheint es als Erfüllung einer durch Heine gesetzten poetischen Norm, als ein an die dichtenden Kollegen adressiertes Kunstprodukt. Heine hatte mit der kunstvollen Erzeugung scheinbar volksliedhafter Einfachheit neue zeit- und sozialkritische Aussagemöglichkeiten erschlossen. Weerth bedient sich direkt eines bekannten Volksliedtypus. Doch die Gemeinsamkeiten mit der Volkslied-Vorlage, der Volksliedton (nachgestelltes Adjektiv; sog. Füllwörter ›wohl‹, ›so‹; ›und‹ als Satzanfang; Refrain; vierzeilige Strophe) und die Stereotypen des Schneiderspotts (arm/verhungert, körperlich mißgebildet, dumm, feig) lassen nur um so deutlicher die satirische Absicht hervortreten. Der tragische Ausgang erstickt nicht nur alles Lachen, er gibt den liedbekannten Eigenschaften der Schneider die sozialkritische Bedeutung. Das Verfahren, literarisches Wissen anzuzitieren, die geweckten Erwartungen aber in eine überraschende Richtung zu lenken, das die Textstruktur auszeichnet (»Es war [einmal]« (1); »Abendglocken [Klang] Gesumm« (18); »krumm« [bucklig] (2)) bestimmt auch das Verhältnis des Gedichts zur literarischen Tradition. Auf eine hintersinnige Weise bestätigt Weerth Uhlands Auffassung vom Volkslied. Dieser hatte es als einen »Beitrag zur Geschichte des deutschen Volkslebens« beschrieben.

Friedrich Engels feierte Weerth aufgrund seines Klassenstandpunktes als den »ersten und bedeutendsten Dichter des deutschen Proletariats« (MEW, Bd. 21, S. 3–5). Die Interpreten in Ost und West sind dieser Würdigung gefolgt. Nun sollte man meinen, ein Dichter des Proletariats suche seine Gedichte auch unter das antizipierte Publikum zu bringen. Zwar läßt die Struktur von Weerths Gedichten den kommunikativen Gestus durchaus erkennen (weitgehender Verzicht auf Metaphern, einfacher Sprachduktus, Anlehnung an die Literatur der Illiteraten, das Volkslied). Doch hat Weerth nur etwa ein Dutzend seiner Gedichte veröffentlicht (I,23), die meisten im *Gesellschaftsspiegel* und in Püttmanns *Album* (1847). Wie aus den Zensurvorschriften hervorgeht (s. Reisner, S. 42 ff., S. 90 ff.), wußte der politische Gegner von der Nützlichkeit der Sprachbarriere. Um so argwöhnischer betrachtete er die »unscheinbaren Waffen«, das satirisch-politische Lied, das, wie es in einem Geheimbericht von 1841 heißt, »für alle Klassen des Volkes einen unwiderstehlichen Reiz habe« und erheblichen Einfluß ausübe. »Und dieser Einfluß wird um so größer und gefährlicher, je einfacher und volkstümlicher die Sprache des Liedes ist« (Glossy, I,237). In einer Zeit, in der Lyrik »eine zentrale Form politischer Kommunikation« war (Reisner, S. 7), in der Gedichte von Herwegh, Freiligrath oder Heine hohe Auflagen erlebten, hat Weerth nie getestet, welch mobilisierende Wirkung eine Sammlung seiner Gedichte gehabt hätte.
Der Widerspruch zwischen sozialem bzw. politischem Engagement und weitgehendem Publikationsverzicht wurde bislang mit dem Hinweis auf den am Freund Althaus gescheiterten Versuch, eine Gedichtauswahl zum Druck zu bringen, bzw. mit einem Engels-Zitat erledigt. Engels hatte geschrieben: »Dabei unterschied er sich von den meisten Poeten dadurch, daß ihm seine Gedichte, einmal hingeschrieben, total gleichgültig waren« (MEW, Bd. 21, S. 7). Diese Bemerkung läßt einen Schriftstellertypus erkennen, der nicht recht zur gesellschaftlichen Rolle eines proletarischen Dichters passen will. Der Grund, das kann hier nur

angedeutet werden, liegt in Weerths Selbstverständnis als Lyriker. Den literarischen Wert seiner Gedichte schätzte er gering ein, einen politischen zog er nicht in Betracht. Zwar weist er ihnen die Funktion eines geschichtlichen Gedächtnisses mit brandmarkender Wirkung zu (V,143 f.), von einer revolutionären Wirkung jedoch ist nie die Rede. Gedichte schreiben gehörte für ihn zu jenem Ich, das in England »praktischer« werden sollte (V,162). Hier offenbart sich ein vom Bonner Dichterkreis um Kinkel und Simrock, dem er vor seinem Englandaufenthalt angehörte, vorgelebtes, von der konventionellen Poetik geprägtes Gattungsverständnis, in der schöne Form und Politik einander ausschlossen. Das vermeintlich eigene Unvermögen als Dichter und die Zweifel am ›praktischer machen‹ der Poesie für den politischen Kampf haben zur publizistischen Selbstbescheidung geführt. Weerth ist denn auch 1848/49 auf andere Gattungen, wie Satire und Feuilleton, umgestiegen. Die Masse seiner Gedichte war mit dem Ende des Englandaufenthalts geschrieben. Weerths Publikationsverhalten regt dazu an, die Möglichkeiten, Intentionen und literarischen Verfahren eines sozialistischen Dichters im Vormärz neu zu überdenken.

Zitierte Literatur: Karl GLOSSY: Literarische Geheimberichte aus dem Vormärz 1833–1847. In: Jahrbuch der Grillparzer-Gesellschaft. Jg. 21.–23. Wien 1912. – Monika HASSE: Das Schneiderlied. In: Handbuch des Volksliedes. Hrsg. von R. W. Brednich und L. Röhrich. Bd. 1. München 1973. S. 801–831. – Mary KEMP-ASHRAF: Georg Weerth in Bradford. In: Georg Weerth. Werk und Wirkung. Berlin 1974. S. 44–59. – Jurij M. LOTMAN: Die Struktur literarischer Texte. München 1972. – Karl MARX / Friedrich ENGELS: Werke. Hrsg. vom Institut für Marxismus–Leninismus beim ZK der SED. Berlin 1957–68. [Zit. als: MEW.] – Hanns-Peter REISNER: Literatur unter der Zensur. Die politische Lyrik des Vormärz. Stuttgart 1975. – Wolfgang RENZSCH: Handwerker und Lohnarbeiter in den Jahren der Arbeiterbewegung. Göttingen 1980. – Florian VAßEN: Georg Weerth. Ein politischer Dichter des Vormärz und der Revolution von 1848/49. Stuttgart 1971. – Georg WEERTH: Sämtliche Werke in fünf Bänden. Hrsg. von Bruno Kaiser. Berlin [Ost] 1956/57. [Zit. mit Band- und Seitenzahl.] – Hans Georg WERNER: Zur aesthetischen Eigenart von Weerths ›Liedern von Lancashire‹. In: Georg Weerth. Werk und Wirkung. Berlin 1974. S. 60–72. – Theodor ZLOCISTI: Moses Hess. Der Vorkämpfer des Sozialismus und Zionismus. 1812–1875. Berlin [2]1921.

Ferdinand Freiligrath

Von unten auf!

Ein Dämpfer kam von Bieberich: – stolz war die Furche, die
er zog!
Er qualmt' und räderte zu Tal, daß rechts und links die
Brandung flog!
Von Wimpeln und von Flaggen voll, schoß er hinab keck
und erfreut:
Den König, der in Preußen herrscht, nach seiner Rheinburg
trug er heut!

Die Sonne schien wie lauter Gold! Auf tauchte schimmernd
Stadt um Stadt!
Der Rhein war wie ein Spiegel schier, und das Verdeck war
blank und glatt!
Die Dielen blitzten frisch gebohnt, und auf den schmalen
her und hin,
Vergnügten Auges wandelten der König und die
Königin!

Nach allen Seiten schaut' umher und winkte das erhabne
Paar;
Des Rheingaus Reben grüßten sie und auch dein Nußlaub,
Sankt Goar!
Sie sahn zu Rhein, sie sahn zu Berg: – wie war das Schifflein
doch so nett!
Es ging sich auf den Dielen fast, als wie auf Sanssoucis
Parkett!

Doch unter all der Nettigkeit und unter all der
schwimmenden Pracht,
Da frißt und flammt das Element, das sie von dannen
schießen macht;

15 Da schafft in Ruß und Feuersglut, der dieses Glanzes Seele ist;
Da steht und schürt und ordnet er – der Proletarier-Maschinist!

Da draußen lacht und grünt die Welt, da draußen blitzt und rauscht der Rhein –
Er stiert den lieben langen Tag in seine Flammen nur hinein!
Im wollnen Hemde, halbernackt, vor seiner Esse muß er stehn!
20 Derweil ein König über ihm einschlürft der Berge freies Wehn!

Jetzt ist der Ofen zugekeilt, und alles geht und alles paßt;
So gönnt er auf Minuten denn sich eine kurze Sklavenrast.
Mit halbem Leibe taucht er auf aus seinem lodernden Versteck;
In seiner Falltür steht er da, und überschaut sich das Verdeck.

25 Das glühnde Eisen in der Hand, Antlitz und Arme rot erhitzt,
Mit der gewölbten, haar'gen Brust auf das Geländer breit gestützt –
So läßt er schweifen seinen Blick, so murrt er leis dem Fürsten zu:
»Wie mahnt dies Boot mich an den Staat! Licht auf den Höhen wandelst *du*!

Tief unten aber, in der Nacht und in der Arbeit dunkelm Schoß,
30 Tief unten, von der Not gespornt, da schür und schmied *ich* mir mein Los!
Nicht meines nur, auch deines, Herr! Wer hält die Räder dir im Takt,
Wenn nicht mit schwielenharter Faust der Heizer seine Eisen packt?

Du bist viel weniger ein Zeus, als ich, o König, ein Titan!
Beherrsch ich nicht, auf dem du gehst, den allzeit kochenden Vulkan?
Es liegt an mir: – ein Ruck von mir, ein Schlag von mir zu dieser Frist,
Und siehe, das Gebäude stürzt, von welchem du die Spitze bist!

Der Boden birst, auf schlägt die Glut und sprengt dich krachend in die Luft!
Wir aber steigen feuerfest aufwärts ans Licht aus unsrer Gruft!
Wir sind die Kraft! Wir hämmern jung das alte morsche Ding, den Staat,
Die wir von Gottes Zorne sind bis jetzt das Proletariat!

Dann schreit ich jauchzend durch die Welt! Auf meinen Schultern, stark und breit,
Ein neuer Sankt Christophorus, trag ich den Christ der neuen Zeit!
Ich bin der Riese, der nicht wankt! Ich bin's, durch den zum Siegesfest
Über den tosenden Strom der Zeit der Heiland Geist sich tragen läßt!«

So hat in seinen krausen Bart der grollende Zyklop gemurrt;
Dann geht er wieder an sein Werk, nimmt sein Geschirr und stocht und purrt.
Die Hebel knirschen auf und ab, die Flamme strahlt ihm ins Gesicht,
Der Dampf rumort; – er aber sagt: »Heut, zornig Element, noch nicht!«

Der bunte Dämpfer unterdes legt vor Kapellen zischend an,
Sechsspännig fährt die Majestät den jungen Stolzenfels hinan.

Der Heizer blickt auch auf zur Burg; von seinen Flammen
nur behorcht,
Lacht er: »Ei, wie man immer doch für künftige Ruinen
sorgt!«

Abdruck nach: Ferdinand Freiligrath: Gedichte. Ausw. und Nachw. von Dietrich Bode. Stuttgart: Reclam, 1964 [u. ö.]. (Reclams Universal-Bibliothek. 4911[2].) S. 109–120.
Erstdruck: Ferdinand Freiligrath: Ça ira! Sechs Gedichte. Herisau: Druck und Verlag des literarischen Instituts, 1846.

Peter Seibert

»Wir sind die Kraft!« Anmerkungen zu Ferdinand Freiligraths Gedicht *Von unten auf!*

»Ein schöneres Lied ist dem Proletariat wohl niemals wieder gesungen worden« (Gudde, S. 54 f.), urteilte eine Untersuchung von 1922 über Ferdinand Freiligraths Gedicht *Von unten auf*, das 1846 in der Gedichtsammlung *Ça ira* erschienen war. Diese Untersuchung präsentiert den Autor von *Ça ira* bereits als Marx und Engels kongenial und wertet *Von unten auf* als »poetische Verklärung des Marxschen Gedankens« (Gudde, S. 54). Stützen konnte sich ein solcher Interpretationsansatz auf die Autorität Franz Mehrings, dessen Urteil allerdings mit dem Verdikt von Friedrich Engels kollidierte, welcher sich seinerseits »ziemlich spöttisch über diese herrliche Sammlung von Gedichten« (zit. nach: Mehring, S. 530) geäußert habe. Diese Ablehnung von *Ça ira* durch Engels wertet Mehring als Ausdruck der ökonomistischen, die Besonderheiten von Literatur und Kunst vernachlässigenden Haltung der beiden marxistischen Klassiker Mitte der vierziger Jahre. Fast zwangsläufig wird diese widersprüchliche Rezeption der Freiligrathschen *Ça ira*-

Sammlung seitens der frühen Theoretiker der Arbeiterbewegung bei einer Interpretation des Gedichts *Von unten auf* mitreflektiert werden müssen.
Für eine Diskussion der Frage, inwieweit Freiligrath überhaupt in der Lage gewesen sein konnte, schon Marxsche Erkenntnisse in sein Gedicht einzuarbeiten, ist die Frage der Datierung nicht ohne Belang. In seinem *Dichterleben in Briefen* will Wilhelm Buchner *Von unten auf* noch als »Nachklang der Stimmung von St. Goar« (Bd. 2, S. 154) gewertet wissen, wo Freiligrath bis zu seiner Exilierung im August 1844 wohnte. Er glaubt sogar, daß große Teile des Gedichts schon in der St. Goarer Zeit entstanden seien. Eine solche Frühdatierung ist anzuzweifeln; der Aufenthalt Friedrich Wilhelms IV. auf Burg Stolzenfels im Sommer 1845, der im Rheinland breite öffentliche Beachtung fand, könnte den Autor eher zur Abfassung seines Gedichts angeregt haben.
Die große romantische Chiffre ›Rhein‹ bestimmt den Schauplatz, auf dem der Autor zum ersten Mal das sich seiner Macht bewußt werdende Proletariat auftreten läßt. Zwei Bewegungsrichtungen sind es, die das Gedicht inhaltlich gliedern und eine Spannung erzeugen: die bereits im Titel angekündigte Dynamik »von unten auf« stellt sich einer horizontalen Bewegung, der Reise des ›Romantikers auf dem preußischen Thron‹ nach seiner Rheinburg, entgegen: Der Anfang des Gedichts erinnert dabei an die Exposition einer Ballade. Der epische Charakter wird durch die Annäherung an den Zeilenstil, den vierzeiligen Strophenbau mit seinen durchgehend männlichen Reimpaaren und durch die Mittelzäsur, die den Versrhythmus gliedert, bis in die vierte Strophe betont. Freiligrath übersetzt die Dynamik des Dampfschiffes in einen durch gelegentliche Senkungsfreiheit aufgelockerten Jambus als metrische Grundstruktur. Das Rheinschiff mit Königspaar fliegt durch ein sonnendurchtränktes Rheinland, vorbei an Rebenhängen, Nußbäumen, »schimmernd« auftauchenden Rheinstädten – darunter das durch Perspektivenwechsel in seiner für den Autor biogra-

phischen Bedeutung hervorgehobene St. Goar – dem Stolzenfels entgegen. Damit ist in den ersten Strophen die Rheinromantik umfassend evoziert. Doch dieser wird nur eine eingeschränkte Geltung zugestanden, da sich der romantische Rhein bis auf die direkte Anrede St. Goars durch das auktoriale Ich nur in *einer*, nämlich der Perspektive des Oberdecks und damit des preußischen Königspaares konstituiert. Biebrich und Stolzenfels markieren Ausgang und Ziel der königlichen Fahrt und zugleich Anfang und Ende des pro-proletarischen Gedichtes. Mit ihnen setzt Freiligrath bekannte Symbole feudaler Macht. Die hessische Residenz Biebrich hatte bereits zwei Jahre vor Erscheinen von *Ça ira* als Schauplatz anachronistischer Winkelzüge eines hessischen Ministers Heines Spott (*Wintermärchen*, *Caput XI*) über sich ergehen lassen müssen. Auf Wunsch und unter persönlicher Einflußnahme Friedrich Wilhelms IV. war der Stolzenfels aus einer Ruine nach Plänen vor allem von Schinkel neu entstanden. So präsentierte sich dieser Sommeraufenthalt der Monarchen Preußens am Rhein bei Veröffentlichung des Gedichts als imposantestes architektonisches Monument preußischer Burgenromantik. In einer kunsthistorischen Arbeit wird diese Rekonstruktion »eine spezifische Verquickung von romantischer Träumerei und politischer Wirksamkeit« genannt (Rathke, S. 114). Die politische Wirksamkeit indes sollte eben aus der »Träumerei«, der baulichen Wiederherstellung und Komplettierung des Mittelalters, erfolgen. Diese Bautätigkeit war bewußt darauf gerichtet, den Preußen in den neuerworbenen Gebieten den Anschein historischer Legitimität zu verschaffen und die Zeit nach der Französischen Revolution aus dem Bewußtsein und der Geschichte zu verdrängen. Diese Absicht belegt ein Brief des für den Stolzenfels Bauverantwortlichen, von Wussow: »der noch wirrende Sinn der Bewohner der Rheinlande«, hoffte Wussow, würde durch den Wiederaufbau der Rheinburg, »in der ebenso allgemeinen als vagen Vorstellung eines höheren historischen Lebens, einen festen Erhalt« finden (zit. nach: Rathke, S. 113).

Die Einweihung dieser »symbolischen Schutz- und Trutzburg« (ebd., S. 114) schloß Friedrich Wilhelm IV. unmittelbar an seine große Legitimationsgeste, die Grundsteinlegung zum Weiterbau am Kölner Dom, an. Freiligrath hatte in einem Flugblattgedicht zugunsten des Kölner Doms noch das vom Monarchen abgesegnete Kölner Bauprojekt unterstützt und sich unkritisch über ein »romantisch Gedicht: ›Burg Stolzenfels‹«, das von einer Freundin »zum Besten des Dombaus« herausgegeben worden war, geäußert. (Brief Freiligraths an L. Schücking, zit. nach: Buchner, Bd. 2, S. 28.) Auf einem Ball der Stadt Koblenz aus Anlaß der Burgkonsekration fand dann die Begegnung zwischen dem Monarchen und dem Dichter statt, bei der Freiligrath sich als Schriftsteller so mißachtet und gedemütigt fühlte, daß er später diesen Empfang bei Hofe als Beginn seines demokratischen Engagements interpretierte (Buchner, Bd. 2, S. 31). So verbindet sich »Stolzenfels« für ihn nicht nur mit der versuchten Stabilisierung der Preußenherrschaft am Rhein, sondern auch mit einer neuen Phase von Erkenntnis und politischem Handeln, dem Beginn seines Kampfes gegen die preußischen Gewalten.
Kennt man die zeitgenössische bildliche oder symbolische Verwendung des »Dampfschiffs«, so erwartet man, daß dieses Bild kontradiktorisch zu den Symbolen der als anachronistisch gewerteten Herrschaft eingesetzt wird. In der politischen Dichtung war durch Anastasius Grün bereits 1837 eine »Poesie des Dampfes« verkündet worden, und ein Gedicht von Christian Joseph Matzerath, *Rheinlandschaft*, gestaltet schon Rheinburgen und Rheindampfer als Antipoden. Dieses Gedicht mit seinen Anklängen an *Von unten auf* – es erschien 1840 im *Rheinischen Jahrbuch für Kunst und Poesie*, herausgegeben von Matzerath, Simrock und Freiligrath – wertet die rheinromantischen Chiffren politisch um: Das Zerstörte, Ruinenhafte macht die Burgruine interpretierbar als Zeuge einer revolutionären Vergangenheit, der drohend auf den nächsten Aufstand weist. Auch in einem früheren Gedicht Freiligraths, *Ein Flecken am Rhein*, indi-

ziert das Dampfschiff den Anbruch einer neuen Epoche. Daß eine Romantik, wie sie Uhland repräsentiert, obsolet geworden ist, erkennt das auktoriale Ich dieses Gedichts anläßlich einer Rheinfahrt des schwäbischen Dichters: »Dein [der Romantik] letzter Ritter – ach, und auf dem Dämpfer! / Dahingerissen von der neuen Zeit / Des Mittelalters fromme Trunkenheit / [. . .] Dein Reich ist aus!« (Freiligrath, *Glaubensbekenntnis*, S. 17–21, Str. 10 und 12). Wenn schließlich auch Wilhelm Jordan 1846 ein Gedicht mit dem literaturprogrammatisch gemeinten Titel *Der Dampf und die Romantik* (*Schaum*, S. 150–153) veröffentlicht, so wird deutlich, daß diese Antithese bereits zum Topos progressiv sich verstehender Autoren geworden ist.

Von unten auf greift also auf durchaus gängige Bildelemente zurück, komponiert und wertet sie allerdings neu; damit erreicht der Dichter eine Verlagerung der Widersprüche: An die Stelle des Antagonismus zwischen der unter bürgerlichem Vorzeichen stehenden industriellen Revolution (»Dampfschiff«) und gleichbleibenden bzw. restaurierten politischen und ideologischen Rahmenbedingungen (»Burg«) treten die antagonistischen Verhältnisse innerhalb des Schiffes, die jedoch erst im Perspektivenwechsel von der Sicht des Oberdecks zu der des Maschinisten erkannt und formuliert werden können. Das Dampfschiff wird so zur Allegorie des Staates einer kapitalistischen Klassengesellschaft und eröffnet eine Bildtradition, deren sich noch Autoren wie B. Traven oder Friedrich Wolf oder Filmemacher wie Eisenstein bedienen werden. Die beiden (Klassen-)Welten auf dem Schiff, die des Königs und die des Maschinisten, sind bestimmt durch ihre aufeinander bezogene Gegensätzlichkeit. Gegen Ruhe und Beschaulichkeit des Oberdecks stehen Unruhe und Hektik des Unterdecks, gegen Müßiggang und Genuß sklavische Arbeit und Entbehrung, gegen die weite Rheinlandschaft der enge verrußte Maschinenraum, gegen die friedvolle Natur das bedrohliche Element. Der reihende Satzstil häuft jetzt die Verben (14: »Da frißt und flammt das Element, das sie von dannen schießen macht«) und dramatisiert das Gedicht. Das Stilmittel parallel gebauter Zeilen steigert die Spannung und treibt im Gedicht auf einen Konflikt zwischen beiden Welten zu. Als der »Proletarier-Maschinist« (16) mit dem glühenden Eisen in der Hand ›auftaucht‹ (23), scheint die Exposition in dramatische Balladenhandlung umzuschlagen.

Diese Konstellation, Proletariat gegen Feudalklasse unter Ausklammerung des Bürgertums, ist es, die den Gegensatz zwischen den Anschauungen Friedrich Engels' und Freiligraths ausmacht: Für Engels stand die bürgerliche Revolution in Deutschland auf der Tagesordnung. Aber gerade die – aus der Sicht Engels' – utopische Konzeption einer proletarischen Revolution erleichterte Freiligrath einen Bruch mit der sozialen Lyrik, die Arbeiter und Pauperismus thematisiert: Der Maschinist übernimmt die Initiative, wird zum Handlungsträger im Gedicht. Allerdings setzt sich sein Auftauchen an Deck noch nicht in direkte gesellschaftliche Handlung fort. Die szenisch-dramatische Konfrontation von Feudalklasse und Proletariat verharrt im Moment der Spannung. Der Maschinist erklärt einem Fürsten den Krieg, der in seiner Realitätsblindheit und seiner Faszination durch die Romantik die Zuspitzung der Situation nicht einmal wahrnimmt.

Dort, wo anstelle einer aktuellen Konfliktlösung eine revolutionäre Perspektive im Monolog des Arbeiters geboten wird, gerät der bis dahin stringente Bildkomplex ins Wanken. Unstimmigkeiten auf der Bildebene korrelieren mit einer Unschärfe der Trennung von Erzähler- und Figurenperspektive: So bleibt der Zyklop, als der sich der Heizer versteht, über seine Rede hinaus gültiges Bild. Auch die von Hyperbasen geprägte Sprache kann dem Heizer keine Identität als Figur verleihen. Daß diese Figur ästhetisch so wenig Kontur gewinnt, ist Anzeichen für die kaum vollzogene inhaltliche Loslösung der Proletarierfigur vom lyrisch-epischen Erzähler oder, positiv gewandt: für die – ästhetisch allerdings mißlungene – Behauptung weitgehender Identität beider.

Das vom Maschinisten erklärte Bild des ›Staatsschiffs‹ scheint die Aussagen allein nicht mehr tragen zu können. Es wird ergänzt durch die Versinnbildlichung der Revolution als »Vulkan« (34), wobei in raschem Bildwechsel die Figur des Heizers in eine Assoziierung an den Hephäst-Vulcanus-Mythos übergeht. Mit diesem zweiten Bildkomplex hat Freiligrath einen antiken Mythos für die Allegorisierung des Proletariats erschlossen, der die intendierte Idealisierung des Arbeiters bereits im Ansatz wieder zurücknimmt, den Proletarier ambivalent zeichnet. Das Bild des Unterweltgottes, der Zyklopen, weist die Proletarierfigur den Elementen zu: Meer, Glut, Flammen und Feuer; der dunkle Schoß der Arbeit wird gleichzeitig zum dunklen Schoß der Erde, aus dem die Revolution als Naturereignis mit zerstörerischer Gewalt hervorbricht. Die Metaphorik Freiligraths deutet – trotz all seiner Sympathie für das Proletariat – auf unterschwellige Furcht vor einer roh destruktiven Kraft und ihren unvorhersehbaren Eruptionen. Schon mischen sich in die Sympathiebeweise und Hoffnungsäußerungen für diese Klasse die »schaurigen Bilder« (vgl. Bogdal) vom Proletariat, wie sie im Naturalismus dominant werden. Auch die Wechselbeziehung zwischen Grobheit, Ungeschlachtheit des Körpers und körperlicher Arbeit, eine Beziehung, die letztlich zu einer auch durch sozialrevolutionäre Taten nicht aufhebbaren biologischen Determinierung der Klassen tendiert, findet sich bereits durch den Hephäst-Vulcanus-Mythos vorgegeben: schließlich ist es die Verkrüppelung des Gottes, die ihm seine harte körperliche Arbeit am Meeres- und Vulkanboden, »unten«, einträgt.
Freiligrath hat die Ambivalenz seiner Proletarierzeichnung durch die Einführung eines dritten Bildkomplexes aufzuheben versucht, indem er mit Hilfe der Christophorus-Allegorie (41 ff.) den destruktiven Proletariertitan ›christlich‹ einfärbt. Wie wenig dabei die gleichsam heilsgeschichtliche Legitimierung des Arbeiteraufstandes als nur metaphorisch begriffen werden kann, zeigt sich am messianischen Sen-

dungsbewußtsein des Heizers, der in seinem Monolog das Proletariat von »Gottes Zorn« (40) herleitet. Die Revolution (oder die Verbannung nach »unten« an das höllische Feuer – das Gedicht läßt beide Möglichkeiten offen) als Strafgericht Gottes?

In der Christophorus-Allegorie scheint sich die metaphorische Ausgangssituation, die durch den »Titan« (33) ermöglichte Reise über den Fluß, zu doppeln. Über das gefährliche Element wird aber jetzt von dem Beherrscher der Elemente kein König mehr, sondern der »Heiland Geist« (44) als neues höheres Wesen getragen. Freiligraths assoziierende Bilderfolge weist damit als Ergebnis die dienende Funktion der das Proletariat allegorisierenden Figur als signifikanteste Konstante auf. Die Revolution transformiert lediglich das Dienstverhältnis: Sinn und Ziel des Arbeiteraufstandes ist der Sieg des nicht näher bestimmten »Geistes«. Wenn der Dichter daran als Endzweck der proletarischen Revolution festhält, hat er dort, wo er auf den *Inhalt* der von ihm erhofften Revolution zu sprechen kommt, die Produktionsverhältnisse und -bedingungen, die im Bild des ›Rheinschiffs‹ durchaus virulent waren, aus den Augen verloren und greift auf idealistische Geschichtskonstruktionen zurück.

In den Schlußzeilen kehrt das Gedicht zum epischen Anfangsteil zurück. Die Rheinreise geht zu Ende, der König verläßt den Dampfer, um zu seiner Burg zu fahren. Damit entfernt er sich aus dem gefährlichen Wirkungskreis des »Proletarier-Maschinisten« und hebt so die Spannung im Gedicht auf, während das Schlußwort des Heizers noch einmal die Spannung in die historische Perspektive verlagert. Der Schluß, der dem Stolzenfels Zerstörung androht, bestätigt die destruktive Potenz des Proletariats. Diese Destruktion avisiert als Ergebnis aber nicht nur einen zerstörten Herrensitz, sondern auch eine rheinromantische Chiffre: die Burgruine am Rhein. Als Relikt einer rheinromantischen Zeit, das wie bei Matzerath jetzt »revolutionär« als Verspre-

chen auf die Zukunft besetzt ist, ragt die Ruine in das Schlußbild. Wie bei Matzerath auch der Versuch, von der Romantik zu retten, was zu retten ist, und die Revolution als neues romantisches Sujet einzubringen?
Für den Stolzenfels, der in restauriertem Zustand nicht älter ist als die Preußenherrschaft am Rhein, heißt die Forderung, daß er zur Ruine werden muß, erst einmal lediglich Wiederherstellung des Status ante quem, politisch: das Ende der Preußenherrschaft. Insofern verdeutlicht die letzte Zeile noch einmal den Mangel an positiven Zukunftsentwürfen.
Freiligrath, der sich nur sehr zögernd der deutschen gesellschaftlichen Wirklichkeit zugewandt hatte, suchte mit der kleinen, erschwinglichen und leichter illegal zu verbreitenden *Ça ira*-Sammlung aus dem Schweizer Exil heraus unmittelbar auf diese so starr scheinende Realität verändernd einzuwirken. Auch dies erklärt beschwörendes Revolutionspathos und übertrieben wirkenden Bildeinsatz. Es waren dabei sicherlich noch nicht die Gesellschaftsanalysen von Marx und Engels, die in *Von unten auf* eine kongeniale lyrische Interpretation erfuhren.
Als die erhoffte Revolution, die Freiligrath schließlich als Mitarbeiter der *Neuen Rheinischen Zeitung* an die Seite von Marx führte, ausbrach, wurde es keine proletarische, nicht einmal eine siegreiche bürgerliche; der desillusionierte Freiligrath war nicht mehr in der Lage, die Neuorganisierung der Arbeiter und ihre rasche Entwicklung zu einem mächtigen Faktor der Geschichte mit seiner Dichtung zu fördern.

Zitierte Literatur: Klaus-Michael BOGDAL: »Schaurige Bilder«. Der Arbeiter im Blick des Bürgers am Beispiel des Naturalismus. Frankfurt a. M. 1978. – Wilhelm BUCHNER: Ferdinand Freiligrath. Ein Dichterleben in Briefen. 2 Bde. Lahr 1882. – Ferdinand FREILIGRATH: Ein Glaubensbekenntnis. Zeitgedichte. 1844. In: Freiligraths Werke in sechs Teilen. Hrsg., mit Einl. und Anm. vers. von Julius Schwering. Bd. 1. Berlin/Leipzig/Wien/Stuttgart o. J. [1909]. T. 2. S. 7–88. – Erwin Gustav GUDDE: Freiligraths Entwicklung als politischer Dichter. Berlin 1922. Repr. Nendeln (Liechtenstein) 1967. – Wilhelm JORDAN: Schaum. Leipzig 1846. – Joseph MATZERATH: Rheinlandschaft. In: Echo tönt von sieben Bergen. Das Siebengebirge – ein Intermezzo europäischer Geistesgeschichte in Dichtung und Prosa. Zusammengestellt und interpretiert von

Josef Ruland. Boppard/Bonn 1970. S. 161 f. – Franz MEHRING: Freiligrath und Marx in ihrem Briefwechsel. In: F. M.: Gesammelte Schriften. Bd. 10: Aufsätze zur deutschen Literatur von Klopstock bis Weerth. Hrsg. von Hans Koch. Berlin [Ost] ^{3}1977. – Ursula RATHKE: Preußische Burgenromantik am Rhein. Studien zum Wiederaufbau von Rheinstein, Stolzenfels und Sonneck (1823–1860). München 1979.
Weitere Literatur: Winfried Ernst HARTKOPF: Ferdinand Freiligrath. Ein Forschungsbericht. Diss. Düsseldorf 1977.

Heinrich Heine

Im Oktober 1849

Gelegt hat sich der starke Wind,
Und wieder stille wirds daheime;
Germania, das große Kind,
Erfreut sich wieder seiner Weihnachtsbäume.

5 Wir treiben jetzt Familienglück –
Was höher lockt, das ist vom Übel –
Die Friedensschwalbe kehrt zurück,
Die einst genistet in des Hauses Giebel.

Gemütlich ruhen Wald und Fluß,
10 Von sanftem Mondlicht übergossen;
Nur manchmal knallts – Ist das ein Schuß? –
Es ist vielleicht ein Freund, den man erschossen.

Vielleicht mit Waffen in der Hand
Hat man den Tollkopf angetroffen
15 (Nicht jeder hat so viel Verstand
Wie Flaccus, der so kühn davongeloffen).

Es knallt. Es ist ein Fest vielleicht,
Ein Feuerwerk zur Goethefeier! –
Die Sontag, die dem Grab entsteigt,
20 Begrüßt Raketenlärm – die alte Leier.

Auch Liszt taucht wieder auf, der Franz,
Er lebt, er liegt nicht blutgerötet
Auf einem Schlachtfeld Ungarlands;
Kein Russe, noch Kroat hat ihn getötet.

25 Es fiel der Freiheit letzte Schanz,
Und Ungarn blutet sich zu Tode –

Doch unversehrt blieb Ritter Franz,
Sein Säbel auch – er liegt in der Kommode.

Er lebt, der Franz, und wird als Greis
Vom Ungarkriege Wunderdinge
Erzählen in der Enkel Kreis –
»So lag ich und so führt ich meine Klinge!«

Wenn ich den Namen Ungarn hör,
Wird mir das deutsche Wams zu enge,
Es braust darunter wie ein Meer,
Mir ist als grüßten mich Trompetenklänge!

Es klirrt mir wieder im Gemüt
Die Heldensage, längst verklungen,
Das eisern wilde Kämpenlied –
Das Lied vom Untergang der Nibelungen.

Es ist dasselbe Heldenlos,
Es sind dieselben alten Mären,
Die Namen sind verändert bloß,
Doch sinds dieselben »Helden lobebären«.

Es ist dasselbe Schicksal auch –
Wie stolz und frei die Fahnen fliegen,
Es muß der Held, nach altem Brauch,
Den tierisch rohen Mächten unterliegen.

Und diesmal hat der Ochse gar
Mit Bären einen Bund geschlossen –
Du fällst; doch tröste dich, Magyar,
Wir andre haben schlimmre Schmach genossen.

Anständge Bestien sind es doch,
Die ganz honett dich überwunden;
Doch wir geraten in das Joch
Von Wölfen, Schweinen und gemeinen Hunden.

Das heult und bellt und grunzt – ich kann
Ertragen kaum den Duft der Sieger.
Doch still, Poet, das greift dich an –
60 Du bist so krank und schweigen wäre klüger.

Abdruck nach: Heinrich Heine: Sämtliche Schriften. 6 Bde. Hrsg. von Klaus Briegleb in Zus.arb. mit Günter Häntzschel [u. a.]. München: Hanser, 1968–76. Bd. 6,1. Gedichte. Hrsg. von Walter Klaar. 1975. S. 116–118.
Erstdruck: Deutsche Monatsschrift für Politik, Wissenschaft, Kunst und Leben 1 (1850) H. 10.
Weitere wichtige Drucke: Heinrich Heine: Romanzero. Hamburg: Hoffmann und Campe, 1851. – Heinrich Heines sämtliche Werke. Hrsg. von Ernst Elster. 7 Bde. Leipzig: Bibliographisches Institut, o. J. [1887–90]. Bd. 1. 1887. [Enthält vollständiges Verzeichnis der Abweichungen von Erst- und Buchdruck sowie alle überlieferten Varianten der heute verschollenen Handschrift, d. h. Druckvorlage zum *Romanzero*.]

Michael Werner

Politische Lazarus-Rede: Heines Gedicht *Im Oktober 1849*

Als Heine das Gedicht *Im Oktober 1849* am 16. November desselben Jahres seinem Verleger Campe nach Hamburg zur Vorveröffentlichung in einer Zeitschrift übersandte, bezeichnete er es als ein vor vier Wochen entstandenes »wahres Tagesgedicht, eine momentane Stimmung schildernd«. Zugleich, so fügte er hinzu, sei ihm das Schreiben und Diktieren bei seinem kranken Zustand eine »gräßlich peinigende Operazion«, so daß er mit diesem Gedicht »im wahrsten Sinn des Wortes« sein »versifizirtes Lebensblut« gebe (*Werke*, Bd. 22, S. 322). Damit ist die Spannung zwischen zeitgeschichtlichem Geschehen und der Situation des kranken, langsam in seiner »Matratzengruft« sterbenden Dichters aufgezeigt, aus der das Gedicht hervorgegangen ist.

Vor seiner Veröffentlichung in Heines *Romanzero* (1851) trug das Gedicht im Erstdruck (Oktober 1850) den Titel *Deutschland. Im Oktober 1849.* Damit wird es an Heines Deutschlandlyrik der dreißiger und vierziger Jahre herangerückt (*Anno 1839*; *Deutschland!*; *Das Kind*; *Nachtgedanken*), insbesondere aber an *Deutschland. Ein Wintermärchen*, einen Zusammenhang, den Heine in der französischen Veröffentlichung von *Im Oktober 1849* unterstreicht, wo er das Gedicht als »strophes supplémentaires« (Ergänzungsstrophen) direkt hinter dem *Wintermärchen* abdruckt. So erscheint es als Epilog zu Heines Versepos, gewissermaßen als Probe aufs Exempel der dort in *Caput XXVI* als Deutschlands Zukunft vom Dichter im Nachtstuhl Karls des Großen geschauten und in »Gerüche« übersetzten deutschen Revolution. Heine schließt fünf Jahre später präzise an diese Geruchsprophetie an, wenn er vom »Duft der Sieger« (58) spricht. War es im *Wintermärchen* jedoch noch der Geruch des »Mists«, der beim Ausräumen von »Sechsunddreißig Gruben« entsteht (IV,639), so ist es im Gedicht der Geruch derjenigen, die die Revolution niedergeschlagen haben. Damit wird im Bereich einer dem ›genus humile‹ angehörenden, derben Sinnlichkeit das Scheitern der Revolution von 1848/49 sinnfällig gemacht.
Im Oktober 1849 liefert als »Tagesgedicht« zunächst eine Momentaufnahme der historischen Situation in Deutschland und Österreich-Ungarn nach dem Sieg der verbündeten Österreicher und Russen über die ungarische Freiheitsbewegung (9. August: Schlacht bei Temesvar; 11. August: Abdankung Kossuths; 5. Oktober: Kapitulation der Festung Komorn). Mit der Formel »der Freiheit letzte Schanz« (25) stellt Heine Ungarn in den Zusammenhang der gesamteuropäischen Revolution, als deren letzter Akt und negativer Schlußpunkt die Niederlage der ungarischen Revolutionäre erscheint. Vorangegangen waren die Auflösung des Frankfurter Parlaments und das Ende des Rumpfparlaments in Stuttgart (18. Juni), die Niederschlagung des pfälzischen (Mai) und des badischen Aufstands (Juni/Juli) durch preußische Interventionstruppen. Auf europäischer

Ebene hatten die konservativen Kräfte das Signal zur Gegenrevolution bereits im Juni 1848 mit der Niederwerfung der Arbeitererhebung in Paris gesetzt und den linken Flügel der Revolution gewaltsam gestutzt. Im mitteleuropäischen Raum war es die Einnahme des revolutionären Wien durch kaiserliche Truppen im Oktober 1848, welche die militärische Gegenoffensive der Reaktion eingeläutet hatte. All diese Vorgänge setzt Heines Gedicht, vielleicht nicht zufällig genau ein Jahr nach den Wiener Ereignissen verfaßt, voraus.

Trotz eines deutlichen Wechsels im Ton nach der achten Strophe scheint der Aufbau des Gedichts dem Prinzip einer rein assoziativen Reihung zu folgen: vom Oktober und der vorweihnachtlichen Situationsbeschreibung zum ›Knall‹ und Feuerwerk der Goethefeier, vom Weimaraner Liszt und seiner ungarischen Abstammung zu den Vorgängen in Ungarn und ihrer sagenhaften Präfiguration im *Nibelungenlied*, von der geschichtlichen Quintessenz des Epos, dem Sieg der »tierisch rohen Mächte« (48) über den Menschen, zu den Tierchiffren der aktuellen politischen Situation in Ungarn und Deutschland. Doch hinter dieser assoziativen Verknüpfungstechnik verbirgt sich eine konsequente, auf den Schluß hin konstruierte Logik.

Bis Vers 10 wird ein trautes Bild vordergründiger Ruhe entworfen: Nach dem stürmischen Tag ist die Stille Nacht eingekehrt, zugleich die weihnachtliche Friedensnacht wie die natürliche Winternacht, wo »Wald und Fluß, / Von sanftem Mondlicht übergossen«, ruhen (9 f.). Heine verwendet Elemente Goethescher Naturlyrik (*An den Mond*: »Füllest wieder Busch und Tal / Still mit Nebelglanz«) und geistlichen Abendgesangs (Paul Gerhardt, *Abendlied*: »Nun ruhen alle Wälder, / Vieh, Menschen, Städt und Felder«), um die (scheinbare) Einheit von innen und außen, von Menschenwelt und Natur zu evozieren. Das zweimalige »wieder« (2; 4) und die Rückkehr der »Friedensschwalbe« (7 f.) implizieren eine zirkulare Bewegung, so als komme alles wieder ins alte, richtige Geleis. Auch der Rhythmus,

der völlig regelmäßige Wechsel von Hebung und Senkung sowie der zusätzliche Versfuß im letzten Strophenvers haben dieselbe beruhigende Wirkung; die formale Besonderheit der zusätzlichen Hebung im letzten Vers findet ja öfter im Abend- und Schlaflied Verwendung (Paul Gerhardt: *Abendlied*, Matthias Claudius: »Der Mond ist aufgegangen«; vgl. jedoch auch die zusätzliche Hebung im letzten Halbvers der *Nibelungen*-Strophe). Auf den politischen Bereich übertragen, der ja in der Allegorie der »Germania« (3) und der Friedensthematik angedeutet ist, besagt dies, daß auch hier nach den Revolutionsstürmen wieder Ruhe eingetreten ist und alles wieder seine vorrevolutionäre Ordnung und Richtigkeit erhält, als habe die Revolution nur eine vorübergehende, alptraumartige Episode dargestellt.
Doch schon in die Textoberfläche hat Heine einige ›Widerhaken‹ eingestreut, die dem Leser die Sprecherrolle und die vorgebliche Harmonie als fragwürdig erscheinen lassen: Gebrauch von im Grunde unadäquaten Verben in Fügungen wie »*sich* der Weihnachtsbäume *erfreuen*«, »Familienglück *treiben*«, die Angabe, daß der Fluß »ruhe« (und nicht fließe), das Adverb »gemütlich« in Verbindung mit einem Naturbild, Anachronismen wie die Rückkehr der Schwalbe und die Windstille im Oktober, endlich die Kontamination von Schwalbe und Taube in der »Friedensschwalbe«, all dies paßt bei näherem Hinsehen nicht in das stimmige Bild. Auch Vers 6, »Was höher lockt, das ist vom Übel«, als Umkehrung eines Bibelzitats nach Matth. 5,37 »Eure Rede aber sei: Ja, ja; nein, nein. Was darüber ist, das ist vom Übel«, vermittelt einen ähnlichen Effekt, da in ihr ja eine kontrastive Parallelisierung von »Familienglück treiben« und der in der Bergpredigt geforderten eindeutigen moralischen Haltung impliziert ist. Schließlich verweist auch die Bezeichnung der Germania als »großes Kind«, mit der Heine die »Jungfrau Germania« (vgl. *Wintermärchen, Caput XIV*, sowie *Das Kind*, in: IV,609 und 423) praktisch wieder in ein vorpubertäres Stadium zurückentwickelt, zugleich auf einen Anachronismus wie auf einen Mangel an Proportionen im

Bild der Germania und schärft somit den Blick des Lesers auf die unter der Oberfläche wirkenden Spannungen.
Diese Spannung bricht dann in Vers 11 mit dem Knall auf, den der Sprecher nicht mehr in das Stimmungsbild integrieren kann und bei dem er, zumindest im ersten Augenblick, die Hypothese eines Schusses nicht mehr zurückhalten kann. Die Nachricht von der Vollstreckung des Todesurteils an 13 ungarischen Generälen und von der Hinrichtung des Ministerpräsidenten Batthyány am 6. Oktober war damals brandneu und jedem zeitgenössischen Leser präsent, ebenso wie die blutige Repression im Anschluß an den badischen Aufstand. Mit dem in Vers 12 genannten »Freund«, der mit dem Goetheschen »Freund« aus dem schon genannten Gedicht *An den Mond* kontrastiert, gibt der Sprecher seine wahre politische Identität offen zu erkennen: Er steht auf seiten der besiegten Revolutionäre.
Doch schon in der nächsten Strophe, die im Erstdruck 1850 noch fehlte, schlüpft er wieder in seine ironische Rolle, wobei freilich die Bezüge noch nicht ganz klar hergestellt werden. Von welcher Warte aus wird der »Freund« als »Tollkopf« bezeichnet und Horaz, der offen bekannte, in der Schlacht von Philippi davongelaufen zu sein, als verständig? (14–16.) Ist es generell ›tollköpfig‹, der Gegenrevolution bewaffneten Widerstand zu leisten? Aus einer Textparallele zum Gedicht *Simplizissimus I.* sowie aus der dialektalen Form »davongeloffen« ergibt sich, daß Heine hier auf den schwäbischen Dichter Georg Herwegh (1817–75) anspielt, der mit seiner Truppe von demokratischen Pariser Legionären während der ersten badischen Revolution im April 1848 bei Dossenbach unterlegen war und sich der Verhaftung durch Flucht entzogen hatte. Über die Anspielung auf Herwegh hinaus problematisiert Heine jedoch generell das Heldentum, so daß die Frage nach seiner ›Tollköpfigkeit‹ erst im weiteren Gedichtverlauf beantwortet wird. Vorerst verfällt der Sprecher wieder in seine ironische, eigentlich beunruhigende Beruhigungsgebärde, indem er nunmehr die Erklärung für den ›Knall‹ gefunden zu haben

meint: ein Feuerwerk zur Goethefeier oder zu Ehren der berühmten Sängerin Henriette Sontag (1806–54), die 1849 nach 19jähriger Abwesenheit von der Bühne ein erfolgreiches Comeback unternommen hatte. Die Feier zum 100. Geburtstag Goethes am 28. 8. 1849 war überall in Deutschland festlich begangen worden, insbesondere in Frankfurt und Weimar, wo die musikalische Oberleitung in Händen Franz Liszts lag. Der von Heine erstellte Zusammenhang von staatlich-politischer Restauration und Goethe-Kult (als Symbol deutscher Verinnerlichungs-Ideologie), der sich ja auch später in der deutschen Geschichte mehrmals bestätigte, richtet sich trotz der eingangs anklingenden Goethe-Parodie nicht gegen Goethe selbst, sondern gegen seine »gemütliche« Verwertung durch das sich selbst entpolitisierende Bildungsbürgertum. Der Goethe-Kult wird in seiner unzeitgemäßen Zeitbezogenheit erkannt, insofern er – ganz im Sinne der das ganze Gedicht durchziehenden Opposition von innen und außen – an die Stelle äußerer politischer Auseinandersetzung tritt bzw. die innere Hohlheit der Verinnerlichung, die sich in lärmenden Festlichkeiten manifestiert, greifbar werden läßt. Auch Heines alter Vertrauter und Gesinnungsgenosse Varnhagen, selbst ein glühender Goethe-Verehrer, kommentierte die Festivitäten am 13. 10. 1849 in seinem Tagebuch ganz im Sinne Heines:

Treiben ihre eitle Philistereien im Glanznahmen Goethes, als ob es nicht dieses Jahr 1849 wäre, indem wir leben. Echte Byzantiner! Der Untergang der Nation steht vor Augen, und sie denken an literarische Festlichkeiten.

Während die wahre Welt mit dem erschossenen Freund zugrunde geht, entsteigt die Scheinwelt der Restauration dem »Grab«, nehmen die alten, längst toten Stars ihren Platz in dem kulturellen Mummenschanz wieder ein, als sei nichts geschehen. Die Sontag und der damals vor allem als Konzertpianist gefeierte Franz Liszt sind für Heine repräsentative Vertreter eines rein auf Verwertung bedachten Virtuosentums, das gerade in seinem vorgeblichen Apolitis-

mus von der politischen Landschaft der Restauration geformt ist. Insofern diesen Künstlern der authentische Zeitbezug fehlt, erscheinen sie als lebende Leichname, wohingegen die sterbenden wahren Helden das Leben verkörpern.
Daß das Fassadenheldentum, einerseits als dasjenige des Virtuosen, andererseits als das des politischen Maulhelden, in der Folge besonders an Franz Liszt (1811–86) festgemacht wird, liegt in den spezifischen Gegebenheiten von Liszts Biographie begründet. Schon mit elf Jahren hatte er seine ungarische Heimat verlassen und von da an mit nur kurzen Unterbrechungen ein unstetes, aber äußerst erfolgreiches Leben als Starpianist geführt. Als er auf einer triumphalen Tournee 1839 nach Ungarn kam, überreichte ihm der dortige Reichstag einen kostbaren Ehrensäbel. Bei der Verleihung erklärte Liszt, er verstehe diesen Säbel als einen Auftrag dazu, sein Volk, das sich früher durch Waffentaten ausgezeichnet habe, auf dem Gebiete der Künste zum Weltruhm zu führen. Sollten die Ungarn jedoch gewaltsam am friedlichen Aufbau ihrer Nationalität gehindert werden, so müßten die Säbel wieder aus der Scheide gezogen werden, »und unser Blut sei bis zum letzten Tropfen vergossen für unser Recht, für König und Vaterland« (Rede vom 26. Dezember 1839 in Budapest, in französischer Sprache; zit. nach: Gavoty, S. 230). Der Kontrast solcher patriotischer Absichtserklärung mit der Realität der Jahre 1848/49, als Liszt sich an einen deutschen Kleinstaatenhof zurückzog, während Ungarn um politische Selbstbestimmung und Demokratie rang, mithin der Säbel »in der Kommode« blieb (28), bot dem Satiriker Heine reichen Stoff, zumal auch Liszts Bemühungen, in den österreichischen Adelsstand erhoben zu werden (vgl. Vers 27 »Ritter Franz«), erfolglos geblieben waren. Daß Liszt zudem in früheren Jahren, als er mit Heine übrigens noch gut stand, schwärmerischer Anhänger des christlichen Sozialismus von Lamennais war, paßte gut ins Bild, machte ihn nachgerade zum Prototyp des falschen Künstlers und zum Nachfahren Falstaffs, den er in Vers 32 ja wörtlich zitiert (*Heinrich IV.*, T. 1, II,4). Zu-

gleich enthüllt sich an seinen Erzählungen »in der Enkel Kreis« (31) noch einmal die politische Qualität deutschen »Familienglücks«.

Im zweiten Teil des Gedichts ab Vers 33 verläßt Heine den ironisch sarkastischen Ton zugunsten einer pathetisch-ernsthaften Parallelisierung der zeitgeschichtlichen Vorgänge in Ungarn mit dem Epenstoff der Nibelungen, den er übrigens schon als Bonner Student bei A. W. Schlegel kennengelernt hatte. Daß er das *Nibelungenlied* hier nicht als romantischen Sagenstoff, sondern als Beispiel für die Aktualität großer, im Volke verwurzelter Ependichtung anführt, belegt die Textänderung von »Es klingt mir wieder im Gemüt« (Erstdruck) in »Es klirrt mir wieder im Gemüt« (37). Der zirkularen Wiederkehr der Restauration und ihrer typischen Repräsentanten im ersten Teil setzt er nun die geschichtliche Wahrheit vom Untergang der sagenhaften »Helden« entgegen, die er in dem mehrmaligen »dasselbe«, »dieselben« und bis in das wörtliche Zitat aus dem *Nibelungenlied* Vers 44 als schicksalhafte Identität faßt. Der Auferstehung der toten Maulhelden vom Schlage Liszts entspricht der unvermeidliche Tod der wahren, modernen »Helden lobebären«.

Dabei dachte er zweifellos auch an den ungarischen Nationaldichter Sándor Petöfi (1823–49), der in der Schlacht bei Segesvár am 31. Juli 1849 als Adjutant des Generals Bem gefallen war. Heine war über Petöfi wohl informiert. Am 30. Juli 1849 hatte ihm Karl Maria Kertbeny eine Übersetzung der Gedichte Petöfis gesandt und ihm von dessen »gränzenloser Bewunderung« für den »größten Dichter der Neuzeit« gesprochen (*Werke*, Bd. 26, S. 236). Heine antwortete, Petöfi erscheine ihm als eine »Natur, so überraschend gesund und primitiv inmitten einer Gesellschaft voll krankhafter Reflexionsallüren [...]. Wir Reflexionsmenschen erscheinen neben solcher Ursprünglichkeit wahrhaft bemitleidenswert« (*Werke*, Bd. 22, S. 320).

Damit wird deutlich, daß Petöfi nicht nur der wahre moderne Held gegenüber dem falschen Helden (und Künstler) Liszt ist, sondern daß im *Nibelungen*-Zitat auch generell das Verhältnis von Dichter und Geschichte reflektiert wird. Der nationale Helden-Dichter lebt wie der epische Dichter im Einklang mit seiner Nation. Folgerichtig geht er mit seinem Volk unter; ›Davonlaufen‹ (16) wie im Falle Herweghs ist für ihn undenkbar. Der Dichter, der sich mit den deutschen Zuständen auseinanderzusetzen hat, ist dagegen innerlich gespalten. Während die Frontstellung in Ungarn eindeutig war, wo der österreichische »Ochse« sich mit dem russischen »Bären« zur Niederwerfung der demokratischen Helden verbündete (49), ist man in Deutschland unter die Herrschaft von »Wölfen, Schweinen und gemeinen Hunden« geraten (56). In Ungarn habe sich nach ›klassischem‹ Muster der Absolutismus gegen die Demokratie durchgesetzt, in Deutschland jedoch hat Preußen die Oberhand gewonnen, jenes »Zwitterwesen«, wie Heine im *Wintermärchen* formulierte, »jenes Kamaschenrittertum, / Das ekelhaft ein Gemisch ist / Von gotischem Wahn und modernem Lug, / Das weder Fleisch noch Fisch ist« (IV,617). Gerade im Sommer und Herbst 1849, als die österreichischen Machthaber noch alle Hände voll zu tun hatten, um die Doppelmonarchie zu restaurieren, unternahm Preußen Versuche, die noch vorhandenen nationalen Energien der Revolutionsbewegung für eigene Hegemonie-Zwecke zu nutzen (Erfurter Union). Zwar zeigt der Verweis auf Herwegh in Vers 16, daß Heine auch die Revolutionäre nicht von der Kritik an der verkehrten Frontbildung in Deutschland ausnimmt; doch Hauptangriffsziel des Gedichts bleiben die »Sieger« (58), d. h. das Bündnis von preußischen Ultras und der Frankfurter Rechten. Wahre Helden kann eine solche Situation nicht mehr produzieren; sie sind entweder ›tollköpfig‹ oder werden zu Helden-Parodien, wie Herwegh und Liszt.

Freilich wird die Interpretation der im ersten Teil unternommenen Situationsbeschreibung Deutschlands im zweiten Teil nur indirekt vorgenommen: zum einen auf dem Umweg über den ungarischen Schauplatz, von dem aus kontrastiv die »schlimmre« Situation in Deutschland beleuchtet wird; zum anderen über die Tierchiffren von »Wolf«, »Schwein« und »gemeinem Hund« und die ihnen jeweils zugeordneten Geräusche. Jede weitere Ausführung wird von dem Schweige-Gestus »Doch still, Poet« (59) unterbrochen. In gleicher Weise, wie das Heldentum und seine epische Bearbeitung in Deutschland unmöglich geworden sind, wird auch die traditionelle Fabelmenagerie um Tierarten wie das Schwein und den »gemeinen« Hund bereichert (in einer Vorstufe erwog Heine sogar einen Pavian), die den alten Fabelrahmen bedrohen. Heine hat ja nach 1848 verstärkt versucht, die Nachmärz-Erfahrungen durch eine Erneuerung der Tierfabelgattung auszudrücken, war dabei aber mehrfach zur Erweiterung, ja Sprengung der Gattungsregeln gezwungen worden (z. B. in den *Wanderratten*, vgl. Werner, S. 292 f.). Der Schluß von *Im Oktober 1849* liefert dafür quasi die historische Begründung: Die ›Bestialisierung‹ der Menschenwelt hat ein Ausmaß erreicht, das eine explizite Auflösung der Tierchiffren sowie eine eindeutige ›Moral‹ nachgerade ausschließt. In diesem Sinn verstummt der »Poet« vor dem »Duft der Sieger«, ohne die Identität der »Wölfe, Schweine und gemeinen Hunde« zu lüften. Die Zusammenhänge sind erst über die historischen Fakten zu erschließen, die einzig mögliche Darstellung bleibt die satirisch-ironische, wie sie die Sprecherrolle im ersten Teil vornimmt. Diese uneigentliche Sprechweise impliziert auch die Tönewechsel und die sonstigen Stilmerkmale des ersten Teils: inhaltlich kontrastive oder formal unreine Reime (26/28: »Tode« / »Kommode«; 21/23: »Franz« / »Ungarlands« usw.), oxymorische Fügungen (16: »kühn davongeloffen«), Zitiertechnik (6 und 32) – mit einem Wort: charakteristische Elemente aus dem formalen Arsenal von Heines später Lyrik. Problematisch wird diese Sprecherrolle immer dann, wenn es in ›eigentlicher‹, nicht ironisch vermittelter Weise von den Zeitumständen zu sprechen gilt. In *Im Oktober 1849* wird diese Frage mit dem Hinweis auf die Krankheit erledigt: »Du bist so krank und schweigen wäre klüger« (60).

Damit wird jedoch auf überzeugende Weise ein Beleg für die politische Dimension von Heines Krankheit geliefert. Im *Romanzero* ist das Gedicht ja in den Zyklus der *Lamentationen*, der vorgeblich privaten Klagen, eingereiht, und darin wiederum als Nr. XVI in den Unter-Zyklus *Lazarus*. Eingebettet zwischen zwei Gedichte privaten Charakters (*An die Engel*; *Böses Geträume*), aber symmetrisch korrespondierend mit der schonungslosen Offenlegung der Probleme des Schriftstellers in *Lumpentum* (Nr. V), dokumentiert es die dialektische Einheit von privater und Zeit-Krankheit, von »Matratzengruft« und Leiden an der Menschheit. Damit greift es auf das Schlußgedicht des *Lazarus*-Zyklus voraus (*Enfant perdu*), wo Heine von seiner frühzeitig erworbenen Gewißheit spricht, aus dem »Freiheitskriege« niemals gesund »nach Haus« kommen zu können (VI,1,120). Während Herwegh »so viel Verstand« hatte, aus der Schlacht davonzulaufen, sieht sich Heine als den Dichter, der zwar weiß, daß Schweigen »klüger« wäre, der aber dennoch sein »versifizirtes Lebensblut« (s. oben) gibt, weil er die verzweifelte Hoffnung der Menschheit auf »Lebensglück« (V,191) nicht aufgeben kann. Da ihm selbst ein rascher Heldentod nach der Art Petöfis versagt bleiben muß, hat er die Rolle eines ausgestoßenen, »lebendig toten« Lazarus (VI,1,500) exemplarisch auf sich zu nehmen, gegen die scheinlebendigen ›Leichname‹ von der Art der Sontag und Liszts, gerade weil in der beispielhaft formulierten Erfahrung des Leidens als politischer Krankheit die einzige Möglichkeit auf »moralische Heilung« besteht (V,190 f.).

Zitierte Literatur: Bernard Gavoty: Liszt. Le virtuose 1811–1848. Paris 1980. – Heinrich Heine: Sämtliche Schriften. [Siehe Textquelle. Zit. mit Band- und Seitenzahl.] – Heinrich Heine: Werke, Briefe, Lebenszeugnisse. Säkularausgabe. Berlin [Ost] / Paris 1970 ff. [Zit. als: *Werke*.] – Michael Werner: Noch einmal: Heines »Wanderratten«. Interpretation einer Handschrift. In: Edition und Interpretation. Hrsg. von Louis Hay und Winfried Woesler. Bern 1981. S. 286–301.

Weitere Literatur: Hans-Peter Bayerdörfer: »Politische Ballade«. Zu den »Historien« in Heines »Romanzero«. In: Deutsche Vierteljahrsschrift 46 (1972) S. 435–468. – Walter Grab: Heinrich Heine als politischer Dichter.

Heidelberg 1982. S. 120–126. [Nach Abschluß meines Manuskripts erschienen. M. W.] – Jean-Pierre LEFEBVRE: Die Stellung der Geschichte im Syllogismus des »Romanzero«. In: Heinrich Heine und seine Zeitgenossen. Berlin [Ost] 1979. S. 142–162. – Wolfgang PREISENDANZ: Heinrich Heine. Werkstrukturen und Epochenbezüge. München 1973. S. 99–130 (Die Gedichte aus der Matratzengruft). – Michael WERNER: Heine und die französische Revolution von 1848. In: Der späte Heine (1848–1856). Acta des Internationalen Heine-Kolloquiums Düsseldorf 1981. Hrsg. von Wilhelm Gössmann und Joseph A. Kruse. Hamburg 1982. S. 113–132.

Joseph Victor Scheffel

Wanderlied

Wohlauf, die Luft geht frisch und rein,
Wer lange sitzt, muß rosten;
Den allersonnigsten Sonnenschein
Läßt uns der Himmel kosten.
5 Jetzt reicht mir Stab und Ordenskleid
Der fahrenden Scholaren,
Ich will zu guter Sommerzeit
In's Land der Franken fahren!

Der Wald steht grün, die Jagd geht gut,
10 Schwer ist das Korn geraten!
Sie können auf des Maines Flut
Die Schiffe kaum verladen.
Bald hebt sich auch das Herbsten an,
Die Kelter harrt des Weines;
15 Der Winzer Schutzherr Kilian
Beschert uns etwas Feines.

Wallfahrer ziehen durch das Tal
Mit fliegenden Standarten,
Hell grüßt ihr doppelter Choral
20 Den weiten Gottesgarten.
Wie gerne wär' ich mitgewallt,
Ihr Pfarr' wollt mich nicht haben!
So muß ich seitwärts durch den Wald
Als räudig Schäflein traben.

25 Zum heiligen Veit von Staffelstein
Komm ich emporgestiegen
Und seh' die Lande um den Main
Zu meinen Füßen liegen:

Von Bamberg bis zum Grabfeldgau
Umrahmen Berg und Hügel
Die breite, stromdurchglänzte Au –
Ich wollt', mir wüchsen Flügel.

Einsiedelmann ist nicht zu Haus,
Dieweil es Zeit zu mähen;
Ich seh' ihn an der Halde draus
Bei einer Schnittrin stehen.
Verfahrner Schüler Stoßgebet
Heißt: Herr, gib uns zu trinken!
Doch wer bei schöner Schnittrin steht,
Dem mag man lange winken.

Einsiedel, das war mißgetan,
Daß du dich hubst von hinnen!
Es liegt, ich seh's dem Keller an,
Ein guter Jahrgang drinnen.
Hoiho! die Pforten brech' ich ein
Und trinke, was ich finde...
Du heiliger Veit von Staffelstein,
Verzeih' mir Durst und Sünde!

Abdruck nach: Joseph Victor von Scheffels Gesammelte Werke in sechs Bänden. Mit einer biographischen Einl. von Johannes Proelß. Stuttgart: Bonz & Co., o. J. Bd. 6. S. 193 f.
Erstdruck: Joseph Victor Scheffel: Gaudeamus. Lieder aus dem Engeren und Weiteren. Stuttgart: Metzler, 1868.
Weitere wichtige Drucke: Joseph Victor Scheffel: Gaudeamus! Lieder aus dem Engeren und Weiteren. Mit 60 Holzschnitt-Illustrationen und einem Titelblatt in Farbendruck von Anton von Werner. Stuttgart: Metzler, 1869. [Außerdem in zahlreichen Lieder- und Kommersbüchern.]

Georg Bollenbeck

Ausfahrt und Landschaftserlebnis im Unterhaltungsdienst. Zu Joseph Victor Scheffels *Wanderlied*

Wie bei kaum einem anderen Autor des 19. Jahrhunderts sind bei Scheffel Leben und Werk von einem regressiven Rückzug in gesellschaftliche Randbezirke wie Studentenherrlichkeit oder Naturerlebnis und historische Fluchträume, man denke an die Mittelalterbegeisterung, bestimmt. Bezeichnend dafür *Frau Aventiure. Lieder aus Heinrich von Ofterdingens Zeit.* Mit »Frau Aventiure« allegorisiert Scheffel in schwärmender Sehnsucht nach harmonischen Zeiten ein kraftvolles Leben mit Minnelust und Kunstgenuß. Diese anziehende Dame hat im industrialisierten Deutschland keinen Platz mehr, denn, so heißt es im Vorwort, »Seitdem der Geschütze Knall, der Maschinen Hammerschlag und des Dampfwagens Pfiff die Lüfte durchschüttert, ist der hehren Frau Getöse verstummt; auf städtischem Asphaltpflaster und in Eisenbahnhöfen wird sie nicht gesehen«. Aus der öden Gegenwart flüchtet Scheffel in die idealisierte Welt der Minnesänger, und seine Lyrik bietet ein kulturgeschichtliches Antiquariat mit Sängern, Rittern, Mönchen und fahrenden Schülern. Der Autor will dem Leser, ohne zu beunruhigen, zur feierabendlichen Flucht aus dem Alltag verhelfen: »So du freudigen Sinn hast für altertümliche Weisen, so laß dich umsummen von ihrem Getön und versetze dich ein Stündlein oder zweie in luftige Träume im Rundbogenstil.«

Zu solchen Träumen lädt auch das *Wanderlied* ein, Resultat einer Wanderung, die der Student Scheffel mit Freunden durch das Frankenland unternimmt. Erfahrenes Leben ist hier allerdings nicht unmittelbar und spontan in lyrische Produktion umgesetzt. Prägend wirken auch biedermeierliche Wander- und Reiselieder, die sich gelegentlich ironisch und fast immer munter und leicht geben. Insofern ist das *Wanderlied* auch Resultat dieser binnenliterarischen Tradition, denn daß der Wanderer als Scholar auftritt, ist nicht unüblich. In der Nachfolge der Romantik erscheint in scheinbar schlechten Zeiten ein idealisiertes Mittelalter, in dem wir Elfenreigen und Rübezahl, stolze Ritter und wilde Scholaren finden. Biedermeierlicher Zeitverzicht orientiert sich an spätromantischer Mittelalterfassade, begeistert sich für Sage, Märchen und Minnesang, der als subjektive Erlebnislyrik mißverstanden wird. In fehlerfreiem Mittelhochdeutsch fügt Wilhelm Wackernagel seinem Lyrikband *Gedichte eines fahrenden Schülers* (1828) zwölf Minnelieder bei. Vorbild bei der Titelbenennung dürfte Brentanos Erzählung *Aus der Chronika eines fahrenden Schülers* (1818) gewesen sein. *Lieder eines fahrenden Schülers* (1853) nennt Berthold Sigismund seine Gedichtsammlung. Und Victor Scheffel publiziert seinen ersten Zyklus unter dem Titel *Lieder eines fahrenden Schülers* 1847/48 in den *Fliegenden Blättern.*

Wie bei anderen zeitgenössischen Gedichten, so ist auch bei ihm Wandern nicht mehr Ausdruck einer romantischen Sehnsucht nach dem Unendlichen oder Existenzform, die ›ewigen Sonntag‹ und Muße garantiert. Im Gegensatz zu Eichendorff, bei dem der Wanderer als komplexes Symbol in stimmungshaft unbestimmter Landschaft auftritt, erfährt dieser in der Lyrik des Biedermeier markante Veränderungen. Der Raum ist nicht mehr konturlos-allgemein, und der Wanderer zieht jetzt nicht mehr sehnsüchtig umher, ist nicht mehr gefährdeter Lebenswanderer. Zwar zieht er noch aus, aber er findet jetzt oft beim Liebchen in einer lokalisierbaren, detailgetreuen Naturlandschaft mit gelegentlicher historizistischer Mittelalterkulisse oder im geselligen, trinkfreudigen Kreis harmonische Heimat. Aber mit der konkreten kulissenhaften Benennung von Landschaft verliert die Wandererfigur das Attribut existenzieller Unruhe und Gefährdung; sie gewinnt damit ohne bedrohliche Gefühlsregungen stilles Glück im heimatlichen Bezirk.

Im Biedermeier hat die »Lyrik jetzt nicht mehr die Tendenz, mit der Seele in den Raum hinauszugreifen, um sich mit einer numinosen und weltweiten Gottheit zu verschmelzen« (Jost Hermand). Sie bezieht sich meist auf enge lokale Bereiche und kann von dort aus in fremde Länder, in den Orient oder nach Italien schweifen. Bezeichnend für diese Verengung schon die Titel einiger Gedichte. Dunkle Moore und Tannenwälder erlebt man »Auf einer Wanderung im Norden« (Adolf Bube). Julius Rodenberg schildert einen »Herbst auf Helgoland«. »Meeresträume« werden in dem Gedicht von R. Fuchs genau lokalisiert, nämlich in Arcona, dem nordöstlichen Vorgebirge der Insel Rügen. Friedrich Kuglers »Rudelsburg« liegt »an der Saale hellem Strande«, wo in der Nachfolge der Ritter nun dem Wanderer »manch rother Mund« lacht und »holde Augen« freundlich winken. Und Otto Ludwig bietet ein »Hüttchen im Odenwald« Schutz. Innerhalb der Biedermeier-Lyrik dienen Natur und Landschaft so meist als harmonische Randbezirke, die dem Wunsch nach Abgeschiedenheit und Entsagung entgegenkommen. Mit Naturerleben und Wanderseligkeit aber ohne komplexe Symbolfunktion bekommt Wanderlyrik einen eskapistisch-antizivilisatorischen Drall, der ihre Popularität beim »ungleichzeitigen« deutschen Bürger bis weit ins 20. Jahrhundert hinein erklärt.

Dies gilt in mehrfacher Hinsicht auch für Scheffels *Wanderlied*. Franken dient als eng umgrenzter Raum, als Landschaft, die seit der Frankenfahrt von Tieck und Wackenroder als besonders deutsch und »mittelalterlich« gilt. Das Gedicht beginnt mit einer Aufforderung, die den Rezipienten sofort in seinen Stimmungsbereich miteinbezieht. Ausfahrt und Landschaftserlebnis sind hier implizit dem bürgerlichen Erwerbsleben gegenübergestellt. Wer sitzt, der rostet – Seßhaftigkeit und regelmäßiger Erwerb sind damit als Lebensverlust verhalten angedeutet. Wer aber bei dem »allersonnigsten Sonnenschein« in das historische Scholaren-Kostüm schlüpft, dem winken heitere und beglückende

Eindrücke. Bezeichnend dafür, daß in der zweiten Strophe das lyrische Ich fehlt und zunächst eine stimmungsaufladende Schilderung von Landschaft und Jahreszeit erfolgt. Zwar gilt in der folgenden Strophe der Scholar als Außenseiter – er darf ja an der Prozession nicht teilnehmen –, doch entsteht daraus keine Spannung, sondern ein humorvoll-versöhnliches Bild: Er trabt als räudiges Schäflein durch den Wald. Die vierte Strophe verstärkt mit dem Blick von oben ins prächtige Land und dem Wunsch zu fliegen das Wanderglück. Die angedeutete Entgrenzung bleibt jedoch ohne Folgen, weil in den nächsten Strophen, ganz konventionell, das Wanderer-Motiv mit dem Trink- und Einkehr-Motiv verbunden wird. Wanderglück und Heimatharmonie, Natur- und Trink-Erlebnis verleihen dem Gedicht eine Daseinslust, die offenbar nur noch der wandernde Scholar, aber nicht der seßhafte Spießer erfahren kann. Die Strophen wirken mit ihren zusammengesetzten volksliedhaften Vierzeilern, ihren vier- bzw. dreihebigen Jamben mit einem männlich bzw. weiblich endenden Kreuzreim liedhaft, voller Bewegung und Klang. Hier wandert jemand durch eine festliche Sonntagswelt, die lokalisiert und zugleich stilisiert ist. Landschaft und Wanderer erscheinen seltsam zeitlos. Sie wirken »sozial entnannt« und passen so zu einer beruhigenden »Beschwichtigungspoesie«. Zwar weisen die Scholaren ins Mittelalter, etwa auf die *Carmina Burana*, zurück, doch bleibt offen, wer wann ins Ordenskleid schlüpft. Dieser Zeitlosigkeit entspricht ein Landschaftsbild, das, trotz der konkreten örtlichen Benennung, von vorindustriellen Attributen gekennzeichnet ist. Ziel der beglückenden Wanderung ist eine agrarische Welt mit Burgen und Einsiedeleien, mit Jagd, Ernte und Weinlese; »Wohlauf! noch getrunken den funkelnden Wein« (*Wanderlied* von Justinus Kerner), »Wohlauf in Gottes schöne Welt« (Julius Rodenberg) oder »Gar fröhlich tret' ich in die Welt, grüß' den lichten Tag« (Theodor Körner), – wer sich mit der Wander- und Reiselyrik der Romantik und des Biedermeier beschäftigt, der fin-

det das lyrische Idiom, aus dem unser Gedicht zusammengesetzt ist. Zugleich wirkt das *Wanderlied* aber markant über seine Entstehungszeit hinaus. Ähnlich wie etwa Emanuel Geibels *Wanderschaft* (»Der Mai ist gekommen«) gerät auch Scheffels Gedicht zu einem ›Volkslied‹ oder, präziser ausgedrückt, zu einem populären Text, den fortan Verbindungsstudenten und Wanderer kennen und singen. Die sinnenfrohe Weltlichkeit im unproblematischen Randbezirk und der volksliedhafte Ton passen in jenen bereits angedeuteten typisch deutschen antizivilisatorischen Erwartungshorizont. Hinzu kommen eine präzise Bildhaftigkeit und ein salopper Ton, durch die es sich von vergleichbaren zeitgenössischen Gedichten abhebt. Dies unterstreicht auch die Komik der letzten beiden Strophen. Ein Einsiedelmann, der seine Klausur verläßt und sich zur Schnitterin begibt, muß für seine Verfehlung büßen.
Schon bald wird das Wanderlied durch eine unterlegte Volksweise vertont, schon bald gehört es zur Studenten- und Wanderergeselligkeit. Scheffel nimmt das Gedicht 1868 in seine Sammlung *Gaudeamus* auf, und diese findet, so der Biograph Johannes Proelß, »ein tausendfaches Echo im Vaterlande. Der hier in mannigfachster Beleuchtung schillernde und funkelnde Humor war so echt deutsch, der weite Kreis der Zecher, die im Herzen jung geblieben, nahm die Gabe so dankbar auf, daß binnen Jahresfrist vier Auflagen des Buchs vergriffen waren und jedes folgende Jahr von ihm neue nötig wurden«. In der *Widmung* zu *Gaudeamus* weist der Autor selbst auf einen möglichen Verwertungszusammenhang seiner Gedichte hin. So lautet die letzte Strophe:

Nun schau ich aus solidem Schwabenalter
Auf dieser Lyrik jugendtollen Schwung
Und reiche lächelnd meinen Liederpsalter
Den Zechern allen, die im Herzen jung.
Wer Spaß versteht, wird manchmal kräftigst lachen,
Und wen manch Lied schier allzudurstig däucht,
Der tröste sich: ’s war anders nicht zu machen,
Der Genius Loci Heidelbergs ist feucht!

Bei Scheffel sind die Scholaren Bestandteil einer ebenso kulturgeschichtlich-gelehrten wie humorvoll distanzierten Rollenlyrik, die spielerisch unterhalten will. So erscheint in *Gaudeamus* das *Wanderlied* unter der Rubrik *Kulturgeschichtlich* in einer chronologischen Reihe, die mit dem *Pfahlmann* beginnt und über *Altassyrisch, Hesiod, Übung im Neugriechischen,* über andere Stationen wie *Die Teuteburger Schlacht* bis ins Mittelalter zu den Scholaren reicht. In Anthologien, insbesondere den Kommersbüchern, geht dieser Kontext verloren. Wanderschaft kann so »wörtlich« genommen werden. Das lyrische Produkt und seine Rezeption – man denke an die chauvinistische Verwertung von *Die Teuteburger Schlacht* (»Als die Römer frech geworden«) – sind so auch vom medialen Ort bestimmt. Die Einheit von literarischem Produkt und Rezeption kann nur als Wechselverhältnis verstanden werden. Insofern realisieren Rezipienten die Bedeutung eines Textes, indem sie zugleich eine neue schaffen. So erfährt das Wandergedicht in seiner Wirkungsgeschichte Verschiebungen. Scheffels häufig vertonte Gedichte werden »zu Lieblingen der am Klavier singenden Jugend« (Proelß). Eine 1869 erschienene Prachtausgabe mit Illustrationen des befreundeten Historienmalers Anton von Werner paßt mit ihrem Repräsentationscharakter auch in den bürgerlichen Salon. Gesungen wird das Gedicht neben zahlreichen anderen von Scheffels Produkten wie etwa *Alt Heidelberg du feine* besonders in der studentischen Jugend. Neben der Damenwelt (vgl. dazu den Beitrag zu Wilhelm Jordans Gedicht *Die welke Rose*), die eher Elegisches und Häusliches bevorzugt, zählen Studenten und Wanderer zu den Rezipienten einer trivialisierten Popularlyrik. So überrascht es nicht, daß unser Gedicht ohne die kulturgeschichtliche, spielerische Distanz zu einem Klassiker der verschiedenen »Commersbücher« wird. Unter dem Titel *Lied fahrender Schüler* findet es 1883 Aufnahme in die Jubiläumsausgabe des *Allgemeinen Deutschen Commersbuchs* von 1858. Unter der Nummer 114 erscheint es in Reclams *Kleines Kommersbuch. Liederbuch fahrender Schüler* (Leipzig o. J.

[1889]). – Hinzu kommt nach der Jahrhundertwende als neuer Rezipientenkreis eine bürgerliche Jugendbewegung, die »aus grauer Städte Mauern« zieht und dabei neue (Hermann Löns, Hjalmar Kutzleb) oder alte Wanderlieder (Eichendorff, Scheffel) singt. In *Der Wanderer zwischen beiden Welten* (1918), einem kriegsverherrlichenden Bestseller zwischen beiden Weltkriegen, schildert Walter Flex einen Kameraden, der sich mit Scheffel auf den Lippen für das Vaterland einzusetzen glaubt. Zum kriegsbegeisterten Wandervogel paßt offenbar auch das *Wanderlied*: »Ein paar Stunden später stieg unser kleiner Trupp die mit Strömen von Heldenblut getränkten Höhen der Côtes Lorraines von Hâtonchatel nach Vigneulles hinab. Der steile Abstieg und die von Tau und Sonne sprühend frische Luft rückte einem, ohne daß man's recht wußte, den Kopf in den Nacken, und bald flatterte ein Lied wie eine helle frohe Fahne über dem grauen Häuflein. ›Wohlauf, die Luft geht frisch und rein! [...‹] Wie lange hatte man das nicht gesungen! Wer hatte es angestimmt? [...] Wer so singt, mit dem wird gut plaudern sein, dachte ich, während es unbekümmert froh die frischerwachte Wanderlust im Liede ausschwingen ließ.« – Auch heute ist das *Wanderlied* noch bekannt. Unter dem Titel *Wohlan, die Luft geht frisch und rein* ist es mit Notenangaben im *Wander-Lieder*-Büchlein (1966) zu finden. Allerdings: mit der Niederschlagung des deutschen Faschismus büßt es entscheidend an Wirkungsmacht ein. Romantisierende und neuromantische Wanderermotive geraten nun als Aktivposten einer völkisch-nationalen Literatur – man denke an Autoren wie Heinrich Anacker, Hanns Johst oder Will Vesper – in Mißkredit.

Wir haben den Text als trivial gekennzeichnet, und dies bedarf einer Begründung. Setzt hier nicht wiederum unreflektiert jene »Filterfunktion der Orthodoxie« (Helmut Kreuzer) ein, steht dahinter nicht das Konzept einer Literaturgeschichte als »Geschichte der Generale« (Jurij Tynjanow)? Aber: auch wer vorschnelle ästhetische Verdikte vermeidet, arbeitet als Wertender immer, ob nun bewußt oder unbewußt, mit Qualifikationen, bezieht das zu bewertende literarische Objekt auf ein Bezugssystem, das vermittelt über den gesellschaftlichen Prozeß vom Klassenstandpunkt wie von der literarischen Kultur des wertenden Subjekts abhängt. Aus dieser dialektischen Bedeutungsrelation, die das hermeneutische Wechselverhältnis von historischem Gegenstand und zeitgenössischem Standpunkt reflektiert, läßt sich ein Trivialisierungsprozeß in der Lyrik des 19. Jahrhunderts mit gerechtfertigten Qualifikationen beschreiben. Die häufig kennzeichnende stereotype Themen-, Bild- und Wortwahl reicht als Beleg für mögliche Trivialisierungstendenzen zunächst nicht aus, haben doch Ernst Robert Curtius und Karl Otto Conrady überzeugend gezeigt, daß ein festes Reservoir vorgegebener Gehalte und Formen literarische Qualität keineswegs einschränken muß. Die hier behandelte Lyrik ist durch eine formale Abnutzung und inhaltliche Bedeutungsminderung gekennzeichnet, die sich binnenliterarisch nicht erklären lassen. Denn mit der endgültigen Herausbildung einer modernen bürgerlichen Klassengesellschaft im 19. Jahrhundert setzt ein neuartiger dynamischer soziokultureller Wandel ein, dem sich die vorherrschende Lyrik durch die Flucht in Randbezirke verschließt. Die spezifische Verschmelzung von Form und Inhalt im literarischen Kunstwerk, das der Realität im Hinblick auf das außerkünstlerische Material (Wirklichkeit, sozialpsychologische Disposition, Stoffe) wie auch auf das künstlerische Material (literarische Sprache und Organisationsformen) verpflichtet bleibt, äußert sich bei der Wandererlyrik – befördert durch außerliterarische, gesellschaftliche Wandlungen – in einer Abnutzung formaler Elemente (Volksliedton, romantische Sprache), die auch inhaltlich wirkt, aber auch in einer Abnutzung inhaltlicher Elemente (Entsymbolisierung der Wandererfigur, Lokalisierung und soziale Entnennung des Raums), die auch formal wirkt. Weil diese Lyrik den breiter werdenden Graben zwischen lyrischer Innenwelt und prosaischer Außenwelt mit Blick aufs Idyllische übersehen will und Wandern als mußevolle

Tätigkeit vorstellt, kommt sie einem regressiven Erwartungshorizont entgegen, für den Literatur zu beschönigen und zu unterhalten hat. Diese Lyrik hat Erfolg, weil sie nur unterhält und Beunruhigendes ausklammert. Nicht ohne Grund ist sie mit ihren stereotypen Themen und Motiven Teil einer Gebrauchsliteratur, die über Kommersbücher und Anthologien in den Alltag eindringt, ihn aber nicht kathartisch durchdringt. Mit der Dominanz der Unterhaltung verliert Literatur ihren polyfunktionalen Charakter, ihre Möglichkeit auch aufklärerisch-bildend zu wirken. Das *Wanderlied* von Scheffel oder etwa *Die welke Rose* von Jordan vermitteln Stimmungen ohne Daseinserfahrungen. Ihre Rezeption unterhält und bleibt zugleich folgenlos.

Zitierte Literatur: Georg BOLLENBECK: »Mich lockt der Wald mit grünen Zweigen aus dumpfer Stadt und trüber Luft«. Zu Trivialisierungstendenzen des Wanderermotivs in der Lyrik des 19. Jahrhunderts. In: Sprachkunst 9 (1978) S. 241–271. – Walter FLEX: Der Wanderer zwischen beiden Welten. München 1918. – Jost HERMAND: Die literarische Formenwelt des Biedermeiers. Gießen 1958. – Joseph Victor von SCHEFFEL: Gesammelte Werke. [Siehe Textquelle.]

Weitere Literatur: Briefwechsel zwischen Joseph Victor von Scheffel und Paul Heyse. Hrsg. von Conrad Höfer. Karlsruhe 1922. – Wolfgang EMMERICH: Zur Kritik der Volkstumsideologie. Frankfurt a. M. 1971. – Emil ERMATINGER: Die deutsche Lyrik. Bd. 2. Berlin/Leipzig 1921. – Manfred LECHNER: Joseph Victor von Scheffel. Eine Analyse seines Werkes und seines Publikums. München 1962. – Richard HAMANN / Jost HERMAND: Epochen deutscher Kultur von 1870 bis zur Gegenwart. Bd. 1: Gründerzeit. München 1971. – Wolf LEPENIES: Melancholie und Gesellschaft. Frankfurt a. M. 1972. – Günther MAHAL (Hrsg.): Lyrik der Gründerzeit. Tübingen 1973. – Wolfgang SCHIVELBUSCH: Geschichte der Eisenbahnreise. Zur Industrialisierung von Raum und Zeit im 19. Jahrhundert. Hamburg 1979.

Friedrich Bodenstedt

Mein Lehrer ist *Hafis*, mein Bethaus ist die Schenke,
Ich liebe gute Menschen und stärkende Getränke,
Drum bin ich wohlgelitten in den Kreisen
Der Zecher, und sie nennen mich den Weisen.
5 Komm' ich – da kommt der Weise! sagen sie;
Geh' ich – schon geht der Weise! klagen sie;
Fehl' ich – wo steckt der Weise? fragen sie;
Bleib' ich – in lust'ger Weise schlagen sie
Laut Glas an Glas. Drum bitt' ich Gott den Herrn,
10 Daß er stets Herz und Fuß die rechten Pfade lenke,
Weitab von der Moschee und allen Bonzen fern
Mein Herz zur Liebe führe und meinen Fuß zur Schenke;
Daß ich dem Wahn der Menschen und ihrer Dummheit
ferne
Das Räthsel meines Daseins im Becher Weins ergründe,
15 Am Wuchse der Geliebten das All umfassen lerne,
An *ihrer* Augen Glut zur Andacht mich entzünde.
O, wonniges Empfinden! o, Andacht ohne Namen!
Wenn Kolchis' Feuerwein mir Mark und Blut
durchdrungen,
Ich die Geliebte halte und sie hält mich umschlungen,
20 Beseligt und beseligend – so möcht' ich sterben! Amen.

Abdruck nach: Die Lieder des Mirza-Schaffy, mit einem Prolog von Friedrich Bodenstedt. Berlin: Decker, 1851. S. 38.
Erstdruck: Friedrich Bodenstedt: Tausend und Ein Tag im Orient. Berlin: Decker, 1850. [Unter dem Titel: Das Glaubensbekenntniß des Mirza-Schaffy.]
Weiterer wichtiger Druck: Die Lieder des Mirza Schaffy [...]. Jubelausgabe. Mit [...] Illustrationen von Giovanni Abonnelli und Adalbert Müller. Berlin: Decker, 1875. [Nach Z. 2 *Getränke* folgt statt Komma ein Semikolon. – Zu den meisten Abteilungen tritt ein Motto von einem der Entdecker des poetischen Orients: Herder, Goethe, Platen, Daumer, oder hier, vor den »Liedern zum Lobe des Weines und irdischer Glückseligkeit«, von Rückert.]

Walter Schmitz

Dichtung als Religionsersatz. Zu Friedrich Bodenstedts Gedicht *Mein Lehrer ist* Hafis, *mein Bethaus ist die Schenke*

Die angesehene *Zeitschrift der Deutschen Morgenländischen Gesellschaft* widmet im Jahrgang 1870 einem Manne, dessen Lebenslauf recht durchschnittlich, ja geradezu unbedeutend anmutet, einen eigenen biographischen Beitrag aus der Feder von Adolf Bergé, russischer Staatsrat in der georgischen Hauptstadt Tiflis. Berichtet wird vom jüngeren Sohn eines verarmten ehemaligen Günstlings eines entmachteten Fürsten: Nach wenig erfolgreichen Studien an der Hohen Schule zu Gandshä, lehrreichem Umgang mit einem toleranten Gönner »von seltener Bildung« (S. 427), hatte der schriftkundige junge Mann (ein Mirsa also) für kurze Zeit der Tochter des vorerwähnten Chans gedient, sich nach deren Vertreibung als Kopist religiöser Werke einigermaßen ernährt und war schließlich vom Lehrer an der Tifliser Kreisschule (1840) bis zum »Unterlehrer der orientalischen Sprachen am Tifliser adeligen Gymnasium« (1850) aufgestiegen; 1852 war Mirsa Schaffy im Alter von etwa sechzig Jahren gestorben. Sein dichterischer Nachlaß bestand aus einem Distichon, einer Ghasele und einem aus dem Russischen übersetzten Lied, kaum mittelmäßigen Arbeiten. – Zwei Jahre später wußte »Se. Maj.« Maximilian II. von Bayern des tartarischen Poeten Gedichte »fast sämmtlich auswendig« (Schenck, S. 53); am 5. November 1887 wurde die »Pohl-Millöcker'sche Operette« *Die Lieder des Mirza-Schaffy* im Friedrich-Wilhelmstädtischen Theater zu Berlin »unter großem Beifall« uraufgeführt (S. 217); der Gastwirt ›Zur Rose‹ in Wiesbaden aber hatte schon 1872 »einen Pudding à la Mirza Schaffy componirt, [...] der großes Glück macht«. In den Hotels standen damals »Mirza

Schaffy-Sprüche an den Wänden« (S. 177). Die Wirkung einer Mystifikation gab der Wirklichkeit unrecht.
Friedrich Bodenstedt hatte, während eines längeren Aufenthaltes im Osten, fast zwei Jahre (1843–45) als Gymnasiallehrer in Tiflis verbracht, dort Sprachunterricht genommen und sich durch seinen Lehrer Mirza-Schaffy in die Mystik des Islam, den Sufismus, einführen lassen. In dem »ethnographisch-historischen Reiseroman« (Sundermeyer, S. 58) *Tausend und Ein Tag im Orient* wird Mirza-Schaffy, der »Weise von Gandshä«, zur Hauptperson des ersten Bandes; die darin eingestreuten Lieder, die erst 1851 als *Die Lieder des Mirza-Schaffy* auf Wunsch des Verlagsprokuristen Schultze gesondert veröffentlicht werden, sollen einer Handschrift Mirza-Schaffys entstammen, und als Übersetzer dieses schöngeschriebenen Heftes präsentiert sich dem Publikum Friedrich Bodenstedt. Die halb spielerische Verfasserfiktion hat Tradition in der westöstlichen Dichtung seit Goethes Maskeraden, und auch Bodenstedts unmittelbarer Vorläufer Daumer gab seine Ghaselen als Hafisische Originale aus. Aber es gelang erst Bodenstedt, den fiktiven Autor als den »Gattungstypus eines morgenländischen Gelehrten und Dichters erscheinen zu lassen« (Koenig), ein Erfolg, den weder seine vorsichtige Korrektur aufgrund von Zweifeln des Orientalisten Fallmerayer (in der *Augsburger Allgemeinen Zeitung* 1854), noch ein späterer Artikel im Familienblatt *Daheim*, der jene Fälschung offen bekennt, rückgängig machen konnten. Solcher Gattungstypus hat noch jüngst die aserbeidschanische Literaturwissenschaft überzeugt, und sie hat ihren Klassiker Mirza Schaffy vom Plagiator Bodenstedt reklamiert. Freilich war schon früher (vgl. Paul Heyses *Lebenserinnerungen*) die Originalität jener Verse kritisch wider die sonstigen poetischen Hervorbringungen Bodenstedts gewendet worden, während eine jüngere Generation weder diesen noch jenen etwas abgewinnen mochte, Arno Holzens *Buch der Zeit* herzlos von »Mirzas Reimklangklingelei« sprach (S. 118) und Friedrich Gundolf 1916 in seiner Goethe-Monographie urteilte: »die zahllosen orientalischen

Stoff- und Formmaskeraden der Epigonen sind weder östlich noch westlich, sondern international-bürgerlich, und zumal die einzig populäre davon, Bodenstedts Mirza Schaffi, bleibt ein beschämendes Zeichen wie flach Goethe mißverstanden, wie läppisch der Osten mißbraucht, und wie öd der Westen entseelt werden konnte« (S. 686). Nicht so sehr die Lieder des Mirza Schaffy bedürfen seitdem einer Erklärung, als vielmehr die Gründe ihres Erfolges.

Etwas vorschnell begnügt sich die Forschung mit jenem Fluchttopos, der – seit Boccaccio in der neueren Literatur, seit dem *West-östlichen Divan* (vgl. Beutler, S. 316 ff.) in der orientalisierenden Dichtung heimisch – Bodenstedts mehrfach ausgestaltete Entstehungsgeschichte seines Welterfolges bestimmt; er entführt »den Leser einen Augenblick nach Wien zurück in den Kriegslärm der letzten Oktobertage des Jahres 1848« (*1001 Tag*, S. IX), in einen geselligen Zirkel »in dem gastlichen Hause Landesmann« (*Erinnerungen*, S. 318), wo Berthold Auerbach nach »Abenteuern aus dem Morgenlande« verlangt: »das wird uns in eine neue Welt versetzen und den Unmuth der Gegenwarth verscheuchen« (*1001 Tag*, S. XIII); »Und nur was Freude bieten mag / soll auferstehen im Gesang« (S. XXII). So hätten die »Lieder« im nachrevolutionär enttäuschten Bürgertum geradezu eine sozialtherapeutische Aufgabe erfüllt mit ihrer Absage an den trügerischen Ruhm, den man in der Welt der Schlachten und idealistischer Politik erringt, mit ihrem vorsichtigen Nationalgefühl und dem entschiedenen Lob des schlichten Alltags: »es heischt / Mehr Muth das Leben als der Tod« (S. XVIII).

Solche einprägsame Weisheit wird den literaturkritischen Erfolg gesichert haben, der vorerst, laut dem Bericht Bodenstedts vom 2. 6. 1872 an Hermann Costenoble, den Publikumserfolg durchaus übertraf: »So wurden z. B. von Mirza Schaffy in den *ersten zwei* Jahren zusammen keine 500 Exemplare verkauft, während in den *letzten zwei* Jahren 18 000 Exemplare abgesetzt wurden« (McClain, S. 893). Obschon wir uns angewöhnt haben, Bodenstedt zu einer

»idealistischen«, im »Münchner Dichterkreis« formierten Bewegung zu rechnen, kam der Beifall aus den »realistischen« Zirkeln, von Rudolf Gottschall (*Blätter für literarische Unterhaltung* 1852), Robert Prutz (*Deutsches Museum* 1854), Gustav Freytag (*Die Grenzboten* 1853) und Theodor Fontane, der zugestand, »es gehe verhältnismäßig ein Naturlaut durch diese Sachen« (S. 257). Bodenstedt hatte eben, anders als Platen und Goethe, die poetische Wallfahrt in den Orient wirklich unternommen, und die ethnographische Maske seiner Rollenlyrik gefiel dem wissenschaftlichen Geist der Zeit; der Verzicht auf »abendländische Philosophie« gar, »wie sie damals noch in Hegelschen Phrasen die wunderlichsten Blasen trieb« (*Erinnerungen*, S. 319), der Wunsch, solche Lieder möchten in diesen »stürmischen Tagen [...] das Auge klar und den Geist frisch [...] erhalten«, mußte sie einer Schule empfehlen, die, »des Spekulierens müde« (S. 236), den »gesunden Menschenverstand« (S. 238) bevorzugte, auch das »Leben je frischer je besser« (S. 242) liebte und sich vom krassen Materialismus deshalb abgrenzte; Bodenstedts Diktion kommt der Verklärungsdoktrin des Realismus weit entgegen, wenn er von der Kunst »Befreiung von den beengenden Verhältnissen des täglichen Lebens, Erlösung von der gemeinen Wirklichkeit« erwartet (IV, S. XXX). Übrigens teilt der Realismus mit seinen Gegnern den historistischen Ansatz. Der Historismus zitiert die Geschichte; über alle historischen Kunstformen verfügt er, um aus ihnen die lebendigen Urformen zu destillieren; doch glaubte die realistische Schule, die Literatur der Goethezeit habe dies Ziel bereits erreicht, und deshalb binden die Realisten sich historistisch an das ›naive‹ Lebens-Ideal der deutschen Klassik. Obgleich ihnen die immer tiefer in die Zeit und immer weiter in den Raum schweifende Exotik mißfiel, mußten sie die ›realistische‹ Genauigkeit im Detail doch ebenso anerkennen, wie sie den Glauben teilten, daß die ungeschichtliche Natur des Menschen gerade im Kontrast der wechselnden Kostüme sichtbar werden müsse. So steigerte das Mirza-Schaffy-Kostüm, perfekt veranschau-

licht in den Illustrationen der Prachtausgabe, sogar die ursprüngliche Naivität der »Lieder«. Für Bodenstedt aber führte vom ›realistischen‹ Lyriker zur Intendantur der ›historistischen‹ Meininger Hofbühne ein gerader Weg, auf dem ihn die Berufung in den ›idealistischen‹ Münchner Dichterkreis nur voranbrachte. Denn trotz allen kulturgeschichtlichen, völkerpsychologischen und komparatistischen Interesses wird auch in dessen Übersetzungstheorie beides gefordert – eine treue Nachbildung und daß der Übersetzer die verborgene menschliche Wahrheit des Fremden kongenial in seiner eigenen Sprache nachschaffe. Die »eindeutschende Nachbildung« wird in Bodenstedts *Liedern des Mirza Schaffy* so vollendet verwirklicht, daß die Rollen von Autor und Übersetzer austauschbar werden.
Vielleicht wurden so die »gefälligen werkimmanenten Züge« erzeugt, welche »das breite Publikum ansprachen« (Kurth-Voigt, S. 392). Die Entstehung als Gesellschaftslyrik hat sicherlich auch den Gehalt gefärbt. Und natürlich konnten sich die Lieder an eine bis dahin jedoch eher exklusive Tradition orientalisierender Lyrik in Hafis' Manier anschließen. Obgleich schon Herder gemäkelt hatte: »An Hafyz Gesängen haben wir fast genug; Sadi ist uns lehrreicher gewesen« (S. 356) – der »persische Anakreon« setzte sich, seit Goethes *Divan* ihn gepriesen hatte, doch durch; unser Gedicht freilich verhält sich zu vergleichbaren in Goethes Sammlung wie die Übersetzungstheorie des Münchner Dichterkreises zu Goethes Konzept der »Weltliteratur« – schon daß diese Vorbilder exakt nachgeahmt werden, verändert ihren Sinn. Das Verhältnis von Vorbild und dichterischer Nachfolge war ein strukturierendes Thema des *West-östlichen Divan*, und Bodenstedt steuert hier ein Stück versifizierter Dichtungstheorie bei. Die erste Zeile ist programmatisch: Die Autorität, welcher die Lehre verdankt wird, ist der Dichter Hafis; die Lehre selbst klärt das Verhältnis von »Bethaus« einerseits und andererseits der Schenke; dieser Doppelung entspricht der zweiteilige Aufbau des Gedichtes. Gemahnt der erste Teil (2–8/9) an ein

Trinklied, so präsentiert sich der zweite, umfangreicher und gewichtiger, als die Kontrafaktur eines Gebets; beruft sich jener auf Hafis, so wendet sich dieser in analoger Funktion an »Gott« (9). Metrik und Rhythmus schmiegen sich in diesem global geordneten Gedicht der Gedankenführung an. Das Grundmetrum ist jambisch, doch erlaubt sich der versierte Formkünstler Freiheiten, wo immer die »heimischen Liederweisen«, welche Bodenstedt den »fremdartigen Absonderlichkeiten« vorzog, ihn dazu berechtigten (*Mirza Schaffy im Liede*, S. 264; vgl. das Vorbild Daumer, S. VIII–X); besonders fallen die Zäsuren auf, an denen das Metrum wechselt (5–8: vom Jambus zum Trochäus mit identischem Binnenreim in der Zäsur) oder wenigstens die rhythmische Kurve neu ansetzt (12–15: in der schwächeren Zäsur zwischen zwei Senkungen). Wenn so die metrische Gliederung sich nicht deckt mit der Versgliederung durch den Reim, mag man an den Zeilenbruch im Ghasel-Beit denken, zumal Bodenstedt auch den ›Radif‹ (5–8: Überreim) vorführt; doch zielen diese Kunststücke auf einen besonderen Effekt, jenseits des orientalischen Ornaments. Die gelockerte Form, die anfangs der lustigen Schenkenatmosphäre angemessen war, muß allmählich einer festeren Versfügung weichen, zunächst einer Reihe parallel gebauter, durch Kreuzreim verbundener, durch die Zäsur noch etwas drängender Bitten, die da, wo eine neue Reimgruppe beginnt, mittels einer semantischen Äquivalenz verklammert werden (zwischen Vers 11 und 13, mit dem gleichen, aber nicht reimenden Schlußwort); dann mündet das Gedicht in feste, regelmäßige Langzeilen, damit der Sprecher seinen Glauben fest und ungetrübt verkünden kann; daß aber Bodenstedt gar einen umarmenden Reim wählt, wenn die Liebesumarmung beschworen wird, treibt die Annäherung von Form und Inhalt virtuos auf die Spitze. Weniger markant, aber strukturell gleich wichtig ist die funktionalisierte Metrik in Vers 9, der Achse des Gedichts; wie der Anfang noch der geselligen Szenerie angehört, der zweite Teil aber den Sprecher in den Mittelpunkt rückt und, ähnlich wie

Vers 1, dem Folgenden die Sprechsituation vorgibt – so bleibt es bei den fünf Hebungen der vorigen Verse, während im Rhythmus die trochäischen Einsprengsel verschwinden und der weiter vorherrschende Jambus sich durchsetzt. Und wie die zwei »anakreontischen« sich mit den drei Takten des Gebetes zu einem Vers ergänzen, so verhalten sich jene beiden Teile des Gedichtes nicht gegensätzlich, sondern stehen in einem Verhältnis der Ergänzung und der Steigerung; deshalb ist schließlich diese Sinn-Achse des Gedichts in den Vers vor der rechnerischen Symmetrie-Achse gelegt. So ist das Programm Form geworden, und wenig bleibt nachzutragen.

Die Schlüsselbegriffe sind in der Ethik und der Religion zu Hause: das Gute (2), die Weisheit (4), die Liebe (12), die Frömmigkeit (17); doch alle unterliegen sie einer »sensualistischen« Umwertung, die von einer Autorität erzwungen und verantwortet wird, welche eher suggeriert denn begründet ist (vgl. 3 und 9: »drum«). Darin besteht die weitere Aufgabe des ersten Gedichtteils, und dazu werden drei Parteien eingeführt: Hafis, der das Wissen verleiht, das Ich, welches die Lehre besitzt, und die Zecher, denen die Anerkennung dieser Autorität obliegt, und zwar durch schlichte Akklamation – eine dargestellte Publikumsrolle; warum die »guten Menschen« tatsächlich das Ich »den Weisen« nennen, verschweigen gerade die Verse 5–8, in denen man Aufklärung erwartet. Auch wirft ein Wortspiel (8) ein merkwürdiges Licht auf die Weisheit, die sich mit dem Lärm eines Trinkgelages verwechseln läßt, wie ja zuvor die »guten Menschen« in eine frappierende Parallelität zu »stärkenden Getränken« gerieten; das Gute und die Weisheit sind offenbar einzig durch den Geist des Weines verbürgt.

Des Sängers Gebet (vgl. Vers 9 f. den Ton des Kirchenliedes) setzt diese Spiritualisierung des Sinnlichen voraus und führt sie fort, indem die Exklusivität (11: »weitab«, »fern«) und die Wahrheit (in Gegensatz zu Vers 13, »Wahn« und »Dummheit«) der Lehre kräftig unterstrichen, Seele und Körper nachdrücklich parallelisiert (12) und schließlich die

›Welträtsel‹ ausdrücklich »im Becher Weins ergründet« werden (14), so daß sich im Verb die Dimension der denkerischen ›Tiefe‹ und das schlichte Leeren des Weinglases bis auf den Grund begegnen. Man hat, seit ihrer ersten Übersetzung, auch die im Orient verbreitete mystische Lesart der Hafisischen Ghaselen debattiert, Platen hatte sie bestritten, Bodenstedt gleicht sie einem blaß pantheistischen Epikureertum an: »Der bewußte geistige Genuß alles Schönen der Welt war dem Sufi Gottesdienst. Darum war Hafis, der gleichzeitig dem Sufismus anhing, ein Sänger des Weins und der Liebe. Nach dem Sufismus gibt es kein höheres Glück, als, nach Bändigung des Gemeinen in der eigenen Natur, das Gute bloß um des Guten willen zu üben, ohne Hinblick auf Strafe und Lohn« (Bodenstedt, zit. nach: Sundermeyer, S. 55). So endet das Gedicht in einer mystischen »Andacht ohne Namen« (17). Doch läutern die »Glut« (16) der Liebe, das »Feuer« (18) des Weines wieder bloß metaphorisch den irdischen Daseinsstoff zur Seligkeit, und deshalb muß man skeptisch fragen, ob die Partikel »so« (20) nur modal die beste aller Todesarten meint oder ob sie, konditional, einen ausdrücklichen Todeswunsch einleiten soll. Die Wortwahl imitiert den Goethe des *West-östlichen Divan* (vgl. z. B. *Selige Sehnsucht*). Der Gedanke zitiert den emphatischen Selbstmord der Werther-Zeit, jene letzte Entgrenzung der beschränkten Individualität in eine vergöttlichte Natur; die Begründung allerdings überzeugt hier, wo die ›Gedanken-‹ anstelle der Erlebnislyrik herrscht, keineswegs, weil sich in diesem »wonnigen Empfinden« (17) bloß das ›Lustgefühl‹ verbirgt, das die zeitgenössische religionskritische Philosophie (Feuerbach, Strauß) und die spätere Ästhetik zum Apriori der Weltanschauung erheben. Die ›Natur‹, das ›Leben‹ der Goethezeit schrumpfen angesichts eines materialistischen Monismus zum literaturkritischen Postulat oder zum hohlen Requisit der Poesie. Trug das Wort ›genießen‹ damals noch den Sinn: »ein Wesen bis zum tiefsten Grunde erfassen«, so hat es inzwischen »viel von seinem Adel verloren« (Beutler, S. 360), und wo immer goethezeitliche Vokabeln in unserem Gedicht vorkommen, wird eine religiöse Aura evoziert, werden Konnotationen und Ambiguitäten (s. o. »Weise«, »ergründen«, ähnlich »beseligen«) ausgenutzt, während die eigentliche Bedeutung strikt bei den handfest diesseitigen Genüssen verharrt. Bodenstedts metaphorisches Sprechen bedient sich der religiösen Symbolsprache aus Goethes *Divan* (vgl. Beutler, S. 318 ff. u. ö.) und vertritt mit dem gleichen Anspruch, im einzelnen Gedicht wie im Zyklus, einen konträren Weltentwurf; um so sorgfältiger muß die Autorität des östlichen Weisheitslehrers gewahrt bleiben. Obgleich dann Rudolf Gottschall sich dieser »antispiritualistischen Glaubenslehre« beugen mochte, spürten strenge Gläubige bald, daß diese Gedichte »die platteste Sinnlichkeit mit einem rohen Haß gegen alles Religiöse verquicken« (Kreiten); andernorts predigten, wie Bodenstedt mit Genugtuung vermerkt, die Jesuiten gegen die *Lieder des Mirza Schaffy* (*Mirza Schaffy im Liede*, S. 246).

Jedenfalls leuchtet uns die verspätete Volkstümlichkeit von Mirza Schaffys Gesängen in der Gründerzeit jetzt ein. »Edlitam« hatte Bodenstedt seine Sammlung gewidmet und Wonnen der Liebe, »weitab von der Moschee«, kühn verherrlicht, doch den wahren Text lieferte der platte Alltag, in dem sich der exotische Name als Anagramm für die Ehefrau des Dichters, »Mathilde«, geb. Ostermann, entpuppt; so handelt es sich um eine dekorative Inverse zur unangefochtenen Realität. Diese Dialektik des Exklusiven macht sich erst Bodenstedt zunutze, obwohl sie in der westöstlichen Lyrik angelegt war. Einer fernen bedingungslosen Autorität folgt man gerne, wenn sie einem aus dem Herzen spricht, und die Goethesche Problematik der Nachfolge wie die Problematik der Dichterrolle bei Platen und Rückert verflüchtigen sich vor solcher Weltklugheit. Unser Gedicht spart also nicht mit Hafisischen Versatzstücken – die »Schenke« und der »Wein«, der »Weise« als Dichter (vgl. Remy, S. 36; Beutler, S. 655 ff.), die nun soweit »eingedeutscht« werden, daß sie den »Weisen der Studentenkommersbücher« (Sundermeyer, S. 73), dem harmlosen und stereotypen Frohsinn in den Vagantenliedern Rudolf Baumbachs oder in Otto Roquettes Erfolgsepos *Waldmeisters Brautfahrt* genau gleichen. Osten und Westen versöhnen sich in der Trivialformel ›Wein, Weib und Gesang‹, und einem weltläufigen Publikum schmeichelte diese Vertraulichkeit des Fremden. Sicher hat das verlegerische Geschick Deckers, der den Markt mit einer Miniatur- wie einer kostbaren Prachtausgabe versorgte, sicher haben die Vertonungen (vgl. Kurth-Voigt, S. 392) und Übersetzungen (vgl. Remy S. 64), zweifellos hat auch die Orientkrise die Eigendynamik des Erfolgs verstärkt; entscheidend aber dürfte sein, daß Bodenstedt 1851 bereits verarbeitet hatte, was zwanzig Jahre später populär wurde. Seine Kritik an Schopenhauer verwandelte sich bruchlos in eine Kritik des Modephilosophen Eduard von Hartmann; sein anspruchsloser, selbstsicherer Optimismus wirkte im Zeitalter der gelösten ›Welträtsel‹ deshalb so beschwichtigend und beruhigend, weil er die materialistischen Prämissen der pessimistischen Ängste nicht bestritt, sondern die Schlußfolgerungen mild ›verklärte‹. Unser Gedicht ist ein »Glaubensbekenntniß«, und die Dichtung dient als Surrogat der Religion.

Zitierte Literatur: Adolf BERGÉ: Mirsa Schaffi. In: Zeitschrift der Deutschen Morgenländischen Gesellschaft 24 (1870) S. 425–432. – Bodenstedts Gesammelte Schriften. 12 Bde. Berlin 1865–69. [Zit. mit Band- und Seitenzahl.] – Friedrich BODENSTEDT: Erinnerungen aus meinem Leben. Bd. 2. Berlin 1890. [Zit. als: *Erinnerungen.*] – Friedrich BODENSTEDT: Mirza Schaffy im Liede und in der Wirklichkeit. Eine literarhistorische Skizze. In: Daheim 8 (1872) S. 244–248 und 262–266. – Auch in: Aus dem Nachlasse Mirza Schaffys. Berlin 1874. [Leicht verändert.] – Friedrich BODENSTEDT: Tausend und Ein Tag im Orient. [Siehe Textquelle. Zit. als: *1001 Tag.*] – Georg Friedrich DAUMER: Hafis. Eine Sammlung persischer Gedichte. Hamburg 1846. – Theodor FONTANE: Unsere lyrische und epische Poesie seit 1848. In: T. F.: Aufsätze, Kritiken, Erinnerungen. Bd. 1. München 1969. S. 236–260. – Johann Wolfgang GOETHE: West-östlicher Divan. Hrsg. von Ernst Beutler. Wiesbaden 1948. – Friedrich GUNDOLF: Goethe. Berlin 1916. – Johann Gottfried HERDER: Sämmtliche Werke. Hrsg. von Bernhard Suphan. Bd. 24. Berlin 1886. – Arno HOLZ: Werke. Bd. 5. Neuwied 1962. S. 5–323 (Das Buch der Zeit). – Robert KOENIG: Zur Erinnerung an den Sänger des Mirza-Schaffy. In: Daheim 28

(1892) S. 536–539. – Wilhelm KREITEN, S. J.: Die Lieder des Mirza Schaffy. In: Stimmen aus Maria Laach 45 (1892) S. 496–507. – Lieselotte KURTH-VOIGT / William MCCLAIN: Friedrich Bodenstedts »Lieder des Mirza-Schaffy«. Zur Entstehung und Rezeption eines Bestsellers. In: Buchhandelsgeschichte 2 (1980) H. 7. S. B384–B397. – William H. MCCLAIN / Lieselotte E. KURTH-VOIGT (Hrsg.): Friedrich von Bodenstedts Briefe an Hermann Costenoble. In: Archiv für Geschichte des Buchwesens 18 (1977) S. 799–962. – Johannes MUNDHENK: Friedrich Bodenstedt und Mirzy Schaffy in der aserbeidschanischen Literaturwissenschaft. Hamburg 1971. – Arthur REMY: The Influence of India and Persia on the Poetry of Germany. New York 1901. – Gustav SCHENCK (Hrsg.): Friedrich von Bodenstedt. Ein Dichterleben in seinen Briefen. Berlin 1893. – Kurt SUNDERMEYER: Friedrich Bodenstedt und die »Lieder des Mirza-Schaffy«. Diss. Kiel 1930.
Weitere Literatur: Veronique de la GIRODAY: Die Übersetzertätigkeit des Münchner Dichterkreises. Wiesbaden 1978. – Helmut KOOPMANN / J. A. SCHMOLL gen. EISENWERTH (Hrsg.): Beiträge zur Theorie der Künste im 19. Jahrhundert. Bd. 1. Frankfurt a. M. 1971. [Bes. die Arbeiten von Klaus-Peter Lange über »Einfühlung« und Barbara Mundt über historistisches Kunstgewerbe.] – Günther MAHAL (Hrsg.): Lyrik der Gründerzeit. Tübingen 1973. – Hannelore und Heinz SCHLAFFER: Studien zum ästhetischen Historismus. Frankfurt a. M. 1975. – Dolf STERNBERGER: Panorama oder Ansichten vom 19. Jahrhundert. st 179. Frankfurt a. M. 1974. – Fritz STRICH: Goethe und die Weltliteratur. Bern 1946. [Bes. S. 13–27, 44–68, 87 ff. und 167–184]. – Helmuth WIDHAMMER: Realismus und klassizistische Tradition. Zur Theorie der Literatur in Deutschland 1848–1860. Tübingen 1972. – Friedrich WINTERSCHEIDT: Deutsche Unterhaltungsliteratur der Jahre 1850–1860. Bonn 1970.

Julius Rodenberg

Die reinen Frauen

Die reinen Frauen steh'n im Leben
Wie Rosen in dem dunklen Laub;
Auf ihren Wünschen, ihrem Streben
Ligt noch der feinste Blütenstaub.

In ihrer Welt ist keine Fehle,
Ist Alles ruhig, voll und weich:
Der Blick in eine Frauenseele
Ist wie ein Blick in's Himmelreich.

Wol sollst Du hören hohe Geister,
Verehren sollst Du Manneskraft;
Dich sollen lehren Deine Meister,
Was Kunst vermag und Wißenschaft.

Doch was das Höchste bleibt hinieden,
Des Ew'gen nur geahnte Spur,
Was Schönheit, Poesie und Frieden:
Das lehren Dich die Frauen nur!

Abdruck nach: Lieder von Julius von Rodenberg. Hannover: Rümpler, [3]1854. S. 16.
Erstdruck: Lieder von Julius von Rodenberg. Hannover: Rümpler, 1853. [Erstdruck bibliographisch auch für 1854 nachgewiesen.]
Weiterer wichtiger Druck: Julius Rodenberg: Gedichte. Berlin: Seehagen, 1863.

Jörg Schönert

Poesie als schmeichelnder Spiegel in Frauenhand. Zu Julius Rodenbergs Gedicht *Die reinen Frauen*

1853 hatte der zweiundzwanzigjährige Student der Rechte Julius Levy aus Rodenberg dem Hannoveraner Verleger Carl Rümpler das Manuskript für seine erste größere Gedichtsammlung *Lieder* übergeben, die er als Julius von Rodenberg veröffentlichte. (Ab 1855 durfte sich dann der Sohn des jüdischen Kaufmanns Gumpert Levy mit Genehmigung seines Landesvaters, des Kurfürsten von Hessen, Julius Rodenberg nennen.) Die zweite Auflage der *Lieder* erschien bereits im Frühjahr 1854 und fand einen namhaften Rezensenten: Theodor Storm bespricht im *Literaturblatt des deutschen Kunstblattes* vom 6. April 1854 die Gedichte des ihm unbekannten Autors und verbindet mit der Kritik an dem »jungen Poeten« (Storm, S. 466) grundsätzliche Überlegungen zur Situation der zeitgenössischen Lyrik. Er stellt fest, daß sich Rodenberg vor allem an der Lyrik Emanuel Geibels orientiert, und wendet sich gegen ein dichterisches Verfahren, das die »schöne Form« über alles setzt. Storm vermißt bei einer solchen poetischen Praxis, die oft nur aus der »anmutigen Gewohnheit musikalischer Rhythmenbildung« entstehe, daß Form und Stoff zueinander in ein spezifisches Verhältnis treten, wodurch erst die Form dem Stoff zum besonderen Ausdruck verhelfe (Storm, S. 466). Wo nur um der »schönen Form« willen geschrieben wird, erstarre die Dichtkunst in Routine. Dieser Gefahr sei – so kritisiert Storm – der junge Autor erlegen, und der »rasche Erfolg der Sammlung [...] erklärte sich wohl nur dadurch, daß der Verfasser es verstanden hat, die allgemein-gültigen Gedanken und Empfindungen in einer freilich weder tiefen noch eigentümlichen, aber darum desto verständlicheren Weise auszusprechen. Wie hiervon bis zum Trivialen kaum ein

Schritt ist, braucht nicht hervorgehoben zu werden« (Storm, S. 466 f.).
Damit hat Storm über Rodenbergs *Lieder* ein Urteil formuliert, das von den Zeitgenossen in dieser Entschiedenheit nicht immer geteilt wurde, mit der heutigen Bewertung der Lyrik Rodenbergs jedoch durchaus übereinstimmt. Storm belegt seine Geringschätzung mit Beobachtungen, die unschwer nachzuvollziehen sind: »Jugend, Frühling und Liebe« seien die hinlänglich bekannten Themen der *Lieder*; sie würden höchst allgemein behandelt, die Vorstellungen des Autors entwickelten sich mehr in der vom literarischen Muster geprägten »Einbildungskraft« als in der Auseinandersetzung mit konkreten Erfahrungen (Storm, S. 467). Als charakteristisches Beispiel für das poetische Verfahren Rodenbergs zitiert der Rezensent *Die reinen Frauen*. Auch in der Folgezeit hat Storm sein Urteil nicht verändert (Goldammer, S. 32 f.), obwohl Julius Rodenberg innerhalb kurzer Zeit als Feuilletonist und vielseitiger Schriftsteller, vor allem jedoch als Kritiker und Redakteur angesehener Literaturzeitschriften eine bedeutende Stellung im literarischen Leben erreichte. 1874 begründete er die *Deutsche Rundschau* als umfassende »Revue« des kulturellen Geschehens im deutschsprachigen Raum, gewann als Beiträger für den literarischen Teil unter anderem Keller, C. F. Meyer, Heyse, Storm, Fontane, Ebner-Eschenbach und leitete die hochangesehene Zeitschrift bis zu seinem Tod im Jahre 1914. Im Briefwechsel mit seinen Autoren zeigte sich Rodenberg als behutsamer Kritiker und geduldiger Mentor, dem es darauf ankam, in der *Deutschen Rundschau* die besten Schriftsteller des ›Bürgerlichen Realismus‹ zu sammeln und die unterschiedlichen Standpunkte im Erscheinungsbild einer blühenden deutschen Nationalkultur zu vermitteln. Rodenberg selbst wurde in der zeitgenössischen Literaturkritik und Literaturgeschichtsschreibung als Autor der zweiten Reihe – mit Roquette, Rittershaus, Traeger – oder noch entschiedener als ›poeta minor‹ eingestuft. Er galt als Vertreter einer liebenswürdigen »Erholungsliteratur«, seine Lyrik als

»formschön«, »wohllautend«, »frühlingsfrisch«, »mild-süß« und »anmutig« – geprägt von »wetterfester Heiterkeit« und »abstrakter Jugendlichkeit«. Die Attribute weisen darauf hin, daß bis in die achtziger Jahre Rodenbergs Lyrik dem Zeitgeschmack des breiten Publikums durchaus entsprach; die Sammlung seiner Gedichte erreichte noch 1880 unter dem Titel *Lieder und Gedichte* die vierte Auflage. In der Flut der repräsentativen Lyrik-Anthologien, die in der zweiten Hälfte des 19. Jahrhunderts erschienen, war Rodenberg in der Regel als Autor vertreten, wenn auch zumeist nur mit wenigen Gedichten.
1958 hat sich Hugo Kuhn Rodenbergs *Stromfahrt* (ebenfalls aus der Sammlung *Lieder*) als Ausgangspunkt seiner Überlegungen zur ›reduzierten Interpretation‹ »schlechter Gedichte« gewählt: »Man zögert, [...] den ganzen Apparat von Formfunktionen, Inhaltsfunktionen, Interpretationen von Gehalt und Gestalt, Struktur usw. auf dieses Gedicht anzuwenden. Es ist zu übersehbar und – es lohnt sich offensichtlich zu wenig« (Kuhn, S. 106). Die Distanzierung zum Anspruch der ›werkimmanenten Interpretation‹ führt bei Kuhn zu einer knappen, jedoch überzeugenden Skizze von »Gebrauchswert«, »Zeitfunktion« und historisch bedeutsamem »Zeitwert« des Gedichtes (Kuhn, S. 108). Gerade so wird die wissenschaftliche Diskussion ertragreich, wenn man den Text in seinem situativen Kontext, in seinem – kritisch zu befragenden – Wert für die literarische Praxis kollektiver Selbstverständigung unter dem Aspekt bestimmter Zeiterfahrung betrachtet. Dieses Verfahren soll die Interpretation unseres Gedichts bestimmen.
Rodenberg, der gerne Germanistik studiert hätte und nur auf Drängen der Eltern das Brotstudium der Jurisprudenz wählte, verfolgte seine literarische Karriere nach geläufigen Vorstellungen. Gute Kenntnisse der literarischen Tradition sammelt er während seiner Gymnasialzeit, gleichzeitig erprobt er in ersten dichterischen Versuchen erworbene Fertigkeiten. Rodenberg wählt sich Rückert und Geibel zum Vorbild; Lyrik gilt als geeignete Übung für junge Talente.

Gedichte sind im Feuilleton, in Zeitschriften und in erschwinglichen Bändchen – deren Druck vielfach mit Privatmitteln des Autors finanziert wird – gut unterzubringen. Die Manuskripte werden oft pseudonym eingeschickt, und erst bei entsprechendem Erfolg entdeckt sich der Autor. So verfährt auch Rodenberg, dessen *Sonette für Schleswig-Holstein* in Hamburg bei Hoffmann und Campe in zwei Lieferungen 1850/51 erscheinen. Sie sind dem Muster der patriotischen Lyrik Emanuel Geibels verpflichtet. Kleinere Verserzählungen folgen, orientiert am Beifall für *Waldmeisters Brautfahrt* von Otto Roquette (1851). Den frischen und heiteren Ton der Lieder, die Roquette in sein idyllisch-episches Gedicht eingeschaltet hat, nimmt Rodenberg in seiner Sammlung von 1853 auf. Den »Kriegsliedern« für Schleswig-Holstein sind zwei Abteilungen vorgeordnet, die der allgemeinen Abkehr von politischer Dichtung folgen und mit »Liebeslieder« und »Wanderlieder« überschrieben sind. Im Widmungsgedicht *Die Trutznachtigall* (S. XI bis XIII) werden Erfahrungen der Nachmärz-Generation in geläufigen literarischen Bildern von der Wehmut über den folgenlosen politischen Enthusiasmus und der Trauer über die »kühle Zeit« und ihren »farblosen Himmel« angesprochen. Der erhoffte nationale »Frühling« wird durch die Frühlingsgefühle der jungen Liebe ersetzt; es gilt, die Schönheit des Daseins wandernd in der Natur zu finden und der Hoffnung auf »künft'ge Ernte« der im »Keim« zu bewahrenden Idee von nationaler Einheit und Größe zu leben.
Das Gedicht *Die reinen Frauen* steht in der Abteilung der Liebeslieder, die in der Regel nur wenige Strophen haben und einfache metrische Formen aufnehmen. Verständlichkeit und klare rhythmische Gliederung empfehlen viele der Texte trotz »poetischer Dürftigkeit« – wie Storm bemerkt – »durch eine gewisse Fasson unsern Musikern zur Komposition« (Storm, S. 468). Die Vorstellung von ›sangbarer‹ Lyrik prägt in der spätromantischen Tradition den Zeitgeschmack. Die Strophenform unseres Gedichts – der viertaktige Vierzeiler mit Kreuzreim – orientiert sich am Vorbild der

Volksliedstrophe, doch werden Hebungen und Senkungen – abgesehen von den Übergängen von der ersten zur zweiten und von der dritten zur vierten Zeile – im regelmäßigen Wechsel durchgeführt; nur in wenigen Fällen ist für den Vortrag eine schwebende Betonung angezeigt (z. B. 4, 9 oder 16). Das metrische Grundmuster ist freilich durch nicht voll realisierte Betonungen in wechselnden Positionen der verschiedenen Zeilen variiert.
Die eingängige Form des Liedes wird von Rodenberg dazu gebraucht, um wie ein Gefäß »den mannigfachsten beliebigen Inhalt zu empfangen« (Storm, S. 466). Im Kreis der »Liebeslieder« ist unser Text gleichsam eingeschmuggelt; er hat mit erotischen Erfahrungen der Liebe nichts zu tun und wendet sich der Frau als ›Gattungswesen‹ zu – in abstrakter und zugleich idealisierender Weise. Das Gedicht wird deshalb in der Folgezeit in Anthologien zumeist unter der Rubrik »Beschauliches« eingeordnet; es folgt Prinzipien der ›Gedankenlyrik‹, wie sie beispielsweise Rudolf Gottschall in seiner *Poetik* von 1858 vertritt (Todorow, S. 35–38). Die erste Strophe entwickelt – gleichsam als ›pictura‹ – ein konventionelles Bild von der Frau als »Rose«, als schönste der Blumen (vgl. dazu F. Schlegels *Lob der Frauen*, 1803). Die Konnotationen schmerzlicher erotischer Erfahrungen (›Dornen‹) sind vermieden – zugunsten der Vorstellung von Reinheit und Jungfräulichkeit (das meint Unberührtheit von den »dunklen« Erfahrungen des Lebens). Rodenberg erweitert den »tiefpoetischen« Gedanken vom jungen Mädchen als »jener halberschlossenen Rosenknospe im Garten der Menschheit«, »auf deren ganzem Wesen gleichsam noch der erste Thau [. . .] zittert, vor deren frohen klaren Augen die Welt noch nicht *entgöttert* liegt« (Polko, S. 82). In der folgenden ›subscriptio‹ des Bildes wird die verklärende Vorstellung von der Frau als Repräsentantin des Göttlichen in einer entgötterten Welt ausgedeutet – mit Attributen, die dem traditionellen Katalog der Geschlechterpolarität folgen (vgl. Hausen, S. 368) und die Rolle der Frau in die Nähe der »Priesterin« und »Lichtbringerin« (vgl. Becker-Cantario,

S. 116) rücken, wobei freilich die romantische Verbindung von erotischen und religiösen Aspekten fehlt. Darüber hinaus sind Begriffe wie »Seele« (7), »Himmelreich« (8), »das Höchste« (13), das »Ew'ge« (14) und »Frieden« (15) der konkreten Bezüge zu religiösen Vorstellungen entledigt und als weihevoll-würdiges Vokabular zur Beschreibung einer unspezifischen Idee vom ›Höheren‹ eingesetzt, das »die reinen Frauen« in einem vom Leben abgeschiedenen Tempelbezirk bewahren. Die Außenwelt realen Lebens wird in der zweiten Strophe über die vollkommene Gegenwelt der »reinen Frauen« indirekt charakterisiert: Sie ist von Unrast, Mängeln und schuldhaften Erfahrungen belastet (das archaisierende »Fehle« als ›edler Ausdruck‹ für ›Fehler‹); ihr mangelt es an Erfahrungen ›des Ganzen‹, hier stoßen sich die (Tat-)Sachen ›hart‹ im Raume. Diejenigen, die in dieser Welt leben, werden in der dritten Strophe angesprochen und darauf verwiesen, wie ihr Lebensbereich auf männliche Weise zu gestalten sei: mit den Waffen des Geistes, mit »Manneskraft«, mit Fertigkeiten (›Künsten‹), die zu erlernen sind – geleitet vom Anspruch der Wissenschaft, von der die Welt analysierend zerlegt wird. Der belehrend vermittelten Lebensweisheit für den Alltag wird in der vierten Strophe, möglichen Mißerfolgen solcher Anstrengungen mit Trost begegnend, eine höhere Wahrheit übergeordnet, die nun ganz in die Zuständigkeit der Frauen fällt – sofern sie sich von den Erfahrungen des Alltagslebens »rein« erhalten. Das ersehnte Reich der Schönheit und des Friedens ist der Zeit enthoben und der recht verstandenen Poesie – als Verkünderin des Guten, Wahren und Schönen – überantwortet. Die »reinen Frauen« werden zwar nicht dichtend aktiv, doch vermitteln sie im Bild ihrer Existenz die Idee der Schönheit in einer Welt, die der Schönheit entbehrt.

Das Gedicht mit seinem Dreischritt ›anschauliches Bild, erkennende Bildunterschrift und lehrhafte Ausdeutung‹ soll im poetischen Verfahren diese Idee erschließen: Im Rückgriff auf das Bild von den Frauen, die »himmlische Rosen ins irdische Leben« »flechten und weben«, wird die Vorstel-

lung von der »Würde der Frauen« (vgl. Schillers Gedicht von 1795) auf der Ebene des Allgemeinen im Sinne der ›Gedankenlyrik‹ ausgeführt, wobei sich die Idee – das Bild durchdringend – reich, tief und zugleich verständlich entfalten soll (vgl. dazu Höllerer, S. 169).
Für die Beliebtheit des Gedichts bei den Anthologisten der zweiten Hälfte des 19. Jahrhunderts war die Verbindung von »schöner Form«, liedhafter Schlichtheit, Verständlichkeit und erhebendem Gefühl von Bedeutung, denn ein Großteil der Anthologien wurde »in zarte Frauenhand« gelegt. Ihre Konzeption war durch die geltenden Vorstellungen von der literarischen Kompetenz gebildeter Frauen und Mädchen bestimmt (vgl. Häntzschel, S. 204–214). Die historische Funktion dieser Anthologien sei am Beispiel der *Dichtergrüße* beschrieben, die von Elise Polko 1860 zum ersten Mal herausgegeben wurden und bis zum Jahrhundertende eine Vielzahl von Neuauflagen erlebten. Das Gedicht *Die reinen Frauen* ist der Textsammlung – dem Verfahren anderer Anthologisten folgend (vgl. Schönert, S. 284 f.) – als Widmungs- und Huldigungsgedicht vorangestellt; es eröffnet zugleich die Abteilung *Beschauliches*. Doch soll den Leserinnen nicht nur gehuldigt, sondern ihnen soll auch in der literarischen Erfahrung ein symbolisches Bild ihrer kulturellen Bedeutung und gesellschaftlichen Identität vermittelt werden. Diese Absicht zeigt sich in der Konzeption des ›Anstandsbuches‹ der Anthologistin, das unter dem Titel *Unsere Pilgerfahrt von der Kinderstube bis zum eignen Heerd* – ebenso wie die *Dichtergrüße* – im Leipziger Amelang-Verlag erschien (1863 zum ersten Mal). Die poetische Blütenlese deutscher Lyrik von den Weimarer Klassikern bis zu den Zeitgenossen soll – mit dem abhandelnden Text verschränkt – Charakterbildung, Lebensweisheit und Verhaltensregeln in »schöner Form« vermitteln. Die Sprache der Dichtung ist die Sprache, die direkt zum Herzen der Leserinnen geht. Die Bilder der Poesie gelten als »Spiegelbild« wirklichen Lebens, sie sollen Vor-Bild der realen Existenz sein. So beschließt Elise Polko, die Rodenbergs

Gedichte ihren Leserinnen empfiehlt (S. 68), die Einladung zur poetisch bekränzten »Pilgerfahrt« mit dem Zitat der zweiten Strophe von *Die reinen Frauen* und bittet die »lieben Schwestern«, ihr doch zu sagen, ob »dieser Vers zu dem Spiegelbilde«, das die Frauen von sich haben (oder haben sollten), »genau stimmt« (Polko, S. XV).

Bei dieser Beschreibung der Poesie als Spiegelbild des Wirklichen bzw. einer höheren Idee von Wirklichkeit ist eine Funktionsbestimmung ausgeklammert, die von den Werbe-Anzeigen des Amelang-Verlags (z. B. in der 3. Auflage der *Dichtergrüße* von 1864) herausgestellt wird: Die Dichtkunst gewährt, was die Natur versagt; der Dichter ist Tröster der Menschheit. Die Poesie zeigt die bessere Seite vom Leben: das Edle, Schöne und Würdige. Wie die Religion verhilft die Dichtkunst dazu, sich über das Gemeine und Irdische hinwegzusetzen (vgl. dazu Schönert, S. 283 f. und 288). Es wäre voreilig, Rodenbergs Absichten mit seinem Gedicht auf die Vermittlung solchen Trostes festzulegen, doch verweist die Rezeptionsgeschichte des Textes in den Anthologien und bei Elise Polko auf die Tradition eines ideologisierenden Umgangs mit literarischen Bildern vom ›Frauenleben‹ (vgl. Bovenschen). Er dient zum einen dazu, die Vorstellungen vom natürlich bedingten Unterschied der Geschlechter zu bestätigen und mit der höheren Wahrheit der Poesie zu rechtfertigen (vgl. Rodenbergs Gedicht *Schönheit*, das in den *Liedern* auf *Die reinen Frauen* folgt: die »lieben Mädchen« und »holden Frauen« sind die Priesterinnen der Schönheit, die Männer ihre »kriegerischen Wächter«). Zum anderen soll aber auch ›die Frau‹, d. h. die gebildete und besitzende Frau, die vom Erwerbsleben entlastet ist, für ihre Distanz vom öffentlichen Leben entschädigt werden, indem ihre Existenzform der Zurückgezogenheit und ihr Dienst zur Reproduktion männlicher Arbeitskraft und zur Bewahrung kultureller Werte gegenüber der tatsächlichen lebenspraktischen Geltung überhöht wird. Obgleich Rodenberg den Traditionsbezug zu Gestaltungen des Frauenbildes in der Lyrik um 1800 sucht, hat sich die literarische Interpretation der Frauenrolle in zwei Perspektiven verändert. Die Polarität der Geschlechter wird nicht mehr unter androgynem Aspekt versöhnt – anthropologischen und zivilisationsgeschichtlichen Vorstellungen folgend – (vgl. Schillers *Die Geschlechter*, 1796), sondern das weibliche Element ist bei Rodenberg als »des Ew'gen nur geahnte Spur« (14) den Erscheinungsformen männlicher Weltbeherrschung übergeordnet: Die Frau wird zur »Trägerin der ideellen männlichen Harmonie- und Einheitssehnsüchte« (Bovenschen, S. 32). Zugleich bleibt jedoch die Existenzform der »reinen Frauen« nur Gegenstand der Anschauung; sie verweist (»lehrend«) auf ein höheres Prinzip, ohne daß diesem eine Möglichkeit auf reale ›Herrschaft‹ und ›Macht‹ eingeräumt wäre (vgl. dagegen Schillers *Macht des Weibes*, 1796). Die Wirklichkeit des Lebens erscheint aus der Sicht des Mannes als unvollkommen, als Gegenwelt zum »Himmelreich« (8). Das Bild vom ›irdischen Jammertal‹ ist ins Säkulare gewendet und kann auch die belastenden Erfahrungen der Zeitgeschichte aufnehmen, von denen das Widmungsgedicht zu Rodenbergs *Liedern*, *Die Trutznachtigall*, spricht: die politisch-nationale Depression, aber auch das Unbehagen an der verstärkten Entgegensetzung von privater und beruflicher Existenz im Zeichen der Industrialisierung. Der Mann ist aufgefordert, diesen Erfahrungen heroisch – mit Kraft und Geist – zu begegnen (Str. 3). Durch die Freisetzung der Frau von diesem Existenzkampf wird ihre »Reinheit« begründet, der notwendige Dualismus der Geschlechterrollen bestätigt. Das »Weib« – schreibt Gervinus 1853 im 1. Band seiner *Geschichte der deutschen Dichtung* (S. 301 f.) – bildet heute »die poetische Seite der Gesellschaft«, weil es »den gemeinen Berührungen des Lebens entzogen«, »weil es den Einwirkungen des Rangsinns, den Verderbnissen durch niedrige Beschäftigung, der Unruhe und Gewissenlosigkeit der Erwerbssucht nicht ausgesetzt« ist. »Ohne das Weib wäre für jede feinfühlende Seele das heutige Leben nicht zu ertragen.«

Mit dem schönen Bild von den »reinen Frauen« werden die

Widersprüche der Erfahrungswirklichkeit verdeckt. In der Rezeptionsgeschichte erweist sich Rodenbergs Gedicht als »Gefäß, womöglich ein goldenes«, das ein breites Spektrum von Vorstellungen und Erwartungen als »Inhalt« (vgl. Storm, S. 466) aufnehmen kann, weil die poetische Abstraktion des Textes fern »bestimmter oder gar wirklicher Verhältnisse« angelegt ist (S. 467).

Zitierte Literatur: Bärbel BECKER-CANTARINO: Priesterin und Lichtbringerin. Zur Ideologie des weiblichen Charakters in der Frühromantik. In: Die Frau als Heldin und Autorin. Hrsg. von Wolfgang Paulsen. Bern/München 1979. S. 111–124. – Silvia BOVENSCHEN: Die imaginierte Weiblichkeit. Exemplarische Untersuchungen zu kulturgeschichtlichen und literarischen Präsentationsformen des Weiblichen. Frankfurt a. M. 1979. – Peter GOLDAMMER: Theodor Storm und Julius Rodenberg. In: Schriften der Theodor-Storm-Gesellschaft 22 (1973) S. 32–54. – Günter HÄNTZSCHEL: »In zarte Frauenhand. Aus den Schätzen der Dichtkunst«. Zur Trivialisierung der Lyrik in der zweiten Hälfte des 19. Jahrhunderts. In: Zeitschrift für deutsche Philologie 99 (1980) S. 199–226. – Karin HAUSEN: Die Polarisierung der »Geschlechtscharaktere«. Eine Spiegelung der Dissoziation von Erwerbs- und Familienleben. In: Sozialgeschichte der Familie in der Neuzeit Europas. Hrsg. von Werner Conze. Stuttgart 1976. S. 363–393. – Walter HÖLLERER: Die Poesie und das rechte Leben. Zu Anthologien für deutsche Frauen und für den Hausgebrauch. In: Die deutschsprachige Anthologie. Hrsg. von Joachim Bark und Dietger Pforte. Bd. 2. Frankfurt a. M. 1969. S. 168–198. – Hugo KUHN: Versuch über schlechte Gedichte. In: H. K.: Text und Theorie. Stuttgart 1969. S. 104–109. (Zuerst in: Konkrete Vernunft. Festschrift für Erich Rothacker. Bonn 1958. S. 395–399.) – Elise POLKO: Unsere Pilgerfahrt von der Kinderstube bis zum eignen Heerd. Leipzig [4]1873. – Jörg SCHÖNERT: Die populären Lyrik-Anthologien in der zweiten Hälfte des 19. Jahrhunderts. Zum Zusammenhang von Anthologiewesen und Trivialliteraturforschung. In: Sprachkunst 9 (1978) S. 272–299. – Theodor STORM: Julius von Rodenberg Lieder. In: Th. St.: Werke. Hrsg. und eingel. von H. Engelhard. 3 Bde. Stuttgart/Zürich/Salzburg 1958. Bd. 3. S. 465–472. – Almut TODOROW: Gedankenlyrik. Die Entstehung eines Gattungsbegriffs im 19. Jahrhundert. Stuttgart 1980.
Weitere Literatur: Joachim BARK / Dietger PFORTE (Hrsg.): Die deutschsprachige Anthologie. 2 Bde. Frankfurt a. M. 1969–70. – Wilmont HAACKE: Julius Rodenberg und die »Deutsche Rundschau«. Eine Studie zur Publizistik des deutschen Liberalismus (1870–1918). Heidelberg 1950. – Hans-Heinrich REUTER: Einführung zu: Theodor Fontane. Briefe an Julius Rodenberg. Berlin 1969. S. V–XLV. – Heidi ROSENBAUM: Formen der Familie. Untersuchungen zum Zusammenhang von Familienverhältnissen, Sozialstruktur und sozialem Wandel in der deutschen Gesellschaft des 19. Jahrhunderts. Frankfurt a. M. 1982. – Heinrich SPIERO: Julius Rodenberg: Sein Leben und seine Werke. Berlin 1921.

Wilhelm Jordan

Die welke Rose

Am Gitter des Parkes mündet
Ein heimlicher Waldessteig;
Da steht ein junger Geselle,
Am Hut einen Eichenzweig.

5 Die Stäbe von Eisen umrahmen
Ein Köpfchen mit goldigem Haar;
Nicht röther glüht als die Wangen
Am Busen das Rosenpaar.

Er theilt den Zweig, sie die Rosen,
10 Dann tauschen sie hin und her.
Die Stäbe sind weit – sie theilen
Und tauschen wohl noch mehr.

Du schönster Junimorgen,
Was blieb mir übrig von dir?
15 Ich hab' eine welke Rose
Zwischen vergilbtem Papier.

Mit dem Rosenstengel verbunden
Ist Reisig ohne Laub,
Denn die harten Eichenblätter
20 Zerfielen in grünlichen Staub.

Doch der Faden, der beide verbindet,
Ein langes blondes Haar,
Er glänzt noch heute wie damals
Die goldene Fülle – war.

25 Du schönster Junimorgen,
Du goldene Rosenzeit
Voll Jugend Glück und Liebe,
Wie bist du so weit, so weit!

Abdruck nach: Wilhelm Jordan: Strophen und Stäbe. Frankfurt a. M.: [Selbstverlag], 1871. S. 38 f. [Erstdruck.]
Weiterer wichtiger Druck: Dichtergrüße. Neuere deutsche Lyrik ausgewählt von Elise Polko. 16., neubearb. Aufl. Leipzig: Amelang, 1903.

Georg Bollenbeck

Sentimentale Konventionslyrik als folgenlose Unterhaltung. Zu Wilhelm Jordans Gedicht *Die welke Rose*

Wilhelm Jordans Gedicht *Die welke Rose* gehört zu der seit der Biedermeierzeit anschwellenden ebenso publikumssüchtigen wie wirkungstüchtigen Lyrikproduktion des 19. Jahrhunderts. Die einfache Form kommt dem eingängigen Inhalt entgegen. Die aus vier Zeilen mit freier Versfüllung zusammengesetzten Strophen, in denen jeweils der zweite mit dem vierten Vers reimt, wirken volksliedhaft-einfach. Jeder Satz bildet eine deutliche Einheit. Es herrscht ein verhaltener und klingender Ton, der hohe Erregtheit und bittere Klage nicht zuläßt, und der so zur wehmutsvollen entsagenden Trauer über die verlorene Jugend paßt. Das Kraftfeld der elegischen Stimmung bilden die ersten drei Strophen. Von ihrem anakreontisch anmutenden Genrebild geht die Spannung zwischen dem Heute des Alters und dem Gestern der Jugend aus.
An der Grenze zwischen Park und Wald, zwischen Zivilisation und Natur treffen sich ein »junger Geselle, / Am Hut einen Eichenzweig« und »Ein Köpfchen mit goldigem Haar«. So wie sie Zweig und Rosen teilen und miteinander tauschen, so gehen sie auch miteinander um: ein pikanter und bei der zeitgenössischen hohen Scham- und Peinlichkeitsschwelle sicherlich prickelnd-erotischer Vergleich! Zudem findet das Treffen an einem »schönsten Junimorgen«

(13) statt. Zur Örtlichkeit mit Park und Wald, mit einem Gitter, das trennt und doch zueinander finden läßt, kommt eine Zeitangabe, die das erlebte Glück anschaulich steigern soll. »Du schönster Junimorgen«, schon die persönliche Anrede hebt Bedeutung und Einzigartigkeit hervor. Ebensowenig wie es sich hier um einen Frühlingstag unter anderen handelt, geht es hier um eine Geliebte unter vielen. Tag und Erlebnis erscheinen als einzigartig. Und dann noch der absolute Superlativ. Er bestärkt die Gunst der Umstände. Man denkt an einen lachenden, blauen Himmel, an erfrischende Kühle und angenehme Wärme. Damit ist ein Höhe- und Wendepunkt im Gedicht erreicht. Mit der vierten Strophe folgt dem heiteren Genrebild eine sich subjektiv gebende wehmütige Klage. Deshalb auch jetzt der Übergang von der Er- zur Ich-Form. Bezeichnend auch, daß im Folgenden die mögliche genrehafte Schilderung des Alters ausgespart bleibt. Statt dessen deuten die vertrauten Bilder auf den Verlust von Jugend und Glück. Im Alter ist die Rose welk, und die Eichenblätter sind in grünlichen Staub zerfallen. Nur ein goldenes Haar glänzt noch »wie damals«. Es erinnert an das vergangene Glück und veranschaulicht die elegische Spannung zwischen Vergangenheit und Gegenwart. So bereitet diese sechste Strophe mit ihrem komprimierten elegischen Kontrast die zusammenfassende Klage und Resignation der letzten vor. Hier wird nochmals der Junimorgen in Erinnerung gebracht, nochmals unterstreicht das »Du« dessen Einzigartigkeit. Trauer und Melancholie treten verhalten auf, und die größere evokative Potenz des idyllischen Genrebildes – in dem das Glück ja ausgemalt wird, während die veränderten Sinnbilder das Alter nur andeuten – stimmt sentimental ein.

Aus dem Gedicht klingt keine erschütternde, sondern eine gedämpfte Klage über die Vergänglichkeit. Man kann es wohl kaum isoliert von anderen als Besonderheit interpretieren. Es gehört zu einer trivialisierten lyrischen Serienproduktion (vgl. dazu auch den Beitrag über das *Wanderlied* von Victor Scheffel), die eine stereotype, aus der Romantik und dem Biedermeier übernommene Motivik variiert. Auch bei Jordan finden wir eine solche konventionelle Motiv-Verknüpfung. Man denke an die verbreitete Klage über die vergangene Jugend. Gesellen mit Eichenzweigen am Hut und Mägdelein mit Rosen am Busen müssen immer wieder in der nachromantischen Lyrik auftreten. Besonders die Rose – ob nun welk oder nicht – wird arg strapaziert. Sie kann als Sinnbild Verschiedenes bedeuten. In der politischen Dichtung ist sie die Blume der Freiheit, die im erstarrten restaurativen Deutschland nicht gedeihen kann. Häufiger dient sie jedoch, auch im Zusammenhang mit Jahreszeiten-Gedichten, als Sinnbild in der Liebeslyrik.

Im vorliegenden Gedicht ist ihre Semantik eng umrissen und fest begrenzt. Sie wirkt hier eher emblematisch als symbolisch, denn ihr Sinngehalt ist eindeutig faßbar. Die blühende Rose steht für Jugend, Glück und Liebe, die welke Rose für Alter und Vergänglichkeit. Nicht Vieldeutigkeit, sondern Eindeutigkeit charakterisiert das Bild, und insofern paßt es zur volksliedhaft-eingängigen Form wie zum sentimentalen Gehalt.

So ist dieses Gedicht von einem sanft-milden Affekt durchzogen. Seine Wirkungsintentionen sind Unterhaltung, Reiz und Rührung. Wer hat es geschrieben und von wem wurde es gelesen? Sein Autor, Wilhelm Jordan (1819–1904), ist kaum als Lyriker bekannt, und doch ist sein Gedicht repräsentativ für eine verbreitete »Beschwichtigungspoesie«. Allerdings scheint auf den ersten Blick jene elegische Bescheidenheit kaum unserem Autor zu entsprechen. Bekannt war der Romanschriftsteller, Dramatiker und Übersetzer Wilhelm Jordan als Autor der rasselnden Stabreimdichtung *Nibelunge* (1867/74), die ähnlich wie Hermann Linggs *Völkerwanderung* oder Robert Hamerlings *Ahasver in Rom* den völkischen Mythos eines kräftigen Germanentums vorstellen will. »Bei Jordan«, so eine ältere Literaturgeschichte noch voll Anerkennung und mit dem *Nibelungenlied* vergleichend, »ist alles farbiger, vielgestaltiger, reicher und sorgfältiger in den Einzelzügen als im alten Epos, stim-

mungsvoller, schwunghafter und leidenschaftlicher. Jordan ist tiefer als Lingg, Wagner, Geibel, Hebbel, Simrock und Dahn in das Altgermanische eingedrungen« (Kummer, S. 430). Als umherreisender Rezitator hat Jordan jedenfalls mit seiner Stabreimdichtung einen überraschenden Erfolg: Er bereist alle größeren Städte in Deutschland und Österreich, besucht die Schweiz, Rußland, Nordamerika, Australien und Südafrika. Er strebt mit seiner Dichtung die Erneuerung des deutschen Nationalepos an und möchte mit einem sozialdarwinistisch eingefärbten Lebenspathos Zerrissenheit und Klassengesellschaft in Deutschland überwinden. Forcierter Nationalismus und historische Kostümierung passen zum Klima der Gründerzeit, in der mit der Reichseinigung von oben und einem überraschenden ökonomischen Aufschwung bürgerliches Selbstbewußtsein und Hurrapatriotismus neue Akzente erhalten. Epochenspezifisch ist ebenfalls, daß man als epischer oder dramatischer Autor auch Lyrik schreibt.
In welcher Beziehung steht aber jene monumentale Formgesinnung, jene Germanenkraftmeierei in historischem Kostüm zu einem verhaltenen Gedicht wie *Die welke Rose*? Zu Blut und Eisen gehören auch Gemüt und Gedichte, denn die politische Entwicklung in Deutschland verurteilt den Bürger zur Passivität und läßt ihn schließlich doch an der Reichseinigung teilhaben und profitieren. Damit entsteht vor dem Hintergrund des politischen und ökonomischen Aufschwungs ein Nebeneinander von emotionaler Teilnahme am historischen Prozeß und politischer Handlungshemmung. Sicher, der Zusammenhang von Handlungshemmung und ausgebildetem Gemüt, von eingeschränkter Öffentlichkeit und Flucht nach innen oder in die Natur wirkt schon früher – Wolf Lepenies hat auf den Ursprung bürgerlicher Melancholie im 18. Jahrhundert hingewiesen, im Biedermeier korrespondiert der Eskapismus mit einer entwickelten Gemütskultur –, er erhält aber jetzt einen neuen Drall, weil das Bürgertum ökonomisch gestärkt wird

und zugleich politisch entmündigt bleibt, weil es die phrygische Mütze endgültig ablegt und sich mit der preußischen Pickelhaube zu identifizieren beginnt. Daher in der Gründerzeit eine kulturelle Desorientierung und das Nebeneinander von renaissancebegeisterter Kraftgebärde und »machtgeschützter Innerlichkeit«. Daher auch jener einzigartige Geschmackseklektizismus mit gotischen Bahnhöfen, altdeutschen Möbeln, mit Stabreimen und Butzenscheibenlyrik. Daher auch jetzt im Gegensatz zur Gemütlichkeit und Bequemlichkeit des Biedermeier-Interieurs die Hervorhebung von Reichtum und Repräsentation.

Jordans Leben und Werk sind für die angedeuteten kulturellen Trends exemplarisch. Er entwickelt sich im Vormärz zum Junghegelianer, wird sogar 1846 aus Leipzig wegen atheistischer Propaganda ausgewiesen. Wir finden ihn 1848 in der Frankfurter Nationalversammlung, wo er von der linken zur Erbkaiser-Partei übergeht, er ist kurze Zeit Ministerialrat in der Marineabteilung des Reichshandelsministeriums und lebt ab 1865 als Staatspensionär und »freier« Schriftsteller in Frankfurt. *Ein vormärzlicher Literat* betitelt Franz Mehring einen Beitrag anläßlich der Beerdigung Jordans 1904, und er möchte sich damit gegen die unwürdige Schaustellung des toten Dichters in der Paulskirche wenden, jenem Ort, wo er die deutsche Linke verraten habe. »Jordan war ein vormärzlicher Literat und ist es all sein Lebtag geblieben. Kein Dichter wie Herwegh oder Freiligrath und kein Denker wie Feuerbach und Marx, und doch ein Stück von einem Dichter und auch ein Stück von einem Denker, in unausgegorener Mischung, wie es ihrer so viele gab, zur Zeit, wo das Dichten handwerksmäßig geworden war und neue schöpferische Antriebe nur von Gebieten der politischen Aktion und der ökonomischen Produktion kommen konnten, von Gebieten, auf denen sich mit allen philosophischen und politischen Anläufen niemals zurechtzufinden das eigentliche Wesen des vormärzlichen Literaten ausmacht.«

Vor diesem Hintergrund werden Herkunft und Funktion des Handwerklich-Gemachten in unserem Gedicht deutlicher. Die konventionelle Motiv-Verknüpfung, die vertraute Form und die Ausrichtung auf wehmütige Bescheidenheit stammen aus dem Biedermeier und passen auch noch in den Erwartungshorizont der Gründerzeit. Der Text wirkt formal gediegen – trotz des unfreiwilligen Stilfehlers vom Weg, der am Gitter mündet; er wirkt aber auch inhaltlich mit seiner sentimentalen Resignation verbraucht und gehört zur Kehrseite jener monumentalen Reichsapologetik, zu einer Innerlichkeit, die alles Beunruhigende ausklammert und in Stimmung gebracht werden will.
Das Gedicht findet in einem Themenkreis Platz, den bereits biedermeierliche Gedichtsammlungen abstecken. Zu ihm zählen »Vater und Heimat«, »Wein und Gesang«, »Lieben und Leiden« und »Natur und Reisen«. Zeitprobleme wie Massenarmut und Industrialisierung, wie Epigonengefühl und Krise des lyrischen Subjekts bleiben ausgeklammert. Die Orientierung auf traditionelle lyrische Formen und Inhalte geschieht auch mit Blick auf ein Publikum, das Literatur unter der mißverstandenen Berufung auf das Gute, Wahre und Schöne, nicht als beunruhigende, sondern als harmonisierende sehen will. Seit der Biedermeierzeit besitzt Lyrik eine neuartige Popularität, sie erreicht aber diesen Wirkungsgewinn durch einen Bedeutungsverlust, denn ihre stereotype Motivik richtet sich nach dem Erwartungshorizont des bürgerlichen Publikums und verhindert damit zugleich die lyrische Verarbeitung von neuen Stoffen und Motiven. Sie gerät damit immer wieder zum lyrischen Ornament und sagt oft mehr, als sie bedeutet! Dies klingt thesenhaft-allgemein, und es wäre zu fragen, ob sich denn der Erwartungshorizont zeitgenössischer Rezipienten überhaupt ausleuchten läßt. Steht nicht historische Rezeptionsforschung, bei der demographisch-empirische Verfahren unmöglich sind, vor unlösbaren Aufgaben? Immerhin bieten sich bei Jordans Gedicht verschiedene Quellen als Rezep-

tionsdokumente an. Da ist zunächst der Text selber. Als Teil einer am Publikum orientierten Lyrik sagt er auch etwas über dessen Erwartungen aus. Akzeptiert man, daß Literatur nur in der inneren Beziehung von objektivem Vorhandensein und subjektivem Tätigsein wirkt, daß zwischen literarischer Rezeption und literarischer Produktion ein dialektischer Bedeutungszusammenhang besteht, dann kann die Interpretation auch als Beitrag zur Rezeption dienen – nicht nur in dem Sinne, daß jede Interpretation zugleich auch ein Stück Rezeption ausmacht. Gerade bei populärer Literatur vermag die geschichtsbewußte Analyse eines Textes mit der aufgedeckten Ausrichtung aufs Publikum auch dessen Erwartungshorizont mit einzubeziehen. So paßt ja die konventionelle Motiv-Verknüpfung unseres Gedichts und sein verhaltener Ton in einen Erwartungshorizont, der für die Literatur die Prosa des Lebens ausschließen will.
Hinzu kommt: Unser Gedicht erscheint in vielen der populären zeitgenössischen Lyrikanthologien, von denen Elise Polkos *Dichtergrüße* (Leipzig [16]1903) eine der bekanntesten ist. Damit lassen sich die Funktion des Textes und sein Rezipientenkreis näher bestimmen. Während vor 1848 Musenalmanache und Taschenbücher die häufigsten Publikationsorte für Lyrik ausmachen, verlagert sich nach der Jahrhundertmitte der Schwerpunkt zu den Lyrikanthologien. Jörg Schönert bezeichnet deshalb die zweite Hälfte des 19. Jahrhunderts als die »Blütezeit der lyrischen Blütenlese«. Sie alle wollen dem Leser nur »das Beste« bieten und sperren meist mit Blick auf den Publikumserfolg bessere neue Lyrik aus. Bis ins neue Jahrhundert hinein bleiben in den Anthologien alte Themen und stereotype Motive bestimmend, auch wenn nun C. F. Meyer oder Dehmel Anerkennung finden, wenn Jordan oder der Butzenscheibenlyriker Baumbach ausgespart werden. So greift Hans Benzmanns Anthologie *Moderne deutsche Lyrik* (Leipzig 1904) auch Vertrautes auf. Da geht das lyrische Ich weiter auf »Stille Fahrt«, und da werden die »Mondnacht«, der

»Vorfrühling« oder das »Hirschröhren« besungen. Lyrikanthologien lenken durch die Auswahl, durch Vor- und Nachworte, durch programmatische Erklärungen und Illustrationen die Rezeption. Sie können durch die Einordnung des besonderen Textes unter ein allgemeines Thema die Bedeutung des Textes erweitern oder verengen. Bezeichnend dafür die *Übersicht des Inhalts* in Polkos *Dichtergrüße*. Das Spektrum reicht hier von »Denken und Dichten« bis zu »Hoffen und Glauben«. Unser Text ist unter »Leben und Lieben« zu finden. Über die Thematik biedermeierlicher Lyrikanthologien geht dies nicht hinaus. Wie sehr Disharmonien und Beunruhigendes ausgeklammert werden, mag die Berufung auf »das Schöne« – hier ganz vordergründig als das Gefällige und Unproblematische mißverstanden – anzeigen. »Ohne nach Namen zu fragen, suchte ich nur das wahrhaft Schöne«, versichert die Herausgeberin im Vorwort, und in einer Verlagsanzeige, die der 2. und 3. Auflage beigebunden ist, wird der Zusammenhang von Weltentsagung und Trost, von verengtem Schönheitsbegriff und lyrischer Glättung deutlich: »Jeder Schlag des Herzens schlägt uns eine Wunde, und das Leben wäre ein ewiges Verbluten, wenn nicht die Dichtkunst wäre. Sie gewährt uns, was uns die Natur versagt: eine goldene Zeit, die nicht rostet, einen Frühling, der nicht abblüht, wolkenloses Glück und ewige Jugend. Der Dichter ist der Tröster der Menschheit. Die Poesie zeigt nur das Edle, Schöne und Würdige vom Leben [...]. Statt des prosaischen Erdenwesens ist nur Heil in den höheren Regionen [...]. Religiöse und poetische Empfindungen haben einen Ursprung, denn beide beleben das Gefühl, sich über das Gewöhnliche, Gemeine und Irdische hinwegzusetzen.«
Die *Vorrede* enthält noch einen weiteren wichtigen Hinweis auf die Rezipientengruppe unseres Gedichtes, denn in ihr versichert die Herausgeberin, ihre Anthologie würde an die »Frauen- und Mädchenherzen« anklopfen, und das Schöne gelte nur, »wenn es eine schöne Seele belebe«. Frauen und Mädchen als Rezipienten einer ebenso eingängigen wie sen-

timentalen Konventionslyrik – dies läßt sich nur aus ihrer neuen Rolle in gewandelten Bürgerfamilien erklären. Frauen sind besonders seit dem Biedermeier nicht mehr in die arbeitsteilige Wirtschaftsordnung großer Haushaltsfamilien integriert. Mit der Herausbildung einer bürgerlichen Klein- und Kernfamilie bestimmen für die Frau die »drei großen K«, Kirche, Küche und Kind, die Lebenswelt: »Als Folge der häuslichen Zurückgezogenheit der bürgerlichen Frau und ihrer wachsenden Entmündigung im öffentlichen Leben ergab sich nun im Ausgleich eine unerwartete sentimentale Auffüllung des innerfamiliären Bereiches, wie sie das Biedermeier entschieden auszeichnet und charakterisiert« (Weber-Kellermann, S. 107). Der bereits angedeutete Zusammenhang von Gemütskultur und Handlungshemmung erhält so eine besondere Matrix. Die Frau wirkt nur im engen und privaten Bereich der Familie, ihm soll sie Leben und Gemüt verleihen. Dazu paßt eine populäre Lyrik, die mit ihren ›zeitlosen‹ Themen häusliche Zurückgezogenheit von der beruflichen und politischen Lebenswelt respektiert und zugleich den Gefühlshaushalt zu bereichern weiß. Es mag nicht überraschen, daß in den Lesebüchern für Mädchen weit mehr Gedichte zu finden sind als in denen für die männliche Jugend. Der populären Lyrik geht es nicht um produktive Verunsicherung oder Belehrung. Entsprechend der starren Trennung von Öffentlichkeit und Privatheit, entsprechend der konservativen Rollenverteilung sollten die Gedichte affirmativ unterhalten und rühren. So heißt es in der *Vorrede* zur 16. Auflage der Anthologie *Dichtergrüße*, das Buch möge wiederum »Vielen Stunden weihevoller Erhebung und frohen Genießens bescheren«.

Wer sich eine repräsentative Lyrikanthologie kauft oder sie als Geschenk erhält, der lebt im Bürgertum. So werden trotz der massenhaften Verbreitung dieser Lyrik in Anthologien und Familienzeitschriften diese populären Gedichte nicht von den Massen rezipiert. In dem Roman *Frau Jenny Treibel* (1892) gestaltet Fontane mit der Lebens-, Denk- und Gefühlswelt einer ökonomisch potenten Bourgeoisie auch den Zusammenhang von sentimentaler Poesie und bourgeoisem Nützlichkeitsdenken. Fontane läßt seine ebenso berechnende wie gefühlsselige Kommerzienrätin immer wieder die Schlußzeile eines sentimentalen Liedes, »Wo sich Herz zu Herzen find't«, singen, und er möchte damit, wie es in einem Brief vom 9. 6. 1888 an seinen Sohn Theo heißt, »das Hohle, Phrasenhafte, Lügnerische, Hochmütige, Hartherzige des Bourgeoisstandpunktes [...] zeigen, der von Schiller spricht und Gerson meint« (Fontane, S. 776). In einem Gespräch mit dem Lieutenant Vogel versichert Jenny, für sie gelte nur die »poetische Welt«, nur dem Poetischen verlohne es sich zu leben, alles Äußerliche wie Besitz und Vermögen sei nichtig. In Wirklichkeit verhält es sich genau umgekehrt. Gerade die leitmotivisch eingesetzte Schlußzeile des sentimentalen Liedes unterstreicht das charakteristische Miteinander von kühler Berechnung und Sentimentalität. Lyrik ist hier zu einem folgenlosen Stimmungsmittel verkommen. In diesen Rezeptionsrahmen gehört auch *Die welke Rose*, und sicherlich paßt zur Kommerzienrätin auch jenes elegische »Du schönster Junimorgen, [...], Wie bist du so weit, so weit!«

Zitierte Literatur: Georg BOLLENBECK: »Mich lockt der Wald mit grünen Zweigen aus dumpfer Stadt und trüber Luft«. Zu Trivialisierungstendenzen des Wanderermotivs in der Lyrik des 19. Jahrhunderts. In: Sprachkunst 9 (1978) S. 241–271. – Theodor FONTANE: Werke, Schriften und Briefe. Abt. 1. Bd. 4. München ²1974. S. 297–478 (Frau Jenny Treibel). – Friedrich KUMMER: Deutsche Literaturgeschichte des 19. Jahrhunderts, dargestellt nach Generationen. Dresden ²1909. – Wolf LEPENIES: Melancholie und Gesellschaft. Frankfurt a. M. 1972. – Franz MEHRING: Ein vormärzlicher Literat (1904). In: F. M.: Gesammelte Schriften. Bd. 10. Berlin 1961. S. 390–394. – Elise POLKO (Hrsg.): Dichtergrüße. [Siehe Textquelle.] – Jörg SCHÖNERT: Die populären Lyrik-Anthologien in der zweiten Hälfte des 19. Jahrhunderts. In: Sprachkunst 9 (1978) S. 272–299. – Ingeborg WEBER-KELLERMANN: Die deutsche Familie. Versuch einer Sozialgeschichte. Frankfurt a. M. 1977.

Weitere Literatur: Günter HÄNTZSCHEL: »In zarte Frauenhand. Aus den Schätzen der Dichtkunst.« Zur Trivialisierung der Lyrik in der zweiten Hälfte des 19. Jahrhunderts. In: Zeitschrift für deutsche Philologie 99 (1980) S. 199–226. – Günter HÄNTZSCHEL: Lyrik-Vermittlung in Familienblättern. Am Beispiel der Gartenlaube 1885–1895. In: Literaturwissenschaftliches Jahrbuch.

N. F. 22 (1981) S. 155–185. – Richard HAMANN / Jost HERMAND: Epochen deutscher Kultur von 1870 bis zur Gegenwart. Bd. 1. Gründerzeit. München 1971. – Wilhelm JORDAN: Sechs Aufsätze zur 100. Wiederkehr seines Geburtstages am 8. Februar 1919. (Von Paul Vogt, Ernst Keller, Julius Ziehen [u. a.].) Frankfurt a. M. 1919. – Günther MAHAL (Hrsg.): Lyrik der Gründerzeit. Tübingen 1973. – Friedrich SENGLE: Biedermeierzeit. Deutsche Literatur im Spannungsfeld zwischen Restauration und Revolution 1815–1848. Bd. 2. Die Formenwelt. Stuttgart 1972.

Emanuel Geibel

An König Wilhelm

Lübeck, den 13. September 1868

Mit festlich tiefem Frühgeläute
Begrüßt dich bei des Morgens Strahl,
Begrüßt, o Herr, in Ehrfurcht heute
Dich unsre Stadt zum erstenmal;
5 Dem hohen Schirmvogt ihr Willkommen
Neidlosen Jubels bringt sie dar,
Die selbst in Zeiten längst verglommen
Des alten Nordbunds Fürstin war.

Das Banner, das in jenen Tagen
10 Den Schwestern all am Ostseestrand
Sie kühngemut vorangetragen,
Hoch flattert's nun in deiner Hand,
In deiner Hand, die auserkoren
Vom Herrn der Herrn, dem sie vertraut,
15 Das Heiligtum, das wir verloren,
Das deutsche Reich uns wieder baut.

Schon ragt bis zu des Maines Borden
Das Werk, darob dein Adler wacht,
Versammelnd alle Stämm' im Norden
20 Die Riesenfeste deutscher Macht;
Und wie auch wir das Banner pflanzen,
Das dreifach prangt in Farbenglut,
Durchströmt uns im Gefühl des Ganzen
Verjüngte Kraft, erneuter Mut.

25 Im engen Bett schlich unser Leben
Vereinzelt wie der Bach im Sand;
Da hast du uns was not gegeben,
Den Glauben an ein Vaterland.

Das schöne Recht, uns selbst zu achten,
Das uns des Auslands Hohn verschlang,
Hast du im Donner deiner Schlachten
Uns heimgekauft, o habe Dank!

Nun weht von Türmen, flaggt von Masten
Das deutsche Zeichen allgeehrt;
Von ihm geschirmt nun bringt die Lasten
Der Schiffer froh zum Heimatsherd.
Nun mag am harmlos rüst'gen Werke
Der Kunstfleiß schaffen unverzagt,
Denn Friedensbürgschaft ist die Stärke,
Daran kein Feind zu rühren wagt.

Drum Heil mit dir und deinem Throne!
Und flicht als grünes Eichenblatt
In deine Gold- und Lorbeerkrone
Den Segensgruß der alten Stadt.
Und sei's als letzter Wunsch gesprochen,
Daß noch dereinst dein Aug' es sieht,
Wie übers Reich ununterbrochen
Vom Fels zum Meer dein Adler zieht.

Abdruck nach: Emanuel Geibel: Werke. Hrsg. von Friedrich Düsel. 2 Tle. Berlin: Bong & Co., [1920]. T. 1. S. 175 f.
Erstdruck: Eisenbahn-Zeitung (Lübeck) vom 15. 9. 1868. [Unter dem Titel: Lübeck am 13. September 1868.]

Ute Druvins

Propreußische Propaganda. Zu Emanuel Geibels Herrscherlob *An König Wilhelm*

Emanuel Geibel ist heute nahezu vergessen. Vor hundert Jahren war er einer der bekanntesten und erfolgreichsten Lyriker, einer der wenigen, deren Auflagen schwindelerregende Höhen erreichten, deren Gedichte in fast jeder Anthologie und in zahllosen Zeitungen und Zeitschriften zu finden waren. Seine Texte, die Erlebnislyrik und politische Dichtung umfaßten, wurden für einige Generationen des deutschen Bürgertums geschmacks- und bewußtseinsbildend. Liest man das vorstehende Gedicht *An König Wilhelm*, so ist diese Wirkung nicht mehr nachzuvollziehen: Die Distanz zu diesem geschichtlich weit entfernten Text scheint unüberbrückbar. Dabei sind die Fakten schnell zusammengetragen: Im September 1868 gaben die Honoratioren der Stadt Lübeck bei ihrem berühmten Bürger ein Gedicht in Auftrag, das beim bevorstehenden Besuch des preußischen Königs als Willkommensgruß Verwendung finden sollte. Lübeck, das im Mittelalter als freie Reichsstadt die Führungsposition in der Hanse innegehabt, seine wirtschaftliche und politische Machtstellung in Nordeuropa dann im 16. Jahrhundert verloren hatte, war 1867 dem Norddeutschen Bund und 1868 dem Zollverein beigetreten. Die Stadt übernahm damit auch die schwarz-weiß-rote Fahne des Norddeutschen Bundes, die aus dem preußischen Schwarz-Weiß und dem hanseatischen Rot-Weiß gebildet war und später die Fahne des Deutschen Reiches werden sollte. Der nach den preußischen Kriegen gegen Dänemark (1864) und Österreich (1866) und der durch Preußen provozierten Auflösung des Deutschen Bundes (1866) gegründete Norddeutsche Bund war im Konzept der Bismarckisch-preußischen Expansionspolitik ein entscheidender Schritt bei der Realisierung der kleindeutschen nationalen Einigung von oben. Zweieinhalb Jahre später wurde nach dem Krieg gegen Frankreich das Zweite Deutsche Kaiserreich proklamiert, unter preußischer Hegemonie und mit Wilhelm I. als Kaiser. Mit Hilfe dieser Informationen lassen sich einige Passagen des Textes erhellen: die Anspielung auf die Vergangenheit der Stadt (7–11), die wiederholte Bezugnahme auf die Fahne (9–12, 21 f., 33–36), der Verweis auf den Krieg gegen Dänemark (29–32) und die durchgehende Betonung der preußischen Führungsrolle (vor allem 17–20). Aber auch die Einbeziehung dieser Kenntnisse vermag die Distanz nicht aufzuheben. Die Schwierigkeit für uns heute liegt eben nicht bei den geschichtlichen Fakten, sondern bei der Fremdheit von ästhetischen Mitteln und Ideologie.

Das Herrscherlob hat in der europäischen Literatur eine lange Tradition. Durch die geschichtliche Entwicklung ist diese spezielle Form der politischen Dichtung inzwischen eingeholt und überholt. Geibel knüpft noch an die alte Tradition an und benutzt den hohen, feierlich-pathetischen Stil und verschiedene Topoi aus der Rhetorik dieses Genres als Mittel, den zu preisenden Herrscher ins ›gebührende Licht‹ zu stellen. So präsentiert er den Lorbeer als Zeichen des Sieges (43), weiter den Hinweis auf das Gottesgnadentum des Monarchen (13 f.) sowie die Vorstellung, daß der Herrscher als Retter komme (21–32) und mit ihm das ›Goldene Zeitalter‹ (33–40). Insgesamt ist ein christlich-sakraler Grundton bestimmend: Der König wird mit Formeln begrüßt, die in Kirchenliedern gewöhnlich für Gott stehen (3), darüber hinaus wählt der Autor die Form der Kirchenliedstrophe. Dies alles ist jedoch nur die Oberfläche. Die wesentlichen politischen Implikationen des Gedichts liegen auf einer anderen Ebene, die Form des Herrscherlobs erweist sich bei genauerer Analyse als Transportmittel für die Propaganda kleindeutsch-großpreußischer Politik.

Ausgehend von dem im zersplitterten Deutschland seit etwa hundert Jahren aktuellen Wunsch nach nationaler Einigung benutzt Geibel die jüngsten preußischen Erfolge dazu, eine Übereinstimmung der Interessen *aller* Deutschen mit denen der Bismarckisch-preußischen Machtpolitik zu suggerieren. Geschickt präsentiert er zunächst die Legitimation für die preußische Führungsrolle, die er gleich zweifach begründet: Er verknüpft den Auserwähltheitsgedanken (13 f.) mit der Berufung auf die Tradition des von Napoleon 1806 aufgelösten ›Heiligen Römischen Reiches Deutscher Nation‹ (15). Zugleich trifft er mit der Vermischung von religiöser und feudaler Terminologie (5; 19 f.) genau den Ton romantischer Reichsverklärung, der seit den vierziger Jahren zunehmend populär geworden war. Preußen wird jedoch nicht nur als berechtigter Erbe, sondern vor allem durch seine Taten legitimiert. Es wird als Erwecker und Träger des wahren Nationalgefühls gezeichnet (25–28), das die nationale Identität durch erfolgreiche Kriegsführung herzustellen vermag (29–32) und im Innern der Garant von Sicherheit, Wohlstand und Frieden ist (33–40). Die Machtpolitik erscheint als selbstverständliches Mittel solcher Überlegenheit. Dies wird nicht nur im Symbol der »Lorbeerkrone« (43) und des preußischen »Adlers« (18; 47 f.) sinnfällig bildlich umschrieben, sondern beim Ausmalen des gegenwärtigen Machtbereichs auch offen formuliert (20). Der Wunsch nach Erweiterung dieses Machtbereichs ergibt sich im Vorstellungs- und Bildzusammenhang des Gedichts schließlich ebenso zwangsläufig wie die Suggestion, daß die preußische Expansion das Begehren *aller* Deutschen sei. Nicht erst in der vielzitierten letzten Strophe wird dies unverblümt ausgesprochen, sondern schon vorher, wenn an zwei Stellen das Attribut ›deutsch‹ in vorwegnehmender Funktion gesetzt wird. Sowohl bei der hyperbolischen Periphrase für den Norddeutschen Bund (20) als auch bei dem symbolträchtigen Bild der allgegenwärtigen schwarz-weiß-roten Fahne (34), die damals eben noch keine *National*fahne war, hätte es formal korrekt ›norddeutsch‹, den wirklichen politischen Machtverhältnissen nach sogar ›preußisch‹ heißen müssen. Konzentriert man sich ganz auf diese Ebene des Textes, so erscheint es nicht verwunderlich, daß Ludwig II. von Bayern dieses Gedicht zum Anlaß genommen hat, Geibel aus seiner Stellung als ›Hofdichter‹ zu entlassen. Und es kann ebensowenig überraschen, daß der preußische König den Dichter sofort großzügig materiell entschädigt hat.

Propreußische Propaganda betrieb Geibel in seiner politischen Lyrik seit den vierziger Jahren. Im Laufe der Zeit baute er sie zu einer umfassenden Rechtfertigungs-Ideologie in lyrischer Form aus, deren Versatzstücke immer wieder auftauchen. (Man lese zur Ergänzung den Band *Heroldsrufe* [1871], in dem Geibels politische Dichtung gesammelt ist.) Eine ideologiekritische Analyse solcher Konstanten im vorliegenden Gedicht hat also eine Funktion, die über diesen Text hinausweist. Aufschlußreich im Zusammenhang der Ideologiebildung ist zunächst die Verherrlichung eines ›starken Mannes‹ überhaupt. Sie hängt hier mit dem Verwendungszweck des Textes zusammen, ist aber eine durchgehende Vorstellung bei Geibel, der schon 1844 nach einem »Nibelungenenkel« gerufen hatte, »daß er die Zeit, den tollgewordnen Renner, / mit eh'rner Faust beherrsch' und eh'rnem Schenkel« (*Deutsche Klagen vom Jahr 1844*). Ergänzt und überhöht wird die Heroisierung durch die Betonung des anachronistischen Gottesgnadentums (13 f.), auf dem Geibel in Ablehnung der rationalen Postulate der Aufklärung, der Ideen der Französischen Revolution und der liberalen und demokratischen Bewegungen des Vormärz beharrt. In dieser irrationalen Legitimierung liegt die Begründung für den heute unerträglichen Ton demutsvoller Unterwerfung, vor allem aber für die gefährlichere Sakralisierung der preußischen Politik. Aufschlußreich ist weiterhin die Berufung auf die Tradition, jedoch nicht so sehr die Tatsache, daß Geibel hier romantisierend an die Tradition des tausendjährigen deutschen Reiches anknüpft (15 f.), sondern die Tatsache, daß eine andere Tradition übergangen wird, die des modernen europäischen Nationalstaats. Im Interesse des autoritären, halb-feudalen preußischen Staates mußten der antiaristokratische und liberale Nationalismus, der ursprünglich mit der Emanzipation des Bürgertums eng verknüpft gewesen war, und die Erinnerung an den revolutionären Einigungsversuch von 1848/49 unterdrückt werden. Gleichzeitig aber nimmt Geibel andere Traditionen in geschichtsverfälschender Weise in Anspruch, wenn er für die Lübecker eine Verbindung von ›altem‹ zu ›neuem‹ »Nordbund« konstruiert (7–12) und feudale Attribute in die Geschichte der Hanse hineinträgt, die doch gerade außerhalb des feudalen Ordnungssystems verlief und zudem in der bündisch-föderativen Organisation demokratische Elemente enthielt.

An anderen Stellen des Gedichts läßt sich dann Wesentliches zu Struktur und Herrschaftsmechanismen des gegenwärtigen preußischen wie des angestrebten Nationalstaats ermitteln. Zentral ist hierbei die vierte Strophe, wo in den ersten vier Zeilen ein Zusammenhang zwischen angeblicher politischer Unselbständigkeit des Volkes und der Notwendigkeit einer Einigung von oben hergestellt wird. Die Rechtfertigungsfunktion solcher Konstruktion liegt auf der Hand, sie läßt sich sogar sehr genau an ästhetischen Mängeln nachweisen. Das Naturbild, das Geibel für die Kennzeichnung des verlassenen, hilflosen Zustandes wählt, wird nämlich nicht zu Ende geführt. Denkt man im Sinne dieser Flußmetaphorik weiter, so hätte sie im Bild eines breiten kraftvollen Stromes enden müssen – diese Metapher war jedoch schon durch die oppositionelle Vormärzlyrik besetzt, wo sie für Freiheit und Revolution gestanden hatte (z. B. bei Ferdinand Freiligrath, Georg Herwegh, Friedrich von Sallet). In diesem ästhetischen Bruch wird also einmal mehr deutlich, welche politischen Ereignisse Geibel übergeht. Und zugleich verweist die gebetsartige Formel, mit der er das Bild ›kittet‹, auf die Vorstellungen, denen er unmittelbar verpflichtet ist, nämlich die einer vulgarisierten lutherischen Obrigkeitsgläubigkeit, die fraglosen Gehorsam und kritiklose Unterordnung verlangte. Insofern hat das Wort *Vaterland* (28) hier auch eine starke sozialpsychologische Funk-

tion, zumal Geibel im Gegensatz zum politisch inhaltslosen Vaterlandsbegriff der Befreiungskriegsdichtung hier mit dem preußischen König und dem preußischen Staat ein ganz konkretes Identifikationsangebot macht.
Daß diese Ideologie auch dazu gedient hat, ›Blut und Eisen‹ als politische Mittel zu sanktionieren, zeigt der zweite Teil der vierten Strophe. Die Sakralisierung der preußischen Machtpolitik wird an dieser Stelle besonders abstoßend, die quasi-religiöse Dankesformel zur Perfidie, die in noch gesteigertem Maße dann in der Kriegslyrik und den Kriegspredigten von 1870 und 1914 wiederzufinden ist. Gerade hier aber enthüllt Geibel – gewissermaßen naiv – ein wichtiges Mittel der Bismarckischen Politik, eine Herrschaftstechnik, die von der neueren historischen Forschung auf den Begriff der ›negativen Integration‹ gebracht wurde. Gemeint ist damit die einigende Funktion der »Feindschaft gegen gemeinsame Gegner« (Wehler, S. 97). Objekte des Hasses waren im Jahre 1864 die Dänen gewesen, auf die das Feindbild dieses Gedichts gemünzt ist (30), 1870 sollten es dann die Franzosen sein, und nach der Gründung des Reiches die inneren ›Reichsfeinde‹. Aber auch in anderer Hinsicht hatte der Krieg von 1864 zusammen mit dem von 1866 als Integrationsmittel gedient: Die preußischen Siege zerbrachen die liberale Opposition, eine innere Krisensituation war mit Hilfe der außenpolitischen Erfolge entschärft worden.
In diesem Kontext gesehen, hat die Idylle in der fünften Strophe durchaus Wirklichkeitsbezüge, allerdings bleibt die realitätsverschleiernde Funktion dominierend. Das idyllische Bild eines vorindustriellen Zustands mit ›organischer‹ Ständeordnung verdeckt die sozio-ökonomischen Widersprüche, die gerade mit dem Durchbruch der industriellen Revolution in Deutschland zu Beginn der fünfziger Jahre sprunghaft zugenommen hatten, und suggeriert eine konfliktfreie klassenlose Gesellschaft, in der vor allem die materiellen Interessen des (Lübecker) Handelsbürgertums geschützt sind. Hinzu kommt noch der demagogische

Gebrauch des Begriffs »Friedensbürgschaft« (39). Gemeint ist nämlich nur der Frieden nach innen, und hier gilt diese Bürgschaft auch nur für staatsloyale Untertanen. Gewaltanwendung nach außen hat Geibel deutlicher als hier in zahlreichen anderen Gedichten verherrlicht, ›Feinde‹ aus dem eigenen Volk immer mit dem gleichen Elan verdammt – in genauer Übereinstimmung mit der vergangenen und nachfolgenden preußischen Politik. Auch in dieser Strophe haben die ästhetischen Mängel Signalwert, denn nirgendwo sonst in dem Gedicht ist die Epigonalität der Geibelschen Sprache so offenkundig wie hier in dem angestrengten, zum Teil sogar unfreiwillig komischen Bemühen um einfache, volkstümliche Worte (35–38). Den aufmerksamen Leser macht sie auf die ideologische Funktion dieser unechten Idylle aufmerksam, ähnlich wie das Wort »heimgekauft« am Ende der vierten Strophe verräterisch ist: Brechts »lesender Arbeiter« würde fragen »Um welchen Preis?«
Geibel ist nach 1871 wegen solcher Gedichte wie *An König Wilhelm*, vor allem wegen solcher Verse wie der prophetischen letzten Zeilen, zum »Herold des Deutschen Reiches« stilisiert worden. Und tatsächlich ist er dies nicht nur im Sinne einer Apologie des preußischen Monarchismus und des entliberalisierten Nationalismus gewesen, sondern – denkt man dialektisch – auch auf andere Weise. Das staatliche Gebilde von 1871 war in dieser Form erst durch die politische Schwäche des Bürgertums möglich geworden. Sucht man in der unmittelbaren Vergangenheit die Ursachen hierfür, so sind die Jahre 1848/49 ein wichtiges Datum, jedoch nicht das allein entscheidende. Zumindest eine ebenso große Rolle spielten wirtschaftliche und politische Entwicklungen der folgenden dreißig Jahre, die schließlich zur Korrumpierung auch der fortschrittlichen Teile des Bürgertums führten (wobei u. a., wie oben erwähnt, die preußischen Kriege eine wichtige Funktion hatten). Geibel blieb von diesen Entwicklungen unberührt, er hatte schon in den vierziger Jahren eine reaktionäre Ersatzideologie angeboten,

die, zunächst nur vom konservativen Bürgertum rezipiert, in den folgenden Jahrzehnten dann eine schnell zunehmende Resonanz gefunden hat. Er hat also nicht lediglich »die politische Abdankung des Bürgertums auch poetisch besiegelt« (Hohendahl, S. 213), sondern sie vorweggenommen und mit vorbereitet. Insofern war Geibel – erfolgreicher – Herold des Rückschritts.
Inwiefern er dabei zur Ideologiebildung *unmittelbar* beigetragen hat, läßt sich nur schwer abschätzen, diese Frage berührt grundsätzliche Probleme der Wirkungsmöglichkeiten von Literatur. Bezogen auf unseren konkreten Text läßt sich sagen: Wenn die herrschende bürgerliche Schicht einer Stadt, in der der Feudaladel keinerlei Rolle spielt, zu repräsentativen Zwecken einen solchen Text akzeptiert, so läßt das zum einen Rückschlüsse auf die politischen Vorstellungen dieser Schicht zu, zum andern aber auch die Vermutung, daß der Text, gerade durch die Form der offiziellen und öffentlichen Darbietung, die Bewußtseinsbildung einer Bevölkerung beeinflußt hat, die Ende der sechziger Jahre noch größtenteils antipreußisch eingestellt war. Und vergleicht man die Wirkungspotenzen des Textes, also die politischen Implikationen, mit den politischen Strukturen des späteren Kaiserreichs, so ergibt sich eine weitgehende Übereinstimmung mit den Merkmalen der »strukturellen Demokratiefeindschaft« (Wehler), die für den weiteren Verlauf der deutschen Geschichte in folgenschwerer Weise prägend wurden. Hans Magnus Enzensberger hat die These aufgestellt, daß ein Herrscherlob nach Aufklärung und Französischer Revolution nicht mehr möglich sei; werde es doch geschrieben, so schlage es auf den Verfasser zurück. Betrachtet man Geibels Erfolg, so muß man ergänzen: Das Lob *Auf König Wilhelm* schlägt nicht nur auf den Autor, sondern auch auf sein Publikum, das applaudierende Bürgertum, zurück.

Zitierte Literatur: Hans Magnus ENZENSBERGER: Poesie und Politik. In: H. M. E.: Einzelheiten. Essays. Frankfurt a. M. 1962. S. 334–353. – Peter Uwe HOHENDAHL: Vom Nachmärz zur Reichsgründung. In: Geschichte der politischen Lyrik in Deutschland. Hrsg. von Walter Hinderer. Stuttgart 1978. S. 210–231. – Hans-Ulrich WEHLER: Das Deutsche Kaiserreich 1871–1918. Göttingen 1973.
Weitere Literatur: Walter HINCK: Epigonendichtung und Nationalidee. Zur Lyrik Emanuel Geibels. In: W. H.: Von Heine zu Brecht. Lyrik im Geschichtsprozeß. Frankfurt a. M. 1978. S. 60–82. – Herbert KAISER: Die ästhetische Einheit der Lyrik Geibels. In: Wirkendes Wort 27 (1977) S. 244–257.

Theodor Storm

Tiefe Schatten

So komme, was da kommen mag!
Solang du lebest, ist es Tag.

Und geht es in die Welt hinaus,
Wo du mir bist, bin ich zu Haus.

Ich seh dein liebes Angesicht,
Ich sehe die Schatten der Zukunft nicht.

1

In der Gruft bei den alten Särgen
Steht nun ein neuer Sarg,
Darin vor meiner Liebe
Sich das süßeste Antlitz barg.

Den schwarzen Deckel der Truhe
Verhängen die Kränze ganz;
Ein Kranz von Myrtenreisern,
Ein weißer Syringenkranz.

Was noch vor wenig Tagen
Im Wald die Sonne beschien,
Das duftet nun hier unten:
Maililien und Buchengrün.

Geschlossen sind die Steine,
Nur oben ein Gitterlein;
Es liegt die geliebte Tote
Verlassen und allein.

Vielleicht im Mondenlichte,
Wenn die Welt zur Ruhe ging,
Summt noch um die weißen Blüten
Ein dunkler Schmetterling.

2

Mitunter weicht von meiner Brust,
Was sie bedrückt seit deinem Sterben;
Es drängt mich, wie in Jugendlust,
Noch einmal um das Glück zu werben.

25 Doch frag ich dann: Was ist das Glück?
So kann ich keine Antwort geben
Als die, daß du mir kämst zurück,
Um so wie einst mit mir zu leben.

Dann seh ich jenen Morgenschein,
30 Da wir dich hin zur Gruft getragen;
Und lautlos schlafen die Wünsche ein,
Und nicht mehr will ich das Glück erjagen.

3

Gleich jenem Luftgespenst der Wüste
Gaukelt vor mir
35 Der Unsterblichkeitsgedanke;
Und in den bleichen Nebel der Ferne
Täuscht er dein Bild.

Markverzehrender Hauch der Sehnsucht,
Betäubende Hoffnung befällt mich;
40 Aber ich raffe mich auf,
Dir nach, dir nach;
Jeder Tag, jeder Schritt ist zu dir.

Doch, unerbittliches Licht dringt ein;
Und vor mir dehnt es sich,
45 Öde, voll Entsetzen der Einsamkeit;
Dort in der Ferne ahn ich den Abgrund;
Darin das Nichts. –

Aber weiter und weiter
Schlepp ich mich fort;

Von Tag zu Tag,
Von Mond zu Mond,
Von Jahr zu Jahr;

Bis daß ich endlich,
Erschöpft an Leben und Hoffnung,
Werd hinstürzen am Weg
Und die alte ewige Nacht
Mich begräbt barmherzig,
Samt allen Träumen der Sehnsucht.

4

Weil ich ein Sänger bin, so frag ich nicht,
Warum die Welt so still nun meinem Ohr;
Die eine, die geliebte Stimme fehlt,
Für die nur alles andre war der Chor.

5

Und am Ende der Qual alles Strebens
Ruhig erwart ich, was sie beschert,
Jene dunkelste Stunde des Lebens;
Denn die Vernichtung ist auch was wert.

6

Der Geier Schmerz flog nun davon,
Die Stätte, wo er saß, ist leer;
Nur unten tief in meiner Brust
Regt sich noch etwas, dumpf und schwer.

Das ist die Sehnsucht, die mit Qual
Um deine holde Nähe wirbt,
Doch, eh sie noch das Herz erreicht,
Mutlos die Flügel senkt und stirbt.

Abdruck nach: Theodor Storm: Sämtliche Werke in vier Bänden. Hrsg. von Peter Goldammer. Berlin/Weimar: Aufbau-Verlag, 1956. ^{3}1972. Bd. 1. S. 185 bis 188.

Erstdrucke: Deutsche Dichter-Gaben. Album für Ferdinand Freiligrath. Hrsg. von Christian Schad und Ignaz Hub. Leipzig 1868. [Nr. 1–4]. – Theodor Storm: Sämmtliche Schriften. Erste Gesamtausgabe. 6 Bde. Braunschweig: Westermann, 1868. Bd. 1. [Nr. 1–6 in der endgültigen Reihenfolge.]

Hiltrud Häntzschel

»Das quälende Rätsel des Todes«. Zu Theodor Storms Gedichtreihe *Tiefe Schatten*

Seinem Freund Hartmuth Brinkmann stellt Theodor Storm am 10. Dezember 1852 einige Gedanken über das lyrische Gedicht und dessen Autor zur »Disposition«, unter 3. »Jedes lyrische Gedicht soll Gelegenheitsgedicht im höhern Sinne sein; aber die Kunst des Poeten muß es zum Allgemeingültigen erheben [...]« (*Briefe*, Bd. 1, S. 169); und in einer Rezension aus demselben Jahr weist er auf die Unsinnigkeit eines massenhaften Produzierens lyrischer Gedichte hin, »denn bei einem lyrischen Gedichte muß nicht allein, wie im übrigen in der Poesie, das *Leben*, nein, es muß geradezu das *Erlebnis* das Fundament desselben bilden« (IV,565). Die Erfahrung, die der Gedichtreihe *Tiefe Schatten* zugrunde liegt, bedeutet wohl die tiefste Zäsur in Storms Leben. Am 20. Mai 1865 stirbt wenige Tage nach der Geburt des siebten Kindes seine Frau Constanze. Die Briefe, in denen Storm die Schwiegereltern Esmarch (noch am 20. 5.), dann die Freunde Paul Heyse (21. 5.), Theodor Mommsen (22. 5.), Ludwig Pietsch (22. 5.), Eduard Mörike (3. 6.), Klaus Groth (26. 12.), Hartmuth Brinkmann (10. 1. 66; 29. 6. 66) von Constanzes Tod in Kenntnis setzt und seine äußere wie innere Situation darzustellen sucht, spiegeln die zunehmende Intensität der Trauer um »das Weib eines Dichters, wie Träume es nur ersinnen können« (an Klaus Groth, 26. 12. 65; Jenssen, S. 41). »Einsamkeit und das quälende Rätsel des Todes sind die beiden furchtbaren Dinge, mit denen ich jetzt den stillen unablässigen Kampf aufgenommen habe« (an Mörike, 3. 6. 1865; *Briefe*, Bd. 1, S. 468). Der erste Brief vom Todestag Constanzes, an ihre Eltern Ernst und Elsabe Esmarch, zeigt in seiner beklemmend kommentar-armen Nüchternheit, wie wenig der Betroffene das Entsetzliche noch zu fassen vermag: »Liebe Eltern, der schwerste Verlust ist über mich und die Kinder und auch über Euch gekommen; unsre Constanze ist heut Morgen gegen 6 Uhr nach langem Kampfe dem Kindbettfieber erlegen. Die letzten Augenblicke schienen sanft, kaum ein Seufzer; ihre Hand in der meinen, so entschlief sie; doch hatte sie wohl schon seit Mitternacht kein rechtes Bewußtsein mehr; nur der Körper kämpfte mechanisch seinen Kampf zu Ende. [...] Um einige Tage früh Morgens, ehe noch die Augen der Neugierigen wach sind, will ich sie in unsre Gruft bringen, ganz in der Stille. Und dann weiter leben, so gut es ohne sie noch gehen will; ich habe ja noch sehr viel auf der Welt zu thun. Euer Theodor.« (Alt, S. 104 f.)

Erst in den folgenden Tagen und Wochen frißt sich der Schmerz immer tiefer in den Dichter ein, steigert sich bis zu der Erkenntnis: »Es ist schlimm, wenn man länger lebt als sein Leben« (an Brinkmann, 10. 1. 66; *Briefe*, Bd. 1, S. 480). Immer drückender quält Storm das Gefühl, daß mit Constanze auch seine dichterische Arbeitskraft ihn verlassen habe: »Ich bemühe mich alle Lebensinteressen, die ich bisher gehabt, aufrecht zu erhalten und zu stärken. Freilich ist zu befürchten, daß die Kraft der productiven Poesie mit ihr für immer schlafen gegangen ist; denn niemals, wenn ich fern von ihr war, habe ich außer ein paar Versen, die die Sehnsucht nach ihr hervorgerufen, auch nur eine Zeile geschrieben. Wenn ihre Hand mich festhielt auf der Heimatherde, dann konnte ich unbekümmert aufsteigen in die luftigen Regionen der Phantasie. Nur einige volle Kränze auf ihren Sarg, den letzten Dienst wird mir die Muse ja wohl noch gewähren« (an Esmarch, 18. 6. 65; Alt, S. 106).

»Einige volle Kränze auf ihren Sarg«, das sind mehrere, in der endgültigen Fassung der *Sämmtlichen Schriften* schließlich sechs Gedichte, mit denen Storm auf die Erschütterung reagiert, die notwendige »Trauerarbeit« (Müller, S. 170) leistet.

»Am Abend [der Beerdigung] noch«, so erzählt Gertrud Storm in der Biographie des Vaters, »schrieb er das erste Gedicht der Liederreihe *Tiefe Schatten*« (Gertrud Storm, Bd. 2, S. 112 f.). Fünf unkompliziert gebaute vierzeilige Liedstrophen malen sparsam, aber liebevoll im Detail die Schönheit einer frisch geschmückten Gruft, ein Stilleben, doch ohne alles Schauerliche der Friedhofsromantik, vielmehr ein biedermeierliches Grabidyll, aus dem fast alles Schmerzliche verdrängt ist. In dem neuen Sarg ruht nicht, die sterben mußte, die ihn verlassen hat, sondern – fast schelmisch – die ihr süßes Antlitz vor seiner Liebe versteckt. Der unschöne schwarze Sargdeckel stört nicht, er ist ja ganz verhängt mit blühendem Flieder. Frühlingsduft und Frühlingssonne sind hereingeholt in das unterirdische Idyll, das sich in der vierten Strophe um »die geliebte Tote« schließt, aber selbst das Gitter verliert im Diminutiv »Gitterlein« seine Schwere. In der exponierten Stellung des Strophenendes konzentriert sich der Blick auf die Tote in der Doppelung »verlassen und allein«. Doch so schließt das Gedicht nicht, eine letzte Strophe taucht das Bild in mildes Mondlicht, nimmt das »allein« vorsichtig zurück, gesellt der »geliebten Toten« in dem Nachtfalter ein wenig Leben bei. An Fontane schreibt Storm nach der Veröffentlichung des Zyklus am 21. November 1868: »Die letzte Strophe in Nr. 1 aber ist Keim und Spitze des Ganzen, in dem dunkeln Schmetterling verkörperten sich damals unwillkürlich meine Gedanken, die in jenen Nächten, wenn ich schlaflos lag, immer drunten in der Gruft um den bekränzten Sarg waren. Auch poetisch befriedigt mich die Strophe ganz« (I, S. 713). Das verwundert nicht, stellt sie und mit ihr dieses ganze lyrische Gebilde doch ein Kunstwerk dar, wie Storm es in der Vorrede zu seiner Anthologie gefordert hatte: »Von einem Kunstwerk will ich, wie vom Leben, unmittelbar und nicht erst durch die Vermittlung des Denkens berührt werden; am vollendetsten erscheint mir daher das Gedicht, dessen Wirkung zunächst eine sinnliche ist, aus der sich dann die geistige von selbst ergibt, wie aus der Blüte die Frucht« (IV,615). Musikalischer Kunstverstand hat das strenge metrische Schema gerade um so viel variiert und aufgelockert, als es die Vermeidung der Monotonie erforderte. Drei betonte Silben bleiben in jedem Vers konstant, die unbetonten Silben wechseln in ihrer Anzahl. Sparsamer Wortschatz, Wortwiederholungen (»Särgen«, »Sarg« in Strophe 1, »Kränze«, »Kranz«, »-kranz« in Strophe 2), eine gänzlich unangestrengte Syntax, Intensivierungen durch Vokalgleichklang im Vers (6: »Verhängen die Kränze«; 15: »liegt die geliebte«), der Vokalreichtum überhaupt, konkrete und genaue Bilder, dies alles macht die Vorzüge dieser Strophen und vieler Stormscher Gedichte vor der Massenlyrik seiner Zeit aus. Die durchaus nicht naive, vielmehr artifiziell gewonnene Simplizität dieser Verse, die sich ganz auf Gegenstände und Bilder verläßt, hält die Last der Trauer aus und vermittelt sie auf ergreifende Weise. Die Tote ist verborgen, entrückt, der Dichter spricht in der dritten Person von ihr, er spricht nicht von seinem Schmerz, nicht von seinem Verlust, nur von seiner Liebe (Str. 1) und ihrer Verlassenheit (Str. 4). Trauer und Schmerz sind im Bild vollkommen aufgehoben.

War dieses erste Gedicht ganz sinnlich, ganz Bild, so lebt das folgende aus der Reflexion. Die Gedanken, das Zwiegespräch mit der Toten, die der »dunkle Schmetterling« als lyrisches Bild verkörperte, sie werden hier argumentativ vorgetragen: Die Gruft ist geschlossen, unwiderruflich ist die Trennung. Aber der Lebenswille ist ungebrochen, die Hoffnung auf Lebensglück keimt wieder auf. Aber »Was ist das Glück«? Es ist ja gerade definiert als das Zusammenleben mit der geliebten Frau. In der dritten Strophe ist die Unwiderruflichkeit akzeptiert. »Ich entsinne mich«, erzählte Storm später von der Beerdigung, »daß der unvergeßliche

Frühlingstag mich damals in meiner Trauer sanft umfing« (Gertrud Storm, Bd. 2, S. 112). Das Gedenken an »jenen Morgenschein« (29) hilft dem mit seinem Schicksal Hadernden, sich zu bescheiden, nicht das Unmögliche zu fordern, sondern den Trost kleiner Glücksmomente, etwa den eines Frühlingstages, anzunehmen.

Doch dieser Trost hält noch nicht vor. Der Schmerz frißt sich tiefer. Die Hoffnung auf ein diesseitiges Glück, das nur ein gemeinsames sein könnte, ist wunschlos aufgegeben. Aber ließe sich nicht – nach dem Tod – ein gemeinsames Leben fortsetzen? Im dritten und zentralen Gedicht des Zyklus kämpft der Dichter mit diesem »Luftgespenst« (33), der Hoffnung auf ein ewiges Leben im Jenseits, aufgestört aus der gewonnenen resignativen Ruhe. Sprachduktus, Sprechtempo, Wortwahl, Strophenform haben sich jäh verändert. Die unregelmäßig gebauten reimlosen Sinnabschnitte, die kaum noch Strophen genannt werden können, lassen keinen melodischen Wohlklang zu. Der Begriff »Der Unsterblichkeitsgedanke«, der ausschließlich die Verszeile 35 bildet, widersetzt sich dem lyrischen Gedicht, zerstört mit Vorsatz sowohl metrisch wie sprachlich und inhaltlich den Abschnitt. Wie die Fata Morgana dem Wanderer Rettung vortäuscht, in Wahrheit aber ihn vom rechten Weg abbringt und seine Kräfte aufzehrt, so »betäubt« die Hoffnung auf ein mögliches gemeinsames Weiterleben nach dem Tode die Sinne des Lebenden, die Sehnsucht verzehrt seine Lebenskraft. Mit expressiven Epitheta (38 f.: »Markverzehrender«, »Betäubende«) und Ausrufen setzt der Autor das Aufwühlende dieser neuen trügerischen Hoffnung sprachlich um, die jäh endet am »Abgrund; / Darin das Nichts. –« und in dem Gedankenstrich verloren nachhallt (46 f.). Das hektische Tempo der Jagd nach dem Trugbild weicht nach der erschütternden Gewißheit des »Nichts« einem mühsam schleppenden, erschöpften Weg bis zum Ende, dem als »barmherzig« (57) erwarteten Tod. Im vierten Absatz – er setzt ein mit dem adversativen »Aber« (48) im Sinne von ›desungeachtet‹, wie schon in Vers 40 – wird diese endlos sich dehnende Distanz von den rhetorischen Wiederholungen und den den Zeitraum dehnenden Angaben (»Tag«, »Mond«, »Jahr«) übernommen. Auch die syntaktische Anbindung der letzten ›Strophe‹ an die vorhergehende, die keine Ruhepause gönnt, trägt dazu bei. Harro Müller hat schon auf die Verwandtschaft dieser Verse mit *Hyperions Schicksalslied* hingewiesen:

Doch uns ist gegeben,
Auf keiner Stätte zu ruhn,
Es schwinden, es fallen
Die leidenden Menschen
Blindlings von einer
Stunde zur andern,
Wie Wasser von Klippe
Zu Klippe geworfen,
Jahr lang ins Ungewisse hinab.

Erst mit dem Nachdruck einer zusätzlichen, sechsten Verszeile (58) kommt dieser Gequälte zur Ruhe. In Umkehrung des christlichen Glaubens erfährt er die Versprechungen einer ewigen Seligkeit als entsetzlichen öden »Abgrund«, »die alte ewige Nacht« des Todes dagegen als »barmherzig«. »Sie wissen ja, daß ich Ihren glücklichen Glauben nicht zu teilen vermag«, schreibt Storm 14 Tage nach Constanzes Tod an Mörike, »Einsamkeit und das quälende Rätsel des Todes sind die beiden furchtbaren Dinge, mit denen ich jetzt den stillen unablässigen Kampf aufgenommen habe« (3. 6. 1865; *Briefe*, Bd. 1, S. 467 f.).
Das »Luftgespenst« einer Wiedersehenshoffnung ist verscheucht, gewonnen ist die Erfahrung, daß in jener Ferne »das Nichts« ist und daß die Einsamkeit ausgehalten werden muß. Das vierte Gedicht (nach Gertrud Storm entstand es am 24. 6. 1865) thematisiert diese Einsamkeit, den schalltoten Raum, den die Verstorbene hinterlassen hat, weil sie keine Resonanz mehr gibt für das, was von außen kommt. Diese nach der Erregtheit des vorausgegangenen Gedichts kurze ausgeglichene Strophe mit ihren vier längeren fünfhe-

bigen Versen meint wohl auch die Sorge des Dichters um seinen eigenen Gesang. »Ich selbst habe zu dem, was ich jetzt mache, kein rechtes Vertrauen mehr; [...]«, schreibt Storm an Ludwig Pietsch noch am 8. November 1867, »auch fehlt's mir, daß, was jetzt noch entsteht, keinen Widerhall in Constanzens Herzen findet; es sind opera posthuma« (*Briefe*, Bd. 1, S. 511).

Das folgende Gedicht (Nr. 5) scheint in deutlichem Abstand zu den vorausgegangenen entstanden zu sein. Storm hat es am 18. Juni 1868 Fontane und am 27. Juni 1868 Klaus Groth mitgeteilt. »Das quälende Rätsel des Todes« scheint gelöst, die Unruhe durch trügerische Hoffnungen ist einer ruhigen Erwartung gewichen. Der letzte Vers freilich klingt, auch durch die umgangssprachliche Verkürzung »'was«, eher gequält tapfer. Worin läge denn der Wert der Vernichtung? In der Beendigung der Lebensqualen, in der Befriedigung der Neugier des Lebenden, der auch seine »dunkelste«, die Todesstunde erfahren möchte? Oder in dem Gedanken, in der Vernichtung mit der geliebten Toten wieder etwas gemeinsam zu haben?

Der Zyklus schließt mit einem zweistrophigen Gedicht, das das Metrum von Nr. 2 wiederaufnimmt mit der einzigen Variation: daß nun auch die beiden Reimzeilen (jeweils der zweite und vierte Vers) männlichen Ausgang haben. Diese Versausgänge, überwiegend einsilbige Wörter, der Sinnakzent am Zeilenende, die strenge einsilbige Senkungsfüllung geben diesen Versen ein Gefälle zum Ende hin, eine Last, von der sich der jeweils folgende Vers kaum befreien kann. In den beiden letzten Strophenzeilen verschiebt sich die Betonung auf die erste, vom metrischen Schema her unbetonte Senkungssilbe, um in einem schwebenden Rhythmus die Gefällstrecke noch zu verlängern. In seiner metrisch-rhythmischen Gestalt bildet dieser Text einen kompositorisch sinnvollen Abschluß der Gedichtreihe. Die dichterische Umsetzung der Gedanken ins Bild ist weit weniger gelungen als in den voranstehenden Texten, sie scheint auf halber Strecke stehengeblieben zu sein. Der Schmerz wird im Bild des Geiers allegorisiert. Der Geier frißt Leichen, macht sich über Gestorbenes her, was aber hat der Schmerz zerstört, zerfressen? Das Lebensglück? Die Hoffnung? Die Produktivität? Das tat alles nicht der Schmerz um die Entbehrte, sondern der Tod, ihr Sterben. Jedenfalls ist jetzt der Schmerz nicht mehr drückend, er hat eine Leere hinterlassen und ein dumpfes Gefühl des Mangels, die »Sehnsucht«. Diese Sehnsucht, zunächst als Abstraktum benannt, wird wiederum allegorisiert, mit Flügeln ausgestattet. Das ist doppelt irritierend, weil zum einen eben noch der »Geier« das Bild eines fliegenden Wesens besetzt hatte. Der »Geier Schmerz« und der Vogel »Sehnsucht« als Geschwisterbildpaar wäre eine poetische Vorstellung, die man noch nachvollziehen könnte. Aber die Sehnsucht regt sich »dumpf und schwer« in der Brust des Trauernden – ein Widerspruch zum Vogelbild. Innerhalb von drei Verszeilen versucht der Dichter, das bereits umschriebene abstrakte Gefühl zu versinnlichen und kollidiert mit der Anschauung. Damit ist das poetische Bild mißglückt. Zum anderen erinnert der Leser bei diesen Zeilen spontan den »dunklen Schmetterling« des ersten Gedichtes, der noch »um die weißen Blüten« summt. So gelesen hört sich diese Strophe wie eine bis zur Zerstörung schlechte Fortsetzung des ersten Gedichtes an, die mit Worten breittritt, was das Bild vom Schmetterling und seinem werbenden Umgaukeln längst evoziert. Aber die Sehnsucht-Schmetterling-Identifikation paßt schon deshalb nicht, weil die Sehnsucht als etwas Dumpfes und Schweres bezeichnet ist.

Ob Storm unabsichtlich oder beabsichtigt hier Töne aus Goethes Gedicht *Selige Sehnsucht* aus dem *West-östlichen Divan* mit angeschlagen hat, möchte ich nicht beurteilen. Auffällig immerhin ist die Verwandtschaft mit dem Schmetterling, der, sehnsüchtig werbend, zuletzt verbrennt. Und der Gedanke des »Stirb und werde« aus Goethes Gedicht könnte Storm angesichts der »quälenden Rätsel des Todes« hilfreich gewesen sein, vielleicht auch ein besseres Verständ-

nis des fünften Gedichtes und seiner fragwürdigen Verszeile »Denn die Vernichtung ist auch was wert« (66) liefern.
Am sechsten Gedicht haben Bestand der Klangkörper, der die depressive Stimmung vorzüglich wiedergibt, und die Aussagen, daß der Schmerz verflogen ist und die Sehnsucht stirbt. Ursprünglich hatte Storm für die erste Strophe einen anderen Text vorgesehen:

Das Wort der Klage ist verstummt,
Und keine Tränen hab ich mehr,
Als trüg ich alle Schuld der Welt,
So liegt es in mir tot und schwer.

Möglicherweise hat ihn die zwingende Assoziation der Zeile »Als trüg ich alle Schuld der Welt« mit Christus veranlaßt, diesen Text durch einen anderen zu ersetzen. Während die letzte Strophe (»Das ist die Sehnsucht [...]«) schon am 3. Juni 1865, also im Zusammenhang mit den ersten Texten entstanden ist, hat Storm den Ersatztext (»Der Geier Schmerz [...]«) erst am 27. Juni 1868 fertiggestellt, also im Zusammenhang mit der Redaktion des ganzen Zyklus für die Veröffentlichung in der Gesamtausgabe. Diese Distanz hat er nicht mehr zu überbrücken vermocht.
Die Gedichtreihe *Tiefe Schatten* stellt in ihren unterschiedlichen Teilen ein Muster dar für die Gesamtheit der Stormschen Lyrik, was das Formal-Sprachliche angeht. Thematisch ist seine Natur- und Liebeslyrik sicherlich vorrangiger. An diesen im Geglückten wie im Mißlungenen exemplarischen Gedichten ließe sich auch die Stichhaltigkeit von Storms eigener Lyrikpoetologie nachprüfen, es ließe sich der Beweis erbringen, daß vollendete Gedichte gelingen, wo der Autor sich an seine Postulate hält (etwa an den unbedingten Vorzug des Bildlich-Gegenständlichen vor der Reflexion). Die Gedichte sind auch Belege für die sehr enge Beziehung von persönlichem Erlebnis und dichterischer Produktion, wie Storm sie für die Lyrik gefordert hat. Und damit rechtfertigen sie die hier angewandte Methode einer Gedichtlektüre unter dem biographischen Blickwinkel einer

parallelen Brieflektüre. Denn selten ist wohl der Weg vom Erlebnis – zumal einem so profunden! – zum Text so kurz wie hier. Storm reagiert auf das Erlebnis mit Sprache, die Art seiner Reaktion ist an den Texten ablesbar. Für Storm ist die Liebe, die Familie »Schutz gegen das gesellschaftliche Draußen« (Martini, S. 17), in der Poesie flieht er vor der häßlichen Wirklichkeit. Mit Constanzes Tod bricht dieser Schutz zusammen, damit auch die geschlossene poetische Form. Die Brüchigkeit eines Teils dieser Texte wird verständlich. Die Notwendigkeit des Erlebnisses für das Gelingen des Gedichts wird deutlich am Mißlingen der Verse (Nr. 6), die Storm drei Jahre später – er war längst wieder verheiratet – angefügt hat. Tatsächlich hat Storm nach diesem Zyklus nur noch wenige Gedichte geschrieben, die Novellistik rückte nach einer Zeit der Unproduktivität ganz in den Vordergrund. Zentrale Gedankenkreise, die für Storms Auseinandersetzung mit dem Leben und für seine Werke wichtig sind, begegnen hier in einer durch die Situation bedingten existenziellen Glaubwürdigkeit: »das Gespenst der Vergänglichkeit« etwa (an Keller 27./30. 12. 1879), die vergebliche Suche nach Lebensglück (*Tiefe Schatten*, Nr. 2), die in den Novellen immer wiederkehrt, Angst vor Einsamkeit und Tod und die Auseinandersetzung mit dem christlichen Angebot einer Unsterblichkeitshoffnung, das Storm liebend gerne – wider besseres Wissen – angenommen hätte, aus Wahrhaftigkeit zu sich selbst aber ausschlägt, ohne je die Entschädigung einer fröhlichen Diesseitsbejahung dafür in Anspruch nehmen zu können. In *Tiefe Schatten* Nr. 3 stellt sich Storm dieser Auseinandersetzung am radikalsten, es läßt auch in Form und Diktion die traditionellen Muster am weitesten hinter sich. Noch aber steht die Reflexion der poetischen Produktion im Wege, die Brüchigkeit des Gedichtes belegt dies. Erst in einem der wenigen noch folgenden Gedichte (*Geh nicht hinein*) hat Storm dies Thema poetisch bewältigt.

Nach Gertrud Storms Angaben (Bd. 2, S. 113 f.) entstanden am 11. August 1865 die Verse:

Größer werden die Menschen nicht;
Doch unter den Menschen
Größer und größer wächst
die Welt des Gedankens.
Strengeres fordert jeglicher Tag
Von den Lebenden.
Und so sehen es alle,
Die zu sehen verstehn,
Aus dem seligen Glauben des Kreuzes
Bricht ein andrer hervor,
Selbstloser und größer,
Dessen Gebot wird sein:
Edel lebe und schön,
Ohne Hoffnung künftigen Seins
Und ohne Vergeltung,
Nur um der Schönheit des Lebens willen.

Sie waren als Abschluß für den Zyklus *Tiefe Schatten* bestimmt. Storm hat sie aber später nicht aufgenommen; Goldammer vermutet (I,69), daß »Rücksicht auf seine Familie« ihn die Verse unterdrücken ließ. Plausibler erscheint mir der Zweifel, daß Storm diesen Optimismus von einem schönen Leben um seiner selbst willen tragfähig geglaubt hat.
Als Motto hat Storm dem Zyklus ein zwölf Jahre zuvor entstandenes Gedicht vorangestellt. Es trug den Titel *Trost* und meinte Constanze. Diese Schatten, die Angst vor der Kraft der Vergänglichkeit, sind in Storms Leben immer gegenwärtig. Daß er sie nicht immer wahrnahm, verdankt er dem Glück mit Constanze. »Nun sind die Schatten tief genug, und das liebe Angesicht zerfällt einsam in der Gruft« (an den Schwiegervater am 18. 6. 1865; Alt, S. 106).
Diese Gedichte lassen die dem Dichter zum Vorwurf gemachte Unverbindlichkeit des privat Stimmungshaften weit hinter sich, sie zeigen mögliche Formungen des Erlebnisgedichtes in einer Zeit, da das Muster bereits abgenutzt ist, und sie zeigen sprachliche Gestaltungsmöglichkeiten, die dem zeitgenössischen Kanon vorauslaufen.

Zitierte Literatur: Fritz MARTINI: Theodor Storms Lyrik. In: Schriften der Theodor-Storm-Gesellschaft 23 (1974) S. 9–27. – Harro MÜLLER: Theodor Storms Lyrik. Bonn 1975. – Elmer Otto WOOLEY: Studies in Theodor Storm. Bloomington (Indiana) 1943. – Gertrud STORM: Theodor Storm. Ein Bild seines Lebens. 2 Bde. Berlin 1912/13. – Theodor STORM: Sämtliche Werke. [Siehe Textquelle. Zit. mit Band- und Seitenzahl.] – Theodor STORM: Briefe. 2 Bde. Hrsg. von Peter Goldammer. Berlin/Weimar 1972. [Zit. als: *Briefe*.] – Theodor Storm – Ernst Esmarch. Briefwechsel. Krit. Ausg. Hrsg. von Arthur Tilo Alt. Berlin 1979. [Zit. als: Alt.] – Theodor Storms Briefe an Klaus Groth. Hrsg. von Christian Jenssen. In: Schriften der Theodor-Storm-Gesellschaft 4 (1955) S. 31–77. [Zit. als: Jenssen.]
Weitere Literatur: Thomas MANN: Theodor Storm. In: T. M.: Adel des Geistes. Stockholm 1945. – Fritz MARTINI: Ein Gedicht Theodor Storms. »Geh nicht hinein«. In: Schriften der Theodor-Storm-Gesellschaft 6 (1957) S. 9–37. – Harry SIEVERS: Storms Gedanken über Unsterblichkeit und Tod in ihrem inneren Zusammenhang. In: Schriften der Theodor-Storm-Gesellschaft 5 (1956) S. 18–42. – Hartmut VINÇON: Theodor Storm. Stuttgart 1973.

Wilhelm Busch

Sahst du das wunderbare Bild von Brouwer?
Es zieht dich an, wie ein Magnet.
Du lächelst wohl, derweil ein Schreckensschauer
Durch deine Wirbelsäule geht.

5 Ein kühler Dokter öffnet einem Manne
Die Schwäre hinten im Genick;
Daneben steht ein Weib mit einer Kanne,
Vertieft in dieses Mißgeschick.

Ja, alter Freund, wir haben unsre Schwäre
10 Meist hinten. Und voll Seelenruh
Drückt sie ein andrer auf. Es rinnt die Zähre,
Und fremde Leute sehen zu.

Abdruck nach: Wilhelm Busch: Werke. Hist.-krit. Gesamtausgabe. Hrsg. von Friedrich Bohne. 4 Bde. Wiesbaden: Vollmer, [1968]. Bd. 2. S. 515.
Entstehung: etwa 1872–74.
Erstdruck: Wilhelm Busch: Kritik des Herzens. Heidelberg: Bassermann, 1874.

Gert Ueding

Operationen am Rücken. Zu Wilhelm Buschs Gedicht *Sahst du das wunderbare Bild von Brouwer?*

1. Adriaen Brouwers *Operation am Rücken* hängt im Städelschen Kunstinstitut, und Wilhelm Busch wird es dort schon gesehen haben, als er im Juni 1867 als Gast im Hause des Bankiers Keßler in Frankfurt weilte. Das Gedicht auf dieses Bild erschien im Oktober 1874 in dem Gedichtband *Kritik*

des Herzens; dort steht es etwa zu Beginn des letzten Drittels, aber durchaus nicht an herausgehobener Stelle, als eines von 80 Gedichten ganz unterschiedlicher Länge, die kürzesten mit nicht mehr als sechs oder acht Versen, die längsten füllen mindestens eine ganze Seite, die meisten freilich zählen etwa soviel Zeilen wie die Brouwer-Huldigung. Ein thematisches oder formales Gliederungsprinzip ist nicht ersichtlich, die Absicht des Autors geht in eine andere Richtung.

Welches der Beweggrund für Busch war, nach einer Reihe erfolgreicher Bildergeschichten – von *Max und Moritz* bis zur *Frommen Helene* – nun auch als Lyriker sein Glück zu versuchen, läßt sich nur vermuten. Ob es sich dabei wirklich nur um das unübersehbare Dementi eines ihm ärgerlichen Gerüchts (er lasse sich die Verse zu seinen Bildergeschichten von einem poetisch versierten Bruder anfertigen) handelte oder ob er sich nach einem ihm vielfach peinlichen Erfolg in dem nicht ganz seriösen Medium der Bildergeschichte nun durch den Ausweis in einer hochgeachteten literarischen Gattung schadlos halten wollte, bleibe dahingestellt, er hat jedenfalls keinerlei bildliche Zutat in dem schmalen Bändchen geduldet, es sei denn, man nimmt jenen Namenszug dafür, den die zitternde Hand »mit meiner alten Krücke« in den Sand schreibt, wobei die Schriftzeichen in einem Gewirr schwarzer Punkte erscheinen. Das Publikum reagierte, wie kaum anders zu erwarten, enttäuscht. Die erste Auflage von 5000 Exemplaren war zwar in einem Monat verkauft, aber natürlich hatten die meisten Käufer andere Vorstellungen und fühlten sich nun düpiert; auf der zweiten Auflage blieb der Verlag dann auch lange sitzen. Die öffentliche Reaktion war entsprechend. »Die Kritik des Herzens scheint einen wahren Sturm in der Presse zu erregen«, schrieb der Verleger Bassermann seinem Autor. Es gab nur wenige positive Rezensionen in kleineren Blättern, und unter den vielen Kritiken war keine, die erkannt hätte, wie klar gerade auch diese Gedichte die künstlerische Eigenart ihres Autors zum Ausdruck brachten. Auch sittliche Entrüstung war mit im

Spiele, weil einige Verse allzu sinnenfrohe Bilder hervorriefen (»Jedoch ein Weib, ein unverhülltes Weib – / Da wird dir's doch ganz anders, alter Junge.«), andere wieder von sexualsymbolischer Zweideutigkeit schienen (»Wärst du ein Bächlein, ich ein Bach [...] Wie wollt ich mich in dich ergießen [...]«). Kaum eines der Gedichte hatte jedenfalls etwas mit der populären Lyrik gemein, die in Familienblättern und Goldschnittbändchen verbreitet war, deren Leser aber auch Buschs Publikum bildeten, und das fühlte sich nicht nur düpiert, sondern in seinen Vorlieben, Anschauungen und Verhaltensweisen aufs Verletzendste karikiert. Im Brief an Maria Anderson vom 12. März 1875 bemerkt Busch ironisch: »Wen erfaßt nicht ein gelindes Entsetzen, wenn der Poet seine Locken zurück wirft und mit feucht-verklärtem Blick den bekannten Griff in die linke Busentasche thut [...]« (*Briefe*, Bd. 1, S. 134). In einer Werknotiz schließlich findet sich als Entgegnung auf alle Angriffe nochmals eine Bekräftigung des eigenen Programms: »In kleinen Variationen über ein bedeutendes Thema soll dieses Büchlein ein Zeugnis meines und unseres bösen Herzens ablegen. Recht unbehaglich! muß ich sagen. Also schweigen wir darüber oder nehmen wir die Miene der Verachtung an und sagen, es sei nicht der Mühe wert, oder werfen wir uns in die Brust und erheben wir uns in sittlicher Entrüstung! Oder sagen wir kurzweg: es ist nicht wahr! Wer das letztere vorzieht und das Büchlein für falsch hält, der trete vor und lasse sich etwas genauer betrachten.« (*Werke*, Bd. 2, S. 557.) Nur einmal hat Busch noch eine Gedichtsammlung herausgegeben, *Zu guter Letzt*, 1904 erschienen: es war seine letzte Veröffentlichung zu Lebzeiten, deutlich als Gegenstück zur *Kritik des Herzens* entworfen und zusammengestellt. Ein erfolgreiches Werk ist daraus ebensowenig geworden wie aus jenem Band, den die Neffen Hermann und Otto Nöldeke nach dem Tode Buschs aus dem Nachlaß ediert haben und der den glücklichen Titel *Schein und Sein* erhalten hat.

2. Das Gedicht über das »wunderbare Bild von Brouwer« ist nicht die einzige Form geblieben, in der sich Wilhelm Busch

mit seiner Vorlage auseinandergesetzt hat. Siebzehn Jahre später, 1891, kopiert er es in Wiedensahl nach einigen Fotografien, die er von seinem letzten Besuch in Frankfurt kurz zuvor mitgebracht hatte. Das Ergebnis schickt er der nach Zerwürfnis und langer Trennung gerade wieder versöhnten Johanna Keßler: »Sie können doch wohl daraus ersehn, was eine geschicktere Hand in ein oder zwei Stunden mit der Manier so beiläufig fertig brächte.« Buschs Kopie gibt nun nicht etwa das ganze Bild wieder, sondern konzentriert sich auf den Operationsvorgang. Stuhl und Tisch mit den medizinischen Utensilien fallen weg, und die drei beteiligten Personen sind nur mit ihrem Oberkörper im Bilde zu sehen, das auf seine Weise damit ebenso wie das Gedicht eine besondere Interpretation des kleinen niederländischen Genregemäldes gibt. Im Mittelpunkt der Aufmerksamkeit steht die Öffnung des Geschwürs, während selbst das greinend verzerrte Gesicht des Patienten vom Bildrand zur Hälfte weggeschnitten wird. Dadurch wird die emotionale Wirkung eingeschränkt und der gleichnishafte, zeichenhafte Charakter betont, auf den es der Kopist wie zuvor der Dichter abgesehen hat. Das Bild und Gedicht gemeinsame Sujet verrät dabei schon viel über die künstlerische Herkunft und Eigenart Wilhelm Buschs.
»Mein Genre ist Genre«, so hat er einmal seine künstlerische Konfession formuliert, und ob in Bild, Vers oder Prosa, immer sind es die Erscheinungen des gewöhnlichen bürgerlichen oder bäuerlichen Alltags, der gemeinen und kleinen Leute, ihrer Sorgen, Nöte und Vergnügungen, die ihn interessieren. Darüber hinaus nimmt dann auch jeder Gedanke, jeder Einfall, jede Stimmung und jede Beobachtung die Gestalt einer Genreszene an. Buschs Gedichte wirken meist wie illustrierende Genrebildchen zu den in einer abschließenden Sentenz ausgedrückten Gedanken. In dergleichen epigrammatischen Wendungen (»Man sieht, daß selbst der frömmste Mann / Nicht allen Leuten gefallen kann!«) wurde die stärkste Aussagekraft seiner Gedichte gesehen. Busch, meinte Oskar Walzel, steigert die »Kunst der knappen dich-

terischen und zeichnerischen Gebärde, er erhebt sich in einer Zeit weitschichtiger Wirklichkeitsabzeichnung zu ungewohnter Fähigkeit, mit wenigen Worten und mit noch weniger Linien Züge des Lebens unvergeßlich einzuprägen. Er ist Meister eines sparsamen, auf das Bezeichnendste eingeschränkten Ausdrucks [...] seine Verse und seine Zeichnungen wahren dauernd die Haltung des Epigramms« (Walzel, S. 132).

Die Bildlichkeit der meisten Gedichte ist der Genremalerei entliehen; Momentbilder aus dem alltäglichen Leben, Wirtshausszenen (»Sie stritten sich beim Wein herum«), idyllische Reminiszenzen (»Es flog einmal ein muntres Fliegel«), bäuerliche Genreszenen (»Frau Grete hatt' ein braves Huhn«, »Nachbar Nickel ist verdrießlich«), Spukbilder aus dem Märchen- und Legendenschatz des Volkes (*Der Geist*; *Der Wiedergänger*). Die besondere emotionale Wirkung der Genreszene, Mitleid und Erbarmen, sentimentale Rührung und Sympathie, läßt Busch aber nur selten zur vollen Entfaltung kommen, in der bündigen Schlußsentenz wird sie düpiert und jäh abgebrochen. Er hat diese Technik des kritischen Umschlags bei Heinrich Heine studiert und in seinen eigenen Versen bis zur Zerstörung des Gedichts getrieben. Die Montage des Unvereinbaren, von Genrestimmung und Verwünschung (»Frau Urschel teilte Freud und Leid«), derber Dialektsprache und gehobener Schriftsprache (»Wer Bildung hat, der ist empört«) kulminiert im schiefen, unangemessenen Vergleich. Ratten und Mäuse stehen für das Laster, die Flickschneiderei für Poetenwerk, und »Sauber eingebundne Werklein« führt der Dichter »eben auch zum Markte, / Wie der Bauer seine Ferklein.« Busch läßt keinen der Fehler aus, vor denen die traditionelle Poetik gewarnt hatte, salopper Sprachwitz, Kalauer, fehlerhafte Reime, Verbindung des Gewöhnlichsten mit dem Höchsten, schiefe Vergleiche, die Freude am grotesken Spiel mit Worten und bildlichen Vorstellungen ohne große Rücksicht auf einen banalen Sinn. »Die Zeit, sie orgelt emsig weiter, / Sein Liedchen singt dir jeder Tag, / Vermischt mit Tönen, die

nicht heiter, / Wo keiner was von hören mag. // Sie klingen fort. Und mit den Jahren / Wird draus ein voller Singverein. / Es ist, um aus der Haut zu fahren. / Du möchtest gern woanders sein. // Nun gut. Du mußt ja doch verreisen. / So fülle denn den Wanderschlauch. / Vielleicht vernimmst du neue Weisen, / Und Hühneraugen kriegst du auch.«
3. Brouwers Bild, und dadurch auch wurde es für Busch so wichtig, erschien ihm als Ausdruck für die ›condition humaine‹, die nur aus den Sonderlichkeiten und Gemeinheiten, den unedlen Begierden und peinlich berührenden Emotionen des Menschen noch erschließbar ist. Die ganze poetologische Bedeutung seines Gedichts wird aber erst aus dem Zusammenhang jener ›Operationen‹ ersichtlich, die in der *Kritik des Herzens* vorgeführt werden.
Dabei handelt es sich nun nicht um eine Anthologie selbständiger Gedichte, die für sich bestehen könnten. Die Busch eigentümliche Kompositionsweise der lockeren, offenen, aber dennoch gegliederten Reihung, wie sie die Bildergeschichten und noch jene zu »Sammelbildern« auf einem Karton vereinigten Ölskizzen zeigen, bestimmt auch die Konstellation der Gedichte: Sie stehen in einem engen philosophisch begründeten Zusammenhang. Dem frühen Leser Kants, der dann aber in Schopenhauer den philosophischen Gewährsmann seiner Ansichten fand, bedeutet das Herz die natürliche Unfähigkeit des Menschen, das moralische Gesetz in die Maxime seiner Handlungen aufzunehmen, und was Kant »das gute Herz« genannt hat, ist für Busch nur das Zeichen seiner Neigung, die unmoralischen Triebfedern mit moralischen Motiven zu verdecken. Seiner Gebrechlichkeit, Unlauterkeit und Bösartigkeit gilt die »Kritik des Herzens«, und der Schriftsteller gleicht insofern dem kühlen Doktor auf Brouwers Bild, als er die menschlichen Schwären im Rücken des Bewußtseins, dort, wo es die »gebildeten wohldressierten Leute« gar nicht merken, aufspürt und aufschneidet, zum höchst gemischten Vergnügen des zuschauenden Publikums, das die Absicht wohl merkte und daher eben verstimmt reagierte. Es sah sich nämlich darin wie in

einem Narrenspiegel – ein wenig schmeichelhafter Anblick.
Mit diesem Stichwort ist aber auch schon die Tradition angedeutet, in der Buschs Gedichtzyklen stehen. Trotz der an Heine geschulten Desillusionierungstechnik, trotz gelegentlicher, aber sehr seltener »Heinetöne« hat die *Kritik des Herzens* natürlich nichts mit dem Autor des *Buchs der Lieder* oder des *Romanzero* zu tun, dafür aber um so mehr mit jener satirisch-didaktischen Poesie des Humanismus, die auf den Typ des närrischen, von seinen Gefühlen und Leidenschaften beherrschten Menschen zielt, seine moralischen und intellektuellen Schwächen ausstellt und zusammen mit den sozialen Mißständen der Zeit geißelt. Aus Buschs Gedichtzyklus läßt sich ein vollständiger Lasterkatalog zusammenstellen: Hohlheit, Selbstsucht, Eitelkeit, Schadenfreude, Unwahrhaftigkeit, Leichtgläubigkeit, Prinzipienlosigkeit, Neid, Habsucht, Bosheit, Haß, Philistertum – es gibt noch mehr, und jeder Untugend, jedem Schöpfungsmißklang ist ein einzelnes Gedicht gewidmet, das seine wirkliche Funktion aber nur als Teil in einem umfassenden Narrenbrevier erhält. Die Unterschätzung des Lyrikers Busch bis heute hat gewiß darin ihren wichtigsten Grund, daß man einzelne Gedichte immer aus ihrem Kontext gelöst und als isolierte, selbständige Einheiten betrachtet hat: Deren Gehalt enttäuschte dann oft wirklich, sei es wegen der kruden, karikaturistischen Deutlichkeit, der Einfachheit und Schmucklosigkeit oder gar wegen ihrer inhaltlichen Belanglosigkeit. »Wenn alles sitzen bliebe, / Was wir in Haß und Liebe / So voneinander schwatzen; / Wenn Lügen Haare wären, / Wir wären rauh wie Bären / Und hätten keine Glatzen.« In der Hierarchie der Laster gibt es viele Stufen und beträchtliche Unterschiede, gibt es gleichsam Episoden, aber auch Haupt- und Staatsaktionen, possenhafte Querelen, aber auch die schlimmsten Vergehen gegen Herz, Verstand und Menschlichkeit. Wobei irritierend bleibt, daß die unterschiedliche Bedeutung, die Busch seinen Themen zumißt, nicht auch in der formalen Gestalt und der

Stillage der Verse zum Ausdruck kommt. Busch bevorzugt den (paar- oder kreuzweise) gereimten Vierzeiler mit oft jambischem Metrum, und auch die größeren Strophenformen (z. B. drei Reimpaare aus jambischen Vierhebern in dem bekannten Galgenhumor-Gedicht: »Es sitzt ein Vogel auf dem Leim«) haben einfache metrische Strukturen; so kunstgerecht und makellos sie auch meist gebaut sind, so wenig überraschen sie durch formale Besonderheiten. Ihren wichtigsten Zweck, nämlich leicht in Ohr und Gedächtnis zu gehen, erreichen sie allerdings vollkommen. Befremdlicher und für die Zeitgenossen besonders anstößig wirkte da schon die Stilwahl. »In den kleinen Versen«, erläuterte er Maria Anderson am 26. Januar 1875, »[...] habe ich versucht, möglichst schlicht und bummlig die Wahrheit zu sagen – so wie man sich etwa nach Tisch oder bei einem Spaziergange dem guten Freunde gegenüber aussprechen würde.« Buschs Affinität zu seinen großen Vorbildern in der Malerei liegt auch in jener Ausdrucksform begründet, die man im 18. Jahrhundert verächtlich mit »niederländischem Geschmack« bezeichnete. Er beherrscht Buschs gesamtes Werk und konnte einem Publikum nur wenig zusagen, das auf den altdeutsch hohen Ton eines Julius Wolff, die sentimentale Butzenscheibenlyrik nach Art Rudolf Baumbachs gestimmt war und vom Dichter die höhere Weihe erwartete, die das Alltagsleben sonst nicht zu liefern vermochte. Was sollte man da von einem Schriftsteller halten, der eines der lyrischen Kardinalthemen auf derart simple Weise zur Fratze verzerrte? »Sie hat nichts und du desgleichen; / Dennoch wollt ihr, wie ich sehe, / Zu dem Bund der heil'gen Ehe / Euch bereits die Hände reichen. // Kinder, seid ihr denn bei Sinnen? / Überlegt euch das Kapitel! / Ohne die gehör'gen Mittel / Soll man keinen Krieg beginnen.«

4. Buschs Gedicht über Brouwers Genreszene gibt sich mehr und mehr als Schlüsselgedicht des gesamten Zyklus zu erkennen. Nicht nur ist es wirklich ein niederländisches Genrebild, das Busch als Gleichnis für seine künstlerische Absicht zitiert, damit zugleich sein poetisches Verfahren,

Stilwahl, Bildlichkeit, Themenreservoir begründend, es stellt zugleich den allgemeinen Sachverhalt dar, den die einzelnen Stücke des Gedichtzyklus als seine Sonderfälle aufschließen. Ein kurzer Blick in die Motivgeschichte mag das verdeutlichen. Die satirische Vorstellung von der Kopfoperation als einer operativen Befreiung von der Narrheit ist alt und in dem niederländischen Sprichwort vom Steinschneiden bewahrt. Hans Holländer beschreibt und kommentiert das berühmte Bild von Hieronymus Bosch, auf dem ein Arzt den Stein der Narrheit im Kopfe seines Patienten sucht: »Der Patient sitzt im Lehnstuhl, ein sonderbarer Quacksalber entfernt das sprichwörtliche Gebilde mit einem Skalpell, zwei andere schauen zu, ein Mönch mit einem Krug als Attribut, eine Alte mit einem Buch auf dem Kopf. Der Medizinmann trägt einen umgekehrten Trichter als Kopfbedeckung. Töricht der Aufzug der Drei, bei denen man den Stein der Narrheit noch eher vermutet als bei dem Patienten« (Holländer, S. 17f.).
In Brouwers Bild fehlen dergleichen allegorische Hinweise, aber Busch läßt mit seiner Deutung keinen Zweifel an seinem ganz analogen Verständnis der späteren Motiv-Variation, die ja noch einen besonderen Vorzug für ihn besitzt: Sie wirkt wie eine vorweggenommene Illustration zu seiner eigenen Welt- und Lebensanschauung, deren philosophischer Gewährsmann seit Mitte oder Ende der sechziger Jahre Schopenhauer geworden war. Wilhelm Busch hat *Die Welt als Wille und Vorstellung* genau studiert, nicht aus fachphilosophischem Interesse natürlich, sondern aus persönlicher Betroffenheit: »tua res agitur« schien jede Zeile zu sagen, und als er im zweiten Band des Buches auf jene Stelle stieß, wo Schopenhauer die Nachteile der Vernunft erörtert, da mußte ihm auch die geliebte Genreszene von Brouwer in den Sinn kommen. Dem Gedanken zugänglich geworden, schreibt Schopenhauer, steht der Mensch auch sofort dem Irrtum offen, und ob als Individuum oder als Kollektiv, er muß schwer dafür büßen. »Daher kann nicht zu oft wiederholt werden, daß jeder Irrthum, wo man ihn auch antreffe,

als ein Feind der Menschheit zu verfolgen und auszurotten ist, und daß es keine privilegirte, oder gar sanktionirte Irrthümer geben kann. Der Denker soll sie angreifen; wenn auch die Menschheit, gleich einem Kranken, dessen Geschwür der Arzt berührt, laut dabei aufschrie« (Schopenhauer, Bd. 2, S. 73 f.). Worin aber besteht der größte Irrtum, die größte Torheit und schlimmste Schwäre des Menschen? In dem Wahn, sein Wesen bestehe in Denken, Bewußtsein und Vernunft, die in Wahrheit doch nur die oberflächliche Verhüllung des drängenden Lebenswillens darstellen. Das Gleichnis von der »Schwäre hinten im Genick« gewinnt damit aber noch einen weiteren Sinn. Wie die eigene unmittelbare Körpererfahrung den einzigen Zugang zur Welt als Wille öffnet, so belehren den Menschen gerade seine Gebrechen über die hoffnungslose Abhängigkeit seines Intellekts und berichtigen damit seinen Kardinal-Irrtum. »Ich meine doch, so sprach er mal, / Die Welt ist recht pläsierlich. / Das dumme Geschwätz von Schmerz und Qual / Erscheint mir ganz ungebührlich. // [. . .] Kaum hat er diesen Spruch getan, / Aujau! so schreit er kläglich. / Der alte hohle Backenzahn / Wird wieder mal unerträglich.«
Buschs vielschichtiger Bildkommentar zu Brouwer zielt also auf die dem Menschen mit seinem Bewußtsein, seiner Vernunft angeborene Narrheit, die noch dadurch potenziert wird, daß sein zentrales Auskunfts- und Erkenntnismittel bei der wichtigsten und schmerzlichsten Wahrheit, der des Willens, versagt, weil sie ihm im Rücken sitzt und er des »kühlen Dokters« (5) bedarf, um über seine wahre Natur aufgeklärt zu werden. »Kritik des Herzens« bedeutet diesen Aufklärungsprozeß, der als Läuterungsgeschehen eine unerfreuliche und leidvolle Prozedur für den Betroffenen, aber ein faszinierendes Schauspiel für den Zuschauer darstellt, der zugleich angezogen und abgestoßen wird. Denn es ist die eigentliche Realität des Lebens, die darin zum Ausdruck kommt; im Leiden des fremden Bewußtseins findet die eigene Qual für den Augenblick Erleichterung und wird doch zugleich an ihren Grund erinnert. Kein Zweifel, daß

Busch seine Aufgabe als Künstler, als Zeichner, Maler, Lyriker oder Erzähler gleichviel, in der so unwillkommenen wie notwendigen Desillusionierung des Menschen und der Kritik aller seiner moralischen Gebrechen und seiner Irrtümer über sich selbst und die Beschaffenheit der Welt gesehen hat. Jede Selbstgerechtigkeit würde dabei selber zu dem Schein gehören, den es aufzulösen gilt. Die letzte Strophe, mit salopper, »bummliger« Anrede eingeleitet, schließt den Sprecher mit ein und pointiert seine Zugehörigkeit zur Gesellschaft der Toren und Schlingel, denen er den Narrenspiegel vorhält.

Zitierte Literatur: Wilhelm BUSCH: Werke. [Siehe Textquelle]. – Wilhelm BUSCH: Sämtliche Briefe 1841–1908. Hrsg. von Friedrich Bohne. 2 Bde. Hannover 1968. 1969. – Hans HOLLÄNDER: Hieronymus Bosch. Weltbilder und Traumwerk. Köln 1975. – Artur SCHOPENHAUER: Sämtliche Werke. Hrsg. von Arthur Hübscher. 7 Bde. Wiesbaden 1949. Bd. 2 und 3: Die Welt als Wille und Vorstellung. – Oskar WALZEL: Die deutsche Dichtung seit Goethes Tod. Berlin 1919.

Weitere Literatur: Walter PAPE: Wilhelm Busch. Stuttgart 1977. – Gert UEDING: Wilhelm Busch. Das 19. Jahrhundert en miniature. Frankfurt a. M. 1977.

Conrad Ferdinand Meyer

Auf Goldgrund

Ins Museum bin zu später
Stunde heut ich noch gegangen,
Wo die Heilgen, wo die Beter
Auf den goldnen Gründen prangen.

Dann durchs Feld bin ich geschritten
Heißer Abendglut entgegen,
Sah, die heut das Korn geschnitten,
Garben auf die Wagen legen.

Um die Lasten in den Armen,
Um den Schnitter und die Garbe
Floß der Abendglut, der warmen,
Wunderbare Goldesfarbe.

Auch des Tages letzte Bürde,
Auch der Fleiß der Feierstunde
War umflammt von heilger Würde,
Stand auf schimmernd goldnem Grunde.

Abdruck nach: Conrad Ferdinand Meyer: Sämtliche Werke. Hist.-krit. Ausg. 15 Bde. Besorgt von Hans Zeller und Alfred Zäch. Bern: Benteli, 1958 ff. Bd. 1 (Gedichte: Text. Hrsg.: Hans Zeller). 1963. S. 84.
Erstdruck der definitiven Fassung: Conrad Ferdinand Meyer: Gedichte. Dritte vermehrte Auflage. Leipzig: Haessel, 1887. [G_3.]
Abdruck der früheren Fassungen: Sämtliche Werke. Bd. 2 (Gedichte: Bericht des Herausgebers, Apparat zu den Abteilungen I und II. Hrsg.: Hans Zeller). 1964. S. 352–356. – Überliefert sind folgende Fassungen, bezeichnet mit den Zeugensiglen der historisch-kritischen Ausgabe (Bd. 2, S. 352), wobei hier als Fassungen eines Gedichts der Einfachheit halber die durch Varianz des Wortlauts unterschiedenen Texte bezeichnet werden:

M_1 Fassung im Autograph von Meyers frühester Gedichtsammlung »Bilder und Balladen« (1860, vom Verleger abgelehnt). Das Gedicht besteht aus zwei vierzeiligen Strophen, vierhebige Trochäen.

M_2 Handschriftlicher Entwurf von Meyers Hand, datiert Juli 1864. Vier achtzeilige Strophen, dreihebige Jamben.

D_3 Druck in Cottas *Morgenblatt für gebildete Leser* Nr. 28 vom 9. 7. 1865. Vers und Strophe wie in M_2, der Wortlaut weicht an drei Stellen vom Text M_2 ab.

M_4 Handschriftlicher Entwurf von Meyers Hand vom Jahre 1869. Zwei sechszeilige Strophen, vierhebige Trochäen.

D_5 Druck in Meyers Gedichtsammlung *Romanzen und Bilder*. Leipzig: Haessel, 1870 [1869]. Vers und Strophe wie in M_4, Wortlaut an zwei Stellen vom Text M_4 abweichend.

D_6 Druck in der Lyrik-Anthologie *Sänger aus Helvetiens Gauen. Album deutsch-schweizerischer Dichtungen der Gegenwart.* Hrsg. von Ernst Heller. Bern: Wyß, 1880. Erw. Aufl. 1882. Vier vierzeilige Strophen, fünfhebige Trochäen.

G_1 Druck in der ersten Auflage von Meyers Sammlung *Gedichte*. Leipzig: Haessel, 1882. Der Text ist eine Überarbeitung der Fassung D_6, deren Vers- und Strophenform beibehaltend.

G_2 Druck in der zweiten Auflage der *Gedichte*, 1883. Vier vierzeilige Strophen, vierhebige Trochäen.

G_3 Druck in der dritten Auflage der *Gedichte*, 1887. Der Wortlaut weicht nur in einem Wort in Vers 4 vom Text G_2 ab. In den weiteren zu Meyers Lebzeiten erschienenen Auflagen der *Gedichte* erfahren Wortlaut und Interpunktion keine Variation mehr.

Die wichtigsten und im folgenden neben dem definitiven Text G_3 am häufigsten zitierten Fassungen M_1, D_5, G_1 lauten (*Sämtliche Werke*, Bd. 2, S. 353 und 355 f.):

[M_1]
Der Endtewagen

Sieh das dunkle, rege Bild
Auf des Himmels blassem Grunde:
In der letzten Abendstunde
Wird ein Wagen hoch gefüllt.

5 Und das geht so rasch und leis:
Garben schichten sie zu Garben;
Bleichen auch des Lebens Farben,
Dauert noch der rege Fleiss

[D_5]
Der Erntewagen

Nun des Tages Gluten starben,
Mischen alle zarten Farben
Sich am Himmel golden klar.
In die Helle seh' ich ragen
5 Einen hohen Erntewagen,
Den umeilt der Schnitter Schaar.

Dunkle Arbeit lichtumgeben!
Nächtige Gestalten heben,
Schichten letzte Garben leis,
0 Und des Abends Feierstunde
Schmückt mit heilig goldnem Grunde
Müder Arme späten Fleiß.

[G_1]
Auf Goldgrund

Durch den Bildersaal bin ich gegangen
In der letzten Stunde noch, der späten,
Wo, von schimmernd goldnem Grund umfangen,
Heil'ge mit gehobnen Händen beten.

5 Dann durchs blache Feld bin ich geschritten
Letzter Sommerabendgluth entgegen,
Und die heut das reife Korn geschnitten,
Sah ich Garben auf den Wagen legen.

Rasch gedieh das Werk der braunen Arme,
0 Um den Schnitter und die dunkle Garbe
Floß das Abendlicht, das glühend warme,
Mit der wunderbaren Goldesfarbe.

Unter Bürden schwankende Gestalten
Lautlos in der stillen Feierstunde!
5 Müder Arme unermüdlich Walten,
Auch auf schimmernd heilig-goldnem Grunde!

Hans Zeller und Rosmarie Zeller

Zu Conrad Ferdinand Meyers Gedicht *Auf Goldgrund*

Diese und die folgenden beiden Interpretationen gelten drei Gedichten, die nicht schon oft untersucht worden sind. Das die Meyer-Forschung beherrschende Bild des Lyrikers Conrad Ferdinand Meyer als eines Vorläufers der Symbolisten beruht auf der Interpretation nur weniger Gedichte, die zudem einen Lyrik-Begriff voraussetzen, der Meyer nicht gerecht wird (s. dazu Häntzschel, S. 357f.). Die meisten Gedichte Meyers stehen in der Tradition des 19. Jahrhunderts und sollen hier auch auf dem Hintergrund dieser Tradition interpretiert werden. Die drei Gedichte stammen aus drei verschiedenen Abteilungen der Gedichtsammlung von 1882–1892. Sie gehören auch verschiedenen Untergattungen an: Genrebild, Rollengedicht, Ballade, so daß sie die Vielfalt der Gedichtformen in Meyers Schaffen einigermaßen repräsentieren. Die drei Interpretationen ergänzen einander, auch in dem Sinne, daß die Lektüre der zweiten und dritten mit der Lektüre der vorhergehenden rechnet.

Das Gedicht ist in seiner Aussage so klar, daß es offenbar keiner Interpretation bedarf. Dies mag auch der Grund dafür sein, daß es nur selten die Aufmerksamkeit der Interpreten gefunden hat. Emil Staiger nennt es »fast übertrieben deutlich, lehrhaft, kaum noch dichterisch« (Staiger, S. 258). Dieser Geringschätzung des Gedichts durch den heutigen Leser steht die Tatsache gegenüber, daß Meyer es von 1860 bis 1887 neunmal bearbeitete. Es gehört zu jenen 96 von 231 Gedichten, die nach Erscheinen der ersten Auflage der *Gedichte* noch eine Umarbeitung erfahren haben. Meyer hat das Gedicht in alle drei seiner Sammlungen aufgenommen, die lyrische Gedichte enthalten, er hat es 1865 in Cottas *Morgenblatt* und fünfzehn Jahre später in eine Anthologie schweizerischer Lyrik gegeben.
Der Platz eines Gedichtes in der Sammlung trägt zu seiner Bedeutung bei. Meyer hat bei der Konzeption seiner Gedichtsammlungen immer großen Wert auf die Position der einzelnen Gedichte gelegt. Das zeigen Umstellungen ebenso wie inhaltliche Änderungen, die durch die Plazierung eines Gedichtes nötig wurden. (Dies ist das Thema von Walther Brechts Buch über die Komposition von Meyers Sammlung *Gedichte*.) Die früheren Gedichtsammlungen Meyers zeigen eine Zweiteilung nach den Gattungen lyrisch-epigrammatischer und erzählender Gedichte. In der ersten Sammlung, *Bilder und Balladen* (1860), sind diese Abteilun-

gen betitelt »Bilder und Sprüche« und »Balladen«, in der Sammlung *Romanzen und Bilder* (1869) »Stimmung« und »Erzählung«. Die definitive Sammlung der *Gedichte* (fünf Auflagen 1882–92) besteht aus neun thematisch geordneten Abteilungen. *Auf Goldgrund* steht in der Abteilung »II Stunde«. »Stunde« bedeutet hier wie das antike ›hora‹ zugleich Tages- und Jahreszeit. Diese doppelte Bedeutung zeigt sich im vorliegenden Gedicht, wo der Abend (das Ich geht zu »später Stunde« ins Museum) mit der Jahreszeit der Ernte verbunden wird. Die Abteilung beginnt mit einem *Morgenlied* und setzt sich mit einem Frühlingslied *Eppich* fort. Das drittletzte Gedicht der Abteilung ist den *Neujahrsglocken* gewidmet, während die zwei letzten Gedichte das Thema Zeit als Zeitlichkeit behandeln. Das Thema wird auch schon in den ersten Gedichten der Abteilung berührt, wenn der Morgen als »jung«, der Eppich als »alter Hausgesell« mit »jungen Blättern« bezeichnet wird.

Es ist durchaus traditionell, den Frühling mit der Jugend, den Herbst mit dem Lebensabend oder Tod zu verbinden, d. h., die Thematik der Tages- und Jahreszeiten wird überlagert von der Thematik des Ablaufs des menschlichen Lebens. Schon die Titel zeigen aber, daß Meyer auch den Frühling mit dem Tod verbindet, wenn ein Gedicht *Das tote Kind*, ein anderes *Lenz Mörder* heißt. Umgekehrt ist der Winter keineswegs nur die Zeit des Todes, die Neujahrsglocken künden ja ein neues Jahr an. In dem Gedicht *Die Schlittschuhe* droht zwar der Tod aus der Tiefe, doch man entkommt ihm, und das letzte bedeutungstragende Wort des Gedichts ist nicht zufällig das Wort »Junge«. Die alten Schlittschuhe kommen zu neuem Leben.

Das Gedicht *Auf Goldgrund* unterhält mit dem näheren und ferneren Kontext vielfache Beziehungen. Es ist mit den unmittelbar vorangehenden Gedichten *Vor der Ernte*, *Erntegewitter* und *Schnitterlied* durch das Thema Ernte verbunden. Der Abend als Tageszeit kommt bereits in dem den genannten vorangehenden Gedicht *Im Spätboot* vor, er wird zum Hauptmotiv in den auf unser Gedicht folgenden

Gedichten: *Requiem*, *Abendwolken*, *Mein Stern*. Das Motiv des Todes, traditionellerweise mit dem Schnittermotiv verknüpft und im *Schnitterlied* deutlich angesprochen, ist in den letzten Fassungen des Gedichts *Auf Goldgrund* völlig verschwunden, während es in früheren Fassungen noch anklang (s. unten). Meyer mag diesen Anklang wegen der dadurch entstandenen Ähnlichkeit mit dem *Schnitterlied* entfernt haben, abgesehen davon, daß er im Kontext des Gedichts, welches der Würde der Arbeit gilt, nicht am Platz ist.

Wir besitzen von Meyers Gedichten meistens mehrere Fassungen. Sie erlauben uns, zu erkennen, wie sich der Bedeutungsaufbau eines Gedichtes im Laufe der Zeit geändert hat. Beim vorliegenden Gedicht sind wir in der glücklichen Lage, daß sechs publizierte Fassungen (D_3, D_5, D_6, G_1, G_2, G_3) und eine zur Publikation bestimmte Fassung (M_1), zusammen also sieben von Meyer zu verschiedenen Zeitpunkten als gültig angesehene Fassungen vorliegen (siehe Aufstellung S. 383 f.). Dies erleichtert methodisch den Vergleich, denn bei nicht für die Öffentlichkeit bestimmten Texten ist immer mit Unabsichtlichem im Bedeutungsaufbau zu rechnen. Die theoretische Grundlegung dafür bieten die Arbeiten der Prager Strukturalisten, insbesondere die Aufsätze von Jan Mukařovský 1943 (hier bes. S. 36 ff.) und Miroslav Červenka 1971.

Die Meyer-Forschung vertritt noch weitgehend die von der Goethe-Zeit geerbte Vorstellung einer organischen Entwicklung eines Gedichts, nach der der Kern in der ersten Fassung angelegt sei und es Meyer im Lauf der Zeit immer besser gelinge, diesen zu entwickeln. Diese Auffassung läßt sich nach neueren literaturtheoretischen Ansätzen nicht mehr halten. Bei jeder Umarbeitung eines Gedichts schafft Meyer auch einen neuen Bedeutungsaufbau, welcher mit dem früheren nicht kausal zusammenzuhängen braucht; das zeigt sich besonders deutlich bei der Aufspaltung von Motiven: Motive, die in einem Gedicht in einer bestimmten Fassung zusammen auftreten, können sich später zu verschiedenen Gedichten aufspalten, also in verschiedenen Kontexten auftreten. Das führt zu einer neuen Bedeutung. (Siehe dazu den Beitrag zum Gedicht *Der Gesang des Meeres.*) Wenn man den Gedanken an eine organische Entwicklung aufgibt und die früheren Fassungen als eigenständige semantische Varianten eines Motivs ansieht, dient der Vergleich der Fassungen dazu, auf besonders einfache Weise die Eigenheit einzelner Fassungen herauszuarbeiten. Ein solcher Vergleich ist also ein rein heuristisches Verfahren. Dabei wird der eben noch angesetzte Unterschied zwischen einem Gedicht (Werk) und den Fassungen eines Gedichts problematisch.

Ein Gemeinplatz der Meyer-Forschung sagt, Meyer tendiere bei den Transformationen seiner Gedichte zur Kürze. Schon die Zeitgenossen bemerkten, daß Meyers Lyrik oft eine gewisse Kürze eigen sei, die zu Dunkelheiten führen könne. Das vorliegende Gedicht zeigt, daß diese Tendenz zur Kürze nicht uneingeschränkt gilt. Die erste Fassung hat 8 Verse, die dritte 32, die fünfte 12, die endgültige Fassung 16 Verse. Sicher findet sich in der letzten Fassung auch eine größere Dichte der poetischen Motive; von Tendenz zur Kürze, zur rhetorischen ›brevitas‹, kann aber bei der Explizitheit der Aussage nicht die Rede sein.

Der Abend ist ein traditionelles und häufig verwendetes Motiv in der Lyrik des 19. Jahrhunderts. Mindestens seit Goethes *Über allen Gipfeln ist Ruh* ist auch die Verbindung von Abend und Ruhe traditionell. Häufig wird die Ruhe des Abends mit der inneren Unruhe des lyrischen Ichs kontrastiert. Meyer durchbricht von der ersten Fassung an die traditionelle Bedeutung des Abendmotivs, indem er sein Gedicht mit einer Art Pointe schließt: »Bleichen auch des Lebens Farben, / Dauert noch der rege Fleiss« (M_1).

In der zweiten und dritten Fassung bekommt das Gedicht einen didaktischen Anstrich, es wird zugleich zu einem Erlebnisgedicht. Das lyrische Ich ist ein Nichtstuer auf Wanderschaft, mit der Sehnsucht nach Italien, ein romantisches Motiv. Beim Anblick der arbeitenden Schnitter kehrt

er sich vom Müßiggang ab und wendet sich der Arbeit zu, indem er erkennt: »Der Arbeit stille Stunden / Sie sind so segenreich.–« Das Lob der Arbeit wird dem Nichtstun entgegengesetzt, die bürgerliche Ideologie der romantischen. Das Gedicht nimmt Bezug auf jenes Lob der Arbeit, das Schillers *Lied von der Glocke* darstellt. Die berühmten Verse »Arbeit ist des Bürgers Zierde, / Segen ist der Mühe Preis« klingen in Meyers oben zitierten Versen an. So ist es nicht verwunderlich, daß sich in Schillers Gedicht ebenfalls ein Wanderer findet: »Munter fördert seine Schritte / Fern im wilden Forst der Wandrer« (V. 274 f.); Meyer: »In raschem Fürderschreiten / Dem Abendrothe zu« (V. 9 f.). Auch der Kornwagen kommt bei Schiller vor: »Schwer herein / Schwankt der Wagen, / Kornbeladen« (V. 282 ff.); Meyer: »Es schwankt mir eine Strecke / Der schwere Wagen nach« (V. 31 f.). Es geht hier nicht darum, einen Einfluß Schillers auf Meyer nachzuweisen, sondern darum, zu zeigen, daß die Anspielung auf Schillers *Lied von der Glocke* auf ein bestimmtes poetisches Motiv, vielleicht sogar auf eine Gattung, das Genrebild (s. dazu S. 394 ff.), anspielt. Meyers Gedicht wird durch diese Anspielung in einen bestimmten literarischen Kontext gesetzt, von dem es seinen Anspruch ableitet.
In der vierten Fassung tritt zum erstenmal das Motiv vom »heilig goldnen Grunde« auf, vor dem sich die Arbeit abhebt. In der ersten, vierten und fünften Fassung wird dem Tag das Sem (Sinneinheit) ›tot‹ zugeordnet: In der ersten Fassung heißt es: »Bleichen auch des Lebens Farben«, in der vierten und fünften Fassung: »Nun des Tages Gluthen starben«. Auffällig ist, daß die Arbeit immer als »leise« oder »lautlos« bezeichnet wird, offenbar um die Feierlichkeit und die Bildhaftigkeit des Vorgangs zu unterstreichen.
Der Blick auf die früheren Fassungen zeigt, daß Meyer bei diesem Gedicht besonders stark mit Versmaß, Strophenform und Reim experimentierte. Nachdem das Gedicht zuerst eine sehr einfache Form hatte (zwei vierzeilige Strophen, vierhebige Trochäen, umarmender Reim), versuchte es

Meyer in der zweiten und dritten Fassung mit achtzeiligen Strophen, wobei der letzte Vers jeder Strophe in der zweiten Fassung zunächst hervorgehoben wird durch eine überzählige vierte Hebung; danach erscheinen lauter dreihebige jambische Verse. In der vierten und fünften, ganz neu bearbeiteten Fassung verwendete Meyer vierhebige Trochäen in sechszeiligen Strophen mit dem komplizierten Reimschema aa b cc b. Die weniger üblichen Strophenformen, die Meyer von der zweiten Fassung an wählte, dienten wohl dazu, dem einfachen Vorgang jene poetische Würde zu verleihen, die dann in der letzten Fassung durch die Parallelisierung mit den Bildern ausgedrückt wird. Dem Experimentieren mit Versmaß, Strophenform und Reim entspricht auf der stilistischen Ebene ein Experimentieren mit poetischen Wendungen (Poetizismen). Die erste Fassung ist dem Versmaß entsprechend durch Schlichtheit des Stils gekennzeichnet. In der zweiten Fassung dagegen finden sich ausgefallene Wendungen. So beginnt die erste Strophe mit »Kaum kann ich mich erkennen / Heut auf dem alten Pfad / Vor dieses Himmels Brennen / In dieser Lüfte Bad«. Es ist dann vom »Fürderschreiten«, von der »Lust [...] zum Wanderstabe« die Rede, es tritt ›denken‹ mit Genitiv auf, dem selbst ein Genitiv vorangestellt ist: »Denk' ich der Jugend Zeiten«. Auch in der vierten und fünften Fassung finden sich noch poetische Wendungen, so gleich in Vers 1: »Nun des Tages Gluthen starben«, oder der vorangestellte Genitiv in Vers 6 und 10: »der Schnitter Schaar«, »des Abends Feierstunde« und im letzten Vers »Müder Arme späten Fleiß«.
Die Umwandlung in fünfhebige Trochäen in der sechsten Fassung, die auch noch in der ersten Auflage der *Gedichte* erhalten bleiben, verleiht dem Gedicht epische Breite, ja Weiträumigkeit. Dem entsprechen stilistisch die vielen Adjektive und Umstandsbestimmungen sowie die Versetzung aller Vorgänge ins Präteritum. Wie das Präsens Unmittelbarkeit mit sich bringt, verbindet sich mit dem Präteritum Abstand und Objektivität. Diese zeigt sich auch darin, daß das Ich außer in der zweiten und dritten Fassung nicht

seinen Gefühlen Ausdruck gibt, sondern als Beobachter die Realität beschreibt. Die Idee, den einfachen Vorgang durch den epischen Stil zu würdigen, fand Meyer ebenfalls schon in Schillers *Lied von der Glocke.*

Bei der Umarbeitung des Gedichts für die zweite Auflage der *Gedichte* hat Meyer die fünffüßigen Trochäen in vierfüßige verwandelt. Er hat damit ein einfaches, in der deutschen Literatur des 19. Jahrhunderts häufig verwendetes Versmaß gewählt, welches sich wegen seiner Kürze eher für lyrische als für epische Inhalte eignet; das führte im vorliegenden Fall zum Verschwinden von Adjektiven und Umstandsbestimmungen. Es entsteht eine einfache Form, die der einfachen Arbeit entspricht. Die auffälligen poetischen Ausdrücke werden aufgegeben. So heißt es nun sachlich und mit einem unpoetischen Fremdwort »Museum« statt »Bildersaal«. Die gleiche Tendenz zum sachlicheren Ausdruck zeigt die Ersetzung des kostbaren »blachen Feldes« durch das einfache »Feld«, der Wendung »Müder Arme unermüdlich Walten« durch »Fleiß«.

Die Einfachheit und Sachlichkeit der Ausdrucksweise in der letzten Fassung wird kompensiert durch einen starken Gebrauch des Parallelismus, wie er in den früheren Fassungen nicht vorkommt. Die durch den Parallelismus erzeugte Geordnetheit macht auf die Absichtlichkeit der Poesie aufmerksam. (Vgl. die Ausführungen im Beitrag zum Gedicht *Die Rose von Newport.*) Wir sind sozusagen am Gegenpol jener Unmittelbarkeit vortäuschenden lyrischen Aussageweise angekommen, wie sie in der zweiten und dritten Fassung vorlag. Einige der Wiederholungen finden sich schon in der vorhergehenden Fassung, sie treten aber wegen der kürzeren Verse in der letzten Fassung viel stärker hervor. So gibt es in der dritten Strophe zusätzlich zum Reim noch eine Assonanz auf -ar, welche innerhalb des letzten Verses der Strophe auftritt. Der Parallelismus wird in dieser Strophe noch hervorgehoben durch die Anapher in Vers 9 und 10, welche ihrerseits durch die parallele Konstruktion (je zwei Substantive, je eine unbetonte Partikel in metrischer

Hebung) unterstrichen wird. Zwischen Vers 11 und 12 gibt es zudem eine Alliteration (»warmen« / »Wunderbare«). Außerdem ist das Wort »Abendglut« eine Wiederholung des Ausdrucks in der zweiten Strophe. In der vorangehenden Fassung hat Meyer den Ausdruck variiert (»Sommerabendgluth« / »Abendlicht«).
Die Wiederholung von »Abendglut« macht den thematischen Aufbau deutlicher. Vers 5f. und 11f. sind der Natur gewidmet und umrahmen die Verse 7–10, die der menschlichen Tätigkeit gelten. Die beiden mittleren Strophen haben also die Wirklichkeit zum Thema. Sie stehen in Gegensatz zu und werden ihrerseits eingerahmt von der ersten und letzten Strophe: Die erste gilt der Kunstwelt, die letzte setzt die Wirklichkeit und die Kunst zueinander in Beziehung, sie ordnet und kommentiert den Inhalt der Strophen 1–3.
Von allen Strophen ist die dritte diejenige, die durch die formalen Mittel am meisten hervorgehoben wird. Ihr vierfacher Reim auf a-e wird sechsmal durch die Assonanz a – e im Versinnern der Strophen 2–4 unterstützt. Es gibt nur noch eine Stelle im Gedicht, welche eine ähnliche Konzentration poetischer Mittel aufweist, nämlich Vers 14: »Auch der Fleiß der Feierstunde«. Der Vers ist durch die Anapher mit Vers 13 verbunden. Er weist eine auffällige Wiederholung von Lauten (f und ei) auf, zudem stellt er eine paradoxe Formulierung dar.
Es ist kein Zufall, daß gerade die dritte Strophe und Vers 14 hervorgehoben werden. Sie sind semantisch die wichtigsten für das Gedicht. Von ihnen her erschließt sich der Sinn des Museumsbesuchs ebenso wie derjenige des abendlichen Spaziergangs. Meyer möchte seine Leser von der Würde alltäglicher Arbeit überzeugen. Diese Würde soll nicht als subjektive Interpretation des betrachtenden Subjekts erscheinen, sondern als objektiv, ja im wörtlichen Sinne naturgegeben: Es ist ja die Natur, welche diesen goldnen Grund produziert. Das dichterische Subjekt ist hier bezeichnenderweise als schauendes eingeführt. Es stellt die Zusammenhänge nicht her, sondern es schaut die naturgegebenen Zusammen-

hänge und macht sie dann, ganz im Sinn des realistischen Kunstprogramms der Zeit, durch seine Darstellung deutlich. Die Zufälligkeit des Museumsbesuchs und des daran anschließenden Spaziergangs ist nicht etwa als Einschränkung, sondern als Unterstützung der Objektivität zu interpretieren. Diese wird formal durch den Gebrauch des Präteritums unterstrichen, das den Vorgang abrückt. So wird die Übereinstimmung von Kunst und Wirklichkeit nicht als etwas Gesuchtes, sondern als etwas Gefundenes präsentiert. Der Beobachter erkennt die der Wirklichkeit innewohnende Bedeutung um so leichter, als er vom Museum, von der Kunst her kommt, er erblickt sie als Parallele zu der von der Natur erhöhten Arbeit. Das Verhältnis von Wirklichkeit und Kunst, das die letzte Strophe ausdrückt, ist das vom Poetischen Realismus postulierte. Daß das Gedicht den Arbeitsvorgang verklärt darstellt, entspricht der geforderten Verwandlung der Wirklichkeit in Kunst. Da es diesen Vorgang als Erkenntnis über das Verhältnis von Wirklichkeit und Kunst darstellt, könnte man sagen, es thematisiere dieses Kunstprogramm.

Die Wahrnehmung des Arbeitsvorganges als Bild ist eine Konstante aller Fassungen, überall fungiert der Himmel als Hintergrund. In der ersten Fassung heißt es: »Sieh das dunkle, rege Bild / Auf des Himmels blassem Grunde«; in der zweiten und dritten Fassung: »Da winkt auf hellem Grunde / Des Abends mir ein Bild« (V. 17 f.). In der vierten und fünften Fassung wird das Bild nicht mehr explizit genannt, jedoch ist die Perspektive immer noch diejenige, wie sie sich auf einem Bild darstellt: »In die Helle seh' ich ragen / Einen hohen Erndtewagen, / Den umeilt der Schnitter Schaar« (V. 4–6). Auf die Malerei verweist auch der Ausdruck vom »sich mischen« der Farben am Himmel (V. 2 f.).

Durch die Darstellung des Vorgangs als Bild gibt sich das Gedicht als Vertreter der Untergattung des Genrebildes zu erkennen. Diese im 19. Jahrhundert beliebte Gattung stellt Szenen aus dem häuslichen Leben dar. Man beachte, daß

Meyer seine erste Gedichtsammlung *Bilder und Balladen*, seine dritte *Romanzen und Bilder* nannte. Gustav Schwab macht in seiner Mustersammlung *Fünf Bücher deutscher Lieder* ([3]1848) eine Abteilung »Bilder und Sinnbilder«, die sich durch die Objektivität von den »subjektiveren Liedern« unterscheiden (Vorwort, S. IX f.).
Der Spaziergang ist ein beliebtes Motiv der Idylle, welche eng mit dem Genrebild zusammenhängt. Während Meyer das Motiv in der zweiten und dritten Fassung durchaus traditionell einsetzt (der heimkehrende Wanderer am Abend), wendet er es von der sechsten Fassung an neu, indem statt des romantischen Wanderers ein Museumsbesucher auftritt, der zudem hinausgeht statt heimkehrt. Erst auf dem Hintergrund dieser Gattungskonventionen zeigt sich die Originalität des Gedichts.
Das Bild des Erntewagens tritt noch in einen weiteren kulturgeschichtlichen Zusammenhang ein, wenn man bedenkt, daß eines der berühmtesten Genrebilder des 19. Jahrhunderts, *Die Ankunft der Schnitter in den Pontinischen Sümpfen* (1830) von Léopold Robert (1794–1835), eben einen Erntewagen darstellt. Meyer hatte das Bild 1857 im Louvre gesehen. Er erwähnt den Maler mehrmals in den Briefen an seine Schwester Betsy. Über einen Besuch im Louvre meldet er am 22. März: Manche »mißfielen mir, aber Leopold Robert ist ein großer Poet«. Und acht Tage später: »Leopold [Robert], ja, der ist ein Künstler. Freilich nur ein Genremaler. Aber wie? Man denkt: diesen schönen und starken Menschen auf diesem klassischen Boden, bleibt ihnen nichts von alter Größe und Freiheit? nur die Idylle der Jahreszeiten.« (30. 3. 1857; die *Schnitter* gehören zu einem Gemäldezyklus *Jahreszeiten*.) Meyer kannte wohl auch Heines Beschreibung dieses Bildes im *Salon I* (1834): »Eine öde Gegend der Romagna im italienisch blühendsten Abendlichte [...]. Der Mittelpunkt [...] ist ein Bauernwagen, der von zwei großen [...] Büffeln gezogen wird, und mit einer Familie von Landleuten beladen ist, die eben Halt machen will. Rechts sitzen Schnitterinnen neben ihren Gar-

ben und ruhen aus von der Arbeit, während ein Dudelsackpfeifer musiziert und ein lustiger Gesell zu diesen Tönen tanzt [...]. Links kommen ebenfalls Weiber mit Fruchtgarben, jung und schön [...]; auch kommen von derselben Seite zwei junge Schnitter« (Heine, Bd. 3, S. 54). Heine nennt das Bild »gleichsam die Apotheose des Lebens«. Seine Deutung liest sich wie ein Kommentar zu der vierten bis zur letzten Fassung des Gedichts: »Roberts Schnitter sind [...] nicht nur sündenlos, sondern sie kennen keine Sünde, ihr irdisches Tagwerk ist Andacht, sie beten beständig, ohne die Lippen zu bewegen, sie sind selig ohne Himmel, versöhnt ohne Opfer, rein ohne beständiges Abwaschen, ganz heilig.« (Heine, Bd. 3, S. 54, 56.) Hier steht der Ausdruck »heilig«, der bei Meyer seit der vierten Fassung nie fehlt. Von Heine her erhellen sich auch die Elemente »leis« und »Feierstunde«; sie gehören zum semantischen Feld der ›Andacht‹.

Einen anderen Aspekt des Bildes hebt Friedrich Theodor Vischer in seinen *Kritischen Gängen* hervor, einem Werk, das Meyer seit seinen Anfängen kannte: »Unsere höchste Aufgabe ist jetzt das sogenannte profan-historische Gemälde nebst seiner Voraussetzung, Vorstudie oder wie man es nennen mag, dem edleren Genrebild. Robert war epochemachend. Menschen in gewöhnlichen, harmlosen Situationen, aber Menschen mit der Anlage der Größe: dieser Bauernbursche ans Joch hingelehnt zwischen den gewaltigen Büffeln, es ist ein Cincinnatus in ihm verlorengegangen; diese hohe Frau mit dem Kinde auf dem Erntewagen, sie könnte Raffael zu einer Madonna sitzen. Es sind Genregemälde im historischen, hohen Stile gefühlt und komponiert, schwanger mit historischem Geiste« (Vischer, S. 26). Ob Meyer bereits in den *Bildern und Balladen* Roberts Bild vor Augen hatte, ob er bei seinem Gedicht überhaupt an dieses Bild dachte, kann nicht ermittelt werden, ist aber bei der Berühmtheit des Bildes anzunehmen. Meyer übernimmt die Figurenkonstellation des Bildes nicht, diese wird eher in den vorangehenden Gedichten *Erntegewitter* und *Schnitterlied* dargestellt. Hingegen übernimmt er neben dem Motiv des Erntewagens gewissermaßen das Kolorit, tritt doch schon in der ersten Fassung die Idee der dunklen Gestalten auf dem hellen Hintergrund des Himmels auf, welche Heine als den »eigentlichen Zauber des Bildes« hervorhebt: »Die Gestalten, die sämtlich dunkler sind als der Hintergrund, werden durch den Widerschein des Himmels so himmlisch beleuchtet, so wunderbar, daß sie an und für sich in freudigst hellen Farben erglänzen, und dennoch alle Konturen sich streng abzeichnen« (Heine, Bd. 3, S. 55). Dieser Aspekt des Bildes wird in der vierten und fünften Fassung deutlich herausgearbeitet: »In die Helle seh ich ragen / Einen hohen Erndtewagen / [. . .] Auf dem Licht ein dunkles Leben« (M_4), »Dunkle Arbeit lichtumgeben!« (D_5). Auch tritt in der vierten Fassung zum ersten Mal der »heilig goldne Grund« auf. Die Wendung ist hier noch unmotiviert, eine Deutung des Dichters. Von der sechsten Fassung an wird durch die Parallelisierung mit den Heiligenbildern die Szene selber zum Bild, die Wendung »heilig goldner Grund« ist motiviert. Der Ausdruck »umflammt von heilger Würde« (G_2 und G_3: V. 15) liest sich wie eine Kombination des Kommentars von Heine und Vischer.

Es kann hier nicht darum gehen, die Entstehung des Gedichts um ihrer selbst willen zu verfolgen. Bei der Heranziehung dieser allfälligen Anregungen geht es vielmehr darum, den Kontext zu ermitteln, in dem Meyers Gedicht steht. Menschliche Arbeit als Gegenstand des Gedichts wird nach der Kunstanschauung des deutschen Realismus behandelt. Die Würde des Gegenstandes verbindet sich mit klassizistischer Einfachheit der Form, das Reale mit dem Idealen. Die Wirklichkeit um ihrer selbst willen ist es nicht wert, dargestellt zu werden, sie muß erhöht werden, sie wird »auf Goldgrund« gesehen, verklärt.

Zitierte Literatur: Walther Brecht: Conrad Ferdinand Meyer und das Kunstwerk seiner Gedichtsammlung. Wien/Leipzig 1918. – Miroslav Červenka: Textologie und Semiotik. In: Texte und Varianten. Probleme ihrer Edition und

Interpretation. Hrsg. von Gunter Martens und Hans Zeller. München 1971. S. 143–163. – Horst Joachim FRANK: Handbuch der deutschen Strophenformen. München 1980. – Günter HÄNTZSCHEL: Bemerkungen zum literarhistorischen Ort von Conrad Ferdinand Meyers Lyrik. Meyers Herkunft aus der lyrischen Praxis der Restaurationsepoche und seine individuelle Weiterentwicklung. In: Literatur in der sozialen Bewegung. Aufsätze und Forschungsberichte zum 19. Jahrhundert. In Verb. mit Günter Häntzschel und Georg Jäger hrsg. von Alberto Martino. Tübingen 1977. S. 357–369. – Heinrich HEINE: Sämtliche Schriften. Hrsg. von Klaus Briegleb. 6 Bde. München 1968–76. – Heinrich HENEL: The Poetry of Conrad Ferdinand Meyer. Madison 1954. – Jurij M. LOTMAN: Die Struktur literarischer Texte. München 1972. – Conrad Ferdinand MEYER: Sämtliche Werke. [Siehe Textquelle.] – Jan MUKAŘOVSKÝ: Beabsichtigtes und Unbeabsichtigtes in der Kunst. [1943.] In: J. M.: Studien zur strukturalistischen Ästhetik und Poetik. Mit einem Nachwort: Die strukturalistische Ästhetik und Poetik Jan Mukařovskýs. München 1974. S. 31–65. – Gustav SCHWAB: Fünf Bücher deutscher Lieder und Gedichte. Leipzig ³1848. – Emil STAIGER: Das Spätboot. Zu Conrad Ferdinand Meyers Lyrik. In: E. S.: Die Kunst der Interpretation. Studien zur deutschen Literaturgeschichte. Zürich 1955. S. 239–273. – Friedrich Theodor VISCHER: Kritische Gänge. Bd. 5. München ²1922.

Conrad Ferdinand Meyer

Der Gesang des Meeres

Wolken, meine Kinder, wandern gehen
Wollt ihr? Fahret wohl! Auf Wiedersehen!
Eure wandellustigen Gestalten
Kann ich nicht in Mutterbanden halten.

5 Ihr langweilet euch auf meinen Wogen,
Dort die Erde hat euch angezogen:
Küsten, Klippen und des Leuchtturms Feuer!
Ziehet, Kinder! Geht auf Abenteuer!

Segelt, kühne Schiffer, in den Lüften!
10 Sucht die Gipfel! Ruhet über Klüften!
Brauet Stürme! Blitzet! Liefert Schlachten!
Traget glühnden Kampfes Purpurtrachten!

Rauscht im Regen! Murmelt in den Quellen!
Füllt die Brunnen! Rieselt in die Wellen!
15 Braust in Strömen durch die Lande nieder –
Kommet, meine Kinder, kommet wieder!

Abdruck nach: Conrad Ferdinand Meyer: Sämtliche Werke. Hist.-krit. Ausg. 15 Bde. Besorgt von Hans Zeller und Alfred Zäch. Bern: Benteli, 1958 ff. Bd. 1 (Gedichte: Text. Hrsg.: Hans Zeller). 1963. S. 183.
Erstdruck der definitiven Fassung: Conrad Ferdinand Meyer: Gedichte. Vierte vermehrte Auflage. Leipzig: Haessel, 1891.
Abdruck der früheren Fassungen: Sämtliche Werke. Bd. 3 (Apparat zu den Abteilungen III und IV der Gedichte. Hrsg.: Hans Zeller). 1967. S. 345 f. (Fassungen 1869–87), vgl. ferner ebd. S. 312 (Meyers Übersetzung aus Metastasio, 1864) und S. 278–293 (frühe Fassungen des Gedichts *Der tote Achill*, welche das Motiv von *Der Gesang des Meeres* enthalten, 1864–66). Die im vorliegenden Zusammenhang wichtigste Vorstufe ist die Fassung in Meyers Sammlung *Romanzen und Bilder* (Leipzig: Haessel, 1869):

Kommet wieder!

Um die bleichen Kreidefelsen kreisen
Möwen immer in denselben Gleisen,

In des stillen Meeres dunkelm Spiegel
Flattern helle Lichter, weiße Flügel.

5 Und das Meer beginnt ein leises Singen:
Wolken, meine Kinder, regt die Schwingen!
Von der Erde seid ihr angezogen,
Rauscht im Regen! Glänzt im Regenbogen!

Füllt die Bronnen, murmelt in den Quellen!
10 Stürzt von Felsen, rieselt in den Wellen!
Zieht in Strömen durch die Lande nieder!
Kommet, meine Kinder, kommet wieder!

Hans Zeller und Rosmarie Zeller

Zu Conrad Ferdinand Meyers *Gesang des Meeres*

In der definitiven Sammlung *Gedichte* steht das Gedicht in der Abteilung IV mit dem Titel »Reise«. Das Thema der Abteilung wird im Gedicht mit den Ausdrücken »wandern«, »wandellustige Gestalten«, »kühne Schiffer« und »Abenteuer« angeschlagen. In dieser Abteilung selbst ist das Gedicht das erste einer Gruppe von Gedichten, in denen das Meer vorkommt. Sie setzt sich fort mit *Das Strandkloster*, *Nicola Pesce*, *Zwiegespräch*, *Flut und Ebbe* und wird abgeschlossen von dem Gedicht *Möwenflug*, das aus der Vorstufe dieses Gedichts abgespalten wurde. Der Kontext des Gedichts hebt gewisse Bedeutungsfelder hervor: Krieg, Tod, ewige Wiederkehr des Gleichen, Verwandlung und schließlich das Thema der Reise selbst. Das Gedicht unterhält auch durch die Form des Rollengedichts Beziehungen zu seiner Umgebung. Das in der Sammlung davorstehende Gedicht *Die Korsin* wie auch die nachfolgenden Gedichte *Nicola Pesce* und *Das Strandkloster* sind Rollengedichte. Im Gedicht *Zwiegespräch* sprechen die Sonne und die Abendröte miteinander, also Teile der Natur wie in *Der*

Gesang des Meeres. Das Rollengedicht kommt Meyers Streben nach Objektivität entgegen, indem das lyrische Ich seine Stimme einer andern Person oder einem Gegenstand abgibt. Es ist zudem ein altes poetisches Mittel, unbelebte Gegenstände oder die Natur sprechen zu lassen.

Das Gedicht hat weit weniger Veränderungen durchgemacht als das Gedicht *Auf Goldgrund*. Für die Zwecke der vorliegenden Interpretation genügt es, die Fassungen in den *Romanzen und Bildern* (1869) und in der dritten Auflage der *Gedichte* (1887) zu berücksichtigen, hier als erste und zweite Fassung bezeichnet.

Das Gedicht ist ein Beispiel dafür, wie sich die Motive in Meyers Lyrik verzweigen, wie er ihnen neue Bedeutungen abgewinnt. Das Gedicht zeigt auch, daß einmal gefundene Motive, wenn sie in einem bestimmten Kontext nicht mehr brauchbar sind, vom Dichter in anderem Zusammenhang wieder verwendet werden. Im hier zu besprechenden Motivkomplex waren am Anfang zwei Motive verknüpft: der Kreislauf des Wassers und die sich im Meer spiegelnden Vögel. Beide Motive treten zum erstenmal in einer Vorstufe des Gedichts *Der tote Achill* von 1864 auf (*Sämtliche Werke*, Bd. 3, S. 280, V. 41–64). Das Motiv des Kreislaufs des Wassers ist der Inhalt einer Totenklage, gesungen von den Meermädchen, die zusammen mit Thetis, der Mutter, den toten Helden auf die Insel Leuke geleiten. Die Verse beziehen sich allegorisch auf das Leben Achills, welcher vom Wasser ausgegangen ist (Thetis), von der Erde angezogen wurde und jetzt ins Wasser, zu seiner Mutter zurückkehrt: »In der Mutter eigenem Gebiete« wird ihm das Grab bereitet (V. 55). Das Motiv der die Felsen umkreisenden Vögel gehört zur Szenerie des Begräbnisses. Die weißen Vögel werden gedeutet: »Seelen sind es die vom Leib geschieden« (V. 60). Die Idee des Körperlosen wird im Spiegelbild nochmals sinnfällig: »In des dunkeln Spiegels Tiefe schweben / Weiße Vögel flatternd ohne Leben« (V. 63 f.).

Im Jahre 1869, bei der Arbeit für die Sammlung *Romanzen und Bilder*, verschwinden die beiden Motive aus dem *Achill-*

Gedicht, in welches seiner neuen Konzeption nach solche allegorischen Stellen nicht mehr passen. Die beiden Motive werden nun zu einem eigenständigen Gedicht verbunden mit dem Titel *Kommet wieder!*. Bei der Vorbereitung der ersten Auflage der definitiven Sammlung der *Gedichte* von 1882 spaltet sich diese Motivverknüpfung auf, die Motive gehen in zwei verschiedene Gedichte ein, in *Der Gesang des Meeres* und in *Möwenflug*.

Bei diesen Übergängen in neue Kontexte erhalten die Motive jeweils eine neue Bedeutung. War das Vogelmotiv im *Achill*-Gedicht ein Bild für die leblose Seele, so verliert es diese Bedeutung in *Kommet wieder!*. Hier besteht eine Parallele zwischen den Möwen, welche »immer in denselben Gleisen« um die Felsen kreisen, und zwischen dem Kreislauf des Wassers, der durch »Kommet wieder!« ausgedrückt wird. Die Parallelisierung wird unterstrichen durch Entsprechungen. So treten die »Kreidefelsen« der ersten Strophe als »Felsen« in der dritten wieder auf. Das Spiegelbild der Möwen auf dem Wasser entspricht dem Rieseln in den Wellen (V. 10). Wie die Möwen »Flügel« (V. 4), haben die Wolken »Schwingen« (V. 6). Das Spiegelbild hat nicht mehr die Nebenbedeutung des Leblosen, sondern es zeigt die Verbindung von Wasser und Luft, wie die Wolken als Kinder des Meeres ebenfalls eine Verbindung der Bereiche Luft und Erde darstellen.

Der Gesang des Meeres besteht aus vierzeiligen Strophen mit fünfhebigen Trochäen und dem spannungslosen Reim aabb. Die Strophe ist bis zu Meyer nicht häufig in der deutschen Literatur; Meyer selbst verwendet sie relativ oft (s. Frank, S. 297). Die Verbindung von Trochäen mit ausschließlich weiblichem Versausgang und dem Reim aabb könnte leicht zum Leiern führen. Dem wirkt Meyer durch den Aufbau rhythmischer Spannungen entgegen. Viele Verse haben eine oder zwei Zäsuren. Da die Verse fünfhebig sind, bedeutet dies eine asymmetrische Aufteilung mit rhythmischer Spannung. Gegenüber der ersten Fassung hat Meyer solche Spannung vor allem in der dritten und vierten Strophe stärker

herausgearbeitet. Sie unterstreicht den Inhalt: die rastlose abenteuerliche Tätigkeit der Wolken. Diese Bedeutung wird unterstrichen durch die Häufung stark betonter Wörter, vor allem von Substantiven und Verben in Befehlsform. Einen Höhepunkt bildet in dieser Hinsicht Vers 11, wo jede Hebung einen starken Satzakzent trägt. Auch sind die Verse 9 bis 14 dadurch ausgezeichnet, daß immer ein Substantiv im Reim steht, also ein relativ stark betontes Wort. Diese rhythmisch spannungsvollen Verse kontrastieren mit der ersten Strophe, wo zwei Enjambements – die einzigen im Gedicht – vorkommen, und mit Vers 15. Die parallel konstruierten Enjambements in der ersten Strophe – es wird Vers 2 und 4 je ein Hilfsverb abgetrennt – bilden die Wanderbewegung der Wolken ab. Vers 15, der erste zäsurlose nach einer Reihe von Versen mit deutlichen Zäsuren, bildet zugleich die langatmigere Bewegung der Ströme gegenüber der raschen in Regen und Brunnen ab. Das Verfließende der Bewegung wird auch dadurch unterstrichen, daß ein schwach betontes Wort im Reim steht, im Gegensatz zu den stark betonten Substantiven in den vorhergehenden Reimen. In der ersten Fassung war die langsame Bewegung noch semantisch durch das »zieht« ausgedrückt (V. 11). »Braust« (V. 15) stellt einen Bezug zu »Brauet« (V. 11) her, zudem drückt »braust« zum letzten Mal jene heftige Bewegung der »Kinder« aus, die in Strömen der Ruhe dem Meer zufließen werden (vgl. unten S. 405 f.).
Von drei Verspaaren abgesehen, reimen ungleich lange Wörter miteinander, so daß die Wortgrenzen in zwei aufeinanderfolgenden Zeilen nicht auf dieselbe Stelle fallen. Dieses Mittel hat Meyer in der ersten Fassung noch nicht verwendet, wo ausschließlich Wörter gleicher Silbenzahl reimen: »kreisen« / »Gleisen«; »angezogen« / »Regenbogen« usw. Die Verse 9 f. mit auch in der letzten Fassung gleich langen Reimwörtern fallen als Durchbrechung eines Prinzips besonders auf. Der Reim »Lüften« / »Klüften« ist auch als reicher Reim hervorgehoben. Er führt zu Beginn der dritten Strophe ein neues Thema ein: die Luft. Meyer hat mit

diesem reichen Reim dem schon in der ersten Fassung vorhandenen reichen Reim »Quellen« / »Wellen« seine Willkür genommen. Mit diesem Reim wird Vers 13 f. analog zu dem in der dritten Strophe das Thema Wasser eingeführt. Der letzte Paarreim mit den zweisilbigen Wörtern »nieder« / »wieder« setzt den Schlußakzent, was auch dadurch unterstrichen wird, daß »wieder« einen starken Satzakzent trägt, so daß das Gedicht dem Aufruf entsprechend auch entschieden aufhört.

Meyer arbeitet in diesem Gedicht auffällig mit Alliterationen. Die W-Alliteration, die gleich in der ersten Zeile deutlich auftritt, klingt bis in die letzte Strophe an. Sie produziert ein Geflecht von Wörtern, welches die mit den Wolken zusammenhängenden Bedeutungen evoziert: a) die Bewegung der Wolken: »wandern«, »wandellustig«; b) ihre Rückkehr: »Auf Wiedersehen«, »wieder« (V. 16); c) das Wasser: »Wogen«, »Wellen«. Eine zweite Alliteration wird in Vers 7 f. eingeführt: Durch die Nachbarschaft von »Küsten, Klippen« und »Kinder« werden die Wolken in diese K-Alliteration einbezogen, was sich dann deutlich im letzten Vers des Gedichts zeigt. Auch in der dritten Strophe kommt das K vor: »Klüften«, »Kampfes«. »Küsten«, »Klippen« und »Klüfte« stehen für die Erde. Ist auch »Kampf« in diese Reihe einzuordnen? Es zeigt sich, daß es eine zweite Serie von Wörtern mit K gibt, welche das Bedeutungselement ›menschlich‹ enthalten, neben »Kampf« auch »Kind« und »kühn« (V. 9). Daß die Erde zugleich der Bereich der Menschen ist, wird mit dem »Leuchtturm« angedeutet. Angezogen von der Erde, nehmen die Wolken menschliche Züge an. Gerade diese K-Alliteration hat Meyer erst in der dritten Auflage der *Gedichte* eingefügt. In den früheren Auflagen hießen die entsprechenden Verse: »Dort der Stern ist eines Leuchtthurms Feuer! / Ziehet, Kinder! Suchet Abenteuer!« Diese auf die Erde und die Menschen bezogenen Verse machen auch den größten Teil der Erweiterung gegenüber der ersten Fassung aus.

Neben diesen durchgehenden lautlichen Verknüpfungen

gibt es noch weitere Alliterationen, z. B. »Brauet [...] Blitzet!« (V. 11), sowie eine Reihe von Assonanzen: »Wollt [...] wohl!« (V. 2), »-banden halten« (V. 4). Diese für Meyer eher ungewöhnliche Strukturierung der lautlichen Ebene hängt wohl mit dem Thema zusammen. Es handelt sich ja um einen »Gesang«. Auch der reiche Reim hat in diesem Gesang neben der semantischen eine lautliche Funktion.

Thematisch läßt sich das Gedicht auf mehrfache Art aufgliedern. Man kann es zunächst als logischen Ablauf auffassen: Die Wolken brechen auf (Str. 1), sie steigen an Küsten und Klippen auf (Str. 2), sie segeln in der Luft, hängen an den Gipfeln und über den Klüften, werden immer dichter, bis sie sich zu Stürmen und Gewittern formieren (Str. 3), diese führen zu Regen, als Regen kommen sie über die Ströme ins Meer zurück (Str. 4). Dieser Ablauf wird überlagert von einem zweiteiligen Aufbau: Die erste und die letzte Strophe bedeuten Aufbruch und Rückkehr, sie sind durch die Wiederholung von »meine Kinder« in der ersten und letzten Zeile miteinander verbunden. Zugleich wird Meer und Wasser (Regen, Quellen usw.) in den äußeren Strophen der Erde (Küsten, Klippen) bzw. der Erde und der Luft in den inneren Strophen entgegengesetzt. Dies wiederum ergibt eine Thematisierung der drei Elemente Wasser, Erde, Luft. Auch das vierte Element Feuer ist versteckt vorhanden: in »Leuchtturms Feuer« (V. 7), »Blitzet« (V. 11), »glühnden« (V. 12). In anderer Hinsicht gehören Strophe 3 und 4 nahe zusammen, da sie die Tätigkeit der Wolken beschreiben; sie werden dadurch den Strophen 1 und 2 entgegengesetzt, welche als eine Art Motivation zum Nachfolgenden dienen.

Die anthropomorphisierenden Metaphern sind in den ersten drei Strophen sehr ausgeprägt. Sie zeigen sich in der Benennung der Wolken als »Kinder«, aber auch in den Prädikaten wollen, wandern, sich langweilen, auf Abenteuer gehen, suchen, ruhen, Schlachten liefern. Während das Prädikat segeln auch den Wolken zukommt, verweist die Anrede

»Schiffer« wieder auf die menschliche Sphäre. In der ersten Strophe ist nur das Wort »Wolken« nicht dem Bedeutungsfeld ›menschlich‹ zuzurechnen. In der letzten Strophe dagegen tritt das Bedeutungsfeld nur noch im letzten Vers auf. Hier könnte ein weiterer Grund liegen für die Änderung von »zieht« zu »braust«. ›Ziehen‹ hat eine stark menschliche Nebenbedeutung, ›brausen‹ nicht. Der menschliche Aspekt der Wolken wird so auf ein Minimum reduziert, sie gehen wieder ein ins Wasser. Zugleich weiß man, daß es sich um einen Kreislauf handelt, was durch die Wiederholung »meine Kinder« im letzten Vers angedeutet wird, ein Parallelismus, der in der ersten Fassung nicht bestanden hat.
Mit der Erde ist das Abenteuer, das Tätigsein verbunden. Dies wird im Text konkretisiert durch das Reisen und durch »Schlachten« und »Kampf«. Demgegenüber herrscht auf dem Meer Langeweile. Die Erde ist aber zugleich mit dem Tod verknüpft. In den Wörtern »Schlachten« und »Kampf« ist der Tod mitbedeutet, ebenso im Ausdruck »Purpurtrachten«, welcher die Nebenbedeutung ›Blut‹ mit sich bringt. Endlich führt dieser Kampf zum Regen, welcher die Auflösung der Wolken, ihre Rückkehr bedeutet. Diese höchste Steigerung des Abenteuers führt zugleich zu seinem Abbruch. Die Erde hat einen positiven Wert (»Abenteuer«), sie trägt aber zugleich den Tod in sich, einen negativen Wert, während das Meer mit dem negativen Wert der Langeweile und dem positiven des Ewigen ausgestattet ist. Die Spannung zwischen Erde und Meer wird durch den spannungsvollen Aufbau abgebildet: Drei Strophen gehören zum Bedeutungsfeld ›Erde–Mensch‹, eine Strophe gehört zum Bedeutungsfeld ›Meer‹. Der Dominanz eines Bedeutungsfeldes wird durch die lautliche Strukturierung entgegengewirkt: So finden sich in der stark anthropomorphisierenden ersten Strophe eine Häufung von dem Wasser zugehörenden W-Lauten, umgekehrt treten die mit der Erde zusammenhängenden K-Laute in dem dem Wasser gewidmeten letzten Vers gehäuft auf. Diesem spannungsvollen

Ungleichgewicht entspricht die wechselnde rhythmische Spannung durch die Verszäsur.
Trotz der anthropomorphisierenden Metaphorik läßt sich das Gedicht nur sehr allgemein auf die Menschen beziehen: die Rückkehr alles Irdischen zum Ewigen und die Anziehung des Ewigen durch das Irdische, wobei das Irdische – jedenfalls in diesem Gedicht Conrad Ferdinand Meyers – durchaus das Übergewicht erhält. Das Thema ist so allgemein, daß es nicht originell ist. Das ganze Interesse des Gedichts liegt in seinem künstlerischen Ausdruck.

Zitierte Literatur: Siehe S. 397f.

Conrad Ferdinand Meyer

Die Rose von Newport

Sprengende Reiter und flatternde Blüten,
Einer voraus mit gescheitelten Locken –
Ist es der Lenz auf geflügeltem Renner?
Karl ist's, der Jüngling, der Erbe von England,
5 Und die sich nähern in goldener Mailuft,
Das sind die Giebel und Tore von Newport,
Drüber das Wappen der Stadt: eine Rose!
Jubelnde Gassen und jubelnde Wimpel
Und ein von treibender Jugend geschwelltes,
10 Jubelndes Herz in dem Busen des Stuart...
Unter den blühenden Linden des Marktes
Schreitet ein Reigen von blühnden Gestalten,
Und eine Schönste mit herzlichem Beben
Bietet dem Prinzen die Rose von Newport:
15 »Seliges Gestern und Morgen und Heute,
Herr, dir die Rose von Newport bedeute!«

Morgen erzählen die Linden das Märchen
Von der entblätterten Rose von Newport.

Sprengende Reiter und wirbelnde Flocken,
20 Einer voraus mit verwilderten Haaren –
Ist es der Winter, der finstre Geselle?
Karl ist's, der Flüchtling, der König von England.
Seit er das Blut seines Volkes vergossen,
Reitet er neben zerschmetterndem Abgrund...
25 Und die sich nähern in weißem Gestöber,
Das sind die Giebel und Tore von Newport,
Drüber das Wappen der Stadt: eine Rose!
Nirgend ein Jubel und nirgend ein Wimpel,
Polternde Hämmer und kreischende Feilen –

30 Und ein von eisernen Fäusten gepreßtes,
Ächzendes Herz in dem Busen des Stuart...
Unter den frierenden Linden des Marktes
Bettelt ein Kind mit verschatteten Augen,
Bietet dem König ein dorrendes Röschen:
35 »Seliges Gestern und Morgen und Heute,
Herr, dir die Rose von Newport bedeute!«
Karl, der die Züge des Kindes betrachtet,
Schmal und gespenstig im Spiegel des Elends
Sieht er das eigene Antlitz und schaudert.

40 Morgen erzählen die Linden das Märchen
Von dem enthaupteten König in England.

Abdruck nach: Conrad Ferdinand Meyer: Sämtliche Werke. Hist.-krit. Ausg. 15 Bde. Besorgt von Hans Zeller und Alfred Zäch. Bern: Benteli, 1958 ff. Bd. 1 (Gedichte: Text. Hrsg.: Hans Zeller). 1963. S. 385 f.
Erstdruck der definitiven Fassung: Conrad Ferdinand Meyer: Gedichte. Leipzig: Haessel, 1882. [Die vierte und fünfte Auflage, 1891 bzw. 1892, ändern nur noch die Interpunktion in Vers 29 und die Orthographie.]
Abdruck der früheren Fassungen: Sämtliche Werke. Bd. 5 [zur Zeit noch nicht erschienen]. Der im folgenden wiedergegebene früheste Druck erschien unter dem Titel *Die Flucht Karls I.* in Meyers erster veröffentlichter Gedichtsammlung: *Zwanzig Balladen von einem Schweizer.* Stuttgart: Metzler, 1864. S. 121–124. Eine der definitiven Fassung entstehungsmäßig vorhergehende, im Wortlaut an mehreren Stellen abweichende Fassung erschien Ende 1882 in einer Anthologie *Skalden-Klänge.* Ein Balladenbuch zeitgenössischer Dichter, gesammelt von Eufemia Gräfin Ballestrem und Hermann Lingg. Breslau: Schottlaender, 1883.

Die Flucht Karls I.

Einer voraus mit verwilderten Locken,
Finster das Antlitz, den Hut überschneit,
Sprengende Reiter und wirbelnde Flocken!
Ist es Verfolgung? ist es ein Geleit?

5 Karl ist's, der König, mit wenig Genossen,
Und vor dem Feind zu dem Feind muß er flieh'n;
Seit er das Blut seines Volkes vergossen,
Sprengt an zerschmetterndem Abgrund er hin.

Das ist die Schuld der erschütternden Zeiten,
10 Welche das Fieber des Werdens durchglüht,

Die mit dem eigenen Volk ihn entzweiten,
Die ihn entzweit mit dem eig'nen Gemüth.

Seinem Gefolge von Dienern und Spähern
Eilt der unmuthige König zuvor;
15 Neblicht die Thürme von Newport sich nähern
Sieht er, und reitet gemach durch das Thor.

Durch die geschäftigen, summenden Straßen
Zieht er die reinlichen Häuser entlang;
Aber sein Werkzeug hat Keiner verlassen,
20 Keiner geschmückt sich zu Gruß und Empfang.

Trotzig, wie grollende Republikaner,
Haben die Bürger an ihn kein Gesuch,
Dort in der Werkstatt klopft ein Puritaner, –
Dieser verwünscht ihn mit biblischem Fluch.

25 Ist sie vergessen die heimische Sitte,
Daß ihm das Mädchen, am schönsten erblüht,
Reiche die Rose mit festlichem Schritte,
Wenn an dem Markte vorüber er zieht?

Keine der stattlichen, brittischen Frauen
30 Tritt ihm entgegen, den Strauß in der Hand,
Selbst aus dem Erker mag keine mehr schauen,
Seit er mit Krieg überzogen sein Land.

Auch nicht ein einziges Zeichen der Liebe,
Sonnig kein Lächeln, kein Wimpel das wallt!
35 Alles ist düster und Alles ist trübe,
Himmel und Menschen verschlossen und kalt.

Ruhig durchreitet der König die Stille;
Aber im Innern zerreißt ihn der Schmerz,
Und seines Volkes entfremdeter Wille
40 Preßt, eine eiserne Faust, ihm das Herz.

Wie er die letzte der Straßen durchritten,
Tritt aus dem letzten verödeten Haus,
Dunkel gekleidet, mit ängstlichen Schritten
Eilig ein schüchternes Mädchen heraus.

45 Schmächtig und bleich, nicht die Schönste von Allen,
Und mit wie traurigen Augen sie blickt!
Ist für den König der Vater gefallen?
Hat sie die weinende Mutter geschickt?

Unter dem Tüchlein hervor weht das lose
50 Haar in dem Wind, doch es kümmert sie nicht,
Und dem sich neigenden König die Rose
Reicht sie, verbeugt sich und flüstert und spricht:

»Nimm es, das unter dem Schnee sich geröthet,
»Nimm es, das Röschen, zum Reisegeleit,
55 »Das sich im Garten versteckt und verspätet,
»Daß es uns tröste zur traurigen Zeit...

»Herr, nach den alten, den guten Gebräuchen
»Reich' ich die Rose von Newport dir dar;
»Möge, der Zahl ihrer Blätter zu gleichen,
60 »Wonniglich reihen sich Jahr dir an Jahr!«

Karl nimmt das Röschen und dankt der Getreuen,
Welche den Spruch nicht, den alten, vergaß;
Aber im Herzen kann er sich nicht freuen,
Und sein beschattetes Auge wird naß.

65 Sachte den Renner von hinnen nun lenkend,
Und an sein eig'nes verlassenes Kind
Und an sein Weib, das geflüchtete, denkend,
Birgt er im Busen die Rose geschwind:

»Rose, was soll dein Geleit mir bedeuten,
70 »Und dein so schimmernd entfaltetes Roth?
»Darf ich noch glauben an glückliche Zeiten,
»Oder weissagst du mir blutigen Tod?« –

Hans Zeller und Rosmarie Zeller

Zu Conrad Ferdinand Meyers *Rose von Newport*

Die Rose von Newport befindet sich in der neunten, der letzten Abteilung der *Gedichte* mit dem Titel »Männer«. Mit Ausnahme der zwei letzten behandeln die Gedichte dieser Gruppe Stoffe aus dem 16. und 17. Jahrhundert, und die meisten sind Balladen. Zu diesen gehört auch Meyers wohl berühmteste Ballade *Die Füße im Feuer*; sie steht unmittelbar vor unserem Gedicht. Die Gattung der Ballade nimmt in Meyers Schaffen einen wichtigen Platz ein. Er hat von Anfang an Balladen geschrieben; seine erste, noch anonyme Publikation, 1864, war eine Balladensammlung: *Zwanzig Balladen von einem Schweizer*. Hier steht an 19. Stelle die älteste bekannte Fassung unseres Gedichtes. Darin, wie in den weiteren, als Handschriften überlieferten Fassungen (es sind vier Fassungen aus den siebziger Jahren), ist noch nichts von den auffälligen Wiederholungen enthalten, welche die Eigenart der Druckfassungen der achtziger Jahre ausmachen. Meyer hat diese Ballade – im Gegensatz zu den Interpreten des 20. Jahrhunderts – so geschätzt, daß er sie zusammen mit sieben anderen an Hermann Lingg für eine Anthologie zeitgenössischer Balladen gab (s. *Sämtliche Werke*, Bd. 2, 1964, S. 169 f.). Die Sammlung ist ein Indiz auch für die Beliebtheit der Gattung noch in der zweiten Hälfte des 19. Jahrhunderts.

Auch in diesem Gedicht setzt Meyer das Versmaß – es sind selten vorkommende, reimlose vierhebige Daktylen – zur Unterstreichung der Bedeutung ein. So werden z. B. die Verse 4 und 22 rhythmisch hervorgehoben, indem sie die einzigen sind, in denen jede Hebung auf ein Substantiv fällt. Es sind auch die ersten und die einzigen, in denen Karl beim Namen genannt wird. Das Wort »Rose« kommt immer in der zweiten Hälfte der Verse in stark betonter Stellung vor, dreimal sogar am Versende. Von dieser Regelmäßigkeit bildet der wegen des Reims und der Anführungszeichen auch sonst abweichende Spruch der Verse 15 f. und 35 f. eine Ausnahme, indem dort »Rose von Newport« genau in der Mitte steht und den am stärksten betonten Teil des Verses ausmacht.

Die gerade Anzahl Hebungen, die den Vers häufig halbieren, entspricht der Symmetrie im Aufbau. Die Zweiteilung wird oft durch ein die beiden Teile verbindendes »und« unterstrichen (Verse 1, 6, 8, 19, 26, 28, 29).

Das auffälligste Konstruktionsmerkmal dieses Gedichts ist die Wiederholung von Wörtern, Satzteilen, ja ganzen Sätzen, aber auch von Wortbildungs- und Satzmustern. Meyer verzichtete in der Entwicklung des Gedichts in dem Augenblick auf den Reim (vom Widmungsspruch abgesehen), in dem er die Wiederholung zum Konstruktionsprinzip machte. Zusammen mit diesem Prinzip hätte der Reim zu

einem hohen Maß an Voraussehbarkeit und damit zu einer Verminderung der Information geführt.
Wenn Walter Hinck (S. 70) von einer »minuziösen Umkehrung und Gegensätzlichkeit innerhalb der Parallelität« dieses Gedichts spricht, ist das nur bedingt richtig. Dies zeigt sich schon äußerlich daran, daß der zweite Teil um fünf Verse länger ist als der erste. Es zeigt sich aber auch daran, daß Meyer die Gegenüberstellung nicht durch Antonyme (Gegensatz-Wörter) bewerkstelligt. Wenn man allenfalls den »Winter« (V. 21) noch als Antonym von »Lenz« (V. 3) gelten lassen kann, so bildet »Flüchtling« (V. 22) trotz der Ähnlichkeit der Lautung nicht das Antonym von »Jüngling« (V. 4), dieses wäre ›Greis‹. Die Bedeutung ›Greis‹ klingt in »Winter« an, wird aber durch die Ad-hoc-Entgegensetzung »Jüngling« – »Flüchtling« nicht aktiviert. Auf analoge Weise werden den »blühenden Linden« (V. 11) die »frierenden« (V. 32) entgegengesetzt, während das eigentliche Antonym ›kahl‹ wäre. Die »Schönste« (V. 13) und das »Kind« (V. 33) können ebenfalls nicht als alltagssprachliche Antonyme gelten. Sie werden aber zu solchen im Rahmen dieses Gedichts; durch das Verfahren der Parallelisierung und Entgegensetzung hebt Meyer die Sprache des Gedichts von der Alltagssprache ab, lädt es mit zusätzlicher Bedeutung auf.
Eine solche Bedeutungsaufladung findet auch in bezug auf die Realität statt. Dies zeigt sich schon in der Parallelisierung von Karl mit dem Lenz bzw. mit dem Winter. Es zeigt sich auch in den Entsprechungen zwischen Karl und seiner Umgebung. Dem »jubelnden Herzen« entsprechen die »jubelnden Gassen« und »jubelnden Wimpel«. Die Entsprechung wird hier wie in allen andern Fällen über eine Parallelisierung der eigentlichen und einer übertragenen Bedeutung hergestellt. So kann man sehr wohl von »blühenden Linden«, aber nur im uneigentlichen Sinn von »blühnden Gestalten« sprechen. Im zweiten Teil gibt es keine solchen expliziten Entsprechungen, diese funktionieren vielmehr mit Hilfe der Nebenbedeutungen. So erwecken die »Hämmer und [. . .] Feilen« (V. 29) im Kontext die Nebenbedeutung

›Eisen‹, die »frierenden Linden« lassen den Leser denken, daß auch das bettelnde Kind friert (V. 32 f.). Selbst scheinbar rein beschreibende Attribute wie »mit gescheitelten Locken« (V. 2) – »mit verwilderten Haaren« (V. 20) erhalten durch die Parallelisierung eine zusätzliche Bedeutung. Die »verwilderten Haare« deuten auf die allgemeine Unordnung, so daß hinterher die »gescheitelten Locken« durch die Parallelisierung die Nebenbedeutung ›Ordnung‹ erhalten.

Am deutlichsten zeigt sich dieser Bedeutungsprozeß beim Wort »Rose«. »Die Rose von Newport« kann sowohl als die Rose im Stadtwappen wie auch als jene eigentliche Rose, die Karl überreicht wird, aufgefaßt werden. Die Rose im Stadtwappen ist nur eine bildliche, erst in Vers 14 kommt eine eigentliche Rose vor, doch wird sie sofort wieder als Zeichen für etwas anderes genommen. Die »entblätterte Rose« in Vers 18 kann der Leser nur noch metaphorisch auffassen. Da der Stoff im 19. Jahrhundert bekannt war, ist vorauszusetzen, daß der gebildete Leser die entblätterte Rose auf das Schicksal Karls I. bezieht. Diese Deutung wird durch die Parallelität »entblätterte Rose« – »enthaupteter König« gestützt. Daß das Kind das »dorrende Röschen« mit demselben Spruch überreicht, kann psychologisch als kindliche Naivität gedeutet werden. Der Leser muß den Spruch ironisch auffassen. Es wäre aber auch möglich, den Ausspruch auf das Jenseits zu beziehen, worauf das aus dem religiösen Wortschatz stammende Wort »selig« verweist. »Gestern und Morgen und Heute« würde dann die Ewigkeit bedeuten. So wären auch hier wieder zwei Bereiche, das Diesseits und das Jenseits, miteinander verknüpft.

Eine solche Verknüpfung von Bereichen findet auch in der Anthropomorphisierung der Umgebung statt: Die Giebel und Tore nähern sich, die Gassen und Wimpel jubeln, der Abgrund zerschmettert, die Linden frieren und erzählen. Wenn Karl als Lenz bzw. als Winter erscheint, bedeutet dies, daß man sich die Jahreszeiten in menschlicher Gestalt vorstellt, umgekehrt tritt auch Karl als allegorische Gestalt auf. Dies zeigt sich besonders im Vergleich mit der ersten Fassung, wo nur der Winter vorkommt. Das entspricht der historischen Realität, denn Karl floh Ende November nach Newport. »Einer voraus mit verwilderten Locken, / Finster das Antlitz, den Hut überschneit, / Sprengende Reiter und wirbelnde Flocken! / Ist es Verfolgung? ist es ein Geleit? // Karl ist's, der König, mit wenig Genossen«. Der Winter ist hier nur Dekor, dient der Stimmungsmalerei.

Die Verfahren der Verknüpfung verschiedener Bereiche, der Parallelisierungen und Wiederholungen, welche die Realität mit Bedeutung aufladen, werden sozusagen kommentiert im Bild des Spiegels. In diesem nur im zweiten Teil vorhandenen Bild werden noch einmal eigentlicher Bereich (das Antlitz Karls) und uneigentlicher Bereich (das Antlitz des Kindes als Antlitz des Elends) miteinander verknüpft. Der Spiegel wird hier wie auch sonst häufig in der Poesie zum Ausdruck des poetischen Verfahrens selbst. Das Spiel gegenseitiger Spiegelungen erzeugt jene für die Kunst kennzeichnende Autoreflexivität. Die Dinge und Menschen verlieren ihren Realitätsbezug und werden zum Zeichen für etwas anderes. Es sei daran erinnert, welche Rolle die Spiegelung im zuvor behandelten Gedicht *Der Gesang des Meeres* und in dem von diesem abgespaltenen Gedicht *Möwenflug* spielt. Meyer hat eine Vorliebe für die Parallelisierung von zwei Zuständen, für die symbolische oder allegorische Ausdeutung der Realität. Man denke an die Parallelisierung von Kunst und Wirklichkeit in dem Gedicht *Auf Goldgrund.*

Daß es Meyer nicht um die Darstellung der Realität ging, zeigt sich auch in der Wahl und Behandlung des Stoffes. Karls Flucht auf die Insel Wight wird zwar von den Historikern berichtet, nicht aber von den Lexika. Die Rosenepisode findet sich nur in zwei der in Frage kommenden Quellen, ohne daß sie dort als Brauch dargestellt wäre. Meyer hat also eine unwichtige Episode im Leben Karls I. ausgewählt. Der erste Einzug in Newport ist frei erfunden. Nicht den Tatsachen entspricht sodann die negative Haltung der Bevölke-

rung. Die Quellen berichten übereinstimmend, die Bevölkerung sei königstreu gewesen und sei zu seinem Empfang auf die Straße gegangen. Die Rosenepisode ist ein Beleg für die Gesinnung. Auch werten die Quellen Karls Persönlichkeit und Verhalten positiv. Meyer hat schon in der ersten Fassung den Akzent auf die Entfremdung zwischen Karl und seinem Volk gelegt, hat sie allerdings auf das Wesen der Zeit zurückgeführt: »Das ist die Schuld der erschütternden Zeiten, / Welche das Fieber des Werdens durchglüht.« In der letzten Fassung wird dann die Schuld nach dem Schema von Schuld und Strafe persönlicher auf Karl bezogen: »Seit er das Blut seines Volkes vergossen, / Reitet er neben zerschmetterndem Abgrund« (V. 23f.). Die zwei Verse gehören zu den Erweiterungen des zweiten Teils gegenüber dem ersten Teil. Sie werden dadurch besonders hervorgehoben, gemäß dem von Jurij M. Lotman herausgearbeiteten künstlerischen Prinzip, wonach die Wiederholung von Textelementen sowohl die Gleichheit wie die Verschiedenheit der an der Wiederholung beteiligten Elemente unterstreicht: »Je mehr übereinstimmende Elemente und Aspekte in den sich nicht vollständig wiederholenden Textabschnitten vorhanden sind, desto höher ist die semantische Wirksamkeit des differenzierenden Elements« (S. 197).
Der Vergleich mit der ersten Fassung zeigt, daß es Meyer in dem Gedicht nicht darum ging, historische Abläufe verständlich zu machen. Karl wird nicht als historische Persönlichkeit gesehen, sondern als ein Mensch, der sich falsch verhalten hat und nun bestraft wird. Die Ballade erhält dadurch einen stark moralischen Zug. Darin entspricht sie dem ›realistischen‹ Kunstprogramm, demzufolge die Literatur die in der Wirklichkeit geltende Gesetzlichkeit sichtbar zu machen hat. Bezeichnenderweise verwendet die Ballade die Zeitform des Präsens, offensichtlich weniger in ihrer aktualisierenden als ihrer gnomischen Bedeutung.
Nach der Auffassung des 19. Jahrhunderts stellt die Ballade ein vergangenes Geschehen dar und hat dadurch Gemeinsamkeiten mit der Epik. Mit der Epik verbindet sie auch,

daß ein kausal-zeitlicher Ablauf dargestellt wird. Meyer reduziert im vorliegenden Gedicht den Erzählcharakter der Ballade, indem er lediglich zwei Zustände einer Figur einander gegenüberstellt, ohne die verbindende Aktion darzustellen, die einen Zustand in den anderen überführt.
Der zeitliche Ablauf wird durch die Wiederholungen vollends aufgelöst. Statt daß der Leser gegen den Schluß hin fortgezogen würde, wird er durch die Wiederholung ständig nach rückwärts verwiesen. Auch in dieser Beziehung hat der Verzicht auf den Reim seine Bedeutung, denn der Reim hat eine antizipierende Kraft. Dazu kommt, daß auch vom Stoff her das Ende Karls bekannt ist, der Leser also auch in dieser Beziehung kaum Erwartungen hat. Diese werden noch zusätzlich durch das Bild der »entblätterten Rose« vernichtet. Meyer schafft durch die Wiederholungen ein Bedeutungsgeflecht, das räumlicher, nicht zeitlicher Natur ist, d. h. er verwendet ein Prinzip der Bedeutungserzeugung, das charakteristisch ist für die Poesie, als Gegensatz zur bloßen Realitätsdarstellung. Auch der Realismus des 19. Jahrhunderts will ja die Realität nicht »bloß abschreiben«, sondern eine »verklärende«, d. h. eine »künstlerische Wiedergabe« (Fontane) schaffen, also von den Zufälligkeiten des Historisch-Wirklichen absehen und ein »Poetisches« geben. Es wurde bereits darauf hingewiesen, daß Meyer einige charakteristische Veränderungen am historischen Stoff vorgenommen hat. Daß er gerade die allbekannte Enthauptung des Königs als ein »Märchen« bezeichnet (V. 40 f.), ist ein überdeutlicher Hinweis, daß es nicht um die Darstellung der historischen Fakten geht.
Die Ballade hat nach der Auffassung des 19. Jahrhunderts auch teil an der Lyrik, nämlich insofern sie in Ton und Stimmung subjektiv ist. Die Wiedergabe der Stimmung, die Stimmungsmalerei spielte denn auch in der ersten Fassung eine große Rolle. Mehrere Strophen schildern die Stimmung der Bevölkerung von Newport, mehrere stellen Karls Empfinden in dramatischen Worten dar. So heißt es etwa: »Aber im Innern zerreißt ihn der Schmerz, / Und seines Volkes

entfremdeter Wille / Preßt, eine eiserne Faust, ihm das Herz« (V. 38–40). Obwohl der letzte Vers fast gleich in der letzten Fassung wiederkehrt (V. 30 f.), kann dort doch nicht von Stimmungsmalerei die Rede sein. Die Darstellung ist zu objektiv. So fehlen bezeichnenderweise die auf Karl weisenden Personalpronomina. Wir werden nicht in die Perspektive Karls versetzt, es ist nur vom »Herz in dem Busen des Stuart« die Rede. Die Objektivität eines Beobachters wird auch durch den Anfang suggeriert. Selbst die moralisierende Erklärung des veränderten Zustands (V. 23, 24) wird ganz objektiv formuliert. Diese Objektivität wird durch die im übrigen erklärungslose Gegenüberstellung der beiden Zustände noch unterstrichen. Gerade die Wiederholungen, die die Aufmerksamkeit so sehr auf die Konstruktion und den ästhetischen Aspekt des Gedichts lenken, erzeugen den Eindruck größter Objektivität, weil keine subjektiven Gefühle ausgedrückt werden.
Der Ausdruck »Märchen« wirkt wie ein Zitat einer älteren Balladentradition (*Erlkönig*; *Loreley*). In dieser Richtung liegt auch die Anthropomorphisierung der Natur. Meyer hebt sich jedoch deutlich von dieser Tradition ab, indem er auf die ihr eigene Stimmungsmalerei verzichtet. Es wird gerade *kein* Märchenton angeschlagen. Von der anthropomorphisierten Umgebung geht kein Zauber aus. Sie hat auch keinen Eigenwert, sondern sie wird Zeichen in einem übergeordneten Bedeutungsgeflecht. So lebt das Gedicht von der Spannung, daß es stofflich auf die Realität bezogen, künstlerisch aber am entgegengesetzten Pol der Realitätsdarstellung angesiedelt ist.

Zitierte Literatur: Walter HINCK: Volksballade – Kunstballade – Bänkelsang. In: Balladenforschung. Hrsg. von Walter Müller-Seidel. Königstein i. T. 1980. S. 65–75. – Siehe auch S. 397 f.

Detlev von Liliencron

An meinen Freund, den Dichter

Lieber Hans, verzeihe, daß ich heute dir erst
Antwort schicke deinem letzten langen Schreiben,
Aber Wichtigeres, wirst du auch nicht zanken,
Hatt' ich vor in diesen Tagen, als den Klagen,
Klagen eines unglückseligen deutschen Dichters,
Klagen, die mir nicht verständlich, unbegreiflich,
Nachzuspinnen und mein ganzes Herz zu schenken.
Deshalb dacht' ich: Munter erst die Haferernte;
Dann auch mußt' ich einen alten Bock abschießen,
Der die jungen wegstieß vom Beschlag der Ricken;
Endlich streckt' ich jenen bösen Gabelgreis.
Auch in meiner neuen Branntweinbrennerei
Hatt' ich emsig letzte Hände anzulegen.
Doch nun will ich mich dir widmen, Freund. Du schreibst:
»Eben wird mir von der hundertdritten Zeitschrift
Ein Gedicht zurückgesendet mit den Worten:
›Sehr geehrter Herr, wir sehen uns genötigt,
Leider, und so weiter; doch wir sind gezwungen,
Rücksicht unserm Leserkreise, und so weiter.‹
Ist das, bester Alfred, nicht zum Rasendwerden.
Sind in Deutschland nur Familienmütter Richter?
Sind in Deutschland nur Familienblätter giltig?
Ist nicht greulich diese jämmerliche Schlempe,
Die tagtäglich wir als ›Kunst‹ genießen müssen?
Und zudem die thörichten Beurteiler.
O, wie diese Herrn das Leben mir verbittern;
Niederträchtiges Gelichter ist darunter.«

Alter Hans, bist du denn ganz verrückt geworden?
Schrieb ich dir nicht kürzlich meine Meinung schon
Über vaterländ'sche schöne Wissenschaft?
Fällt es heut wohl dem »Gebildeten« noch ein,

– Wird nicht irgendwo Geb»ü«ldeter gesprochen –
Dramen und Erzählungen, Novellen, Märchen,
Und gar, drehkrank werdend, Lyrik zu verschlucken?
35 Was denn klagst du? Spendest du nicht immer wieder
Bücher auf den Markt, um Hinz und Kunz zu laben.
Pfui, wie find' ich das gemein: an jeden Menschen
Das verraten, was du innerlichst gefühlt;
Deiner Seele Heiligtümer auszubreiten
40 Jedem Schufterle, ob er ein Laienbruder,
Ob Beurteiler er ist, ob Zunftgenosse.
Jedem dummen Laffen, jedem Nörgelfritzen
Mußt du dich wie eine Dirne niederwerfen;
Pfui, wie find' ich das gemein, mein lieber Hans.

45 Du, der vierzigtausend Mark als Rente hat,
Hast nicht nötig, dich dem Pöbel preiszugeben.
Nur für dich allein laß deine »Sachen« drucken,
Tagebücher sind dir dann, Erinnerungen
Deine Verse; seufzend magst du sie durchblättern:
50 Daß die Jugendtage dir so eilig schwanden.
Aber – Eitelkeit, die läßt euch nicht in Ruhe,
Alle Welt soll durchaus, soll und muß erfahren,
Welch ein »hehrer« Mordskerl solch ein Dichter ist.
Schäme dich und nimm von mir den guten Rat an:
55 Für die Zukunft schweige oder wenigstens
Laß in deinen Tempel andere nicht treten.
Wärst du arm, ja, dann verstünd' ich dein Geschwätze:
Du versuchtest, Geld dir für dein Werk zu tauschen,
Wenn dir auch bekannt, daß wir, die alten Deutschen,
60 Nimmermehr uns jene immergrünen Kränze
Aus den hellen blonden Locken rauben lassen:
Unsre Dichter in den Hungerturm zu sperren.

»Keiner hat mir dankend je die Hand gegeben
Für ein gut Gedicht, das mir gelungen wäre.
65 Wenn du wüßtest, wenn du ahntest, wie das wohlthut.

Wie das Brot dem Körper, ist der Dichterseele
Unbedingt notwendige Nahrung: Anerkennung.«

Bist du wirklich toll? Davon kann doch die Rede
Niemals sein in Deutschland; überflüssig ist es.
70 Offen dir gestanden, nichts für ungut, Freundchen,
Stell' ich, glaub' ich, meinen Kammerdiener höher
Als den Dichter; und so denken auch die andern
Guten Deutschen: Excellenzen, Schneider, Gärtner,
Bürgermeister, Staatsanwälte, Bauern, Krämer,
75 Wagenbauer, Staatsminister, Sattler, Wirte,
Prinzen, Pfefferküchler, Klempner, Wuchrer,
Scharfrichter, Matrosen, Priester, Karrenschieber,
Reichs- und Landtagsabgeordnete, Barone,
Droschkenkutscher, Seiler und Regierungsräte,
80 Und was sonst zusammenfällt in bunter Mischung
Unsres skatdurchtobten lieben Vaterlandes.
Außerdem, so bitt' ich, lieg' nur erst im Sarge,
Laß die Rosen erst auf deinem Hügel blühen,
Laß den Weizen erst aus deinen Knochen wachsen,
85 Dann, ja dann vielleicht will ich dir fünfzig Pfennig
Opfern, daß wir zum Gedenken eine Tafel
Dir errichten, irgendwo, wo du gewohnt hast.
Doch bis dahin, Guter, magst du dich bescheiden.
Anerkennung, sagst du, ist dem Dichter nötig;
90 Daß er lechzt nach einem Wörtchen nur des Lobes.
Seid ihr Dichter denn gefälligst andre Menschen?
Seid ihr etwa Schützenbrüder, Sängerfestler,
Denen jedes kleinste Eisenbahnrastörtchen
Tausend Kränze wirft und tausend Hurras brüllt?
95 Meinem Schuster zoll' ich Anerkennung, wenn er
Mir den Stiefelsitz nach meinen Wünschen fertigt.
Einem Dichter? für das alberne Gewäsche,
Das ich niemals lese, soll ich auch noch schreien;
Schreien: Hoch! er lebe hoch und dreimal hoch!
100 Lächerlich! Viel eher klatsch' ich in die Hände:
Folgt mein Blick den Gauklersprüngen auf dem Seile.

Habt ihr aneinander völlig nicht genug:
Daß ihr gegenseitig euch die Hüte schwenkt;
Bis zur Erde gegenseitig euch bewundert?
105 Allerdings, das will ich gern auch zugestehen,
Daß der Neid, dies süße, allerliebste Tierlein,
Dieses Tierlein mit den Augen überall,
– Wie sie schielen, zwinkern bald, bald auf sich reißen –
Mehr in euren Hirnen seinen Freßsack findet
110 Als in allen anderen »Genossenschaften«.

»Wie gefallen meine Liebeslieder dir?«
Teurer, immer noch viel Säuselsummgezwitscher.
Einer fetten Gräsung scheinst du sehr bedürftig;
Komm zu mir auf's Land und trinke Buttermilch.
115 Übermorgen wird die Hühnerjagd eröffnet.
Durch die Stoppeln, durch die braune Haide ziehen
Dann wir beide: unterm Knickbusch schmeckt das Frühstück.
Gestern Abend ging allein ich durch die Haide,
Und im Lilaschimmer stand die ganze Fläche,
120 Blüt' an Blüte, und dem Lilaschimmer schenkte
Stumpfen Glanz die Sonne, die zum müden Abschied
Sich versteckte hinter weiße Riesenwolken,
Deren Spitzen, gleich wie höchste Bergesgipfel,
Sie umrandete in Gold und roten Tinten.
125 Eben noch im dunkel-klaren Dämmer hob sich
In der Schweigsamkeit der leeren Haidelandschaft
Eine einzige Fichte, und die Fichte schattet
Über das Geheimnis eines Hühnengrabes.
Oft und oft hab' ich dies Hühnengrab besucht.
130 Sag' ich: Hokuspokus; mach' ich krause Zeichen:
Steigt empor der junge König Ringelhaar.
Seine flachsengelben Locken, die vom Streithelm
Kaum sich fesseln lassen, fluten um die Schultern.
Und sein blanker Streithelm ist ein köstlich Kunstwerk.
135 Einst trug Caracalla ihn auf seinen Borsten.

Später raubte, dorthin war er wohl verschlagen,
Auf Sizilien ihn ein trotziger Nordlandsmann,
Der dem König Ringelhaar ihn, knieend, reichte. –
Und der König, nach gemessenster Verbeugung,
40 Sagt mir kindlich seine schweren Herzensleiden,
Daß er Merf, das schöne Friesenmädchen liebe,
Und wie hart von ihr der Abschied sei gewesen,
Aber in den Kriegslärm hab' er reiten müssen.
Und er richtet seinen Finger in die Haide:
45 Dort, in mählig aufgestiegner Mondessichel,
Kämpfen, blitzend, wogend, große Reitermassen,
Funkeln, blitzend, hinter ihnen, lange Spieße,
Und nun hebt es an aus vielgewundnen Tuben,
Ganz barbarisch klingend, eine Schlachtmusik –
50 Doch schon tönt sie sanfter und die lustigen Klänge
Hör' ich einer flinken Jägerkompagnie,
Die schnellfüßig fernen Wegs vorüberschreitet.
Und mich, träumend, an die Fichte lehnend,
Kreist um mich die friedumhalste Sommernacht
55 Eng und enger ihre stummen Zauberringe,
Einmal unterbrochen nur: Ein Rabe schwang sich
Klatschend aus den Zweigen und zog plump und
dummdreist
Ostwärts in den keuschen frühsten Rosenhimmel,
Wie der erste schwarze Sündgedanke einzieht
60 In die reine unberührte Morgenseele. –
Komm, Poetlein; komm und bringe deine Harfe,
Deine Lyra oder wie das Ding sich nennt,
Bring' es mit auf diesen Hügel, singe, sing' mir
Von der zarten, lieben Erika ein Lied.

65 Einen guten Tropfen hab' ich auch im Keller;
Und nach Hamburg können, wenn du magst, wir fahren,
Das von meinem Hofe nur zwei Stunden fern liegt.
Dort, willst du dich meiner Führung anvertrauen,
Weiß ich tiefe Quellen wunderbarer Biere.

170 Auch gefällig findest du dort manches Mädel:
So ein kleines Techtelmechtelchen am Arme
Ist für einen Mondscheindichter ganz gesund.
Also komm zu mir und trinke Buttermilch.

Abdruck nach: Detlev Freiherr von Liliencron: Gedichte. Leipzig: Wilhelm Friedrich, 1889. S. 73–78.
Erstdruck: Die Gesellschaft 4 (1888) H. 10. [Gegenüber der Fassung in den *Gedichten* leicht verändert.]
Weitere wichtige Drucke: Detlev von Liliencron: Kämpfe und Ziele. Gesammelte Gedichte. In: D. v. L.: Sämtliche Werke. 15 Bde. Berlin/Leipzig: Schuster und Loeffler, 1904–08. Bd. 8. 1897. [Leicht überarbeitet und um eine Zeile vermehrt.] – Detlev von Liliencron: Werke. 2 Bde. Hrsg. von Benno von Wiese. Frankfurt a. M.: Insel, 1977. Bd. 1. – Detlev von Liliencron: Gedichte. Hrsg. von Günter Heintz. Stuttgart: Reclam, 1981. (Universal-Bibliothek. 7694 [2].)

Günter Häntzschel

Kritik an der Lyrik seiner Zeit und Suche nach neuen Möglichkeiten. Detlev von Liliencron: *An meinen Freund, den Dichter*

»Was unsere Dichter von Liliencron lernen können, ist namentlich die unmittelbare Natürlichkeit, das Leben, die Kraft und Frische, die kraftvoll Originelles zu Tage fördert, und dieses innere Leben dann auch in einer entsprechenden, ursprünglichen, allem Gewöhnlichen und Abgedroschenen abholden Form zur Gestaltung bringt« (Lohr, S. 38). So lautet eines der vielen positiven zeitgenössischen Urteile über Liliencron, der zwar von einigen naturalistischen Lyrikern als ihnen vermeintlich ebenbürtiger ›moderner‹ Dichter hochgeschätzt wurde, in einer breiteren literarischen Öffentlichkeit aber lange Zeit unbekannt blieb und erst ab der Jahrhundertwende, insbesondere anläßlich seines

60. Geburtstages 1904 als kräftige, frische Stimme unter dem matten Chor der zahllosen Lyriker entdeckt wurde.
An meinen Freund, den Dichter, ein Text, der nach seiner Erstveröffentlichung in der Zeitschrift *Die Gesellschaft* in Liliencrons zweite Lyriksammlung, die *Gedichte* von 1889 innerhalb der Rubrik *Aus der Zunft* aufgenommen wurde, ist tatsächlich so etwas wie eine Anleitung für lyrische Dichter; er beruht auf authentischen Erfahrungen Liliencrons, gibt Auskunft über die Stellung des Dichters in der Gesellschaft und stellt Liliencrons eigenes poetisches Programm vor, das sich allen Widerständen zum Trotz schließlich erfolgreich durchsetzen konnte.
In Form eines Briefes und seiner Beantwortung kann Liliencron wirkungsvoll die beiden gegensätzlichen Standpunkte zwischen lyrischem Dichter und Publikum aufeinanderstoßen lassen und damit spezifische Eigenheiten des literarischen Lebens seiner Zeit artikulieren. Der Brief des Dichter-Freundes (15–27, 63–67, 111) enthält bittere Klagen über seine Erfolglosigkeit als Lyriker, die dieser nicht sich selbst, seinem mangelnden Talent, sondern den Mechanismen des Markts zuschreibt. Die Ursache seiner immer wieder erneuten Abweisung sei in dem Geschmack des Lesepublikums zu suchen, der durch die einflußreichen Massenorgane der Zeit, die »Familienblätter« (22) – die wiederum Rücksicht nehmen auf ihre Leserinnen, die »Familienmütter« (21) –, so nivelliert worden, daß »Kunst« (24) allenfalls als »jämmerliche Schlempe« (23), d. h. als ›Viehfutter in Form von dünnem Brei‹ (Paul, *Wörterbuch*), genießbar werde. Vergeblich dürstet er nach »Anerkennung« (67), für den Poeten lebensnotwendig, denn auch die Kritiker, jenes »niederträchtige Gelichter« (27) der »thörichten Beurteiler« (25), passen sich den Gegebenheiten an.
Der Brief will Trost und Mitleid erheischen. Die Antwort des Freundes dagegen, der in der Ichform spricht, gibt beides gerade nicht. Vielmehr bestätigt dieser schonungslos, bisweilen zynisch den festgestellten Sachverhalt und macht – im weiteren Verlauf des Gedichts – nicht nur die äußeren

Umstände für die Situation des Lyrikers verantwortlich. Schon zu Beginn muß sich der Poet sagen lassen, daß es durchaus »Wichtigeres« (3) gäbe, als auf die »Klagen eines unglückseligen deutschen Dichters« (5) einzugehen. Erst als »Haferernte« (8), Jagdangelegenheiten und Arbeiten in der »Branntweinbrennerei« (12) »munter« (8) vollbracht sind, widmet sich ihm der Freund. Dieser, Landwirt und Hofbesitzer (167), eine bodenständige, robuste Natur, scheint zunächst nur ein typischer Vertreter jener amusischen, illiteraten Gesellschaft zu sein, deren »bunte Mischung« (80) von den Exzellenzen bis zum Droschkenkutscher quer durch alle sozialen Schichten exemplarisch aufgezählt wird und in der für einen sensiblen Poeten kein Platz ist. Denn gröbere Vergnügungen – Schützen- und Sängerfeste, »Gauklersprünge auf dem Seile« (101) – unterhalten die »guten Deutschen« (73) »unsres skatdurchtobten lieben Vaterlandes« (81) schon übergenug und lassen allenfalls eine bestimmte Spezies von Literaten zu, die sich auf einem ebenso anspruchslosen Niveau bewegen.

Eigene Erfahrungen, die Liliencron gerade in den entbehrungsreichen Jahren vor der Veröffentlichung dieses Gedichts machte, nachdem er 1886 hoher Schulden wegen aus dem Staatsdienst ausgeschieden war und seinen Lebensunterhalt als freier Schriftsteller bestreiten wollte, gehen in den Text ein. »*Nie* und *nimmer* aber werde ich schreiben, nur um nach Lob des Pöbels zu haschen. Und das ist zum größten Teil das lesende Publikum. [...] Ich könnte mich zum Beispiel *nie* entschließen, für die ›Gartenlaube‹ zu schreiben, weil ich das Blatt hasse« (an Helene Freiin von Bodenhausen, 19./20. 4. 1877; zit. nach: Spiero, *Unbegreiflich Herz*, S. 166). Wiederholt erbittert er sich über das deutsche »Skat- und Biervolk«, das geistvolle Autoren der Gegenwart wie Peter Hille verhungern läßt und Dichter wie Goethe und Storm »instinktiv« »haßt«, »eben *weil* diese: Dichter waren«, während Geibel, »dieser Schnauzenheld«, »ein Held für die Sauf- und Minne-Deutschen«, in aller Munde ist (an Hermann Heiberg, 20. 1. 1889; zit. nach:

Spiero, *Neue Kunde*, S. 133). »Die deutsche Litteratur ist ein Düngerbeet. Da gedeihen gut Ebers, Wolf, Eckstein, Dahn, Baumbach« (an Wilhelm Friedrich, 15. 4. 1888, ebd. S. 113). »Die Verwässerung und elende Verschrumpfung, ja Demoralisierung des Volkes [. . .] durch die Romane der Gartenlaube [. . .] und des Daheim, zahlloser gern gelesener Journale nicht zu gedenken, liegt zu deutlich vor Augen« (an Hermann Friedrichs, 20. 3. 1885; Friedrichs, S. 4). Wie sein fiktiver Dichter muß Liliencron daher erfahren: »Die Zeitschriften und Zeitungen senden und sandten mir stets meine Manuskripte zurück« (an Hermann Heiberg, 13. 3. 1891; zit. nach: Kirsten, S. 22). Immer wieder wird er von seinem Verleger Wilhelm Friedrich darauf hingewiesen, daß Gedichte in Deutschland *»unverkäufliche* Waare« sind (2. 3. 1889; zit. nach: Hasenclever, S. 92 u. ö.). Und wie im Gedichttext konstatiert er: »Ein ›Gebüldeter‹ liest nicht mehr ›Gedichte‹. Das ist ein Faktum. Durch die ewige Anpreisung des Schundes ist nun endlich dem ›Gebildeten‹ ein Licht aufgegangen« (an Hermann Friedrichs, 10. 8. 1888; Friedrichs, S. 285).
Authentische Äußerungen seiner Briefe sind mit Formulierungen im vorliegenden Gedicht und mehreren anderen fast austauschbar. Wie aus Memoiren, Briefwechseln, autobiographischen Schriften und anderen Dokumenten dieser Epoche hervorgeht, spiegeln Liliencrons Erfahrungen prägnant die zeitspezifischen Bedingungen des Lyrik-Markts: Anthologien und ›Familienblätter‹ in ihrer massenhaften Verbreitung drücken durch Anpassung an den Geschmack der Lesermenge das literarische Niveau; geringer Schwierigkeitsgrad und verlangte Konformität der gängigen Lyrik begünstigen mittlere und bescheidene Talente, stimulieren Dilettanten, aus Prestigegründen an die Öffentlichkeit zu drängen, lassen qualifizierte Lyriker verstummen oder verleiten auch diese zur Anpassung, dem einzigen Weg, auf dem »Anerkennung« zu gewinnen ist.
Unser Gedichttext zeigt, daß der Dichter-Freund ebendiesen zeitspezifischen Verlockungen erlegen ist. Aus »Eitel-

keit« (51), so muß er sich sagen lassen, brachte er »immer wieder / Bücher auf den Markt, um Hinz und Kunz zu laben« (35 f.), um jedermann seine innersten Gefühle zu »verraten« (38). Mit gesundem Menschenverstand findet der Partner solches Verhalten »gemein« (37, 44). Die Konstellation der beiden Briefschreiber kehrt sich um: Bisher schien der Dichter-Freund ein verkanntes Genie, sein Briefpartner ein typischer Vertreter der banausenhaften Gesellschaft. Jetzt stellt sich heraus, daß dieser gerade aufgrund seiner Unverbildetheit und Spontaneität ein sicheres Gespür für die Möglichkeiten der Kunst besitzt, die Produkte seines Freundes kritisieren und selbst konstruktive Vorschläge einbringen kann. Er entlarvt den Freund als einen der vielen unbedeutenden »Poetlein« (161) und epigonalen »Mondscheindichter« (172), deren Verse banales »Geschwätze« (57) aussprechen – »Daß die Jugendtage dir so eilig schwanden« (50) –, deren »Liebeslieder« (111) nichts anderes sind als »immer noch viel Säuselsummgezwitscher« (112), das schon im Überdruß genug von anderen angestimmt wurde, und rät ihm, entweder zu ›schweigen‹ (55) oder unabhängig vom Streben nach »Anerkennung«, ohne weitere Lamentationen und Selbstmitleid, ohne »Neid« (106) auf publikumswirksame Dichterkollegen gegen den Strom der gängigen, verbrauchten Lyrik zu schwimmen, sich in der Natur zu regenerieren:

»Einer fetten Gräsung scheinst du sehr bedürftig;
Komm zu mir auf's Land und trinke Buttermilch« (113 f.).

Die folgenden Zeilen des Gedichts führen neue, unverbrauchte Themen und Motive auf, die mit denen der epigonalen Lyrik kontrastieren. Hinter der fiktiven Figur des Gesprächspartners erkennen wir den Autor Liliencron selber, der hier sein dichterisches Programm vorstellt, eben die »unmittelbare Natürlichkeit, das Leben, die Kraft und Frische«, die – wie das Zitat zu Beginn zeigte – als neue Leistung und Bereicherung der poetischen Ausdrucksskala

hervorgehoben wurden. »Hühnerjagd« (115) und »Geheimnis« der Hünengrab-Mythologie (128), Phantasie und Traum, der Rückgriff auf die Geschichte mit ihren ursprünglichen Potentialen als Gegengewicht zu den Gegenwartsthemen, auch »Schlachtmusik« (149) und Klänge einer »Jägerkompagnie« (151), die Symbolik der Naturbildlichkeit – hier der »Rabe« (156) als »schwarzer Sündgedanke« (159) –, daneben die sinnlich-derben Freuden von Zechgelagen und erotischen »Techtelmechtelchen« (171), all das sind Themen, die Liliencron in vielen seiner Gedichte, teilweise in wörtlichen Anklängen an das vorliegende programmatische, verwirklicht hat. Am Ende ist noch einmal der Unterschied zwischen seiner Lyrik und der zu seiner Zeit üblichen im Gegensatz von »Mondscheindichter« (172) und »Buttermilch« (173) drastisch exponiert. Deutlich ist auch Liliencrons Rat an die Dichter, sich und die Poesie nicht so ernst zu nehmen, lockerer zu werden, sich auch einfachen Genüssen hinzugeben und erst einmal ›leben‹ zu lernen. Daher ist es auch symptomatisch und ein Affront gegen die professionellen Kunst-Kritiker, daß es hier ein Bauer ist, der die Lyrik beurteilt, der gute Argumente auf seiner Seite hat und ein neues Programm vorlegt.
Die neuen Themen und ihre Vielfalt verlangen nach einer ihnen entsprechenden neuen Diktion, die von der bisher üblichen sprachlichen Gestaltung der Lyrik wohltuend und überraschend absticht. Dieses Gedicht ist ein ergiebiges Beispiel für die sprachlichen Fähigkeiten Liliencronscher Lyrik. Sein Hauptprinzip besteht aus der Mischung unterschiedlicher Stilebenen. Die Aufteilung des vorgebrachten Inhalts auf zwei – so unterschiedliche – Partner ermöglicht eine lebendige Beweglichkeit der divergierenden Ansichten in Rede und Gegenrede. Anklänge an den Briefstil und eingelegte Zitate (17: »Sehr geehrter Herr, wir sehen uns genötigt [...]«) lockern die Argumentation ebenso auf wie die Verwendung burschikos-salopper Einschübe (28: »Alter Hans, bist du denn ganz verrückt geworden?«). Umgangssprachliche Wendungen (97 f.: »für das alberne Gewäsche, /

Das ich niemals lese, soll ich auch noch schreien«; 162: »Deine Lyra oder wie das Ding sich nennt«) und – wie schon erwähnt – Formulierungen aus Liliencrons tatsächlichen Briefen gehen in die Antwort des Freundes ein, sind dort aber durch ›poetische‹ Mittel zu einer eigenen Diktion verarbeitet, die deutlich von prosaischer Rede abweicht. Liliencrons Text nämlich ist gegliedert und akzentuiert durch Wortwiederholungen, oft exponiert am Zeilenbeginn (4–6: »Klagen, / Klagen eines unglückseligen deutschen Dichters, / Klagen, die mir nicht verständlich, unbegreiflich«), durch Wiederholungen ganzer Sätze (37 und 44: »Pfui, wie find ich das gemein«), durch Anaphorik und Parallelismus (83 f.: »Laß die Rosen erst auf deinem Hügel blühen, / Laß den Weizen erst aus deinen Knochen wachsen«). Mit solchen Mitteln kann Liliencron Zynismus, Bitterkeit und Ironie ausdrücken. Zugleich werden damit die inhaltlich wichtigen und strittigen Momente hervorgehoben. Gehäufte Fragen und Ausrufe unterstreichen das. Drastische Wörter (23: »diese jämmerliche Schlempe«; 42: »jedem dummen Laffen, jedem Nörgelfritzen«; 109: »Freßsack«), Termini aus der waidmännischen Fachsprache (10: »Beschlag« für ›Begattung‹, »Ricken« für ›weibliche Rehe‹; 11: »Gabelgreis« für ›alter Rehbock‹) und Idiome seiner norddeutschen Heimat (117: »Knickbusch« für ›Heckenbusch‹) geben die inhaltlich dargestellte Natur und Bodenständigkeit, die prosaische Atmosphäre auch sprachlich wieder. Dementsprechend hat Liliencron jeglichen Zwang durch Reim und Strophenschema umgangen; der Text ist nach Sinnabschnitten gegliedert, in reimlose sechshebige trochäische Zeilen gefaßt.
In der Lyrik der Gründerzeit bildete die Natur meist nur dekorative Kulisse und war dementsprechend schablonenhaft, stereotyp gestaltet. Liliencron gelingt es, erlebte Natureindrücke spontan wiederzuvermitteln, die Natur in ihrem eigenen Wert, in ihren Nuancen auf den Leser wirken zu lassen. Das Erleben der abendlichen Heidelandschaft in unserem Text bietet dafür Beispiele, andere seiner Gedichte bestehen ganz aus solchen und ähnlichen Naturerfahrungen.

Hier ist insbesondere die differenziert abgestufte Farbskala bemerkenswert: »Lilaschimmer« (119, 120), der »stumpfe Glanz der Sonne« (121), »weiße Riesenwolken« (122), deren Spitzen die Sonne »umrandete in Gold und roten Tinten« (124), bis »im dunkel-klaren Dämmer« (125) nur noch markante Einzelheiten wahrnehmbar sind. Sie stimulieren den Autor zu phantasiereichen Träumen und fordern ihn auf, statt der verbrauchten, abgenutzten Themen das noch ›Unberührte‹ (160) zu besingen. Solche neuartige Naturdarstellung erfordert auch neue Wortbildungen; »die friedumhalste Sommernacht« (154) und der ungewöhnliche Gebrauch des Verbums ›schatten‹ mit einem Richtungsadverb – »die Fichte schattet / Über das Geheimnis eines Hühnengrabes« (127 f.) – sind Beispiele, die sich in anderen Gedichten häufen. Mit Recht hat man von jeher in Liliencrons Gedichten immer wieder Parallelen zum Impressionismus in der Malerei ausfindig machen können.
Liliencrons Leistung erschöpft sich jedoch nicht in seiner impressionistischen Art zu dichten, sondern besteht zu guten Teilen auch darin, daß der Autor, wie dieses Gedicht zeigt, die Gattung der Lyrik – in der Gründerzeit überwiegend reiner Stimmung, dem ›Schönen‹, dem Eskapistischen vorbehalten – wieder geöffnet hat für aktuelle Probleme, Konflikte der Gesellschaft und der Zeit, zu denen auch die des Schriftstellers gehören. Die inhaltliche und sprachliche Uneinheitlichkeit des Gedichts ist daher kein Manko, sondern spiegelt die problematisch werdende Situation der Lyrik wider, in der die alten Themen und Ausdrucksweisen obsolet geworden sind und neue aufgesucht werden, ohne daß sich solche schon konsolidiert haben. Sicher wirkt heute manches zeitgebunden oder ist durch neue lyrische Aussagemöglichkeiten überholt; in seiner eigenen Zeit galt Liliencron als Pionier. Mit vielen anderen formuliert Ferdinand Avenarius »das was uns [...] sofort gefangen nahm«: »die starke Wirkung bei gänzlichem Ausbleiben jeglichen Literatengeschmacks. Wir alle mußten uns unsäglich mühn, als Hans zu verlernen, was Hänschen gelernt hatte, wir waren

verschüttet unter Papier, erkannten das und arbeiteten mit Händen und Füßen, um herauszukommen, aber eben das strengte so an, daß es mehr müde als frisch machte. Liliencron war als Literat die Unverbrauchtheit selbst« (S. 230).

Zitierte Literatur: Ferdinand Avenarius: Liliencron. In: Der Kunstwart 7 (1904) H. 1. S. 229 f. – Hermann Friedrichs (Hrsg.): Detlev von Liliencrons Briefe an Hermann Friedrichs aus den Jahren 1885 bis 1889. Berlin 1910. – Walter Hasenclever (Hrsg.): Dichter und Verleger. Briefe von Wilhelm Friedrich an Detlev von Liliencron. München/Berlin 1914. – Wulf Kirsten (Hrsg.): Die Akte Detlev von Liliencron. Berlin/Weimar 1968. – Anton Lohr: Ein moderner Lyriker. In: A. L.: Streiflichter auf die moderne Literatur. Dillingen 1900. S. 37 f. – Hermann Paul: Deutsches Wörterbuch. Bearb. von Werner Betz. Tübingen [6]1966. – Heinrich Spiero (Hrsg.): Neue Kunde von Liliencron. Des Dichters Briefe an seinen ersten Verleger 1882–1894. Leipzig 1912. – Heinrich Spiero (Hrsg.): Unbegreiflich Herz. Detlev von Liliencrons Briefe an Helene von Bodenhausen. Stuttgart/Berlin/Leipzig 1925.
Weitere Literatur: Elisabeth Assmann: Die Entwicklung des lyrischen Stils bei Detlev von Liliencron. Königsberg 1936. – Ursula Jaspersen: Detlev von Liliencron. In: Benno von Wiese (Hrsg.): Deutsche Dichter des 19. Jahrhunderts. Berlin 1969. S. 507–527. – Harry Maync: Detlev von Liliencron. Eine Charakteristik des Dichters und seiner Dichtungen. Berlin 1920. – Heinrich Spiero: Detlev von Liliencron. Sein Leben und seine Werke. Berlin/Leipzig 1913. – Dietmar Ulrich: Die Verskunst der Lyrik Detlev von Liliencrons. Hamburg 1970. – Benno von Wiese: Detlev von Liliencron. In: B. v. W.: Perspektiven II: Literarische Porträts. Berlin 1979. S. 157–178.

Theodor Fontane

Arm oder reich

»Sagen Sie, sind Sie dem lieben Gold
In der Tat so wenig hold,
Blicken Sie wirklich, fast stolz, auf die Hüter
Aller möglichen irdischen Güter,
5 Ist der Kohinoor, dieser ›Berg des Lichts‹,
Ihnen allen Ernstes nichts?«

So stellen zuzeiten die Fragen sich ein,
Und ich sage dann »ja« und sag' auch »nein«.

Wie meistens hierlandes die Dinge liegen,
10 Bei dem Spatzenflug, den unsre Adler fliegen
(Nicht viel höher als ein Scheunentor),
Zieh' ich das Armsein entschieden vor.

Dies Armsein ist mir schon deshalb genehmer,
Weil für den Alltag um vieles bequemer.
15 Von Vettern und Verwandtenhaufen
Werd' ich nie und nimmer belaufen,
Es gibt – und dafür will Dank ich zollen –
Keine Menschen, die irgend was von mir wollen,
Ich höre nur selten der Glocke Ton,
20 Keiner ruft mich ans Telephon,
Ich kenne kein Hasten und kenne kein Streben
Und kann jeden Tag mir selber leben.

Und doch, wenn ich irgend etwas geschrieben,
Das, weil niemand es will, mir liegen geblieben,
25 Oder wenn ich Druckfehler ausgereutet,
Da weiß ich recht wohl, was Geld bedeutet,
Und wenn man trotzdem, zu dieser Frist,
Den Respekt vor dem Gelde bei mir vermißt,

So liegt das daran ganz allein:
30 Ich finde die Summen hier immer zu klein.

Was, um mich herum hier, mit Golde sich ziert,
Ist meistens derartig, daß mich's geniert;
Der Grünkramhändler, der Weißbierbudiker,
Der Tantenbecourer, der Erbschaftsschlieker,
35 Der Züchter von Southdownhammelherden,
Hoppegartenbarone mit Rennstallpferden,
Wuchrer, hochfahrend und untertänig –
Sie haben mir alle viel, viel zu wenig.

Mein Intresse für Gold und derlei Stoff
40 Beginnt erst beim Fürsten Demidoff,
Bei Yussupoff und bei Dolgorucky,
Bei Sklavenhaltern aus Süd-Kentucky,
Bei Mackay und Gould, bei Bennet und Astor –
Hierlandes schmeckt alles nach Hungerpastor –
45 Erst in der Höhe von Van der Bilt
Seh' ich *mein* Ideal gestillt:
Der Nil müßte durch ein Nil-Reich laufen,
China würd' ich meistbietend verkaufen,
Einen Groß-Admiral würd' ich morgen ernennen,
50 Der müßte die englische Flotte verbrennen,
Auf daß, Gott segne seine Hände,
Das Kattun-Christentum aus der Welt verschwände.
So reich sein, *das* könnte mich verlocken –
Sonst bin ich für Brot in die Suppe brocken.

Abdruck nach: Theodor Fontane: Sämtliche Werke. 20 Bde. in 4 Abt. Hrsg. von Walter Keitel. München: Hanser, 1962 ff. Abt. 1. Bd. 6. 1964. S. 337 f.
Erstdruck: Pan 2 (1896) H. 1. [Walter Keitel nimmt – mit Fragezeichen – an, daß das Gedicht auch 1896 entstanden ist (Abt. 1, Bd. 6. S. 976).]
Weiterer wichtiger Druck: Theodor Fontane: Gedichte. Fünfte vermehrte Auflage. Berlin: Hertz, 1898.

Karl Richter

Arm oder reich. Zur späten Lyrik Fontanes

Der Roman Fontanes erfreut sich eines regen wissenschaftlichen Interesses. Von der Lyrik des Autors wird dagegen sehr selten Notiz genommen. Schwer zu verstehen ist eine solche Gewichtsverteilung der Interessen nicht. Sie trägt der herausragenden Bedeutung des Romans Rechnung, und zur Vernachlässigung der Lyrik hat wohl auch beigetragen, daß sie sich lange erstaunlich konventionell gibt. Doch die Tatsache wird dabei übersehen, daß Fontane schließlich auch in der Lyrik einen ganz eigenen Ton findet und Gedichte entstehen, die zum Besten gehören, was die Literatur des 19. Jahrhunderts vorzuweisen hat. Nach mancher Vorankündigung sind sie vorwiegend ein Produkt der Spätzeit des Dichters: Gedichte, die meist nach der zweiten Gedichtausgabe von 1875 entstanden und in den Ausgaben von 1889, 1892 und 1898 dann neu hinzugekommen sind.
Das Gedicht *Arm oder reich* ist zuerst in der Ausgabe von 1898 enthalten, der Entstehung nach auf die letzten Lebensjahre Fontanes zu datieren. Bereits sein Titel impliziert eine Frage. Als Frage an das Ich des Gedichts, ob ihm Gold und Güter denn so wenig bedeuten, gewinnt sie in den ersten Versen (1–6) zunächst Gestalt. Alle weiteren Verse verstehen sich also als Antwort. Sie fällt in der zusammenfassenden Überschau zunächst eigentümlich unentschieden aus: »[. . .] ich sage dann ›ja‹ und sag' auch ›nein‹« (8). Aber die Weiterführung zeigt sogleich, daß das nicht auf mangelnde Meinungsbildung zurückgeht, sondern auf eine kritische Ausbalancierung des Für und Wider, die sich im alternativen Gegenüber des Gedichttitels bereits ankündigt.
Die Struktur von Frage und Antwort bedingt gleichzeitig den argumentativen Gestus des Gedichts, dem wir zunächst in textnaher Erläuterung folgen wollen. Der erste Teil der differenzierenden Antwort begründet, warum und unter

welchen Voraussetzungen der Armut der Vorzug gegeben wird. Dabei mehren sich die Anzeichen einer Auseinandersetzung mit einer geschichtlichen Konstellation. Ein erstes Argument gibt das Bekenntnis zum »Armsein« als Kehrseite einer beobachteten Diskrepanz von Anspruch und Leistung, vorgegebenem Schein und tatsächlicher Dürftigkeit zu verstehen: »hierlandes« reicht der »Spatzenflug« der »Adler« nicht weit übers »Scheunentor« (9–12). Das Adverb »hierlandes« bindet den Prozeß der Urteilsbildung an einen konkreten Lebensraum; und mit dem Bild des Adlers ist das preußische Wappentier zu assoziieren. Die Präzisierung des Zeitbezugs läßt in den folgenden Versen auch gar nicht auf sich warten. Sie erfolgt zunächst von zwei Seiten aus. Das Gedicht-Ich gibt sich als das eines Schriftstellers zu erkennen, der sich als Beispiel des »Armseins« zitiert (13–30). An den Übereinstimmungen mit der Biographie Fontanes ist der autobiographische Rekurs des Gedichts dabei unschwer ablesbar. Es ist nicht ganz unernst gemeint, wenn Fontane hier die Bequemlichkeiten des Armseins und den Spielraum, sich selbst zu leben, preist. Und doch ist Selbstironie im Spiel, die zwischenzeilig den Existenzkampf des Schriftstellers andeutet, der gerade aus leidvoller Erfahrung sehr wohl die Bedeutung des Geldes kennt und den mangelnden Respekt auf die Summen bezieht, die man ihm bietet. »Ich finde die Summen hier immer zu klein« (30): Der Satz erweist sich als Klammer, die im Anschluß an das Vorausliegende die schlechte Honorierung des Schriftstellers andeutet, aber nach vorwärts auch die dürftigen Reichtümer meint, die ihn umgeben:

Was, um mich herum hier, mit Golde sich ziert,
Ist meistens derartig, daß mich's geniert;
Der Grünkramhändler, der Weißbierbudiker,
Der Tantenbecourer, der Erbschaftsschlieker,
Der Züchter von Southdownhammelherden,
Hoppegartenbarone mit Rennstallpferden,
Wuchrer, hochfahrend und untertänig –
Sie haben mir alle viel, viel zu wenig. (31–38)

Im Hinweis auf den gesellschaftlichen Kontext, in dem sich der Schriftsteller sieht, wird der Zeitbezug hier von einer anderen Seite aus illustriert. Daß Fontane dabei nicht die Fabrikanten und Bankiers seiner Zeit als Repräsentanten des Reichtums nennt, sondern gewöhnlichere Existenzen, hat seine eigene Logik. Denn daß selbst der »Grünkramhändler« und der »Weißbierbudiker« »mit Golde« sich zieren, deutet eine gewisse Allgegenwart des Strebens nach Reichtum an. Gleichzeitig profiliert es den ironischen Kontrast, daß sie es zu Geld gebracht haben, wo der Schriftsteller nur von seiner Armut berichten kann. In der lakonischen Reihung von »Grünkramhändler« und »Weißbierbudiker« über den »Tantenbecourer« und »Erbschaftsschlieker« bis hin zum »Wuchrer« mehren sich freilich auch die pejorativen Akzente und deuten an, daß es hier nicht ausschließlich um Zeugen des Reichtums geht, sondern auch um das Zugleich von Anspruch und Mediokrität. Die doppelbödige Argumentation des Gedichts, die im letzten Teil dann vollends zutage tritt, zeichnet sich ab. Oberflächlich besehen geht es um einen Vergleich des Armseins mit unterschiedlichen Stufen des Reichtums. Doch mit zunehmender Deutlichkeit wird die Frage nach dem Verhältnis von materiellem und menschlichem Anspruch zum eigentlichen Thema des Gedichts.

Auch der letzte Teil des Gedichts (39–54) bestätigt dies. Nehmen wir die Argumentation zunächst ganz wörtlich. Den Gegebenheiten »hierlandes«, die in leichter Anspielung auf den Roman Wilhelm Raabes noch einmal zusammengefaßt werden – »Hierlandes schmeckt alles nach Hungerpastor« (44) –, werden nun in kühnem Flug über Länder und Kontinente unermeßliche Reichtümer an die Seite gestellt. Die Bewunderung des Gedicht-Ich scheint solchem Reichtum sicher, weil hier Anspruch und Wirklichkeit nicht auseinanderfallen, die tatsächlichen Verhältnisse seiner Vorstellung von großem Reichtum genügen. Was dann als »*Mein* Interesse«, »*mein* Ideal« ausgegeben wird (39, 46), zeigt freilich auch hier seine ironische Doppelbödigkeit. Eine erste Desillusionierung liegt schon in den gelegentlichen Notierungen, was die Angesprochenen so treiben: etwa als »Sklavenhalter« (42) oder als Vertreter eines »Kattun-Christentums« (52). Der Blick auf andere, zeitlich benachbarte Texte verdeutlicht, was wir gerade von dieser Verbindung von Baumwolle und Christentum zu halten haben. Der sympathische Pastor Lorenzen hält sie im *Stechlin* den Engländern seiner Zeit als verbreitete heuchlerische Verbrämung des Kults »vor dem goldenen Kalbe« vor (Kap. 23), und das Gedicht *Britannia an ihren Sohn John Bull* entlarvt sie noch schärfer als Verbindung von vorgegebener christlicher Missionierung und tatsächlicher brutaler imperialistischer Ausbeutung. Aber desillusionierend in unserem Gedicht *Arm oder reich* ist bereits das übermütige Gebaren des Gedicht-Ich selbst. Auch hier ist Selbstironie im Spiel, wenn der vergleichsweise arme Poet seinen Begriff von Reichtum just an den Größten orientiert, die exotische Ferne umgibt. Als Herrscher eines »Nil-Reichs« (47) adaptiert er geradezu die Geste des Imperialismus: ein weiteres Indiz, das den geschichtlichen Verweisungszusammenhängen des Gedichts nun auch die Auseinandersetzung mit den imperialistischen Tendenzen der Zeit anreiht. Doch nun erst kommt das Entscheidende. Die Herrschergebärde wird bewußt übersteigert:

Der Nil müßte durch ein Nil-Reich laufen,
China würd' ich meistbietend verkaufen,
Einen Groß-Admiral würd' ich morgen ernennen,
Der müßte die englische Flotte verbrennen,
Auf daß, Gott segne seine Hände,
Das Kattun-Christentum aus der Welt verschwände. (47–52)

Die letzten vier Verse stellen im scheinbar schwelgerisch-vermessenen Umgang mit Reichtümern nur eine letzte Distanz her. Denn sie münden in den paradoxen Wunsch ein, Reichtum einzusetzen, um das »Kattun-Christentum« zu brechen – den Wunsch also, die Herrschaft des Geldes mit Hilfe des Geldes aufzuheben und zu vernichten. Erst vor diesem Hintergrund wird die Schlußpointe des Gedichts voll verständlich:

So reich sein, *das* könnte mich verlocken –
Sonst bin ich für Brot in die Suppe brocken. (53 f.)

»*So* reich sein, *das* könnte mich verlocken«: das ist für sich so doppelsinnig wie das ganze Gedicht. Was sich wie ein naives Bekenntnis zur Macht des Geldes liest, impliziert in Wahrheit eine scharfe zeitkritische Distanzierung. Jedenfalls kommt der Schlußvers – »Sonst bin ich für Brot in die Suppe brocken« – auch von daher nicht ganz unvorbereitet. Gewiß ist er zunächst so zu verstehen, daß das Bewußtsein des real Möglichen und die Erinnerung an die Bedingungen des Alltags hier den Gedankenflug des Poeten jäh abbrechen. Aber er ist auch als wertende Stellungnahme gemeint: Nach der Desillusion des kleinen wie des großen Reichtums ist das Bekenntnis zum relativen Wert der Armut konsequent. Ungeachtet der antithetischen Struktur erweisen sich beide Schlußzeilen als je andere Gebärden einer zeitkritischen Distanzierung und als Bekenntnis zu einer Position, die den Umgang mit Geld nicht vom Maß des Menschlichen freispricht.
Wer mit Fontane vertraut ist, erkennt das auch sonst für ihn Typische, etwa die scheinbar unentschiedene Haltung, hinter der sich in Wahrheit eine skeptische Abwägung des Für und Wider verbirgt. Er erkennt Möglichkeiten, Beobachtungen an dem Gedicht zu anderen Aspekten des Werkes in Beziehung zu setzen. Die Schattenseiten einer allgemeinen Geldherrschaft z. B. hat Fontane auch an anderer Stelle beklagt, etwa in dem bekannten Brief an Georg Friedlaender vom 27. Mai 1891, in dem Fontane eine »Äußerlichkeitsherrschaft« kritisiert, die mit einer gewissen Verrohung Hand in Hand gehe: Die ganze Welt – und nicht einmal die Sozialdemokratie will er ganz ausnehmen – habe es »durch gesteigerten Besitz und durch gesteigerte Lebensansprüche

bis zu einer gewissen *Bourgeois*höhe, vielfach von greulichstem Protzenthum begleitet«, gebracht, hinter der die Entfaltung des Menschlichen zurückgeblieben sei (*Briefe*, S. 147). Berührungen schließlich ergeben sich auch mit dem epischen Werk. Zeitbewußtheit, der Kontakt zur Wirklichkeitserfahrung des Alltags, die Neigung zum Humor: das sind Elemente, für unser Gedicht offenbar so prägend wie für Fontanes Roman. Ein Unterschied freilich bleibt. Wir haben uns daran gewöhnt, sie als selbstverständliche und integrale Elemente des Gesellschafts- und Zeitromans zu würdigen. Weniger vertraut sind sie im Zusammenhang lyrikgeschichtlicher Betrachtung. Schon das Thema des Geldes versteht sich im Licht der Tradition doch schwerlich als ›lyrisches‹ Thema. Und während uns Fontanes Lyrik mit vielfältigen Zeitbezügen konfrontiert, sind wir an zeitgenössischen Gedichten von Geibel, Heyse oder selbst C. F. Meyer – bei allen Unterschieden des Ranges wie der Äußerungsweise – doch eher eine Zeitferne gewohnt, die sich allenfalls auf Umwegen zur geschichtlichen Situation in Beziehung setzen läßt. Während Fontanes Gedichte die Nähe zum Alltag suchen, begegnet man hier der Tendenz zum Erlesenen und zur alltagsüberhobenen Entrückung. Dem Humor auch in der Lyrik Fontanes stehen sonst in der Lyrik der Zeit eher Pathos und stilistische Höhenlagen entgegen, mit denen sich Humor nicht recht vertrüge. Doch gerade das – im lyrikgeschichtlichen Kontext betrachtet – eher Befremdliche macht ganz wesentlich das Eigene und den Reiz des lyrischen Stils Fontanes aus, der im folgenden in den genannten Aspekten näher beschrieben werden soll.

Nicht alle späten Gedichte Fontanes sind so deutlich zeitbezogen und zeitkritisch wie *Arm oder reich*. Oft überwiegt in ihnen die sich selbst zugewandte Reflexion, der Blick auf das eigene Leben. Zuweilen verzichtet der Autor dabei auf die Markierung eines geschichtlichen Kontexts, zuweilen stellt er ihn wie im Vorübergehen her – z. B. als Nennung Bismarcks in *Ja, das möcht' ich noch erleben*, oder im Motiv des

Zeitunglesens, das die Teilhabe an der Zeit signalisiert (so in *Würd' es mir fehlen, würd' ich's vermissen*). Doch bei allen unterschiedlichen Akzentuierungen und Ausprägungen der Gedichte ist gerade eine solche Vermittlung des Persönlichen und eines allgemeineren geschichtlichen Kontexts in besonderer Weise charakteristisch. Zeit wird gesehen aus einer sehr persönlich gefärbten Perspektive, die ganz wesentlich das Farbige der Beobachtungen ausmacht. Aber erst die Zuordnung zu einem geschichtlichen Kontext sichert dem Persönlichen wiederum die geschichtliche Verbindlichkeit. Auch in unserem Gedicht war diese Vermittlung in der Art und Weise zu beobachten, wie autobiographische Erfahrung und allgemeinere zeitgeschichtliche Orientierung aufeinander bezogen werden. Bereits der dialogische Eingang, den auch andere Gedichte Fontanes kennen, übernimmt die Funktion, Ich und Zeitgenossenschaft zueinander in Beziehung zu setzen. In der gesamten Appellstruktur des Gedichts erscheint dieser Bezug modifiziert. Das Personalpronomen in »unsre Adler« (10) etwa stellt eine selbstverständliche Verbindung zwischen dem Gedicht-Ich und dem zeitgenössischen Leser her. Auch die Konkretisierung des Zeitbezugs kalkuliert seine Mitwirkung ein. Ob die Vergegenwärtigung des Anschauungsmaterials eher anonym von dem »Grünkramhändler« usw. spricht oder dann namentlich die Reichen der Welt benennt,* die freilich auch so in ihrer Austauschbarkeit viel eher für das Typische stehen: der Leser ist gehalten, das eine wie das andere als

* Zu den aufgerufenen Namen vgl. die Erläuterungen im Kommentar von Walter Keitel zu dem Gedicht (in: Fontane, *Sämtliche Werke*, Abt. 1, Bd. 6, S. 976 f.). – Fontane konnte davon ausgehen, daß auch seine Zeitgenossen mit Namen wie Astor, Gould, Vanderbilt oder Demidow die Assoziation sagenhaften Reichtums verbanden. Allerdings kam ihm wohl auch das Schillernde, das den Namen anhaftete, vom Gedichtkontext her nicht ungelegen: die Genannten waren in der Wahl ihrer Mittel bei der Ausbreitung ihres Wirtschaftsimperiums nicht zimperlich gewesen; in der russischen Familie Demidow traten Waffenhandel und Gebärden der Wohltätigkeit in widerspruchsvoller Weise zusammen; die ehrwürdige Familie der Dolgorukijs hatte auch durch die Liebesaffären der Jekaterina Michajlowna D. mit Kaiser Alexander II. von sich reden gemacht.

Abbreviaturen einer allgemeineren Zeitlage aufzunehmen. Von ihr aus erhalten die um das Thema des Geldes gruppierten Verhaltensmuster ihren geschichtlichen Sinn, aber auch das an ihnen ausgetragene Spiel der Wertungen und Umwertungen, das auf eigene Weise den Blick in die weite Welt mit der Orientierung am vertrauten Alltag verbindet.
Die Integration des Alltäglichen in die Lyrik gehört zu den bedeutsamen Leistungen Fontanes. Ansätze dazu gibt es bereits davor, etwa im Spätwerk Goethes oder bei Heine. Aber Fontane treibt sie doch mit einer neuen Entschiedenheit voran, jüngeren Lyrikern wie Kästner oder Brecht darin sicher verwandter als Zeitgenossen wie Geibel oder Meyer. Es gibt im Spätwerk Fontanes Gedichte, die ganz aus der Thematik des Alltags erwachsen, und andere, in denen der Rekurs auf den Alltag immerhin zu einem gewichtigen Element der Aussage wird. Letzteres trifft auch auf unser Gedicht zu, bevor es vor allem im letzten Teil ganz bewußt einen Kontrapunkt aufbaut, der uns noch beschäftigen wird. Mit ›Alltag‹ sind dabei zunächst die aufgerufenen Vorstellungsbereiche gemeint. Vers 14 zitiert ausdrücklich den »Alltag« des Schriftstellers. Gegenwärtig wird er in typischen Requisiten wie »Glocke« und »Telephon« (19 f.), in typischen Bequemlichkeiten und Sorgen. Das Stereotype definiert ihn: das, was so oder ähnlich »jeden Tag« (vgl. 22) geschieht oder vermieden werden kann und in den generalisierenden Aussagen die Folge der Tage gleichsam auf einen Nenner bringt. Die Prosa des Alltags haftet auf andere Weise jenen halb honorigen, halb zwielichtigen Existenzen an, die in Vers 31–38 als Umgebung des Schriftstellers aufgerufen werden. Doch wenn vom Alltäglichen in der Lyrik Fontanes die Rede ist, so ist damit nicht nur das Vergegenwärtigte selbst, sondern mindestens ebenso die Weise der Vergegenwärtigung gemeint. »Sagen Sie, sind Sie dem lieben Gold [. . .]« (1); »Und ich sage dann ›ja‹ und sag' auch ›nein‹« (8); »Sonst bin ich für Brot in die Suppe brocken« (54): in solchen und ähnlichen Wendungen nähern sich die Verse bewußt der Umgangssprache. »Verwandten-

haufen« (15), »Hoppegartenbarone« (36), »Brot in die Suppe brocken« (54): so ungenierte Worte, Wortbildungen und Wendungen signalisieren die Abkehr von allem Pathos und den Höhenlagen der Sprache. Ähnliches gilt für Bilder wie »Spatzenflug« oder »Scheunentor« (10 f.). Auch die Dominanz der lakonisch-reihenden Parataxe bestätigt, daß eher die Annäherungen an die Umgangssprache gesucht sind. In allem dokumentiert die Handhabung der Sprache ein Moment der Lässigkeit, das sich auf seine Weise auch im Umgang mit den Elementen des Gedichts niederschlägt. Die Verse ziehen sich auf das Einfachste zurück: auf Versgruppen unterschiedlicher Länge, den Paarreim, den Knittelvers, der den Anschein der Kunstlosigkeit begünstigte und mit seinen Füllungsfreiheiten prosanahem Sprechen entgegenkam. Es fragt sich, ob eine solche Nähe zum Alltag nicht die Gefahr bedingt, das Nebensächliche und Belanglose hervorzukehren und jene Dimension des Zeitgeschichtlichen und Politischen einzuschränken, die eben noch behauptet wurde. In Wahrheit ist eher das Gegenteil der Fall und gewinnen die Verse eine neue Dimension kritischer Zeitbezogenheit hinzu. Denn unterschwellig setzen sie solches Bescheiden doch in Beziehung zur Thematik von Ansprüchen, die der Kritik nicht standhalten. Ihnen gegenüber bewährt das Gedicht gerade in den Annäherungen an den Alltag ein Klima der Ehrlichkeit und Prätentionslosigkeit, in dem sich Lüge und Selbsttäuschung nicht halten können, eine Kontrastposition, die die nach außen gerichtete zeitkritische Demaskierung entscheidend fundiert.
Auch der Anschein von Kunstlosigkeit trügt. Schon die hohe Bewußtheit der Formung ist nicht zu übersehen. Besonders deutlich verrät sie sich in den Stilfiguren, die die Aussage strukturieren. Bereits vom Titel her fällt die Neigung zur Antithese auf, die als Illustration von »reich« und »arm« dann geradezu zu einem übergeordneten Kompositionsprinzip des Gedichts wird. Auffällig auch das Element der Reihung (besonders deutlich Verse 31 ff. und 39 ff., aber auch etwa als reihende Anordnung der Ich-Aussagen Vers

13–30), verbunden mit der Tendenz, solche Reihen am Ende einer Versgruppe mit sinnbeschwerten Aussagen abzuschließen, die pointieren und zusammenfassen (z. B. Vers 38 und Vers 53, verwandt aber auch Vers 12, 22 und 30): ein Verfahren, das mit den letzten beiden Zeilen abermals auch den übergeordneten Zusammenhang des Gedichts prägt. Aller literarische Aufwand wird freilich eher heruntergespielt als hervorgekehrt. Der Reiz dieser Lyrik liegt gerade darin, daß unter der Oberfläche eines prosanahen Sprechens, das sich eigentümlich anspruchslos gibt, die hochgradige Kunstbewußtheit faßbar bleibt – als thematische Strukturierung, sprachliche Sensibilität oder auch metrische Rhythmisierung.
Entscheidende Vermittlungen übernimmt nun in diesem Zusammenhang gerade auch der Humor. Denn auf der einen Seite begünstigt er das Unpathetische und die Nähe zum Alltag, auf der anderen Seite trägt er als »dichterische Einbildungskraft« (im Sinne der Darstellung von Wolfgang Preisendanz: *Humor als dichterische Einbildungskraft*, München 1963) maßgeblich dazu bei, den Kunstcharakter zu verbürgen. Wir assoziieren mit Humor gemeinhin die Erwartung einer Einschränkung von Kritik, und auch bei Fontane trägt er gewiß dazu bei, die Schärfe der Satire zu brechen. Andererseits gehen gerade bei diesem Autor Humor und Zeitkritik eine enge Verbindung ein. In dem Gedicht *Arm oder reich* nutzt der Humor das Element des Alltäglichen zu einer desillusionierenden Kontrastierung. Bereits im kleinen ist das zu beobachten. Da wird der Flug der »Adler« zum »Spatzenflug« degradiert (10), der Baron mit Rennstallpferden zum »Hoppegartenbaron« (36) (nach dem volkstümlichen Namen einer Pferderennbahn bei Berlin). Baron und Hoppegarten: die Konfrontation des ›Hohen‹ und des ›Niederen‹ bringt Komik hervor, und die Wortungetüme, die der Dichter vom »Grünkramhändler« an (33) häuft, signalisieren gleichzeitig etwas vom materiell Aufgeplusterten der hier angesprochenen gesellschaftlichen Existenzen. Abgewertet werden sie gleichzeitig auch da-

durch, daß in der großflächigeren Abfolge des Gedichts solcher Banalität nun das vermeintlich Höhere und ›Idealere‹ entgegengestellt wird. Schon die klangvollen Namen – Demidoff, Yussupoff oder Dolgorucky – sprechen für ein neues Moment des ›Poetischen‹, demgegenüber das Vorausliegende denkbar prosaisch erscheint. Verdächtig sind andererseits bereits die Akzente des Unwirklichen, die der Zitierung zeitgeschichtlicher Autoritäten beigemischt werden: vor allem der Eindruck der Ferne und Fremde, verbunden mit einem scheinbar selbstgenügsamen Schwelgen in exotischen Klangwirkungen, bevor die letzten Verse, wiederum den Kontrast zum Alltag nutzend, das Illusionäre tatsächlich bewußt machen. Nach beiden Seiten hin werden die Kontraste also aufgeboten, um eines durch das andere zu desillusionieren, erweist sich die Demaskierung des Scheinhaften als durchgängiges Thema des Gedichts. In der Äußerungsweise des Gedicht-Ichs wird dabei eine Subjektivität greifbar, die zu den Bedingungen des Humors wie auch der Lyrik insgesamt gehört, wie sie hier in Erscheinung treten. In den unterschiedlichsten Abtönungen gibt sie sich zu erkennen: als selbstironisches Raisonnement, als schalkhafte Übertreibung oder doppelbödige Argumentation, im Spiel der Wertungen und Umwertungen, als Bereitschaft zu lachen, ohne die kritische Haltung aufzugeben. Sie trägt entscheidend dazu bei, die Disparatheit der aufgerufenen Zeit- und Weltbezüge zu einem Ganzen zu vermitteln. Von einer epigonal und erbaulich gewordenen Erscheinungsweise von Lyrik im Sinne einer Darstellung von Gefühlen hält sie sich gleich weit entfernt wie von der scheinbar objektiven Vergegenwärtigung des Dinglichen. In dem hohen Anteil der Reflexivität versteht sie sich eher in einem bereits recht modernen Sinn als literarische Äußerungsweise von Bewußtseinszuständen und -prozessen.

Fontanes späte Lyrik ist gegen die Konventionen zeitgenössischer Lyrik geschrieben. Aber gerade die Distanz dazu und die kritische Auseinandersetzung mit der geschichtlichen Entwicklung seit der Gründerzeit geben ihr ihre eigene

Überzeugungskraft. Der Realismus, dem man sonst kein besonders freundliches Verhältnis zur Lyrik nachsagt, hat hier eine höchst eigenwillige und reizvolle Spielart der Lyrik seiner Epoche hervorgebracht.

Zitierte Literatur: Theodor FONTANE: Briefe an Georg Friedlaender. Hrsg. und erl. von Kurt Schreinert. Heidelberg 1954. [Zur Beleuchtung des geschichtlichen Hintergrunds in der Spätzeit Fontanes nach wie vor besonders instruktiv.]

Weitere Literatur: Hans-Heinrich REUTER: Fontane. Bd. 2. Berlin [Ost] 1968. S. 774–793. – Karl RICHTER: Die späte Lyrik Theodor Fontanes. In: Fontane aus heutiger Sicht. Hrsg. von Hugo Aust. München 1980. S. 118–142.

Autorenregister